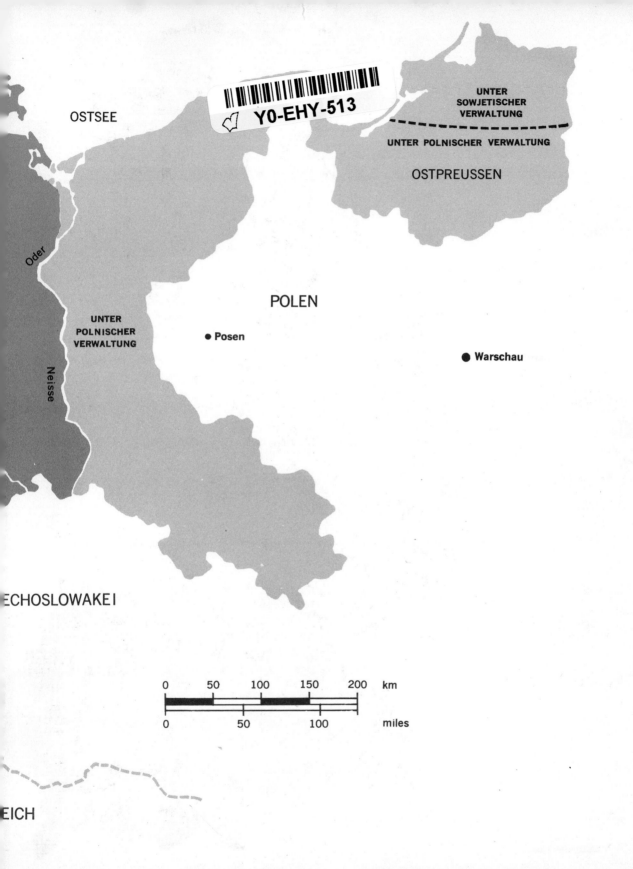

OSTSEE

UNTER
SOWJETISCHER
VERWALTUNG

UNTER POLNISCHER VERWALTUNG

OSTPREUSSEN

Oder

POLEN

UNTER
POLNISCHER
VERWALTUNG

Neisse

● Posen

● Warschau

ECHOSLOWAKEI

| 0 | 50 | 100 | 150 | 200 | km |

| 0 | 50 | 100 | miles |

EICH

Contemporary German

George A. C. Scherer
Professor of Modern Languages
University of Colorado

Hans-Heinrich Wängler
Professor of Germanic and General Linguistics
University of Colorado

Contemporary German

McGraw-Hill Book Company
New York · St. Louis · San Francisco · Toronto · London · Sydney

14116

Contemporary German

Preface

Contemporary German is designed to teach listening comprehension, speaking, reading and writing. It is the culmination of several years of formal and informal experimentation with linguistically oriented materials. The German language is treated as a network of new habits, each of which is learned through abundant practice. During an initial pre-reading period good speech habits are developed without the interference of English orthography; structure is taught through audiolingual drills; reading and writing are treated as separate skills, each of which needs and receives special attention.

Many of the recent findings from the fields of psychology, linguistics and foreign language methodology are incorporated in the book. Modern learning theory in particular has strongly influenced the pedagogical design. The applied principles of step-by-step learning make the material highly self-teachable. Although outside-of-class use of the accompanying tapes is very desirable, it is possible for the student to work effectively without them because all of the responses to the audiolingual drills are printed in the book. Correct answers are even suggested for the questions on the reading material. Thus the teacher does not have to be a drilling machine but is left relatively free to help the students get started on each new series of drills and to teach the subtler aspects of language in culture and culture in language.

Audiolingual Axis. Although all four language skills receive adequate treatment, the fundamental axis of the book is audiolingualism. The dialogs are all meant to be mastered or memorized, and the Reading Units are designed to provide oral work through questions and suggested answers. To make laboratory work an essential part of reading, the reading selections are taped to provide sustained listening practice.

Pre-Reading and Pre-Writing Instruction. The book is designed so that it can be withheld from the student for several weeks. Conflicts between English and German grammar are kept to a minimum during this period so that the students can quickly adjust to the new medium of communication and concentrate on the acquisition of a good pronunciation. **Experimentation has shown that it is effective to cover at least the first four Units before student work with the book begins.** In this connection, students should be warned about the problem of interference from English if they see German before they have thoroughly practiced the sound system (see *Instructor's Handbook*).

Graded Phonology. The entire sound system of German is incorporated functionally in the first four dialogs. The sounds are graded as follows: Unit 1 contains only the sounds of German that cause no serious difficulty to a speaker of English; Unit 2 employs the sounds that are distinctively different from English sounds; Unit 3 introduces **l** and **r**, *die falschen Freunde*; Unit 4 presents the difficult consonant clusters. The basis of articulation of German sounds is described and the sounds are practiced and then drilled in minimal German pairs. Phonology is reviewed in later Reading Units.

Contrastive Grammar.   The emphasis in grammar is on the contrastive elements of German and English. The student is made aware of the grammatical purpose of each drill and the composite drills of each Unit usually cover a complete segment of basic German grammar, which is then described at the end of the Unit. Details of German grammar that have no real place in first-year work have been omitted.

Programmed Reading.   Reading receives proper emphasis in due time and it is carefully programmed. It begins with the learning of the alphabet and proceeds step-by-step from the reading of audiolingually mastered material through recombination material (Unit 11) and then into material that introduces new words. Except for easy cognates, loan words and the like, this material contains only one new word in every thirty-five running words. The new words are evenly spaced to make possible real reading, as opposed to deciphering and mental translation. The new words are activated through repetition and/or questions and suggested answers. All page glosses are in German.

Word Study.   A translation of the dialog appears after the audiolingual drills of each dialog Unit. The English lines are the natural equivalents of the German utterances. Accompanying notes on the vocabulary and grammar clarify features that could puzzle the student. The strategy is to save valuable teacher time.

A great many word-building principles are presented and illustrated with examples of high frequency. The student is constantly encouraged to practice the art of inference in his reading. Exercises in guessing the meanings of words are part of the Reading Units and many of the glosses are in the form of inferential definitions. Inference during reading is also facilitated by the three or four lines of known running words before and after each new word.

The most recently published frequency lists for contemporary spoken German (Pfeffer, Wängler) were consulted for the selection of vocabulary. However, since the glossary of *Contemporary*

German includes many more entries (a total of about 2,200) than the two lists collated, the older literary lists as well as some word-frequency studies in progress at the University of Colorado were useful guides in word selection.

Step-by-Step Writing. Writing begins with writing the letters of the alphabet, clusters of letters, whole words and memorized dialogs; it proceeds with fill-in exercises, structure retention sentence writing and dehydrated sentence completion; it then moves in graded steps into paragraph and story writing. There is no translation from English into German except for some difficult expressions incorporated in dehydrated German sentences late in the course.

Direct Association. The degree of direct association between symbol and referent that is achieved with the pre-reading work is maintained throughout by the step-by-step buildup of the exercise materials, by the even spacing and repetition of new words in the reading selections and by the avoidance of English-to-German translation drills.

Self-Teachability. The goal of maximal self-teachability automatically makes for a voluminous text. Much of the material, however, is intended essentially for student consumption in solitude. This is especially true of the elaboration on phonology, the description of the grammar, the audiolingual drills with the provided confirmations and the reading selections. The *Instructor's Handbook* includes numerous suggestions on self-study potential and on the economical use of class time.

The provided slider can be used to convert the corpus of audiolingual drills into a simple teaching machine. The student is advised to make constant use of the slider to study in solitude, especially if he can't make as much use of the laboratory as the course deserves.

Tapes. All of the audiolingual material is taped. The drills are done in a three-cycle format: stimulus, pause for student response, confirmation. The reading selections are also taped, along with questions and suggested answers that do not appear in the book.

Illustrations. Twenty-six illustrations accompany the dialog Units. Beginning with Unit 3, there is one illustration for each of the two dialog scenes. The illustrations are intended to serve as stimulators for picture-controlled talk and/or writing. It is hoped that they will thus be helpful to the teacher in the effort to stretch student versatility in the active use of German.

Instructor's Handbook.   Although there is no intent to be presumptuous, a detailed *Instructor's Handbook* accompanies the book. Because of the radical departure of this course from traditionally oriented courses, suggestions on teaching procedures and the construction of appropriate tests may be useful. The *Instructor's Handbook* may also be helpful for the orientation of the long neglected members of our profession: the new teaching assistants and associates.

We wish to acknowledge the many helpful suggestions given us by our colleagues in the Department of Germanic Languages and Literatures of the University of Colorado. This includes the many teaching assistants and associates who have been doing the bulk of our beginning German teaching with similar materials. We owe special thanks to Robert Firestone, University of Colorado, and Paul Schach, University of Nebraska, for their critical reading of the manuscript; to Mary Baechele, Crystal Lake (Illinois) High School, for her valuable suggestions regarding the *Instructor's Handbook*; to Annette Gilbert for her meticulous typing of the manuscript; and to Helen A. Scherer for her intensive labors on all aspects of the text.

We also wish to acknowledge permissions to reprint the following: *Fanny*, by permission of the author, Jo Hanns Rösler; Wolfgang Borchert's *Das Brot* and *Der Stiftzahn*, by permission of Rowohlt Verlag GmbH, Reinbek bei Hamburg.

George A. C. Scherer
Hans-Heinrich Wängler

Contents

Contemporary German

Unit 1

I. Dialog

Hans und seine Tante Inge

ˌhans ʊnt zaɪ̯nə tantə ˈɪŋə

1   Hans: Es ist heiß heute, Tante Inge.

ˈhans ɛs ɪst ˈhaɪ̯s hɔɪ̯tə tantə ɪŋə

2   Tante Inge: Ja, mein Junge, du kannst Eis kaufen.

tantə ˈɪŋə ˌjɑː maɪ̯n jʊŋə duː kanst ˈaɪ̯s kau̯fən

3   Hans: Danke, du bist nett.

ˌdaŋkə duː bɪst ˈnɛt

4   Tante Inge: Da ist ein Eismann.

ˌdɑː ɪst aɪ̯n ˈaɪ̯sman

5   Hans: Das ist fein.

das ɪst ˈfaɪ̯n

6   Tante Inge: Was nimmst du?

vas ˈnɪmst duː

7   Hans: Nuß-Eis, bitte, das schmeckt am besten.

ˈnʊs aɪ̯s bɪtə ˌdas ʃmɛkt am ˈbɛstən

8   Tante Inge: Meinst du?

'maɪnst du:

9   Hans: Bestimmt! Nimmst du kein Eis?

bə'ʃtɪmt   nɪmst   'du: kaɪn aɪs

10   Tante Inge: Nein, danke.

naɪn   'daŋkə

11   Hans: Hast du Angst?

hast   du: 'aŋst

12   Tante Inge: Nimmt Mutti denn Eis?

nɪmt   'mʊti dɛn   aɪs

13   Hans: Nein, Mutti nimmt nie Eis.

naɪn   ˌmʊti nɪmt   'ni: aɪs

14   Tante Inge: Na, siehst du?

na   'zi:st   du:

15   Hans: Ist Eis denn Gift?

ɪst ˌaɪs dɛn   'gɪft

16   Tante Inge: Kauf dein Eis, mein Kind!

kaʊf daɪn 'aɪs maɪn kɪnt

II. Supplement

1 Es ist heiß heute.

ɛs ɪst ˈhaɪs hɔɪtə

2 Hans sagt, es ist heiß heute.

hans zɑːkt ɛs ɪst ˈhaɪs hɔɪtə

3 Hat Tante Inge Angst?

hat tantə ɪŋə ˈaŋst

4 Ja, Tante Inge hat Angst.

jɑː tantə ɪŋə hat ˈaŋst

5 Nimmt Mutti Eis?

nɪmt ˈmʊti aɪs

6 Nein, Mutti nimmt kein Eis.

naɪn mʊti ˈnɪmt kaɪn aɪs

7 Das Kind kauft Eis.

das kɪnt kaʊft ˈaɪs

8 Kauft das Kind Eis?

kaʊft das kɪnt ˈaɪs

9 Hans kann Eis kaufen.

hans kan ˈaɪs kaʊfən

10 Kann Hans Eis kaufen?

kan hans ˈaɪs kaʊfən

III. Phonology

Unit 1 includes only those German sounds which correspond closely to sounds in American English. Despite the similarities, however, there are important differences between these German sounds and their American correspondences. These differences are chiefly due to the fact that the articulation of German is more vigorous than that of American English.

The big problem in acquiring an excellent pronunciation of a new language is to be able to hear new sounds accurately before imitating them. The human ear is not a microphone. Therefore, all adults have a strong tendency to hear new sounds subjectively; they subconsciously compare them with sounds of their mother tongue and they perceive them as the nearest equivalents in the mother tongue. For this reason it is imperative that the relevant differences between sounds that seem similar in the two languages be *understood* and *heard*. After he understands the relevant difference between two sounds and has learned to hear this difference, a student needs a great deal of contrastive drill to establish correct phonetic habits in the new language. The procedure then is as follows:

1 Learn what the differences are.
2 Learn to recognize these differences.
3 Imitate the new sounds correctly.
4 Form correct speech habits through drill.

An awareness of these four steps is essential throughout the entire course.

In the discussion which follows, the sounds of German are described and contrasted with the sounds of American English. This description is not intended as a substitute for listening practice, but as an explanation of how the sounds which you hear spoken are formed. A mirror is helpful for checking the position of the lips and tongue.

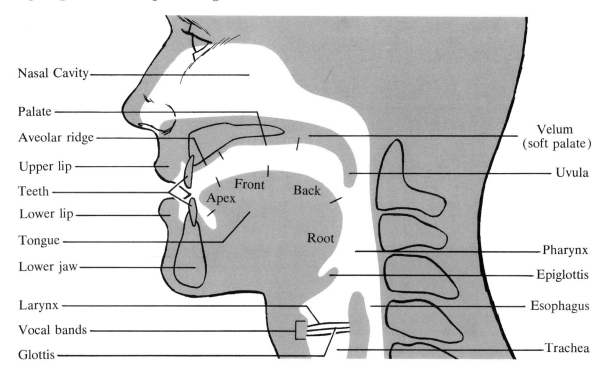

The symbols used are those of the International Phonetic Alphabet. Unlike the letters of the alphabet, each symbol stands for one sound. Thus the **i** of **bitte** is written [ɪ] and the **ie** of **die** or the **ieh** of **siehst** is written [i:]. The following signals will also be used:

[ ]   always enclose phonetic symbols.

:   following the phonetic symbol for a vowel sound, as in [i:], indicates that the sound is long.

4

∧ under a symbol, as in [aɪ], signifies that the sound element goes with the previous sound element to form a diphthong, rather than the beginning of a new syllable.

ˈ preceding a syllable at the top of the line (ˈ) indicates the main accent in an isolated word or the main accent in a clause or phrase. At the bottom of the line (ˌ) it indicates secondary accent.

. under the symbol for **r** [ʀ̩] indicates a reduction process, sometimes even suggests the quality of a vowel.

The sounds in Unit 1

Vowels

[i:]	*beat*	s ie hst	[ziːst]		[ɑ:]	*father*	ja	[jɑ:]
[ɪ]	*bit*	b i tte	[ˈbɪtə]		[a]	*comma*	Tante	[ˈtantə]
[u:]	*shoebox*	d u	[duː]		[aɪ]	*ice cream*	Eis	[aɪs]
[ʊ]	*put*	M u tti	[ˈmʊti]		[ɔɪ]	*boycott*	h eu te	[ˈhɔɪtə]
[ɛ]	*bet*	n e tt	[nɛt]		[aʊ]	*household*	k au f	[kaʊf]
[ə]	*open*	Tant e	[ˈtantə]					

Consonants

[p]	*papa*	P a pa	[ˈpapa]		[s]	*house*	da s	[das]
[b]	*boy*	b ist	[bɪst]		[z]	*zoo*	s eine	[ˈzaɪnə]
[t]	*table*	T ante	[ˈtantə]		[ʃ]	*shoe*	sch meckt	[ʃmɛkt]
[d]	*day*	d anke	[ˈdaŋkə]		[j]	*year*	j a	[jɑ:]
[k]	*key*	k ein	[kaɪn]		[h]	*house*	h eiß	[haɪs]
[g]	*game*	G ift	[gɪft]		[m]	*man*	m ein	[maɪn]
[f]	*father*	f ein	[faɪn]		[n]	*name*	n ein	[naɪn]
[v]	*very*	w as	[vas]		[ŋ]	*song*	Ju ng e	[ˈjʊŋə]

Vowels

An important difference between the German and English vowel systems is that the length, or duration, of the vowels is significant in German but not in English. The English sounds which are often called "long vowels" are actually diphthongs, or combinations of a vowel and an off-glide. The short vowels in English are comparatively pure; that is, they lack the diphthongal off-glide. However, in some American dialects even the short vowels tend to be diphthongal. Compare the words *bet* and *bait*. The vowel of *bet* [ɛ] is traditionally called "short e," and though the vowel of *bait* is usually called "long a," it is transcribed with the phonetic symbols [eɪ]. The tongue moves while the vowel is sounding from the initial position up and forward towards the position where one says [ɪ] as in *bit*. In pronouncing the German long vowels the tongue remains in one position. It is usually not hard for a beginner to learn to recognize the diphthongal character of "long i" [aɪ], as in *write*, "long a" [eɪ], as in *rate*, "long o" [oʊ], as in *wrote*, and also the diphthongal character of the vowel in words such as *boy* [ɔɪ] and *bout* [aʊ]. However, the movements of the tongue are smaller in "long *e"* [ɪi̯], as in *theme*, and "long *u*" [ʊu̯], as in *blue*. Many Americans have great difficulty in learning to hear these off-glides, though they are quite apparent to the German ear, and are among the characteristics of an "American accent" in German. In some English words "long *u*" has an on-glide as well as an off-glide [ju̯u̯], as in *few* or *fury*. This sort of on-glide is also lacking in German.

While learning to pronounce the German vowels, then, remember that the long vowels as well as the short vowels are relatively pure. Make the short vowels very short and the long vowels very long, about three times as long as the short vowels. In pronouncing vowels, the German tongue has direct contact with the lower front teeth far more frequently than the American tongue.

Another difference between German and American vowels is that (except for the long and short **a**-vowels) German vowels, especially the long vowels, are much more tense than American vowels, and they often sound exaggerated to American ears. Short vowels, however, are relatively less tense than long vowels, and the two groups may be described as long-tense versus short-lax. In addition, long vowels (again with the exception of the **a**-vowels) are pronounced with the tongue relatively closer to the roof of the mouth. A more complete description, then, is long-tense-close versus short-lax-open. When a German vowel has the tense and close quality of the long vowels, but is short because it is not accented, it is transcribed without the signal for length. Thus the **i**-sound in **Mutti** has no sign of length ['mʊti].

Terms used in describing the vowels:

long - short	long or short duration;
tense - lax	pronounced with relatively tense or relaxed muscles;
high - mid - low	pronounced with some part of the tongue high in the mouth, between high and low or with the tongue low in the mouth;
close - open	pronounced with a relatively small or large opening within the mouth (mainly by varying positions of tongue);
front - central - back	pronounced with the tongue raised in the front (the part behind the tip), center or back;
voiced - voiceless	pronounced with or without vibrations of the vocal cords. If you cover your ears with your hands and pronounce *zeal*, you can feel the vocal cords vibrate for the **s**-sound [z]; but if you pronounce *seal* instead, you will note that there is no vibration for the **s**-sound [s].

The high front vowels [i:] *and* [ɪ]

German [i:] is higher and more tense than the corresponding sound in American English (*beat*). The front of the tongue, the part just behind the tip, is raised so that it is close to the roof of the mouth. It must be clearly contrasted with [ɪ], which is much shorter, less tense and more open.

[i:] *long - tense - close*		[ɪ] *short - lax* - open*	
nie	[ni:]	ist	[ɪst]
siehst	[zi:st]	bist	[bɪst]
die	[di:]	nimmst	[nɪmst]
ihn	[i:n]	bestimmt	[bə'ʃtɪmt]
bieten	['bi:tən]	bitte	['bɪtə]

[i:]	[ɪ]
ihn	in
ihm	im
bieten	bitten
Biest	bist
Miete	Mitte
Miene	Minne
schief	Schiff

The mid front vowel [ɛ]

[ɛ]   *short - lax - open*

nett	[nɛt]
es	[ɛs]
besten	[bɛstən]
denn	[dɛn]

The mid central vowel [ə]

German [ə] occurs only in unstressed syllables. It resembles most closely the unstressed vowels in such English words as sof*a*, *a*bout. In American English, however, a similar vowel may also be stressed, as in c*u*t, b*u*t, *u*p. Because the [ə] is never stressed in German, it is always very short. The American [ə] often resembles the sound [a], whereas the German [ə] is pronounced more towards the front of the mouth and with the tongue a bit higher. The only exception is when the unstressed [ə] occurs in syllables spelled **–er**. This will be explained in Unit 3.

[ə]   *short, unstressed, lacking a distinctive vowel color, but clearly different from* [a]

heute	['hɔɪ̯tə]	Junge	['jʊŋə]
Tante	['tantə]	deutsche	['dɔɪtʃə]
danke	['daŋkə]	Miete	['mi:tə]
bitte	['bɪtə]	Name	['nɑ:mə]

The high back vowels [u:] *and* [ʊ]

The [u:] is pronounced with a more decided rounding and protrusion of the lips in German than in English, and the tongue is drawn further back in the mouth. It must be clearly contrasted with [ʊ],

---

* "Lax" when applied to German vowels is not nearly so "lax" as when applied to English vowels.

which is short and is pronounced with less lip rounding and protrusion than [u:], but still more than in English.

[u:] *long - tense - close*

du	[du:]
gut	[gu:t]
nun	[nu:n]
tun	[tu:n]
Schuh	[ʃu:]

[ʊ] *short - lax* - open*

Nuß	[nʊs]
muß	[mʊs]
Mutti	['mʊti]
Junge	['jʊŋə]
und	[ʊnt]

[u:]	[ʊ]
Mus	muß
spuken	spucken
Buße	Busse
Muhme	Mumme
Huhne	Hunne

The low back and front vowels [ɑ:] *and* [a]

The two **a**-sounds differ both in length and in vowel quality, although the qualitative difference in some parts of the German-speaking area is not very great. [ɑ:] is long and is pronounced with the mouth wide open and the back of the tongue slightly raised. [a] is pronounced with a smaller opening of the mouth and is tenser than the corresponding English sound (comma).

[ɑ:] *long - open - back*

ja	[jɑ:]
da	[dɑ:]
sagt	[zɑ:kt]
haben	['hɑ:bən]
Tag	[tɑ:k]
Abend	['ɑ:bənt]
Nase	['nɑ:zə]
baden	['bɑ:dən]

[a] *short - close - front*

Tante	['tantə]
Hans	[hans]
danke	['daŋkə]
das	[das]
Angst	[aŋst]
was	[vas]
hast	[hast]
am	[am]
Mann	[man]

[ɑ:]	[a]
Bahn	Bann
Haken	Hacken
Kahn	kann
Saat	satt
Staat	Stadt
kam	Kamm
Hasen	hassen

* "Lax" when applied to German vowels is not nearly so "lax" as when applied to English vowels.

It is of greatest importance to make a significant contrast in the length and shortness of German vowels. Pronounce the following words, giving the short vowels one beat and the long ones three, and do not diphthongize!

. . .

Hans	ja
und	du
nimmst	nie
kannst	da
Nuß	du
ist	siehst

How many beats do the vowels of the stressed syllables in the following words receive?

Tante, Inge, na, nett, ist, nie, Gift, da, es, Nuß, ja, das, du, siehst

The diphthongs [aɪ] [ɔɪ] [aʊ]

The German diphthongs sound crisper than the corresponding English diphthongs. The first vowel element is always short in German and always has the emphasis, and the off-glide is articulated far more softly than the initial vowel element.

[aɪ]   *quick transition from a short but energetically articulated* [a] *toward a short and much weaker* [ɪ]

Eis	[aɪs]	seine	['zaɪnə]
heiß	[haɪs]	kein	[kaɪn]
fein	[faɪn]	meinst	[maɪnst]
nein	[naɪn]	dein	[daɪn]
ein	[aɪn]		

[ɔɪ]   *quick transition from a short, strongly articulated* [ɔ] *(almost as in* bought *when pronounced very short)* * *toward a short, weaker* [ɪ]

deutsch	[dɔɪtʃ]	neu	[nɔɪ]
heute	['hɔɪtə]	Beute	['bɔɪtə]
neun	[nɔɪn]	Meute	['mɔɪtə]

[aʊ]   *quick transition from short, stressed* [a] *toward a short, weaker* [ʊ]

kaufen	['kaʊfən]	aus	[aʊs]
Haus	[haʊs]	Tau	[taʊ]
Maus	[maʊs]		

* A more detailed description of [ɔ] will be given in Unit 2.

9

[aɪ̯]	[ɔɪ̯]		[aɪ̯]	[aʊ̯]
heiß	Heuß		Eis	aus
nein	neun		Mais	Maus
Hai	Heu		heiß	Haus

Consonants

The stops [p] [t] [k] [b] [d] [g]

The sounds [p], [t], [k], [b], [d] and [g] are called *stops*, because in producing them we stop the flow of air through the mouth at some point. We hold it briefly, then release it. The release of the voiceless stops [p], [t] and [k] is usually accompanied by a clearly audible puff of air, especially when the stops are in initial position followed by a vowel. This puff of air is called *aspiration*. The voiced stops [b], [d] and [g] are never aspirated.

Stops between vowels or at the ends of words are often more weakly articulated in English than in German. At the ends of words in English they are sometimes not released at all.

Practice pronouncing the following words, making sure that the aspiration of the stops is clearly audible.

Angst	[aŋst]	Gift	[gɪft]	nett	[nɛt]
bist	[bɪst]	ist	[ɪst]	nimmst	[nɪmst]
bestimmt	[bə'ʃtɪmt]	kannst	[kanst]	schmeckt	[ʃmɛkt]

In final position or before –t or –st the sounds [p], [t] and [k] can also be represented by the letters **b**, **d** and **g** in German orthography.

ab	[ap]	und	[ʊnt]	Kind	[kɪnt]
weg	[vɛk]	Hund	[hʊnt]	gibt	[gi:pt]
Tag	[tɑ:k]	Hand	[hant]	gibst	[gi:pst]

At the beginning of a word or between vowels, the letters **b**, **d** and **g** always represent voiced stops.

bestimmt	[bə'ʃtɪmt]	du	[du:]	Gift	[gɪft]
bitte	['bɪtə]	danke	['daŋkə]	Wagen	['va:gən]
am besten	[am 'bɛstən]	da	[dɑ:]		
Abend	['a:bənt]	baden	['ba:dən]		

The fricatives [f] [v] [s] [z] [ʃ] [j]

The sounds [f], [v], [s], [z], [ʃ], [j] are called fricatives. In producing them we force a stream of air through a narrow opening. The sounds [f], [s] and [ʃ] are voiceless fricatives; [z], [j] and

[v] are voiced fricatives. German [f] and [v] are so similar to their English equivalents that they need no treatment here.

[s] is the symbol for voiceless **s**, which is represented chiefly by **s** at the end of a word or syllable; **ß** and **ss** are also pronounced [s].

das	[das]	Nuß	[nʊs]
was	[vas]	wissen	['vɪsən]

[z] is the symbol for voiced **s**. It occurs when **s** is followed by a vowel at the beginning of a word or syllable.

Sonne	['zɔnə]	sehe	['ze:ə]
so	[zo:]	seine	['zaɪnə]
siehst	[zi:st]	diese	['di:zə]

[z]	[s]
Nase	nasse
Hasen	hassen
Gase	Gasse
Wiesen	wissen
Muse	Muße
	saß
	Sinus

[ʃ] is the symbol for the sound spelled **sch**. This sound also occurs when **s** is followed by **p** or **t** at the beginning of a word or syllable. It is pronounced with lips more rounded and protruded and with a deeper tongue groove than English *sh*.

schade	['ʃa:də]	bestimmt	[bə'ʃtɪmt]
schmeckt	[ʃmɛkt]	Staat	[ʃta:t]
Schuh	[ʃu:]	Stadt	[ʃtat]
Tasche	['taʃə]	Spaß	[ʃpa:s]
Mensch	[mɛnʃ]		

The combinations **sp** and **st** *are* pronounced [sp] and [st] when they come at the end of a word or syllable.

bist	[bɪst]	Angst	[aŋst]
nimmst	[nɪmst]	siehst	[zi:st]
meinst	[maɪnst]	besten	['bɛstən]

Distinguish clearly between [ʃ] and [s]:

[ʃ]	[s]
Masche	Masse
Tasche	Tasse
mischen	missen
Busch	Bus

[j] is pronounced in German with distinct friction sound. The oral passage is narrower than in pronouncing the English *y* as in *year* or *yes* and the stream of air passing between the front of the tongue (not the tip, but the portion just behind the tip) and the roof of the mouth is greater.

ja	[jɑ:]
Junge	['jʊŋə]
Juni	['ju:ni]

IV. Audiolingual Drills

A. Directed Dialog

Begin each statement with „**Hans sagt, . . .**".

> *Example*: Es ist heiß heute.
> Hans sagt, es ist heiß heute.

Tante Inge ist nett.
Hans sagt, Tante Inge ist nett.

Das ist fein.
Hans sagt, das ist fein.

Nuß-Eis schmeckt am besten.
Hans sagt, Nuß-Eis schmeckt am besten.

Tante Inge hat Angst.
Hans sagt, Tante Inge hat Angst.

Mutti nimmt kein Eis.
Hans sagt, Mutti nimmt kein Eis.

Eis ist kein Gift.
Hans sagt, Eis ist kein Gift.

Es ist heiß heute.
Hans sagt, es ist heiß heute.

B. Affirmative Answer Pattern

Answer the questions in the affirmative by beginning with „**Ja, . . .**" and changing the order of subject and verb.

> *Example*: Ist es heiß heute?
> Ja, es ist heiß heute.

Kann Hans Eis kaufen?
Ja, Hans kann Eis kaufen.

Nimmt Hans Nuß-Eis?
Ja, Hans nimmt Nuß-Eis.

Ist Tante Inge nett?
Ja, Tante Inge ist nett.

Schmeckt das am besten?
Ja, das schmeckt am besten.

Ist da ein Eismann?
Ja, da ist ein Eismann.

Hat Tante Inge Angst?
Ja, Tante Inge hat Angst.

Ist das fein?
Ja, das ist fein.

Ist es heiß heute?
Ja, es ist heiß heute.

Kauft das Kind Eis?
Ja, das Kind kauft Eis.

C. Negative Answer Pattern

Answer the questions in the negative by beginning with „**Nein, . . .**" and using „**kein**" as in the pattern provided.

Example: Nimmt Tante Inge Eis?
            Nein, Tante Inge nimmt kein Eis.

Kauft Tante Inge Eis?
Nein, Tante Inge kauft kein Eis.

Ist Eis Gift?
Nein, Eis ist kein Gift.

Nimmt Mutti Eis?
Nein, Mutti nimmt kein Eis.

Nimmt Tante Inge Eis?
Nein, Tante Inge nimmt kein Eis.

Kauft Mutti Eis?
Nein, Mutti kauft kein Eis.

D. Question Pattern

Change the statements into questions by changing the order of subject and verb.

Example: Es ist heiß heute.
            Ist es heiß heute?

Hans kann Eis kaufen.
Kann Hans Eis kaufen?

Hans kauft Eis.
Kauft Hans Eis?

Tante Inge ist nett.
Ist Tante Inge nett?

Das Kind nimmt Nuß-Eis.
Nimmt das Kind Nuß-Eis?

Das ist ein Eismann.
Ist das ein Eismann?

Das schmeckt am besten.
Schmeckt das am besten?

Das ist fein.
Ist das fein?

Tante Inge nimmt kein Eis.
Nimmt Tante Inge kein Eis?

Tante Inge hat Angst.
Hat Tante Inge Angst?

Mutti nimmt nie Eis.
Nimmt Mutti nie Eis?

Eis ist kein Gift.
Ist Eis kein Gift?

Es ist heiß heute.
Ist es heiß heute?

V. Word Study

A. Translation of Dialog*

Hans und seine Tante Inge
Hans and His Aunt Inge

die Tante

1 Es ist heiß heute, Tante Inge.
It's hot today, Aunt Inge.

sein (es ist)

2 Ja, mein Junge, du kannst Eis kaufen.
Yes, my boy, you can buy some ice cream.

der Junge boy   **jung** young · **du** *familiar pronoun of address* · **können (du kannst)** · **das Eis** ice cream; ice

3 Danke, du bist nett.
Thanks, you're nice.

sein (du bist)

4 Da ist ein Eismann.
There's an ice cream man.

der Eismann   das Eis + der Mann

5 Das ist fein.
That's fine.

6 Was nimmst du?
What are you going to have?

nehmen (du nimmst) take; get; have

7 Nuß-Eis, bitte, das schmeckt am besten.
Walnut ice cream, please; it tastes best.

das Nuß-Eis   die Nuß walnut, nut + **das Eis** · **schmecken (das schmeckt)** · **gut** good   **am besten** best

8 Meinst du?
Do you think so?

meinen (du meinst) think; say; mean

9 Bestimmt! Nimmst du kein Eis?
Sure. Aren't you going to have any ice cream?

kein no; not any

10 Nein, danke.
No, thanks.

* The forms given are the basic forms: the nominative singular of nouns; the infinitive of verbs with the finite form in parentheses; the uninflected form of pronouns and adjectives with the inflected form in parentheses.

11	Hast du Angst? Are you afraid?	**Angst haben** be afraid **haben (du hast)** have **die Angst** fear; anxiety
12	Nimmt Mutti denn Eis? Tell me, does your mother eat ice cream?	**nehmen (sie nimmt)** · **(die) Mutti** Mom, Mommy · **denn** *gives the question a slight emphasis*
13	Nein, Mutti nimmt nie Eis. No, Mom never eats ice cream.	
14	Na, siehst du? So, you see?	**sehen (du siehst)**
15	Ist Eis denn Gift? Well, is ice cream poison?	**das Gift**
16	Kauf dein Eis, mein Kind! Buy your ice cream, my child!	**kaufen (kauf** *imperative***)** · **das Kind**

Supplement

1	Es ist heiß heute. It's hot today.	
2	Hans sagt, es ist heiß heute. Hans says it's hot today.	**sagen (er sagt)**
3	Hat Tante Inge Angst? Is Aunt Inge afraid?	**haben (sie hat)**
4	Ja, Tante Inge hat Angst. Yes, Aunt Inge is afraid.	
5	Nimmt Mutti Eis? Does Mom take (eat) ice cream?	
6	Nein, Mutti nimmt kein Eis. No, Mom doesn't eat ice cream.	
7	Das Kind kauft Eis. The child buys (is buying) ice cream.	**kaufen (es kauft)**
8	Kauft das Kind Eis? Does the child buy ice cream? (Is the child buying ice cream?)	
9	Hans kann Eis kaufen. Hans can buy some ice cream.	**können (er kann)**
10	Kann Hans Eis kaufen? Can Hans buy some ice cream?	

Unit 2

I. Dialog

Die <u>So</u>nne scheint so schön

di: 'zɔnə ʃaɪnt zo: ʃøːn

---

1 <u>Uwe</u>: Guten Tag, <u>Heike</u>. Wie geht's?

u:və gu:tən tɑ:k 'haɪkə vi: 'geːts

---

2 <u>Heike</u>: Tag, <u>Uwe</u>. Gut, danke.

haɪkə tɑ:k 'u:və 'gu:t daŋkə

---

3 Uwe: Was tust du heute <u>nach</u>mittag?

vas tu:st du: hɔɪtə 'nɑːxmɪtɑ:k

---

4 Heike: Ich muß <u>Gei</u>ge üben.

ɪç mʊs 'gaɪgə y:bən

---

5 Uwe: Tüchtig, <u>tüch</u>tig, Mädchen! Ich sehe dich schon auf dem <u>Po</u>dium stehen!

tʏçtɪç 'tʏçtɪç mɛːtçən ɪç ze:ə dɪç ʃo:n aʊf de:m 'po:dɪʊm ʃte:ən

---

6 Heike: <u>Spot</u>te nicht, Geige üben macht Spaß.

'ʃpɔtə nɪçt ˌgaɪgə y:bən maxt 'ʃpɑ:s

---

7 Uwe: Auch wenn die Sonne so schön scheint?

ˌaʊx vɛn di: 'zɔnə zo: ʃøːn ʃaɪnt

17

8   Heike: Was tust du denn heute nachmittag?

vas   tu:st 'du: dɛn   hɔɪ̯tə   nɑ:xmɪtɑ:k

9   Uwe: Ich gehe zum Baden.

ˌɪç ge:ə tsʊm 'bɑ:dən

10   Heike: Eine hübsche Sache! Das möchte ich auch.

aɪ̯nə ˌhʏpʃə   'zaxə   ˌdas mœçtə ɪç   'au̯x

11   Uwe: Komm doch mit!

kɔm   dɔx   'mɪt

12   Heike: Abgemacht! Wann bist du bei uns?

'apgəmaxt   ˌvan   bɪst du: 'baɪ̯ ʊns

13   Uwe: So gegen fünf.

ˌzo: ge:gən 'fʏnf

14   Heike: Ob die Sonne dann noch scheint?

ɔp di: 'zɔnə dan nɔx   ʃaɪ̯nt

15   Uwe: Heute bestimmt. Doch was ist nun mit dem Üben?

ˌhɔɪ̯tə bə'ʃtɪmt   dɔx   ˌvas ɪst nu:n mɪt de:m 'y:bən

16   Heike: Üben sagst du? Siehst du nicht, wie schön die Sonne scheint?

'y:bən za:kst du: ˌzi:st du: nɪçt   vi: ʃø:n   di: 'zɔnə   ʃaɪ̯nt

17 Uwe: Oh, oh, ich sehe dich <u>doch</u> noch nicht auf dem Podium stehen!

ˌoː oː ɪç zeːə dɪç ˈdɔx nɔx nɪçt aʊ̯f deːm poːdi̯ʊm ʃteːən

II. Supplement

1 Wie scheint die <u>Sonne</u>?

ˌviː ʃaɪ̯nt diː ˈzɔnə

2 Die Sonne scheint <u>schön</u>.

diː ˌzɔnə ʃaɪ̯nt ˈʃøːn

3 Wo sieht Uwe Heike schon <u>stehen</u>?

ˌvoː ziːt uːvə haɪ̯kə ʃoːn ˈʃteːən

4 Uwe sieht Heike schon auf dem <u>Podium</u> stehen.

ˌuːvə ziːt haɪ̯kə ʃoːn aʊ̯f deːm ˈpoːdi̯ʊm ʃteːən

5 Ist das Mädchen <u>tüchtig</u>?

ɪst das mɛːtçən ˈtʏçtɪç

6 <u>Ja</u>, das Mädchen ist <u>tüchtig</u>.

ˈjɑː das mɛːtçən ɪst ˈtʏçtɪç

7 Wohin geht Uwe heute <u>nachmittag</u>?

voːhɪn geːt ˌuːvə hɔɪ̯tə ˈnɑːxmɪtɑːk

8 Uwe geht heute nachmittag zum <u>B</u>aden.

ˌuːvə geːt hɔɪtə nɑːxmɪtɑːk tsuːn ˈbɑːdən

9 Was möchte Heike <u>au</u>ch tun?

ˌvas mœçtə haɪ̯kə ˈau̯x tuːn

10 Heike möchte <u>au</u>ch zum Baden gehen.

haɪ̯kə mœçtə ˈau̯x tsum bɑːdən geːən

11 Kommt das Mädchen mit?

kɔmt das mɛːtçən ˈmɪt

12 Ja, das Mädchen kommt mit.

ˈjɑː das mɛːtçən kɔmt ˈmɪt

III. Phonology

Unit 2 introduces certain German speech sounds which are not used in English, and which must therefore be learned as entirely new sounds. Practice them in isolation and in words, and from time to time consciously compare them with the substitution from English. Remember that in foreign-language learning any phonetic drill is not merely useless, but even harmful, if it is performed before the auditory and articulatory differentiation has been established between the foreign sound and its closest equivalent in English. There is the danger that one may systematically drill mistakes which can later be corrected only with difficulty, if at all.

New sounds in Unit 2

Vowels

[eː]	s**e**he	[ˈzeːə]		[øː]	sch**ö**n	[ʃøːn]
[ɛː]	M**ä**dchen	[ˈmɛːtçən]		[œ]	m**ö**chte	[ˈmœçtə]
[oː]	s**o**	[zoː]		[yː]	**ü**ben	[ˈyːbən]
[ɔ]	**o**b	[ɔp]		[ʏ]	f**ü**nf	[fʏnf]

Consonants

[ç] i**ch** [ɪç]   [x] do**ch** [dɔx]

The mid front vowels [e:] and [ɛ:]

German [e:] is quite different from the most similar sound in American English, a diphthong as in *day, gay, way*. The German vowel is produced with lips tensed and spread and with the tongue so strongly arched that only a very narrow space remains between the tongue and the front palate. The sound thus produced can easily be mistaken by the American for [i:] so that **leben** is sometimes heard as **lieben**. Above all, this vowel must not be diphthongized as in English; tongue and jaw remain motionless. This can easily be checked with the help of a mirror.

[e:] *long - tense - close*

geht's	[ge:ts]
gehe	['ge:ə]
sehe	['ze:ə]
stehen	['ʃte:ən]
dem	[de:m]
gegen	['ge:gən]

[e:] must be carefully distinguished from [ɛ], which is short - lax - open.

[e:]	[ɛ]
den	denn
beten	Betten
wegen	wecken
Weg	weg

Although most lax, open vowels in German are short, [ɛ:] is an exception. It must be clearly distinguished from long, close [e:] in quality and from short, open [ɛ] in length.

| Mädchen | ['mɛ:tçən] | sägen | ['zɛ:gən] |
| Käse | ['kɛ:zə] | spät | [ʃpɛ:t] |

Fortunately this long, open vowel is not difficult for Americans since it is similar to the vowel in *eggs, bed* and *head*. Be sure to avoid an off-glide in pronouncing this long vowel. For [ɛ:] most Germans actually say [e:], even though the latter is not the official pronunciation.

The mid back vowels [o:] and [ɔ]

Both [o:] and [ɔ] differ markedly from their corresponding sounds in American English. As is the case with all German long, tense vowels, everything about the [o:] seems exaggerated to the American. This vowel lacks the off-glide of the English diphthong as in *boat, road, flow*. The lips are more pursed and rounded than in English, and the position of the tongue, lips and jaw does not change while the vowel is being pronounced (Mirror!).

For German [ɔ] Americans frequently substitute [a] as in *hot* or [ə] as in *but*. However, German [ɔ] is always short and, unlike [a] and [ə], it is rounded and more tense, but not quite so tense as [o:].

[o:] *long - tense - close*		[ɔ] *short - lax - open*	
Podium	['po:diʊm]	Sonne	['zɔnə]
so	[zo:]	komm	[kɔm]
schon	[ʃo:n]	spotte	['ʃpɔtə]
wo	[vo:]	doch	[dɔx]
oh	[o:]	ob	[ɔp]
oben	['o:bən]	noch	[nɔx]
ohne	['o:nə]	oft	[ɔft]
Not	[no:t]	Post	[pɔst]

[o:]	[ɔ]
Mode	Motte
Ofen	offen
Sohne	Sonne
wohne	Wonne
None	Nonne
Schoten	Schotten

[ɔ] must not be confused with [a], which is also short.

[ɔ]	[a]
komm	Kamm
Motte	Matte
ob	ab
Most	Mast
Wonne	Wanne
Bonn	Bann
Gong	Gang
Tonne	Tanne
kosten	Kasten

The umlaut sounds [y:] [ʏ] [ø:] [œ]

The umlaut vowels **ö** and **ü** may be regarded as the simultaneous production of two different vowels. If you start by pronouncing a sustained [i:], [ɪ], [e:], [ɛ], then, by pressing your cheeks, cause the lips to be rounded as if for [u:], [ʊ], [o:], [ɔ], while attempting to continue to say [i:], [ɪ], [e:], [ɛ], you will approach the correct vowel qualities for [y:], [ʏ], [ø:], [œ].

Lip position (silent)		Tongue position (aloud)		
[u:]	+	[i:]	>	[y:]
[ʊ]	+	[ɪ]	>	[ʏ]
[o:]	+	[e:]	>	[ø:]
[ɔ]	+	[ɛ]	>	[œ]

Practice in this way until you acquire the correct vowel quality, listening carefully and checking your lip position in a mirror.

[y:]	long - tense - close		[ʏ]	short - lax - open
üben	['y:bən]		tüchtig	['tʏçtɪç]
Düse	['dy:zə]		fünf	[fʏnf]
kühn	[ky:n]		hübsch	[hʏpʃ]
müde	['my:də]		Küste	['kʏstə]
Süden	['zy:dən]		küssen	['kʏsən]
Bühne	['by:nə]		müssen	['mʏsən]
typisch	['ty:pɪʃ]		Hütte	['hʏtə]

Practice each word with [i:], followed by its corresponding word with rounded lips for [y:].

[i:] unrounded	[y:] rounded
diese	Düse
Biene	Bühne
sieden	Süden

Practice each word with [ɪ], followed by its corresponding word with lips rounded for [ʏ].

[ɪ] unrounded	[ʏ] rounded
Kissen	küssen
Kiste	Küste
missen	müssen

Practice the following pairs, making the [y:] very long and the [ʏ] very short.

[y:]	[ʏ]
Hüte	Hütte
Wüste	wüßte
Füßen	Füssen

[ø:] *long - tense - close*		[œ] *short - lax - open*	
schön	[ʃø:n]	möchte	[ˈmœçtə]
böse	[ˈbø:zə]	können	[ˈkœnən]
König	[ˈkø:nɪç]	öffnen	[ˈœfnən]
mögen	[ˈmø:gən]	Köpfe	[ˈkœpfə]
töten	[ˈtø:tən]	könnte	[ˈkœntə]
Söhne	[ˈzø:nə]	Stöcke	[ˈʃtœkə]
Öfen	[ˈø:fən]		

Practice pronouncing first [e:], then rounding the lips and pronouncing [ø:].

[e:] *unrounded*	[ø:] *rounded*
Besen	Bösen
Sehne	Söhne
Hefe	Höfe
beten	böten

Practice pronouncing first [ɛ], then rounding the lips and pronouncing [œ].

[ɛ] *unrounded*	[œ] *rounded*
Mächte	möchte
kennen	können
stecke	Stöcke
kennte	könnte
Becken	Böcken

The fricatives [x] *and* [ç]

There are two voiceless fricatives in German which do not occur in English: [x] and [ç]. Both are spelled **ch**. When **ch** follows the back vowels **a**, **o**, **u** or **au**, it is pronounced [x]; when it follows any other sound, whether a vowel or a consonant, in the same syllable, it is always pronounced [ç].

[x] is formed in the same place as the voiceless stop [k]. In pronouncing [x], you must not completely interrupt the stream of air from the lungs as in forming [k] but, instead, leave a narrow slit between the tongue and the roof of the mouth to permit the air to continue to pass through. Start by pronouncing a strongly aspirated [ak], then release the stop very slowly, forcing breath through the opening which is formed. This will produce [akx]. Then try to pronounce [ax] without first forming the stop [k].

This is very important because Americans have a great tendency to say [k] for [x]. The difference can mean two completely different words, for example: **Nacht** [naxt] *night* versus **nackt** [nakt] *naked.* There are some words, however, in which **ch** in connection with **s** become [ks]. This will be shown in Unit 4.

[x] *voiceless fricative*

auch	[au̯x]
noch	[nɔx]
macht	[maxt]
nachmittag	['nɑ:xmɪtɑ:k]
doch	[dɔx]
abgemacht	['apgəmaxt]
Buch	[bu:x]
Nacht	[naxt]

Now practice [x] and [k], making a clear distinction between the two.

[x] *voiceless fricative*	[k] *voiceless stop*
doch	Dock
pochen	Pocken
Nacht	nackt
mach!	mag
Macht	Magd
sachte	sagte
Jacht	Jagd
taucht	taugt

[ç] is unvoiced [j], but is pronounced with stronger friction. If [j] has been mastered, [ç] can be produced by whispering such words as **ja**, **Jahr** or by prolonging the sound of [j] and then unvoicing it.

[ç] *voiceless fricative*

ich	[ɪç]
dich	[dɪç]
mich	[mɪç]
sich	[zɪç]
Mädchen	['mɛ:tçən]
möchte	['mœçtə]
tüchtig	['tʏçtɪç]
echt	[ɛçt]
Eiche	['aɪ̯çə]
euch	[ɔɪ̯ç]
Bäuche	[bɔɪ̯çə]

Americans frequently hear [ç] as [ʃ]. In English [ʃ] is often produced with a shallow tongue groove and without lip rounding, but in German it is always pronounced with lips rounded and pursed. It is important to differentiate clearly between [ç] and [ʃ].

[ç]	lips spread, shallow tongue groove	[ʃ]	lips pursed and rounded, deep tongue groove
	Männchen		Menschen
	wichen		wischen
	Gicht		Gischt
	selig		seelisch
	mich		misch!
	keuche		keusche
	Löcher		Löscher

The following vowel chart shows the relative positions of the vowels. The terms used are explained in Unit 1.

		Front	Central	Back
High	long close tense	[iː] [yː]		[uː]
	short open lax	[ɪ] [ʏ]		[ʊ]
Mid	long close tense	[eː] [øː]		[oː]
			[ə]	
	short open lax	[ɛ]¹ [œ]		[ɔ]
Low		[a]		[aː]

Note that the short, lax vowels are relatively near the center of the diagram and the long, tense vowels are relatively far from the center.

¹ [ɛː], of course, is open but long.

IV. Audiolingual Drills

A. Directed Dialog

Begin each statement with „**Hans sagt, . . .**".

Example: Die Sonne scheint so schön.
Hans sagt, die Sonne scheint so schön.

Heike muß Geige üben.
Hans sagt, Heike muß Geige üben.

Das Mädchen ist tüchtig.
Hans sagt, das Mädchen ist tüchtig.

Uwe sieht Heike auf dem Podium stehen.
Hans sagt, Uwe sieht Heike auf dem Podium stehen.

Geige üben macht Spaß.
Hans sagt, Geige üben macht Spaß.

Uwe geht heute nachmittag zum Baden.
Hans sagt, Uwe geht heute nachmittag zum Baden.

Das ist eine hübsche Sache.
Hans sagt, das ist eine hübsche Sache.

Heike möchte auch zum Baden gehen.
Hans sagt, Heike möchte auch zum Baden gehen.

Das Mädchen kommt mit.
Hans sagt, das Mädchen kommt mit.

Uwe ist gegen fünf bei uns.
Hans sagt, Uwe ist gegen fünf bei uns.

Die Sonne scheint gegen fünf bestimmt noch.
Hans sagt, die Sonne scheint gegen fünf bestimmt noch.

Die Sonne scheint so schön.
Hans sagt, die Sonne scheint so schön.

B. Affirmative Answer Pattern

Answer the questions in the affirmative by beginning with „**Ja, . . .**" and changing the order of subject and verb.

Example: Scheint die Sonne schön?
Ja, die Sonne scheint schön.

Muß Heike Geige üben?
Ja, Heike muß Geige üben.

Ist das Mädchen tüchtig?
Ja, das Mädchen ist tüchtig.

Macht Geige üben Spaß?
Ja, Geige üben macht Spaß.

Geht Uwe zum Baden?
Ja, Uwe geht zum Baden.

Ist das eine hübsche Sache?
Ja, das ist eine hübsche Sache.

Möchte Heike auch zum Baden gehen?
Ja, Heike möchte auch zum Baden gehen.

Kommt Heike mit?
Ja, Heike kommt mit.

Ist Uwe gegen fünf bei uns?
Ja, Uwe ist gegen fünf bei uns.

Scheint die Sonne dann noch?
Ja, die Sonne scheint dann noch.

Scheint die Sonne schön?
Ja, die Sonne scheint schön.

C. Question Pattern

Change the statements into questions by changing the order of subject and verb.

> *Example*: Die Sonne scheint schön.
> Scheint die Sonne schön?

Heike muß Geige üben.
Muß Heike Geige üben?

Das Mädchen ist tüchtig.
Ist das Mädchen tüchtig?

Geige üben macht Spaß.
Macht Geige üben Spaß?

Uwe geht zum Baden.
Geht Uwe zum Baden?

Heike möchte auch zum Baden gehen.
Möchte Heike auch zum Baden gehen?

Das Mädchen kommt mit.
Kommt das Mädchen mit?

Uwe ist gegen fünf bei uns.
Ist Uwe gegen fünf bei uns?

Die Sonne scheint dann noch.
Scheint die Sonne dann noch?

Die Sonne scheint schön.
Scheint die Sonne schön?

D. Questions and Answers

Although specific answers are provided, correct variations of these are not only possible but also desirable.

> *Example*: Wie scheint die Sonne?
> Die Sonne scheint schön.

Was muß Heike tun?
Heike muß Geige üben.

Wie ist das Mädchen?
Das Mädchen ist tüchtig.

Wo sieht Uwe Heike schon stehen?
Uwe sieht Heike schon auf dem Podium
stehen.

Wohin geht Uwe?
Uwe geht zum Baden.

Was möchte Heike auch tun?
Heike möchte auch zum Baden gehen.

Kommt das Mädchen mit?
Ja, das Mädchen kommt mit.

Wann ist Uwe bei Heike?
Uwe ist gegen fünf bei Heike.

Scheint die Sonne dann noch?
Ja, die Sonne scheint dann bestimmt
noch.

V. Word Study

A. Translation of Dialog

Die Sonne scheint so schön
The Sun Is Shining So Beautifully

(Uwe und Heike)
(Uwe and Heike)

scheinen (sie scheint)

Uwe (*a boy*) **Heike** (*a girl*) *names*
frequently given in the 1940's

1	Guten Tag, Heike. Wie geht's? Hello, Heike. How are you?	**gut (guten Tag** *accusative***)** **der Tag** day • **gehen (es geht)** go **geht's = geht es**
2	Tag, Uwe. Gut, danke. Hi, Uwe. Fine, thanks.	
3	Was tust du heute nachmittag? What are you doing this afternoon?	**tun (du tust)** • **heute** today **heute nachmittag** this afternoon
4	Ich muß Geige üben. I have to practice the violin.	**müssen (ich muß)** • **die Geige**
5	Tüchtig, tüchtig, Mädchen! Ich sehe dich schon auf dem Podium stehen! You're sure a hard worker! I already see you standing on the stage.	**tüchtig** hard working; clever; smart; able; efficient • **das Mädchen** • **sehen (ich sehe)** • **du (dich** *acc.***)** • **schon** already *not to be confused with* **schön** • **das Podium (dem Podium** *dative***)** • **stehen** stand *infinitive*
6	Spotte nicht, Geige üben macht Spaß. Don't be sarcastic. Violin practice is fun.	**spotten (spotte** *imper.***)** mock, ridicule • **machen** make • **der Spaß** fun **macht Spaß** is fun
7	Auch wenn die Sonne so schön scheint? Even when the sun is shining so beautifully?	**auch** also **wenn** when; whenever; if *subordinating conjunction* **auch wenn** even when; even if
8	Was tust du denn heute nachmittag? Tell me, what are you doing this afternoon?	
9	Ich gehe zum Baden. I'm going swimming.	**gehen (ich gehe)** • **zum = zu + dem** to the • **das Baden (zum Baden** *dat.***)** *infinitive used as a noun*
10	Eine hübsche Sache! Das möchte ich auch. A fine thing. I'd like to do that too.	**hübsch (hübsche)** pretty • **die Sache** • **mögen [möchte** *a subjunctive form meaning* would like (to do, have)]
11	Komm doch mit! Why don't you come along?	**mitkommen (komm . . . mit** *imper.***)** come along **mit** with **kommen** come • **doch** *softens the command, making it more of a request or invitation:* Do come along! *or* Well, come along!
12	Abgemacht! Wann bist du bei uns? O.K. When will you be by?	**abmachen (abgemacht** *past participle***)** settle • **bei uns** *dat.* at our house; with us
13	So gegen fünf. Around five.	**so** about • **gegen** around, toward

14 Ob die Sonne dann noch scheint?
I wonder if the sun will still be shining then?

ob if, whether *subordinating conjunction* ·
dann then · **noch** still, yet

15 Heute bestimmt. Doch was ist nun mit dem
Üben?
Today, of course. But then what about the
practicing?

bestimmt certain(ly); without a doubt ·
doch *is used as the coordinating conjunction*
but · **das Üben (dem Üben** *dat.*) *infinitive
used as a noun*

16 Üben sagst du? Siehst du nicht, wie schön
die Sonne scheint?
Practicing you say? Don't you see how
beautifully the sun is shining?

sagen (du sagst) · **wie** *used as a
subordinating conjunction*

17 Oh, oh, ich sehe dich doch noch nicht auf
dem Podium stehen!
Oh, oh! I don't see you standing on the
stage yet, after all!

noch nicht not yet · **doch** after all

Supplement

1 Wie scheint die Sonne?
How is the sun shining?

2 Die Sonne scheint schön.
The sun is shining beautifully.

3 Wo sieht Uwe Heike schon stehen?
Where does Uwe already see Heike standing?

wo where (*location*) · **sehen (er sieht)**

4 Uwe sieht Heike schon auf dem Podium
stehen.
Uwe already sees Heike standing on the
platform.

5 Ist das Mädchen tüchtig?
Is the girl energetic?

6 Ja, das Mädchen ist tüchtig.
Yes, the girl is energetic.

7 Wohin geht Uwe heute nachmittag?
Where is Uwe going this afternoon?

wohin where, whereto (*destination*)

8 Uwe geht heute nachmittag zum Baden.
Uwe is going swimming this afternoon.

9 Was möchte Heike auch tun?
What would Heike like to do too?

mögen (sie möchte)

10 Heike möchte auch zum Baden gehen.
    Heike would like to go swimming too.

11 Kommt das Mädchen mit?   **mitkommen (sie kommt . . . mit)**
    Is the girl coming along?

12 Ja, das Mädchen kommt mit.
    Yes, the girl is coming along.

Unit 3

I. Dialog

Im Vorlesungsraum

ɪm 'voːʁleːzuŋsʁaʊ̯m

Part 1

1 Fräulein Schneider: Entschuldigen Sie, soll hier nicht Professor Müller die „Einführung in die

fʁɔɪ̯laɪ̯n 'ʃnaɪ̯dəʁ   ɛnt'ʃʊldigən   ziː   zɔl ˌhiːʁ nɪçt pʁɔfɛsɔʁ   ˌmʏləʁ diː   aɪ̯nfyːʁuŋ   ɪn diː

Philosophie" lesen?

filozo'fiː   leːzən

2 Herr Held: Ich glaube schon, jedenfalls warte ich auch darauf.

hɛʁ hɛlt   ɪç glaʊ̯bə 'ʃoːn   jeːdənfals vaʁtə ɪç   'aʊ̯x daʁaʊ̯f

3 Fräulein Schneider: Danke, dann bleibe ich hier.

daŋkə dan blaɪ̯bə ɪç   'hiːʁ

4 Herr Held: Der Platz hier ist noch frei. Ist dies Ihre erste Vorlesung?

deːʁ plats hiːʁ ɪst nɔx   'fʁaɪ̯ ɪst diːs   iːʁə   'eːʁstə foːʁleːzuŋ

5 Fräulein Schneider: Ja, aller Anfang ist schwer.

'jɑː aləʁ anfaŋ   ɪst 'ʃveːʁ

6 Herr Held: Ach, das ist nur ein Sprichwort.

ɑːx   das ɪst nuːʁ aɪ̯n   'ʃpʁɪçvɔʁt

7   Fräulein Schneider: Aber ich glaube daran.

ɑ:bəʀ ɪç 'glaʊ̯bə dɑʀan

8   Herr Held: Ich finde im Gegenteil: Aller Anfang ist leicht.

ɪç fɪndə ɪm 'ge:gəntaɪ̯l aləʀ anfaŋ ɪst 'laɪ̯çt

9   Fräulein Schneider: Ist das Ihr Ernst?

ɪst das i:ʀ 'ɛʀnst

10   Herr Held: Warum nicht? Warten Sie nur ab!

vɑ:ʀʊm 'nɪçt vaʀtən zi: nu:ʀ 'ap

Part 2

11   Fräulein Schneider: Eigentlich kann es nun endlich losgehen.

ˌaɪ̯gəntlɪç kan ɛs nu:n ɛntlɪç 'lo:sge:n

12   Herr Held: Alle Vorlesungen beginnen erst um Viertel nach voll.

ˌalə fo:ʀle:zʊŋən bəgɪnən e:ʀst ʊm fɪʀtəl 'nɑ:x fɔl

13   Fräulein Schneider: Ach ja, mein Bruder hat es mir erzählt.

ɑx 'jɑ: maɪ̯n 'bʀu:dəʀ hat ɛs mi:ʀ ɛʀtsɛ:lt

14   Herr Held: Studiert Ihr Bruder auch Philosophie?

ʃtudi:ʀt i:ʀ bʀu:dəʀ 'aʊ̯x filozofi:

15   Fräulein Schneider: Nein, er studiert Jurisprudenz.

naɪ̯n e:ʀ ʃtudi:ʀt ju:ʀɪspʀu'dɛnts

16 Herr Held: Da kann er Ihnen also nicht viel helfen?

dɑ: kan e:ʀ i:nən alzo: nıçt fi:l 'hɛlfən

17 Fräulein Schneider: Vielleicht doch. Die älteren Studenten haben alle viel Erfahrung.

fi:laıçt 'dɔx di: ˌɛltəʀən ʃtudɛntən hɑ:bən alə fi:l ɛʀ'fɑ:ʀʊŋ

18 Herr Held: Das stimmt! Und nicht nur im Studieren!

das 'ʃtımt ʊnt ˌnıçt nu:ʀ ım ʃtu'di:ʀən

19 Fräulein Schneider: Da kommt Professor Müller.

ˌdɑ: kɔmt pʀɔfɛsɔʀ 'mʏləʀ

20 Herr Held: Also, es geht endlich los. Hoffentlich liest er nicht so langweilig

alzo: ɛs ge:t ɛntlıç 'lo:s hɔfəntlıç li:st e:ʀ nıçt zo: laŋvaı̯lıç

wie der alte Professor Wolf.

vi: de:ʀ altə pʀɔfɛsɔʀ 'vɔlf

II. Supplement

Part 1

1 Fragen Sie, worauf Fräulein Schneider wartet!

ˌfʀɑ:gən zi: vo:ʀaʊ̯f fʀɔı̯laın ʃnaı̯dəʀ 'vaʀtət

2 Worauf wartet Fräulein Schneider?

vo:ʀaʊ̯f 'vaʀtət fʀɔı̯laın ʃnaı̯dəʀ

3 Antworten Sie, daß sie auf die Vorlesung wartet!

ˌantvɔrtən ziː das ziː auf diː ˈfoːʁleːzuŋ vartət

4 Sie wartet auf die Vorlesung.

ziː vartət auf diː ˈfoːʁleːzuŋ

5 Sagen Sie, daß Herr Held auch darauf wartet!

ˌzɑːɡən ziː das hɛʀ hɛlt ˈaux dɑʁauf vartət

6 Herr Held wartet auch darauf.

hɛʀ hɛlt vartət ˈaux dɑʁauf

7 Fragen Sie, ob dies Fräulein Schneiders erste Vorlesung ist!

ˌfʁɑːɡən ziː ɔp diːs fʁɔɪlaɪn ʃnaɪdəʁs ˈeːʁstə foːʁleːzuŋ ɪst

8 Ist dies Fräulein Schneiders erste Vorlesung?

ɪst diːs fʁɔɪlaɪn ʃnaɪdəʁs ˈeːʁstə foːʁleːzuŋ

9 Fragen Sie, woran Fräulein Schneider glaubt!

ˌfʁɑːɡən ziː voːran fʁɔɪlaɪn ʃnaɪdəʁ ˈɡlaupt

10 Woran glaubt Fräulein Schneider?

voːʁan ˈɡlaupt fʁɔɪlaɪn ʃnaɪdəʁ

11 Sagen Sie, daß sie an das Sprichwort glaubt.

ˌzɑːɡən ziː das ziː an das ˈʃpʁɪçvɔrt ɡlaupt

12 Sie glaubt an das Sprichwort.

zi: glau̯pt an das ˈʃpʀɪçvɔʀt

Part 2

13 Fragen Sie, wann die Vorlesung beginnt!

ˌfʀɑ:gən zi: van di: fo:ʀle:zʊŋ bəˈgɪnt

14 Wann beginnt die Vorlesung?

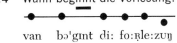

van bəˈgɪnt di: fo:ʀle:zʊŋ

15 Fragen Sie, ob der Bruder viel helfen kann!

ˌfʀɑ:gən zi: ɔp de:ʀ bʀu:dəʀ fi:l ˈhɛlfən kan

16 Kann der Bruder viel helfen?

kan de:ʀ bʀu:dəʀ fi:l ˈhɛlfən

17 Sagen Sie, daß es endlich losgeht.

ˌzɑ:gən zi: das ɛs ɛntlɪç ˈlo:sge:t

18 Es geht endlich los.

ɛs ge:t ɛntlɪç ˈlo:s

III. Phonology

New sounds in Unit 3

[l]   leicht   [laɪ̯çt]
[ʀ]   warum   [vaˈʀʊm]
[r]   warum   [vaˈrʊm]

The substitution of the American *l*- and *r*-sounds for the German **l**- and **r**-sounds is one of the most characteristic features of an American accent in German. The necessity of practicing the German sounds carefully and zealously is sometimes obscured, however, by the fact that the sounds represented by the letters l and r play exactly the same roles in both languages and that the substitution of the American sound in German words seldom causes a German to hear a word other than the one intended—in contrast to the inexact articulation of [ç] and [ʃ] which can lead, for example, to a confusion between **die Kirche**, *church*, and **die Kirsche**, *cherry*. However, the letters l and r represent sounds which are quite distinct in the two languages, and it is important to learn to pronounce them correctly. German words pronounced with American *l* or *r* strike a native German as strange or comical, and in extreme cases may be incomprehensible.

The sound [l]

In pronouncing German **l** the lips are moderately spread and the tongue is arched convexly so that the tip and front edge are in contact with the front teeth or the ridge just above the front teeth (alveolar ridge). In English *l* is sometimes pronounced this way, but sometimes the back of the tongue is raised so that a "dark" quality, reminiscent of [u:], is produced. The sound of German **l** is always "bright" and "clear."

Practice forming the American and German l-sounds alternately until you can clearly distinguish them both by sound and by articulatory feeling. Practice until you have perfect control of both.

English	German
hell	hell
lie	leih
low	Lohe
pull	Pulle
fall	voll
pill	Pille
Billy	Willi
leased	liest
place	Platz
all	all

[l]

lesen	[ˈleːzən]	alle	[ˈalə]	helfen	[ˈhɛlfən]
liest	[liːst]	alte	[ˈaltə]	Helmut	[ˈhɛlmuːt]
leicht	[laɪçt]	also	[ˈalzoː]	alt	[alt]
los	[loːs]	sollen	[ˈzɔlən]	Held	[hɛlt]
eigentlich	[ˈaɪgəntlɪç]	bleiben	[ˈblaɪbən]	viel	[fiːl]
endlich	[ˈɛntlɪç]	glauben	[ˈglaʊbən]	soll	[zɔl]
hoffentlich	[ˈhɔfəntlɪç]	Platz	[plats]	voll	[fɔl]

Repeat all of these words. While practicing, lengthen the sound of **l** and try to determine whether your articulation is better or worse than in the preceding word.

The sounds [ʀ] and [r]

The American *r* functions as a vowel in such words as *bird, thirty, hurt,* and as a consonant or semivowel in initial and, in some parts of the country, in final position. The German **r**, however, is a trill in initial position and sometimes also in other positions.

The trill can be produced either by a fluttering movement of the tip of the tongue against the alveolar ridge or the upper front teeth [r] or by a fluttering movement of the uvula (the flap of flesh which hangs down from the soft palate at the back of the mouth) against the back of the tongue [ʀ]. Both types of **r** are prevalent and acceptable in German use. There are two good reasons, however, for preferring the uvular [ʀ] in teaching German to Americans. First, [ʀ] is used more frequently than [r]. Second, [ʀ] is more unlike the American *r* than [r], and therefore the student is less likely to revert to an American *r* once [ʀ] has been mastered.

[ʀ] is similar to [x], but is a voiced trill instead of an unvoiced fricative. This trill can be learned by trying to gargle without water. The tip of the tongue must remain in contact with the lower front teeth. The throat must not be tense. In articulating the uvular [ʀ], one should begin the sound softly and easily, without an excess of pressure or breath. Practice the following and make the [ʀ] as long as you can.

1			2			3			4		
	ra	[ʀɑː]		ara	[ɑːʀɑː]		ara	[ɑːʀɑː]		ar	[ɑːʀ]
	rau	[ʀaʊ̯]		arau	[ɑːʀaʊ̯]		ere	[eːʀe:]		er	[eːʀ]
	ro	[ʀoː]		aro	[ɑːʀoː]		iri	[iːʀi:]		ir	[iːʀ]
	ru	[ʀuː]		aru	[ɑːʀuː]		oro	[oːʀo:]		or	[oːʀ]
	reu	[ʀɔɪ̯]		areu	[ɑːʀɔɪ̯]		uru	[uːʀuː]		ur	[uːʀ]
	re	[ʀe:]		are	[ɑːʀe:]		örö	[øːʀøː]		ör	[øːʀ]
	ri	[ʀi:]		ari	[ɑːʀi:]		ürü	[yːʀyː]		ür	[yːʀ]
	rö	[ʀøː]		arö	[ɑːʀøː]						
	rü	[ʀyː]		arü	[ɑːʀyː]						

There are several varieties of the German uvular [ʀ]. Initially, and before vowels, this **r**-sound is a distinct voiced uvular trill:

richtig	['ʀɪçtɪç]		daran	[daˈʀan]
Ruhe	['ʀuːə]		darauf	[daˈʀaʊ̯f]
Rolf	[ʀɔlf]		warum	[vaˈʀʊm]
Fräulein	['fʀɔɪ̯laɪ̯n]		studieren	[ʃtuˈdiːʀən]
frei	[fʀaɪ̯]		Sprichwort	['ʃpʀɪçvɔʀt]

Following a short vowel the uvular trill is somewhat reduced. In the speech of many persons it may be reduced to a single tap or to a uvular fricative:

Ernst	[ɛʀnst]		Viertel	['fɪʀtəl]
Herr	[hɛʀ]		warten	['vaʀtən]

Further reduction in the articulation of the uvular [ʀ] occurs following long vowels or diphthongs. This distinctly reduced [ʀ] is designated as [ʁ]:

der	[de:ʁ]		nur	[nu:ʁ]
hier	[hi:ʁ]		Vorlesung	['fo:ʁle:zuŋ]
ihr	[i:ʁ] *but* ihre ['i:ʁə]			

Distinguish:

Jahr	ja		vier	Vieh
sehr	See		Ohr	oh
wir	wie		Kur	Kuh

An even greater degree of reduction is found in final syllables following [ə]:

aber	['ɑ:bəʁ]		Müller	['mʏləʁ]
Bruder	['bʀu:dəʁ]		Eltern	['ɛltəʁn]
dieser	['di:zəʁ]			

Distinguish:

dieser	diese		bitter	bitte
ihrer	ihre		mancher	manche
roter	rote		jener	jene
Lehrer	lehre		jeder	jede

The degree of reduction, which may lead to complete vocalization of [ʀ], depends upon the level of speech and the speech situation. In classical drama performed by good actors, the stage tradition does not permit reduction of [ʀ] beyond a single tap of the uvula. When [əʁ] has been reduced to a vowel sound, its pronunciation is still kept distinct from [ə], so that **dieser** does not rhyme with **diese**.

The student should not attempt to acquire the various degrees of reduction until he has first mastered the correct articulation of [ʀ] in all positions. The reason for this is that the native speech habits of Americans will probably interfere with the characteristic reductions of [ʀ], sounds which do not exist in English. For the sake of practice, too, it is desirable to articulate [ʀ] in all positions as a voiced uvular trill. In rapid speech, then, the reductions characteristic of German will come about naturally.

The sound of the other German **r** is produced by a vibration of the tip of the tongue against the alveolar ridge. Like [ʀ], [r] is voiced. The stages of reduction of the [r] are less clearly defined than those of [ʀ], although the degree of vibration depends upon the position of [r] in the word as well as upon factors of accent and expression. In unstressed final position (and sometimes in unstressed intervocalic position), [r] becomes a tap or a flap rather than a trill, i.e., the tongue touches the alveolar ridge only once.

The exercises for [ʀ] can also be used for perfecting the sound of [r].

IV. Audiolingual Drills

A. Directed Dialog

Part 1

Fragen Sie, wo Fräulein Schneider ist!
Wo ist Fräulein Schneider?

Antworten Sie, daß sie im Vorlesungsraum ist!
Sie ist im Vorlesungsraum.

Sagen Sie, daß Herr Held auch im Vorlesungsraum ist!
Herr Held ist auch im Vorlesungsraum.

Fragen Sie, worauf Fräulein Schneider wartet!
Worauf wartet Fräulein Schneider?

Sagen Sie, daß sie auf die Vorlesung wartet!
Sie wartet auf die Vorlesung.

Fragen Sie, ob Herr Held auch darauf wartet!
Wartet Herr Held auch darauf?

Sagen Sie, daß er auch darauf wartet!
Er wartet auch darauf.

Fragen Sie, ob der Platz hier noch frei ist!
Ist der Platz hier noch frei?

Antworten Sie, daß der Platz hier noch frei ist!
Der Platz hier ist noch frei.

Fragen Sie, ob dies Fräulein Schneiders erste Vorlesung ist!
Ist dies Fräulein Schneiders erste Vorlesung?

Fragen Sie, woran Fräulein Schneider glaubt!
Woran glaubt Fräulein Schneider?

Antworten Sie, daß sie an das Sprichwort glaubt!
Sie glaubt an das Sprichwort.

Sagen Sie, daß sie daran glaubt.
Sie glaubt daran.

Part 2

Sagen Sie, daß es nun endlich losgehen kann!
Es kann nun endlich losgehen.

Fragen Sie, wann die Vorlesung beginnt!
Wann beginnt die Vorlesung?

Antworten Sie, daß die Vorlesung erst um Viertel nach voll beginnt!
Die Vorlesung beginnt erst um Viertel nach voll.

Fragen Sie, was Herr Held studiert!
Was studiert Herr Held?

Sagen Sie, daß er Philosophie studiert!
Er studiert Philosophie.

Sagen Sie, daß Fräulein Schneider auch Philosophie studiert!
Fräulein Schneider studiert auch Philosophie.

Fragen Sie, was Fräulein Schneiders Bruder studiert!
Was studiert Fräulein Schneiders Bruder?

Antworten Sie, daß er Jurisprudenz studiert!
Er studiert Jurisprudenz.

Sagen Sie, daß er hoffentlich helfen kann!
Er kann hoffentlich helfen.

Sagen Sie, daß die älteren Studenten alle viel Erfahrung haben!
Die älteren Studenten haben alle viel Erfahrung.

Fragen Sie, wie der alte Professor Wolf liest!
Wie liest der alte Professor Wolf?

Antworten Sie, daß er langweilig liest!
Er liest langweilig.

Sagen Sie, daß es endlich losgeht!
Es geht endlich los.

B. Questions and Answers

Part 1

Wo ist Fräulein Schneider?
Sie ist im Vorlesungsraum.

Und wo ist Herr Held?
Er ist auch im Vorlesungsraum.

Worauf wartet Herr Held?
Er wartet auf die Vorlesung.

Wartet Fräulein Schneider auch darauf?
Ja, sie wartet auch darauf.

Was soll Professor Müller lesen?
Er soll die „Einführung in die Philosophie" lesen.

Woran glaubt Fräulein Schneider?
Sie glaubt an das Sprichwort.

Glaubt Herr Held auch daran?
Nein, er glaubt nicht daran.

Part 2

Was kann endlich losgehen?
Die Vorlesung kann endlich losgehen.

Wann beginnen alle Vorlesungen?
Alle Vorlesungen beginnen um Viertel nach voll.

Was studiert Fräulein Schneider?
Sie studiert Philosophie.

Und was studiert Herr Held?
Er studiert auch Philosophie.

Studiert Fräulein Schneiders Bruder Philosophie?
Nein, er studiert Jurisprudenz.

Kann der Bruder viel helfen?
Ja, er kann hoffentlich viel helfen.

Haben die älteren Studenten viel Erfahrung?
Ja, die älteren Studenten haben viel Erfahrung.

Wie liest der alte Professor Wolf?
Er liest langweilig.

V. Word Study

A. Translation of Dialog

Im Vorlesungsraum
In the Lecture Hall

(Fräulein Schneider und Herr Held)
(Miss Schneider and Mr. Held)

im = in + dem · der Vorlesungsraum (im Vorlesungsraum *dat.*) **die Vorlesung** lecture + **der Raum** hall; room

das Fräulein Miss; young lady · **der Schneider** tailor · **der Herr** Mr.; gentleman · **der Held** hero *Many German names are modern German words, and the English equivalents are given here as a matter of interest.*

Part 1

1 Entschuldigen Sie, soll hier nicht Professor Müller die ,,Einführung in die Philosophie'' lesen?
Excuse me. Isn't Professor Müller supposed to give the "Introduction to Philosophy" here?

2 Ich glaube schon, jedenfalls warte ich auch darauf.
I believe so. At any rate, that's what I'm waiting for, too.

3 Danke, dann bleibe ich hier.
Thanks, then I'll stay here.

entschuldigen (entschuldigen Sie *imper.*; me *is ordinarily not expressed*) excuse · **Sie** you *standard pronoun of address; it must be expressed* · **sollen (er soll)** · **der Müller** miller · **lesen** read; lecture

glauben (ich glaube) · **warten auf (ich warte . . . darauf)** wait for · **darauf = da + r + auf** for it

bleiben (ich bleibe)

4 Der Platz hier ist noch frei. Ist dies Ihre
erste Vorlesung?
*The seat here is still free. Is this your first
lecture?*

Ihr (Ihre) *possessive adjective form of* Sie ·
erst (erste)

5 Ja, aller Anfang ist schwer.
Yes. The first step is always hard.

all (aller) every; all · der Anfang beginning

6 Ach, das ist nur ein Sprichwort.
Oh, that's only a proverb.

das Sprichwort sprich (*from* sprechen
speak) + das Wort word

7 Aber ich glaube daran.
But I believe in it.

daran = da + r + an

8 Ich finde im Gegenteil: Aller Anfang ist leicht.
*I find on the contrary: the first step is always
easy.*

finden (ich finde) · das Gegenteil (im
Gegenteil *dat.*) gegen against + der (*or*
das) Teil part

9 Ist das Ihr Ernst?
Are you serious?

Ihr your · der Ernst earnestness; seriousness

10 Warum nicht? Warten Sie nur ab!
Why not? Just wait and see!

abwarten (warten Sie . . . ab *imper.*) wait
and see; wait (for)

Part 2

11 Eigentlich kann es nun endlich losgehen.
Actually, it can start any time now.

eigentlich actually; really · endlich finally,
at last · losgehen start los loose *and the
idea of motion* + gehen go

12 Alle Vorlesungen beginnen erst um Viertel
nach voll.
Lectures don't begin until a quarter after.

all (alle) · die Vorlesung, *pl.* die Vorlesungen
· beginnen (sie beginnen) · erst only; first
· um at · das Viertel quarter, fourth (part)
· voll whole; full

13 Ach ja, mein Bruder hat es mir erzählt.
Oh yes, my brother told me that.

der Bruder · ich (mir *dat.*) · erzählen (er
hat . . . erzählt he has told) tell

14 Studiert Ihr Bruder auch Philosophie?
Is your brother studying philosophy too?

studieren (er studiert) study *usually in the
sense of study at a university; otherwise
study is* lernen: Ich lerne Deutsch I am
studying German

15 Nein, er studiert Jurisprudenz.
No, he's studying law.

die Jurisprudenz

16 Da kann er Ihnen also nicht viel helfen?
So then he can't help you much?

da then; there, here · Sie (Ihnen *dat.*) ·
also so, well; therefore

17 Vielleicht doch. Die älteren Studenten haben
alle viel Erfahrung.
*But maybe he can. The older students all
have lots of experience.*

vielleicht maybe · doch on the contrary;
nevertheless; yet · alt (älteren) · der
Student, *pl.* die Studenten university student
· die Erfahrung

18 Das stimmt! Und nicht nur im Studieren!
That's true! And not only in study!

das **Studieren** (im **Studieren** *dat.*) *infinitive used as a noun*

19 Da kommt Professor Müller.
There comes Professor Müller.

20 Also, es geht endlich los. Hoffentlich liest er nicht so langweilig wie der alte Professor Wolf.
So, it's finally starting. Let's hope he's not as boring as old Professor Wolf.

losgehen (es geht . . . **los**) · **hoffentlich** it is to be hoped, I hope, let's hope · **lesen** (er **liest**) · **langweilig** tedious, boring **lang** long + **die Weile** while, i.e., space of time · **der Wolf** wolf · **alt** (**alte**) **der alte Professor Wolf** old Professor Wolf *The article is sometimes used with names in speaking of people, and always if the name is modified by an adjective.*

Supplement

Part 1

1 Fragen Sie, worauf Fräulein Schneider wartet!
Ask what Miss Schneider is waiting for.

fragen (fragen Sie *imper.*) · **worauf = wo +** **r + auf** · **warten** (sie **wartet**)

2 Worauf wartet Fräulein Schneider?
What is Miss Schneider waiting for?

3 Antworten Sie, daß sie auf die Vorlesung wartet!
Answer that she is waiting for the lecture.

antworten (antworten Sie *imper.*)

4 Sie wartet auf die Vorlesung.
She is waiting for the lecture.

5 Sagen Sie, daß Herr Held auch darauf wartet!
Say that Mr. Held is waiting for it too.

sagen (sagen Sie *imper.*)

6 Herr Held wartet auch darauf.
Mr. Held is waiting for it too.

7 Fragen Sie, ob dies Fräulein Schneiders erste Vorlesung ist!
Ask if this is Miss Schneider's first lecture.

8 Ist dies Fräulein Schneiders erste Vorlesung?
Is this Miss Schneider's first lecture?

9 Fragen Sie, woran Fräulein Schneider glaubt!
Ask what Miss Schneider believes in.

glauben (sie **glaubt**)

10 Woran glaubt Fräulein Schneider?
What does Miss Schneider believe in?

woran = wo + r + an

11 Sagen Sie, daß sie an das Sprichwort glaubt!
Say that she believes in the proverb.

12 Sie glaubt an das Sprichwort.
She believes in the proverb.

Part 2

13 Fragen Sie, wann die Vorlesung beginnt!
Ask when the lecture begins.

    beginnen (sie beginnt)

14 Wann beginnt die Vorlesung?
When does the lecture begin?

15 Fragen Sie, ob der Bruder viel helfen kann!
Ask if the brother can help much.

16 Kann der Bruder viel helfen?
Can the brother help much?

17 Sagen Sie, daß es endlich losgeht!
Say that it's finally starting.

18 Es geht endlich los.
It's finally starting.

B. Definite Articles

The definite article in German has three basic forms: **der, die, das.** All German nouns may be put into three groups, depending on which basic form of the article must be used. There are **der**–nouns, **die**–nouns and **das**–nouns. Learn to associate the correct form of the article with each noun, as though the article and the noun were one expression. The basic form of the definite article for all plural nouns is **die**.

C. Word Formation

In both English and German there are a great many compound words. English compounds are often made up of elements of Latin or Greek origin. German compounds, on the other hand, are almost always made up of common German words. German school children rarely have to look up a word in the dictionary because they can usually figure out the meaning of even very long words. The word **Lebensversicherungsgesellschaft**, for instance, is quite easily understood when you see that it is made up of three nouns: **Leben** *life*, **Versicherung** *insurance* and **Gesellschaft** *company*. Scientific words are often descriptive and easily understood. **Wasserstoff** *hydrogen* is made up of **Wasser** *water* and **Stoff** *matter, substance*. The addition of **Kohle** *carbon* makes **Kohlenwasserstoff** *carbohydrate*. When a word is coined for a new invention, the Germans usually do not turn to Greek or Latin, but to their own language. **Roll**, from **rollen** *roll*, and **Treppe** *stairway* make up **Rolltreppe** *escalator*. **Welt** *world, universe* plus **Raum** *space* plus **Fahrer** *driver* make up **Weltraumfahrer** *astronaut*.

Such words are very common in German. This means that, with the knowledge of a comparatively small number of constituent elements, it is possible to determine the meaning of a great many compound words. In addition, there are many related words which can easily be recognized once the derivational systems are understood. In this section on word formation a number of the more important derivational patterns will be treated. In this way it will be possible to increase the vocabulary more rapidly and, at the same time, make it easier to remember compound words.

Compound nouns

A compound noun has the definite article of the last component of the compound. As in English compounds, the last component is the most important one. Compare with corkscrew, classroom, milkman, fire insurance company:

> **das Eis** ice, ice cream + **der Mann** man = **der Eismann** iceman; ice cream man
> **die Vorlesung** lecture + **der Raum** hall, room; space = **der Vorlesungsraum** lecture hall
> **die Nuß** nut, walnut + **das Eis** = **das Nuß-Eis** walnut ice cream

► A connective **–(e)s** may appear in the compound: **Vorlesungsraum.**

► In English, some compound nouns are written as one word (classroom), some are hyphenated (secretary-treasurer) and others are written as two or more words (lecture hall, walnut ice cream). In German, compound nouns are almost always written as one word. **Nuß-Eis** is a rare exception.

D. Definite Articles of Nouns, Units 1- 3

der–nouns	**die**–nouns	**das**–nouns
der Anfang	die Angst	das Baden
der Bruder	die Einführung	das Eis
der Eismann	die Erfahrung	das Fräulein
der Ernst	die Geige	das Gegenteil*
der Held	die Jurisprudenz	das Gift
der Herr	die Mutti	das Kind
der Junge	die Nuß	das Mädchen
der Mann	die Philosophie	das Nuß-Eis
der Müller	die Sache	das Podium
der Platz	die Sonne	das Sprichwort
der Professor	die Tante	das Studieren
der Raum	die Vorlesung, *pl.* die Vorlesungen	das Üben
der Schneider	die Weile	das Wort
der Spaß		
der Student, *pl.* die Studenten		
der Tag		
der Teil*		
der Vorlesungsraum		
der Wolf		

* **Das Teil** also occurs, but rarely. However, in some, but not all, compounds it is treated as neuter: **das Gegenteil.**

Substitute the new **der**–noun:

Hier ist der Bruder. **Eismann**
Hier ist der Eismann. **Herr**
Hier ist der Herr. **Junge**
Hier ist der Junge. **Platz**
Hier ist der Platz. **Professor**
Hier ist der Professor. **Mann**
Hier ist der Mann. **Held**
Hier ist der Held. **Schneider**

Hier ist der Schneider. **Müller**
Hier ist der Müller. **Wolf**
Hier ist der Wolf. **Student**
Hier ist der Student. **Vorlesungsraum**
Hier ist der Vorlesungsraum. **Raum**
Hier ist der Raum. **Bruder**
Hier ist der Bruder.

Substitute the new **die**–noun:

Das ist die Sonne. **Geige**
Das ist die Geige. **Mutti**
Das ist die Mutti. **Tante**
Das ist die Tante. **Sache**
Das ist die Sache. **Philosophie**

Das ist die Philosophie. **Vorlesung**
Das ist die Vorlesung. **Einführung**
Das ist die Einführung. **Sonne**
Das ist die Sonne.

Substitute the new **das**–noun:

Da ist das Eis. **Fräulein**
Da ist das Fräulein. **Gift**
Da ist das Gift. **Kind**
Da ist das Kind. **Nuß-Eis**
Da ist das Nuß-Eis. **Podium**

Da ist das Podium. **Sprichwort**
Da ist das Sprichwort. **Mädchen**
Da ist das Mädchen. **Eis**
Da ist das Eis.

Substitute the new noun with **der**, **die** or **das**:

Hier ist der Professor. **Tante**
Hier ist die Tante. **Kind**
Hier ist das Kind. **Schneider**
Hier ist der Schneider. **Platz**
Hier ist der Platz. **Eis**
Hier ist das Eis. **Geige**
Hier ist die Geige. **Müller**
Hier ist der Müller. **Gift**
Hier ist das Gift. **Mutti**

Hier ist die Mutti. **Held**
Hier ist der Held. **Wolf**
Hier ist der Wolf. **Mädchen**
Hier ist das Mädchen. **Student**
Hier ist der Student. **Podium**
Hier ist das Podium. **Junge**
Hier ist der Junge. **Fräulein**
Hier ist das Fräulein. **Sprichwort**
Hier ist das Sprichwort.

Unit 4

I. Dialog

Der Unfall am Schillerplatz

de:ʀ ˌʊnfal am ˈʃɪləʀplats

Part 1

1 Rolf: Mensch, da, kannst du sehen?

ʀɔlf   mɛnʃ   ˈdɑː kanst ˌduː ˈzeːən

2 Günther: Ich sehe nichts. Was läufst du denn plötzlich?

gʏntəʀ   ɪç   zeːə ˈnɪçts   vas ˈlɔɪfst ˌduː dɛn   plœtslɪç

3 Rolf: Da hinten an der Kreuzung! Der Milchwagen rutscht!

dɑː ˌhɪntən an deːʀ ˈkʀɔɪtsʊŋ   deːʀ ˈmɪlçvɑːgən ʀʊtʃt

4 Günther: Tatsächlich, jetzt kippt die alte Kiste sogar noch um.

tɑːtˈzɛçlɪç   jɛtst kɪpt ˌdiː altə kɪstə zogɑːʀ nɔx ˈʊm

5 Rolf: Klatsch, da liegt der ganze Salat auf der Straße!

ˈklatʃ   ˌdɑː liːkt ˌdeːʀ gantsə zalɑːt aʊf deːʀ ˈʃtʀɑːsə

6 Günther: Da lachst du noch? Die ganze Milch schwappt über die Straße!

dɑː ˈlaxst duː nɔx   diː gantsə ˌmɪlç ʃvapt yːbəʀ diː ˈʃtʀɑːsə

7 Rolf: Klar, das macht doch nichts. Der Milchmann ist bestimmt versichert.

ˈklɑːʀ das ˈmaxt ˌdɔx nɪçts   deːʀ mɪlçman ɪst bəˌʃtɪmt fɛʀˈzɪçəʀt

8 Günther: Aber was ist da rechts bei der Laterne?

ɑ:bəʀ vas ɪst dɑ: ˌʀɛçts baɪ̯ de:ʀ laˈtɛʀnə

9 Rolf: Da liegt eine alte Frau. Schnell, die Sache ist ernst.

dɑ: li:kt aɪ̯nə altə ˈfʀaʊ̯ ˈʃnɛl ˌdi: zaxə ɪst ˈɛʀnst

10 Günther: Nichts wie hin! Wir müssen ihr helfen.

nɪçts vi: ˈhɪn vi:ʀ mʏsən i:ʀ ˈhɛlfən

Part 2

11 Rolf: Gott sei Dank, es ist nicht allzu schlimm!

gɔt zaɪ̯ ˈdaŋk ɛs ɪst nɪçt altsu: ˈʃlɪm

12 Günther: Schlimm genug! Die Frau hat eine Platzwunde am Kopf!

ʃlɪm gəˈnu:k di: fʀaʊ̯ hat aɪ̯nə ˌplatsvʊndə am ˈkɔpf

13 Rolf: Sie hat noch den Angstschweiß auf der Stirn!

zi: hat nɔx de:n ˈaŋstʃvaɪ̯s aʊ̯f de:ʀ ʃtɪʀn

14 Günther: Und dem rücksichtslosen Fahrer ist nichts passiert!

ʊnt de:m ʀʏkzɪçtslo:zən ˌfɑ:ʀəʀ ɪst ˈnɪçts pasi:ʀt

15 Rolf: Quatsch, rücksichtslos! Dies ist eine ganz schlechte, rutschige Straße.

kvatʃ ˈʀʏkzɪçtslo:s di:s ɪst aɪ̯nə gants ʃlɛçtə ʀʊtʃigə ˈʃtʀɑ:sə

16 Günther: Täuschst du dich auch nicht? Sie sieht gut aus.

ˈtɔɪ̯ʃst du: dɪç aʊ̯x nɪçt zi: zi:t gu:t ˈaʊ̯s

17 Rolf: Seit dem zweiundzwanzigsten August zwölf Unfälle an derselben Stelle!

zaɪt de:m tvaɪʊntsvantsiçstən aʊgʊst tvœlf ˌʊnfɛlə an de:ʁˌzɛlbən ˈʃtɛlə

18 Günther: Du mußt es schließlich wissen, du wohnst ja hier.

ˌdu: mʊst ɛs ʃli:slɪç ˈvɪsən du ˈvo:nst ja: hi:ʁ

19 Rolf: Nachts, wenn es regnet, passiert das meiste. Aber natürlich auch tagsüber.

naxts vɛn ɛs ˌʁe:knət pasi:ʁt das ˈmaɪstə ɑ:bəʁ naty:ʁlɪç aʊx ˈtɑ:ksy:bəʁ

20 Günther: Da kommt der Peterwagen um die Hausecke herum! Siehst du das

dɑ: kɔmt dəʁ ˈpe:təʁvɑ:gən ʊm di: haʊsɛkə həʁʊm ˌzi:st du: das

Blaulicht?

ˈblaʊlɪçt

II. Supplement

Part 1

The subject pronouns **er** and **sie**

1 Warum läuft Rolf?

vɑ:ʁʊm ˈlɔɪft ʁɔlf

2 Er muß helfen.

e:ʁ mʊs ˈhɛlfən

3 Wo ist der Student?

vo: ɪst de:ʁ ʃtuˈdɛnt

4 Er ist im Vorlesungsraum.

e:ʁ ɪst ɪm ˈfo:ʁle:zʊŋsʁaʊm

5 Wo ist der Unfall?

vo: ɪst de:ʁ ˈʊnfal

6 Er ist am Schillerplatz.

e:ʁ ɪst am ˈʃɪləʁplats

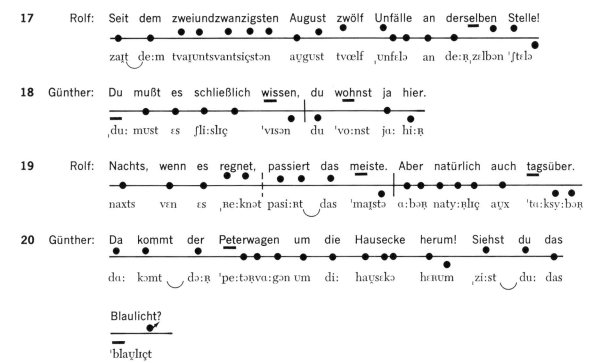

7 Ist Tante Inge nett?

ɪst tantə ɪŋə 'nɛt

8 Ja, sie ist nett.

ˌjɑ: zi: ɪst 'nɛt

9 Ist die Frau alt?

ɪst di: fʀaʊ̯ 'alt

10 Ja, sie ist alt.

ˌjɑ: zi: ɪst 'alt

11 Ist die Kreuzung rutschig?

ɪst di: kʀɔɪ̯tsʊŋ 'ʀʊtʃɪç

12 Ja, sie ist rutschig.

ˌjɑ: zi: ɪst 'ʀʊtʃɪç

Cardinal numbers

0	null	[nʊl]
1	eins	[aɪ̯ns]
2	zwei	[tvaɪ̯]
3	drei	[dʀaɪ̯]
4	vier	[fi:ʀ̩]
5	fünf	[fʏnf]
6	sechs	[zɛks]
7	sieben	['zi:bən]
8	acht	[axt]
9	neun	[nɔɪ̯n]
10	zehn	[tse:n]
11	elf	[ɛlf]
12	zwölf	[tvœlf]
13	dreizehn	['dʀaɪ̯tse:n]
14	vierzehn	['fɪʀtse:n]
15	fünfzehn	['fʏnftse:n]
16	sechzehn	['zɛçtse:n]
17	siebzehn	['zi:ptse:n]
18	achtzehn	['axtse:n]
19	neunzehn	['nɔɪ̯ntse:n]
20	zwanzig	['tsvantsɪç]

21	einundzwanzig	['aɪ̯nʊntsvantsɪç]
22	zweiundzwanzig	
23	dreiundzwanzig	
24	vierundzwanzig	
25	fünfundzwanzig	
26	sechsundzwanzig	
27	siebenundzwanzig	
28	achtundzwanzig	
29	neunundzwanzig	

10	zehn	
20	zwanzig	
30	dreißig	['dʀaɪ̯sɪç]
40	vierzig	['fɪʀtsɪç]
50	fünfzig	['fʏnftsɪç]
60	sechzig	['zɛçtsɪç]
70	siebzig	['zi:ptsɪç]
80	achtzig	['axtsɪç]
90	neunzig	['nɔɪ̯ntsɪç]

100	hundert, einhundert	['hʊndəʀt], ['aɪ̯nhʊndəʀt]
101	hunderteins	[hʊndəʀt'aɪ̯ns]
110	hundertzehn	
200	zweihundert	
300	dreihundert	
	usw. (und so weiter)	

1 000	tausend, eintausend	['tau̯zənt], ['aɪ̯ntau̯zənt]
1 000 000	eine Million	[aɪ̯nə mɪli'oːn]
1 000 000 000	eine Milliarde	[aɪ̯nə mɪli'aʀdə]

13 Zehn und zwei ist zwölf.
14 Vier mal fünf ist zwanzig.

15 Sechs durch zwei ist drei.
16 Fünfzehn weniger fünf ist zehn.

Part 2

Ordinal numbers

der 1.	der erste	[deːʀ 'eːʀstə]	der 14.	der vierzehnte	
der 2.	der zweite	[deːʀ 'tsvaɪ̯tə]	der 15.	der fünfzehnte	
der 3.	der dritte	[deːʀ 'dʀɪtə]	der 16.	der sechzehnte	
der 4.	der vierte		der 17.	der siebzehnte	
der 5.	der fünfte		der 18.	der achtzehnte	
der 6.	der sechste		der 19.	der neunzehnte	
der 7.	der siebte		der 20.	der zwanzigste	
der 8.	der achte		der 21.	der einundzwanzigste	
der 9.	der neunte		der 22.	der zweiundzwanzigste	
der 10.	der zehnte		der 30.	der dreißigste	
der 11.	der elfte		der 40.	der vierzigste	
der 12.	der zwölfte		der 100.	der hundertste	
der 13.	der dreizehnte		der 1 000.	der tausendste	

17 Heute ist der erste August.
18 Heute ist der zweite August.
19 Heute ist der dritte August.
20 Heute ist der siebte August.
21 Heute ist der sechzehnte August.
22 Heute ist der siebzehnte August.
23 Heute ist der zwanzigste August.
24 Heute ist der dreißigste August.

25 Er kommt am ersten August.
26 Er kommt am zweiten August.
27 Er kommt am dritten August.
28 Er kommt am siebten August.
29 Er kommt am sechzehnten August.
30 Er kommt am siebzehnten August.
31 Er kommt am zwanzigsten August.
32 Er kommt am dreißigsten August.
33 Er kommt am letzten August.

The subject pronouns **es** *and plural* **sie**

34 Wo ist das Kind?

voː ɪst das 'kɪnt

35 Es ist auf der Straße.

ɛs ɪst au̯f deːʀ 'ʃtʀɑːsə

36 Stimmt das alte Sprichwort?

'ʃtɪmt das altə ʃpʀɪçvɔrt

37 Nein, es stimmt nicht.

ˌnaɪ̯n ɛs ʃtɪmt 'nɪçt

38 Wo ist das Licht?

vo: ɪst das 'lɪçt

39 Es ist am Peterwagen.

ɛs ɪst am 'pe:tɐvɑ:gən

40 Sind Rolf und Günther am Schillerplatz?

zɪnt ʀɔlf ʊnt gʏntɐ am 'ʃɪlɐplats

41 Ja, sie sind am Schillerplatz.

ˌjɑ: zi: zɪnt am 'ʃɪlɐplats

42 Wo sind die Studenten?

vo: zɪnt di: ʃtu'dɛntən

43 Sie sind im Vorlesungsraum.

zi: zɪnt ɪm 'fo:ʀle:zʊŋsʀaʊ̯m

44 Wann beginnen die Vorlesungen?

van bə'gɪnən di: fo:ʀle:zʊŋən

45 Sie beginnen um Viertel nach voll.

zi: bəgɪnən ʊm fɪrtəl 'nɑ:x fɔl

III. Phonology

Consonant combinations

Unfamiliar consonant combinations can present considerable pronunciation difficulties, even though the consonants occur individually in English. This is the case with [pf] and [kv]: the individual consonants are common in English, but the combinations are not. To a certain extent this is true also of the combinations [ts] and [kn], which do not occur in initial position in English. There are also consonant combinations in German in which one of the constituent sounds does not occur in English, such as [çt], [xt] and [kʀ]. Finally, there are unfamiliar clusters of more than two consonants, in which one or more sounds do not occur in English.

The following consonant combinations should be practiced until they can be pronounced without difficulty.

[ts] *occurs in English in medial and final position; in German it also occurs initially*

ganz	[gants]	Zimmer	['tsɪmɐʀ]
heizen	['haɪtsən]	Zahl	[tsɑ:l]
Katze	['katsə]	Zeit	[tsaɪt]
jetzt	[jɛtst]		

[ts], *spelled **z**, should not be confused with* [z] *or* [s]

[ts]	[z] *or* [s]
Zeit	seit
Zahl	Saal
Zoo	so
Katze	Kasse
heizen	heißen

[tʃ] *occurs in English, but there is a difference between the English and German pronunciation of the* [ʃ] *sound*

deutsch	[dɔɪtʃ]	rutschige	[ˈʀʊtʃigə]
Quatsch	[kvatʃ]	Cello	[ˈtʃɛlo]
Klatsch	[klatʃ]	Tschechen	[ˈtʃɛçən]
klatschen	[ˈklatʃən]		

[pf] *occurs medially in such English words as* hopeful *or* cupful. *In German this combination occurs in all positions*

Kopf	[kɔpf]	Pferd	[pfeːʀt]
Schnupfen	[ˈʃnʊpfən]	Pfarrer	[ˈpfaʀɔʀ]
Apfel	[ˈapfəl]		

[pf] *must be distinguished from* [f]

[pf]	[f]
Pferd	fährt
Pfahl	fahl
Pfund	Fund
Pfarrer	Fahrer
Pfeil	feil
stopfen	Stoffen

The following combinations do not occur in English:

[çt]		[xt]	
nicht	[nɪçt]	Nacht	[naxt]
Licht	[lɪçt]	macht	[maxt]
Pflicht	[pflɪçt]	sucht	[zuːxt]
leicht	[laɪçt]	bucht	[buːxt]
feucht	[fɔɪçt]	Docht	[dɔxt]
möchte	[ˈmœçtə]	locht	[lɔxt]

[xt] *should not be confused with* [kt]

[xt]	[kt]
Nacht	nackt
locht	lockt
taucht	taugt

[çts]

nichts	[nɪçts]
rechts	[ʀɛçts]
rücksichtslos	[ˈʀʏkzɪçtsloːs]

[çst]

sprichst	[ʃpʀɪçst]
wichst	[vɪçst]
reichst	[ʀaɪçst]
weichst	[vaɪçst]

[xts]

nachts	[naxts]

[xst]

lachst	[laxst]
wachst	[vaxst]
machst	[maxst]
fluchst	[fluːxst]
suchst	[zuːxst]

[xs] *should not be confused with* [ks]

[xs]	[ks]
(des) Dachs	(der) Dachs
(du) wachst	(du) wachst
(du) lachst	(der) Lachs
(des) Buchs	(der) Buchs (—baum)

[ʃst]

täuschst	[tɔɪʃst]
wischst	[vɪʃst]
zischst	[tsɪʃst]
fischst	[fɪʃst]
mischst	[mɪʃst]

[tsv]

zwölf	[tsvœlf]
zwei	[tsvaɪ]
zwanzig	[ˈtsvantsɪç]
zweiundzwanzig	[ˈtsvaɪʊntsvantsiç]
zwischen	[ˈtsvɪʃən]
Zwiebel	[ˈtsviːbəl]
Zweifel	[ˈtsvaɪfəl]
Zwirn	[ˈtsvɪʀn]

[kv]

bequem	[bəˈkveːm]
Quittung	[ˈkvɪtʊŋ]
Quelle	[ˈkvɛlə]
Quote	[ˈkvoːtə]
Qual	[kvɑːl]
Requisit	[ʀekvɪˈziːt]

Combinations with [l] and [ʀ]:

[pl]

Platz	[plats]
Platzwunde	['platsvʊndə]
plötzlich	['plœtslɪç]

[kl]

klar	[klɑːʀ]
Klatsch	[klatʃ]
klein	[klaɪ̯n]
Klapperschlange	['klapəʀʃlaŋə]

[pʀ] *and* [bʀ]

Professor	[pʀoˈfɛsɔʀ]
Problem	[pʀoˈbleːm]
Bruder	['bʀuːdɔʀ]
bringen	['bʀɪŋən]

[tʀ] *and* [dʀ]

tragen	['tʀɑːgən]
trinken	['tʀɪŋkən]
dran	[dʀan]
drei	[dʀaɪ̯]

[kʀ] *and* [gʀ]

krank	[kraŋk]
Krieg	[kʀiːk]
groß	[gʀoːs]
Grund	[gʀʊnt]

[ʃʀ]

| schreiben | ['ʃʀaɪ̯bən] |
| Schrei | [ʃʀaɪ̯] |

[fʀ]

| Fräulein | ['fʀɔɪ̯laɪ̯n] |
| frei | [fʀaɪ̯] |

Glottal stop

In initial position in a syllable, German vowels are pronounced in three different ways:

1. With aspiration, which is indicated with the letter **h**: **h**eiß, **h**elfen, **h**at. This parallels English: *h*ot, *h*elp, *h*as (but not: hour, heir, honor).
2. With a smooth onset, which occurs when a vowel begins an unaccented syllable: seh**e**n, Podi**u**m. This parallels English: see*i*ng, the*a*ter.
3. With abrupt onset (glottal stop), which occurs when a vowel begins an accented syllable: **a**lt, **Ei**nführung, **ü**ben. The smooth onset is applied in English even in initial position of accented syllables, so that *an old ox* can sound like one word: *anoldox*. This should not happen in German. The expression **ein alter Ochse** should be spoken and heard as three words [aɪ̯n ˈaltəʀ ˈɔksə] because the abrupt onset automatically separates the words. In English the abrupt onset is used in such cases only if the speaker is being especially careful for one reason or another.

The abrupt onset in German is more common in the north than in the south of the German-speaking area.

Pronounce the following phrases in English and German, using the abrupt onset in the German only:

an old lady
eine alte Frau

an accident
ein Unfall

his Aunt Inge
seine Tante Inge

buy your ice cream
kauf dein Eis

splashes over
schwappt über

It is a good idea to exaggerate the contrast between the aspirated onset and the abrupt onset with glottal stop because meaning could depend on this contrast:

halt	'alt	hin	'in
Hans	'ans	der Hund	'und
her	'er	das Verhalten	ver'alten
heiß	das 'Eis		

IV. Audiolingual Drills

A. Directed Dialog

Part 1

Fragen Sie, wo der Unfall ist!
Wo ist der Unfall?

Antworten Sie, daß er am Schillerplatz ist!
Er ist am Schillerplatz.

Sagen Sie, daß Günther nichts sieht!
Günther sieht nichts.

Sagen Sie, daß Rolf plötzlich läuft!
Rolf läuft plötzlich.

Fragen Sie, warum er plötzlich läuft!
Warum läuft er plötzlich?

Antworten Sie, daß der Milchwagen rutscht!
Der Milchwagen rutscht.

Sagen Sie, daß die alte Kiste sogar noch umkippt!
Die alte Kiste kippt sogar noch um.

Sagen Sie, daß der ganze Salat auf der Straße liegt!
Der ganze Salat liegt auf der Straße.

Sagen Sie, daß die ganze Milch über die Straße schwappt!
Die ganze Milch schwappt über die Straße.

Sagen Sie, daß das doch nichts macht!
Das macht doch nichts.

Fragen Sie, warum das nichts macht!
Warum macht das nichts?

Antworten Sie, daß der Milchmann bestimmt versichert ist!
Der Milchmann ist bestimmt versichert.

Fragen Sie, was da rechts bei der Laterne ist!
Was ist da rechts bei der Laterne?

Sagen Sie, daß da eine alte Frau liegt!
Da liegt eine alte Frau.

Fragen Sie, ob die Sache ernst ist!
Ist die Sache ernst?

Part 2

Fragen Sie, ob es nicht allzu schlimm ist!
Ist es nicht allzu schlimm?

Sagen Sie, daß es schlimm genug ist!
Es ist schlimm genug.

Fragen Sie, was die Frau am Kopf hat!
Was hat die Frau am Kopf?

Antworten Sie, daß sie eine Platzwunde am Kopf hat!
Sie hat eine Platzwunde am Kopf.

Fragen Sie, was sie auf der Stirn hat!
Was hat sie auf der Stirn?

Sagen Sie, daß sie noch den Angstschweiß auf der Stirn hat!
Sie hat noch den Angstschweiß auf der Stirn.

Fragen Sie, was dem rücksichtslosen Fahrer passiert ist!
Was ist dem rücksichtslosen Fahrer passiert?

Antworten Sie, daß dem rücksichtslosen Fahrer nichts passiert ist!
Dem rücksichtslosen Fahrer ist nichts passiert.

Fragen Sie, wie die Straße ist!
Wie ist die Straße?

Sagen Sie, daß dies eine ganz schlechte, rutschige Straße ist!
Dies ist eine ganz schlechte, rutschige Straße.

Fragen Sie, wann das meiste passiert!
Wann passiert das meiste?

Antworten Sie, daß nachts, wenn es regnet, das meiste passiert!
Nachts, wenn es regnet, passiert das meiste.

Fragen Sie, ob tagsüber nichts passiert!
Passiert tagsüber nichts?

Fragen Sie, ob der Peterwagen um die Hausecke herumkommt!
Kommt der Peterwagen um die Hausecke herum?

Sagen Sie, daß der Peterwagen um die Hausecke herumkommt!
Der Peterwagen kommt um die Hausecke herum.

Fragen Sie, ob Rolf das Blaulicht sieht!
Sieht Rolf das Blaulicht?

B. Noun-Pronoun Agreement

1   Substitute the correct pronoun subject for the noun subject.

> *Example*:   Der Unfall ist schlimm.
> Er ist schlimm.

Die Kreuzung ist rutschig.
Sie ist rutschig.

Der Milchwagen rutscht.
Er rutscht.

Die Kiste kippt um.
Sie kippt um.

Der Mann ist versichert.
Er ist versichert.

Die Sache ist ernst.
Sie ist ernst.

Die Laterne ist da hinten.
Sie ist da hinten.

Da liegt die Frau.
Da liegt sie.

Ist die Platzwunde schlimm?
Ist sie schlimm?

Die Straße sieht gut aus.
Sie sieht gut aus.

Da ist die Hausecke.
Da ist sie.

Die Unfälle sind schlimm.
Sie sind schlimm.

Ist das Blaulicht am Peterwagen?
Ist es am Peterwagen?

Das Kind kauft Nuß-Eis.
Es kauft Nuß-Eis.

Die Tante kauft kein Eis.
Sie kauft kein Eis.

Das Eis schmeckt gut.
Es schmeckt gut.

Der Müller ist alt.
Er ist alt.

Das Gift ist schlimm.
Es ist schlimm.

Die Sonne scheint schön.
Sie scheint schön.

Uwe geht zum Baden.
Er geht zum Baden.

Heike geht auch zum Baden.
Sie geht auch zum Baden.

Die Vorlesungen beginnen um Viertel
nach voll.
Sie beginnen um Viertel nach voll.

Der Platz ist noch frei.
Er ist noch frei.

Der Student ist im Vorlesungsraum.
Er ist im Vorlesungsraum.

Die Studenten sind im Raum.
Sie sind im Raum.

Die Vorlesung beginnt nun.
Sie beginnt nun.

Fräulein Schneider und Herr Held sind
Studenten.
Sie sind Studenten.

Der Schneider ist gut.
Er ist gut.

Der Held ist tüchtig.
Er ist tüchtig.

Das Sprichwort ist alt.
Es ist alt.

Der Wolf ist da hinten.
Er ist da hinten.

2 Answer the questions in the affirmative by beginning with „Ja, . . ." and substituting the right pronoun for the subject.

Example: Scheint die Sonne schön?
            Ja, sie scheint schön.

Ist der Unfall schlimm?
Ja, er ist schlimm.

Ist die Kreuzung rutschig?
Ja, sie ist rutschig.

Kippt der Milchwagen um?
Ja, er kippt um.

Liegt die Frau auf der Straße?
Ja, sie liegt auf der Straße.

Ist die Sache ernst?
Ja, sie ist ernst.

Ist der Milchmann versichert?
Ja, er ist versichert.

Hat die Frau eine Platzwunde?
Ja, sie hat eine Platzwunde.

Sind Unfälle schlimm?
Ja, sie sind schlimm.

Sieht die Straße gut aus?
Ja, sie sieht gut aus.

Ist das Blaulicht am Peterwagen?
Ja, es ist am Peterwagen.

Sind die Studenten im Vorlesungsraum?
Ja, sie sind im Vorlesungsraum.

Beginnt die Vorlesung jetzt?
Ja, sie beginnt jetzt.

Ist der Student im Vorlesungsraum?
Ja, er ist im Vorlesungsraum.

Liest Professor Wolf langweilig?
Ja, er liest langweilig.

Ist der Müller alt?
Ja, er ist alt.

Scheint die Sonne schön?
Ja, sie scheint schön.

Kauft das Kind Eis?
Ja, es kauft Eis.

Ist der Held tüchtig?
Ja, er ist tüchtig.

Schmeckt das Eis gut?
Ja, es schmeckt gut.

Ist der Schneider gut?
Ja, er ist gut.

3 Answer the questions in the negative by beginning with „**Nein, . . .**" and inserting „**nicht**" before the adjective. Also, substitute the right pronoun for the noun subject.

> *Example:* Ist Professor Wolf nett?
> Nein, er ist nicht nett.

Ist die Frau alt?
Nein, sie ist nicht alt.

Ist Heike tüchtig?
Nein, sie ist nicht tüchtig.

Schmeckt das Eis gut?
Nein, es schmeckt nicht gut.

Ist die Straße gut?
Nein, sie ist nicht gut.

Ist der Unfall schlimm?
Nein, er ist nicht schlimm.

Ist die Sache ernst?
Nein, sie ist nicht ernst.

Ist das Kind nett?
Nein, es ist nicht nett.

Ist die Platzwunde schlimm?
Nein, sie ist nicht schlimm.

Ist der Milchmann versichert?
Nein, er ist nicht versichert.

Sind die Studenten tüchtig?
Nein, sie sind nicht tüchtig.

Ist die Vorlesung schwer?
Nein, sie ist nicht schwer.

Ist die Sache fein?
Nein, sie ist nicht fein.

Sind Vorlesungen langweilig?
Nein, sie sind nicht langweilig.

Ist der Wolf da hinten?
Nein, er ist nicht da hinten.

C. Numbers

4 Begin each sentence with the new number given and complete the problem:

Null und zwei ist zwei.   **zwei**
Zwei und zwei ist vier.   **drei**
Drei und zwei ist fünf.   **vier**
Vier und zwei ist sechs.   **fünf**
Fünf und zwei ist sieben.   **acht**
Acht und zwei ist zehn.   **neun**
Neun und zwei ist elf.   **zwölf**
Zwölf und zwei ist vierzehn.   **vierzehn**
Vierzehn und zwei ist sechzehn.   **fünfzehn**
Fünfzehn und zwei ist siebzehn.   **achtzehn**
Achtzehn und zwei ist zwanzig.   **zwanzig**
Zwanzig und zwei ist zweiundzwanzig.   **achtundzwanzig**
Achtundzwanzig und zwei ist dreißig.   **achtundfünfzig**
Achtundfünfzig und zwei ist sechzig.   **achtundsechzig**
Achtundsechzig und zwei ist siebzig.

5 Begin each sentence with the new number given and complete the problem:

Ein mal zwei ist zwei.   **zwei**
Zwei mal zwei ist vier.   **drei**
Drei mal zwei ist sechs.   **vier**
Vier mal zwei ist acht.   **fünf**
Fünf mal zwei ist zehn.   **sieben**
Sieben mal zwei ist vierzehn.   **acht**
Acht mal zwei ist sechzehn.   **neun**
Neun mal zwei ist achtzehn.   **zehn**
Zehn mal zwei ist zwanzig.   **fünfzehn**
Fünfzehn mal zwei ist dreißig.

6 Begin each sentence with the new number given and complete the problem:

Vier durch zwei ist zwei.   **sechs**
Sechs durch zwei ist drei.   **acht**
Acht durch zwei ist vier.   **zehn**
Zehn durch zwei ist fünf.   **zwölf**
Zwölf durch zwei ist sechs.   **sechzehn**
Sechzehn durch zwei ist acht.   **zwanzig**
Zwanzig durch zwei ist zehn.   **dreißig**
Dreißig durch zwei ist fünfzehn.   **sechzig**
Sechzig durch zwei ist dreißig.   **hundert**
Hundert durch zwei ist fünfzig.   **tausend**
Tausend durch zwei ist fünfhundert.

7 Begin each sentence with the new number given and complete the problem:

Zwanzig weniger zwei ist achtzehn.   **neunzehn**
Neunzehn weniger zwei ist siebzehn.   **achtzehn**
Achtzehn weniger zwei ist sechzehn.   **siebzehn**
Siebzehn weniger zwei ist fünfzehn.   **dreizehn**
Dreizehn weniger zwei ist elf.   **zwölf**
Zwölf weniger zwei ist zehn.   **drei**
Drei weniger zwei ist eins.   **zwei**
Zwei weniger zwei ist null.

8 Substitute the ordinal form of the new number:

Heute ist der zehnte August.   **neun**
Heute ist der neunte August.   **eins**
Heute ist der erste August.   **drei**
Heute ist der dritte August.   **sechs**

Heute ist der sechste August.   **sieben**
Heute ist der siebte August.   **acht**
Heute ist der achte August.   **zwölf**
Heute ist der zwölfte August.   **sechzehn**
Heute ist der sechzehnte August.   **siebzehn**
Heute ist der siebzehnte August.   **achtzehn**
Heute ist der achtzehnte August.   **zwanzig**
Heute ist der zwanzigste August.   **einundzwanzig**
Heute ist der einundzwanzigste August.   **siebenundzwanzig**
Heute ist der siebenundzwanzigste August.   **dreißig**
Heute ist der dreißigste August.   **einunddreißig**
Heute ist der einunddreißigste August.

9   Substitute the ordinal form of the new number:

Er kommt am zweiundzwanzigsten August.   **vier**
Er kommt am vierten August.   **fünfundzwanzig**
Er kommt am fünfundzwanzigsten August.   **drei**
Er kommt am dritten August.   **dreißig**
Er kommt am dreißigsten August.   **sechs**
Er kommt am sechsten August.   **zwanzig**
Er kommt am zwanzigsten August.   **eins**
Er kommt am ersten August.   **sechsundzwanzig**
Er kommt am sechsundzwanzigsten August.   **sieben**
Er kommt am siebten August.   **acht**
Er kommt am achten August.   **neunundzwanzig**
Er kommt am neunundzwanzigsten August.   **zwölf**
Er kommt am zwölften August.   **siebzehn**
Er kommt am siebzehnten August.   **einundzwanzig**
Er kommt am einundzwanzigsten August.   **sechzehn**
Er kommt am sechzehnten August.   **dreizehn**
Er kommt am dreizehnten August.   **drei**
Er kommt am dritten August.   **eins**
Er kommt am ersten August.

D. Word Order

10   Repeat the following sentences with the adverbial element in first position. The verb must always be the second element.

Example: Der Unfall   ist   am Schillerplatz.
              Am Schillerplatz   ist   der Unfall.

Rolf   läuft   plötzlich.
Plötzlich   läuft   Rolf.

```
Der ganze Salat    liegt    auf der Straße.
 Auf der Straße    liegt    der ganze Salat.

Die ganze Milch    schwappt    über die Straße.
Über die Straße    schwappt    die ganze Milch.

  Eine alte Frau    liegt    da.
            Da    liegt    eine alte Frau.

              Sie    hat    eine Platzwunde am Kopf.
       Am Kopf    hat    sie eine Platzwunde.

   Das meiste    passiert    nachts.
       Nachts    passiert    das meiste.

Der Peterwagen    kommt    um die Ecke.
  Um die Ecke    kommt    der Peterwagen.
```

E. Questions and Answers

Part 1

Wo ist der Unfall?
Er ist am Schillerplatz.

Warum läuft Rolf plötzlich?
Der Milchwagen rutscht.

Kippt der Milchwagen um?
Ja, er kippt sogar noch um.

Was liegt auf der Straße?
Der ganze Salat liegt auf der Straße.

Was schwappt über die Straße?
Die ganze Milch schwappt über die Straße.

Ist der Milchmann versichert?
Ja, er ist bestimmt versichert.

Wo liegt die alte Frau?
Sie liegt auf der Straße.

Ist der Unfall ernst?
Ja, er ist ernst.

Part 2

Was hat die Frau am Kopf?
Sie hat eine Platzwunde am Kopf.

Was hat sie noch auf der Stirn?
Sie hat noch den Angstschweiß auf der Stirn.

Was ist dem Fahrer passiert?
Dem Fahrer ist nichts passiert.

Wie sieht die Straße aus?
Sie sieht gut aus.

Ist der Fahrer rücksichtslos?
Nein, er ist nicht rücksichtslos.

Passiert das meiste tagsüber?
Nein, das meiste passiert nachts.

Was kommt um die Hausecke herum?
Der Peterwagen kommt um die Hausecke herum.

Wo sind Rolf und Günther?
Sie sind am Schillerplatz.

V. Writing Practice

A. Learn the Alphabet

a	[ɑ:]	j	[jɔt]	s	[ɛs]	ä	[ɛ:]	oder	[ɑ:] - Umlaut
b	[be:]	k	[kɑ:]	t	[te:]	ö	[ø:]	oder	[o:] - Umlaut
c	[tse:]	l	[ɛl]	u	[u:]	ü	[y:]	oder	[u:] - Umlaut
d	[de:]	m	[ɛm]	v	[faṵ]				
e	[e:]	n	[ɛn]	w	[ve:]	ei } ai }	[aɪ]		
f	[ɛf]	o	[o:]	x	[ɪks]	au	[aṵ]		
g	[ge:]	p	[pe:]	y	['ʏpsilɔn]	eu } äu }	[ɔɪ̭]		
h	[hɑ:]	q	[ku:]	z	[tsɛt]				
i	[i:]	r	[ɛʀ], [ɛr]						
						ch	[tse 'hɑ:]		
						ß	[ɛs 'tsɛt]		

B. Identify each Letter or Combination

Name each letter or combination:

b, au, w, g, i, t, a, h, ä, c, f, eu, d, j, e, p, ch, o, s, v, x, ei, ü, r, z, ö, äu, ß, k, n, l, m, q, y, ai

Write each letter or combination as it is pronounced for you; then compare your work with this list:

q, x, ü, t, ei, o, e, ö, k, s, w, ch, i, m, c, j, ä, v, au, r, b, y, l, eu, h, p, ß, äu, f, n, ai, z, a, d, g

VI. Word Study

A. Translation of Dialog

Der Unfall am Schillerplatz
The Accident at Schiller Square

am = an + dem · der Schillerplatz (am Schillerplatz *dat.*) **Schiller** *German poet* + **der Platz** square; place

(Rolf und Günther)
(Rolf and Günther)

Part 1

1 Mensch, da, kannst du sehen?
Man, there, can you see?

der **Mensch** man, human being

2 Ich sehe nichts. Was läufst du denn plötzlich?
I don't see a thing. Why are you suddenly running, anyway?

nichts nothing · **was** what; why · **laufen** (du **läufst**)

3 Da hinten an der Kreuzung!
Over there at the crossing.

Der Milchwagen rutscht!
The milk truck is skidding.

4 Tatsächlich, jetzt kippt die alte Kiste sogar
noch um.
So it is; now the old crate's even tipping over.

5 Klatsch, da liegt der ganze Salat auf der
Straße!
Crash! The whole mess is lying there on
the street.

6 Da lachst du noch? Die ganze Milch schwappt
über die Straße!
And you think it's funny? All the milk is
splashing over the street.

7 Klar, das macht doch nichts. Der Milchmann
ist bestimmt versichert.
Sure, but it doesn't really matter. The
milkman is certainly insured.

8 Aber was ist da rechts bei der Laterne?
But what's that over there to the right, by
the street light?

9 Da liegt eine alte Frau. Schnell, die Sache
ist ernst.
An old woman is lying there. Quick! The
thing is serious.

10 Nichts wie hin! Wir müssen ihr helfen.
Let's get over there. We've got to help her.

Part 2

11 Gott sei Dank, es ist nicht allzu schlimm!
Thank goodness, it isn't too bad.

12 Schlimm genug! Die Frau hat eine
Platzwunde am Kopf!
Bad enough! The woman has a bad cut on
her head.

hinten in the distance; behind · **die
Kreuzung (der Kreuzung** *dat.*)

der Milchwagen **die Milch** milk + **der
Wagen** truck; car

tatsächlich actual(ly), real(ly) · **umkippen
(sie kippt . . . um)** tip over **kippen** tip, tilt,
topple · **sogar** even **sogar noch** even

liegen (er liegt) · **ganz (ganze)** whole,
complete, entire; all · **der Salat** salad ·
die Straße (der Straße *dat.*)

da about it; there · **lachen (du lachst)** you
laugh · **schwappen (sie schwappt)**

nichts nothing **das macht nichts**
that doesn't matter; that's all right ·
der Milchmann **die Milch + der Mann**

die Laterne (der Laterne *dat.*) street light;
lantern, lamp

die Frau woman; Mrs.

wie but; how · **hin** there, in that direction
A verb of motion is implied. · **müssen (wir
müssen)** · **sie (ihr** *dat.*)

der Gott God; god · **(er sei** *subjunctive*)

die Platzwunde **platz** (*from* **platzen** burst)
+ **die Wunde** wound · **der Kopf (am Kopf**
dat.) *The definite article is generally used
instead of a possessive adjective with parts
of the body.*

69

13 Sie hat noch den Angstschweiß auf der Stirn!
She still has the sweat of fear on her forehead!

der **Angstschweiß** (**den Angstschweiß** *acc.*)
die Angst fear + **der Schweiß** sweat,
perspiration · **die Stirn** (**der Stirn** *dat.*)

14 Und dem rücksichtslosen Fahrer ist nichts
passiert!
And nothing happened to the reckless driver!

rücksichtslos reckless · **der Fahrer** *driver*
(**dem rücksichtslosen Fahrer** *dat.*) ·
passieren (**ist . . . passiert** happened)

15 Quatsch, rücksichtslos! Dies ist eine ganz
schlechte, rutschige Straße.
Reckless, my eye! This is a very bad, slippery
street.

der **Quatsch** baloney, nonsense *slang* · **ganz**
adverb very; completely, entirely · **schlecht**
(**schlechte**) · **rutschig** (**rutschige**)

16 Täuschst du dich auch nicht? Sie sieht
gut aus.
Aren't you mistaken, though? It looks all right.

täuschen (**du täuschst**) deceive · **dich**
yourself *acc. reflexive* · **aussehen** (**sie sieht
. . . aus**) look, appear

17 Seit dem zweiundzwanzigsten August zwölf
Unfälle an derselben Stelle!
Since the 22nd of August twelve accidents
at the same place!

der **August** (**seit dem 22. August** *dat.*) ·
die Stelle (**an derselben Stelle** *dat.*) place;
position (job) · **der Unfall**, *pl.* **die Unfälle**

18 Du mußt es schließlich wissen, du wohnst
ja hier.
You really ought to know; after all, you live
here.

müssen (**du mußt**) · **schließlich** really;
after all; final(ly), eventual(ly) · **wohnen**
(**du wohnst**) · **ja** after all; yes, indeed,
to be sure

19 Nachts, wenn es regnet, passiert das meiste.
Aber natürlich auch tagsüber.
At night, when it's raining, most of it happens.
But naturally during the day too.

regnen (**es regnet**) rain · **das meiste** the
most · **passieren** (**es passiert**)

20 Da kommt der Peterwagen um die Hausecke
herum! Siehst du das Blaulicht?
There comes the police car around the corner
of the building. Do you see the blue light?

die Hausecke   **das Haus** building; house +
die Ecke corner · **das Blaulicht**   **blau** blue
+ **das Licht** light

Supplement

Part 1

The subject pronouns **er** *and* **sie**

1 Warum läuft Rolf?
Why is Rolf running?

laufen (**er läuft**)

2 Er muß helfen.
He has to help.

müssen (**er muß**)

3 Wo ist der Student?
Where is the student?

4 Er ist im Vorlesungsraum.
He's in the lecture hall.

5 Wo ist der Unfall?
Where is the accident?

6 Er ist am Schillerplatz.
It's at Schiller Square.

7 Ist Tante Inge nett?
Is Aunt Inge nice?

8 Ja, sie ist nett.
Yes, she's nice.

9 Ist die Frau alt?
Is the woman old?

10 Ja, sie ist alt.
Yes, she's old.

11 Ist die Kreuzung rutschig?
Is the crossing slippery?

12 Ja, sie ist rutschig.
Yes, it's slippery.

Cardinal numbers

13 Zehn und zwei ist zwölf.
Ten and two is twelve.

14 Vier mal fünf ist zwanzig.
Four times five is twenty.

15 Sechs durch zwei ist drei.
Six divided by two is three.

16 Fünfzehn weniger fünf ist zehn.
Fifteen minus five is ten.

Part 2

Ordinal numbers

17 Heute ist der erste August.
Today is the first of August.

18 Heute ist der zweite August.
Today is the second of August.

19 Heute ist der dritte August.
Today is the third of August.

20 Heute ist der siebte August.
Today is the seventh of August.

21 Heute ist der sechzehnte August.
Today is the sixteenth of August.

22 Heute ist der siebzehnte August.
Today is the seventeenth of August.

23 Heute ist der zwanzigste August.
Today is the twentieth of August.

24 Heute ist der dreißigste August.
Today is the thirtieth of August.

25 Er kommt am ersten August.   **erst (am ersten** *dat.*)
He is coming on the first of August.

26 Er kommt am zweiten August.
He is coming on the second of August.

27 Er kommt am dritten August.
He is coming on the third of August.

28 Er kommt am siebten August.
He is coming on the seventh of August.

29 Er kommt am sechzehnten August.
He is coming on the sixteenth of August.

30 Er kommt am siebzehnten August.
He is coming on the seventeenth of August.

31 Er kommt am zwanzigsten August.
He is coming on the twentieth of August.

32 Er kommt am dreißigsten August.
He is coming on the thirtieth of August.

33 Er kommt am letzten August.   **letzt (am letzten** *dat.*) last
He is coming on the last day of August.

The subject pronouns **es** and plural **sie**

34 Wo ist das Kind?
Where is the child?

35 Es ist auf der Straße.
It's on the street.

36 Stimmt das alte Sprichwort?
Is the old proverb true?

37 Nein, es stimmt nicht.
No, it isn't true.

38 Wo ist das Licht?
Where's the light?

39 Es ist am Peterwagen.
It's on the police car.

40	Sind Rolf und Günther am Schillerplatz?	**43**	Sie sind im Vorlesungsraum.
	Are Rolf and Günther at Schiller Square?		They're in the lecture hall.
41	Ja, sie sind am Schillerplatz.	**44**	Wann beginnen die Vorlesungen?
	Yes, they're at Schiller Square.		When do the lectures begin?
42	Wo sind die Studenten?	**45**	Sie beginnen um Viertel nach voll.
	Where are the students?		They begin at a quarter after the hour.

Notes on adjectives

The declension of descriptive adjectives will be treated in full in Unit 10. A few adjectives are used earlier, usually in the nominative case. The following rules apply:

1 A predicate adjective never has an ending added:

Es ist heiß.
Du bist nett.
Der Platz hier ist frei.

Der Milchmann ist versichert.
Die Sache ist ernst.

2 When a descriptive adjective precedes a noun it always has an ending. In the nominative singular, an adjective used with a **der**–word or with an inflected **ein**–word ends in **–e. Der, die, das; dieser, diese, dieses; jener, jene, jenes,** etc., are **der**–words. **Eine, meine, keine,** etc., are inflected **ein**–words; that is, they have the ending **–e** added to the basic form:

der alt**e** Professor Wolf
die alt**e** Kiste
das klein**e** Kind
der ganz**e** Salat

die ganz**e** Milch
eine hübsch**e** Sache
eine ganz schlecht**e**, rutschig**e** Straße

B. Word Formation

Compound nouns

Note the variety of component parts:

Noun plus noun

die Angst fear, anxiety + **der Schweiß** sweat, perspiration = **der Angstschweiß** cold sweat of fear
das Haus house; building + **die Ecke** corner = **die Hausecke** corner of the house, building
die Milch milk + **der Mann** = **der Milchmann** milk man
die Milch + **der Wagen** truck; car; wagon = **der Milchwagen** milk truck

Name plus noun

Schiller *name of a German writer* + **der Platz** square = **der Schillerplatz** Schiller Square
Peter *name* + **der Wagen** = **der Peterwagen** police car *colloquial*

Verb plus noun

>**sprich** *from* **sprechen**, speak + **das Wort** = **das Sprichwort** saying, proverb
>**platz** *from* **platzen**, burst + **die Wunde** wound = **die Platzwunde** bad cut, open wound

Adjective plus noun

>**blau** blue + **das Licht** light = **das Blaulicht** blue light

Preposition plus noun

>**gegen** against + **das Teil** part = **das Gegenteil** opposite

C. Definite Articles

der—nouns	**die—nouns**	**das—nouns**
der Angstschweiß	die Ecke	das Blaulicht
der August	die Frau	das Haus
der Dank	die Hausecke	das Licht
der Fahrer	die Kiste	das Viertel
der Gott	die Kreuzung	
der Klatsch	die Laterne	
der Kopf	die Milch	
der Mann	die Million	
der Mensch	die Milliarde	
der Milchmann	die Platzwunde	
der Milchwagen	die Stelle	
der Peterwagen	die Stirn	
der Platz	die Straße	
der Quatsch	die Wunde	
der Salat		
der Schillerplatz		
der Schweiß		
der Unfall, *pl.* die Unfälle		
der Wagen		

VI. Grammar

A. Spelling

German spelling is more regular than English; that is, the German writing system is more consistent and it represents the sounds of the language with greater accuracy.

In addition to the regular alphabet used in English there are three umlaut vowels, **ä**, **ö** and **ü**, the umlaut diphthong **äu**, and the symbol **ß**.

ß is used instead of **ss** under certain conditions.

    a.   After a long vowel or a diphthong:

        die Straße
        außer (*except*)

    b.   Before a consonant:

        mußt
        weißt

    c.   At the end of a word or syllable, whether the preceding vowel is long or short:

die Nuß	der Spaß
muß	schließlich
heiß	der Schweiß

ß is not used between vowels if the preceding vowel is short:

        müssen
        wissen
        passieren

B. Capitalization

1   All nouns are capitalized, no matter where they appear in a sentence:

        der Unfall
        die Milch
        das Blaulicht

2   All forms of the pronoun **Sie** *you* and the possessive adjective **Ihr** *your* are capitalized: **Entschuldigen Sie, ist das Ihr Ernst?**

3   Unless it is the first word in a sentence, the pronoun **ich** *I* is not capitalized: **Das möchte ich auch**.

4   In letters, all forms of the pronoun **du** *you* and the possessive adjective **dein** *your* are capitalized.

5   In titles, only the first word and the nouns are capitalized: **Die Sonne scheint so schön**.

C. Punctuation

German punctuation differs in certain respects from English, especially in the use of the comma.

1   Subordinate clauses are always set off by commas:

        Fragen Sie, warum Rolf plötzlich läuft!
        Nachts, wenn es regnet, passiert das meiste.

2 The semicolon is not used as commonly as in English. Two closely related independent clauses may be separated by a comma:

> Du mußt es schließlich wissen, du wohnst ja hier.
> Ich glaube schon, jedenfalls warte ich auch darauf.

3 The comma is used in prices and fractions:

> DM 10,80 *or* 10,80 DM   zehn Mark achtzig
> [DM = Deutsche Mark *German mark(s)*]
> 5,5%   fünf Komma fünf Prozent

4 Periods may be used in large numbers:

> 4.000.000 *or* 4 000 000

5 A period is used often with ordinal numbers to show that they are abbreviations:

> der 2. August = der zweite August

6 An exclamation point is usually used after imperatives:

> Komm doch mit!
> Spotte nicht!

D. Sentence Structure

In German, as in English, a sentence or clause may consist of a subject and a verb, with or without various other elements: **Meinst du? Hans kauft Eis. Das schmeckt am besten.** However, many utterances in both languages may be punctuated like sentences, yet lack either a subject, or a verb or both. **Danke. Bitte. Ja. Mensch! Guten Tag, Uwe. Nein. Tag. Ach ja. Nuß-Eis, bitte. Dann also los. Warum nicht? Vielleicht doch. Na! Nichts wie hin!** If such an utterance is the introductory part of a longer sentence and is set off by a comma, it does not affect the word order of the following part. In other words, it should be regarded as an independent clause and not as a part of the clause it precedes.

E. Position of the Finite Verb

In the dialogs, supplements and drills of Units 1–4 you have seen that the finite verb in a German sentence or clause may take one of three different positions. (The finite verb is the form which agrees with the subject in person and number: *I am, you are.*) In a sentence in which there is a finite verb and an infinitive, the infinitive is placed at the end of the sentence, except in dependent clauses.

1 The finite verb is ordinarily the *first* element in commands and in questions that are not introduced by a question word, that is, questions that can be answered by *yes* or *no*.

a. In commands:

1 **Kauf** dein Eis, mein Kind!
Buy your ice cream, my child.

2 **Komm** doch mit!
Well, come along.

3 **Entschuldigen** Sie!
Excuse me.

4 **Warten** Sie nur ab!
Just wait and see.

5 **Spotte** nicht!
Don't be sarcastic.

► The German and English patterns of the first four examples are similar.

► The pronoun **Sie** *you* is always expressed. It immediately follows the verb.

b. In questions that can be answered by *yes* or *no*:

1 **Ist** der Schneider gut?
Is the tailor good?

2 **Kann** Hans Eis kaufen?
Can Hans buy some ice cream?

3 **Muß** Heike Geige üben?
Must Heike practice the violin?

4 **Siehst** du das Blaulicht?
Do you see the blue light?

5 **Studiert** er auch Philosophie?
Is he studying philosophy too?

6 **Nimmst** du kein Eis?
Aren't you having any ice cream?

► In the first three examples the English and German question patterns are parallel. But note that German follows this same pattern with all verbs and not just with the equivalents of such verbs as *is*, *can* and *must*.

► The infinitive in 2 and 3 is at the end of the sentence.

There is no auxiliary in German which corresponds to the English *do* and there are no progressive tenses. Therefore patterns such as *Don't tease, Do you see the blue light?* and *Is he studying philosophy too?* are not possible in German.

2 The finite verb is the *second* element in independent statements. The clause or sentence may begin with:

a. The subject:

1 Sie **hat** noch den Angstschweiß auf der Stirn.
She still has the sweat of fear on her forehead.

2 Die älteren Studenten **haben** alle viel Erfahrung.
The older students all have a great deal of experience.

3 Ich **sehe** dich schon auf dem Podium stehen.
I already see you standing on the stage.

4 Du **kannst** Eis kaufen.
You can buy some ice cream.

5 Hans **nimmt** Nuß-Eis, aber Tante Inge **nimmt** kein Eis.
Hans gets walnut ice cream but Aunt Inge doesn't get any ice cream.

6 Du **mußt** es schließlich wissen, du **wohnst** ja hier.
You really ought to know; after all, you live here.

7 Aber ich **glaube** daran.
But I believe in it.

8 Danke, du **bist** nett.
Thanks, you're nice.

► The subject may be a pronoun, a noun or a noun with its modifiers.

► In 5 and 6 above, the verb is in the second position in each clause.

► Coordinating conjunctions do not affect the word order of the clause which follows. The most common are **aber** *but*, as in *but on the other hand*, **denn** *for*, **oder** *or*, **sondern** *but*, as in *but on the contrary*, **und** *and*.

► The infinitive in 3 and 4 is at the end of the sentence.

    b. Some element other than the subject:

1 Das **möchte** ich auch.
I'd like to do that too.

2 Da **ist** der Held.
There's the hero.

3 Und dem rücksichtslosen Fahrer **ist** nichts passiert.
And nothing happened to the reckless driver.

4 Eigentlich **kann** es nun losgehen.
Actually, it can start any time now.

5 Danke, dann **bleibe** ich hier.
Thanks, then I'll stay here.

6 Üben **sagst** du?
Practice, you say?

7 Wann **bist** du bei uns?
When will you be at our house?

8 Wenn es regnet, **passiert** das meiste.
Most of it happens when it rains.

► Since the verb *must* be in second position in an independent statement, the subject has to follow.

► The first element may be almost any part of speech except a subordinating conjunction. A coordinating conjunction is considered a non-element in sentence structure and does not affect word order.

► Only one sentence element may precede the verb. In 5, **Danke** is independent and does not affect the word order. In 3, **und** is a coordinating conjunction and does not affect word order; **dem rücksichtslosen Fahrer** is a noun phrase and therefore only one element. In 8, **wenn es regnet** is a dependent clause and therefore only one element.

► The infinitive in 4 is at the end of the sentence.

3 The finite verb is ordinarily the *last* element in dependent clauses:

1 Siehst du nicht, wie schön die Sonne **scheint**?
Don't you see how beautifully the sun is shining?

2 Nachts, wenn es **regnet**, passiert das meiste.
At night, when it is raining, most of it happens.

3 Sagen Sie, daß Rolf plötzlich **läuft**!
Say that all at once (all of a sudden) Rolf is running.

4 Fragen Sie, warum er plötzlich **läuft**!
Ask why he is running all of a sudden.

5 Sagen Sie, daß er hoffentlich helfen **kann**!
Say that hopefully he can help.

6 Auch wenn die Sonne so schön **scheint**?
Even when the sun is shining so beautifully?

7 Ob die Sonne dann noch **scheint**?
Will the sun still be shining then?

▶ A dependent clause begins with a subordinating conjunction or with a word which functions as a subordinating conjunction (that is, a relative or interrogative pronoun or a relative or interrogative adverb). Some of these are **als** *when*, **damit** *so that*, **daß** *that*, **ob** *whether, if*, **wann** *when*, **warum** *why*, **was** *what*, **weil** *because*, **wenn** *if, when*, **wer** *who*, **wie** *how*, **wo** *where*, **wohin** *where, where . . . to*, **woran** *in what*, **worauf** *for what, on what*.

▶ Even when no independent clause is expressed, the verb of a sentence introduced by a subordinating conjunction must come at the end of the sentence (6 and 7).

▶ When a clause is changed from dependent to independent status, only the position of the finite verb is changed:

Sagen Sie, daß	Rolf		plötzlich läuft!
	Rolf	läuft	plötzlich.

Fragen Sie, warum		er	plötzlich läuft!
Warum	läuft	er	plötzlich?

▶ In a sentence or clause in which the finite verb is the first or the second element the infinitive is placed at the end. In dependent word order the finite verb is at the end of the clause, and the infinitive precedes it, as in 5.

If a clause is introduced by **daß**, dependent word order is required. If **daß** is omitted, the finite verb is the second element:

Sagen Sie, daß die ganze Milch über die Straße schwappt!
but: Sagen Sie, die ganze Milch schwappt über die Straße.

Unit 5

I. Dialog

In der Stadtbahn

Part 1

1	Ilse:	Wo bist du, Peter, der Zug kommt!
2	Peter:	Hier, ich kaufe noch schnell eine Zeitung.
3	Ilse:	Ist das so eilig? Es steht doch immer dasselbe darin.
4	Peter:	Ich bitte dich, wie kannst du so etwas sagen!
5	Ilse:	Ich empfinde es jedenfalls so.
6	Peter:	Du hast eben nicht genug Interesse an Tagesfragen.
7	Ilse:	Das kann schon sein. Ist das so schlimm?
8	Peter:	Vielleicht, ich erkläre dir das mal.
9	Ilse:	Aber nicht jetzt, hier läuft nämlich unser Zug ein.
10	Peter:	Schon gut, steigen wir ein!

Part 2

11	Ilse:	Rat mal, Peter, wen ich sehe! Dort sitzt meine Freundin Lilo!
12	Peter:	Wer? Oh, die Lilo! Ist denn heute der Dreizehnte?
13	Ilse:	Du brauchst gar nicht zu spotten, Lilo ist sehr nett.
14	Peter:	Na, wenn man an deine Erzählungen über sie denkt!
15	Ilse:	Hallo, Lilo, kennst du eigentlich meinen Mann?
16	Lilo:	Nein. Guten Morgen, Herr Hartmann. Schön, daß ich Sie endlich kennenlerne.
17	Peter:	Ich kenne Sie schon lange. Ilse spricht häufig von Ihnen.
18	Lilo:	Oh, wenn Sie es so meinen, dann kenne ich Sie vielleicht noch besser!
19	Peter:	Dann sind wir also alte Bekannte!
20	Ilse:	Na, ihr beiden braucht nicht gleich zu übertreiben.

II. Supplement

Part 1

Present tense of **glauben** and **empfinden**

The verb **glauben**:

Ich glaube nicht daran.
Du glaubst nicht daran.
Herr Held glaubt nicht daran.
Er glaubt nicht daran.
Tante Inge glaubt nicht daran.
Sie glaubt nicht daran.
Das Kind glaubt nicht daran.
Es glaubt nicht daran.

Wir glauben nicht daran.
Ihr glaubt nicht daran.
Die Studenten glauben nicht daran.
Sie glauben nicht daran.
Glauben Sie nicht daran, Herr Held?

The verb **empfinden** with a vowel sound after the stem in all forms:

Ich empfinde es auch so.
Du empfindest es auch so.
Peter empfindet es auch so.
Er empfindet es auch so.
Ilse empfindet es auch so.
Sie empfindet es auch so.
Das Kind empfindet es auch so.
Es empfindet es auch so.

Wir empfinden es auch so.
Ihr empfindet es auch so.
Peter und Ilse empfinden es auch so.
Sie empfinden es auch so.
Empfinden Sie es auch so, Professor Wolf?

Telling time

1	6.00 Uhr	sechs Uhr	Es ist sechs Uhr.
2	6.05 Uhr	sechs Uhr fünf	Es ist fünf (Minuten) nach sechs.
3	6.10 Uhr	sechs Uhr zehn	Es ist zehn (Minuten) nach sechs.
4	6.15 Uhr	sechs Uhr fünfzehn	Es ist (ein) Viertel nach sechs. Oder: Es ist Viertel sieben.
5	6.20 Uhr	sechs Uhr zwanzig	Es ist zwanzig nach sechs. Oder: Es ist zehn vor halb sieben.
6	6.25 Uhr	sechs Uhr fünfundzwanzig	Es ist fünf vor halb sieben.
7	6.30 Uhr	sechs Uhr dreißig	Es ist halb sieben.
8	6.35 Uhr	sechs Uhr fünfunddreißig	Es ist fünf nach halb sieben.
9	6.40 Uhr	sechs Uhr vierzig	Es ist zehn nach halb sieben. Oder: Es ist zwanzig vor sieben.
10	6.45 Uhr	sechs Uhr fünfundvierzig	Es ist (ein) Viertel vor sieben. Oder: Es ist drei Viertel sieben.
11	6.50 Uhr	sechs Uhr fünfzig	Es ist zehn vor sieben.
12	6.55 Uhr	sechs Uhr fünfundfünfzig	Es ist fünf vor sieben.
13	7.00 Uhr	sieben Uhr	Es ist sieben Uhr.

Part 2

Present tense of **lesen**, **haben** and **sein**

The verb **lesen** with the changes in **du liest** and **er, sie, es liest**:

Ich lese häufig die Zeitung.
Du liest häufig die Zeitung.
Er liest häufig die Zeitung.
Sie liest häufig die Zeitung.
Das Mädchen liest häufig die Zeitung.

Wir lesen häufig die Zeitung.
Ihr lest häufig die Zeitung.
Sie lesen häufig die Zeitung.
Lesen Sie häufig die Zeitung, Herr Professor?

The irregular verb **haben**:

Ich habe keine Angst.
Du hast keine Angst.
Hans hat keine Angst.
Tante Inge hat keine Angst.
Das Kind hat keine Angst.

Wir haben keine Angst.
Ihr habt keine Angst.
Die Studenten haben keine Angst.
Haben Sie keine Angst, Frau Hartmann?

The irregular verb **sein**:

Ich bin um fünf bei Heike.
Du bist um fünf bei Heike.
Uwe ist um fünf bei Heike.
Ilse ist um fünf bei Heike.
Das Kind ist um fünf bei Heike.

Wir sind um fünf bei Heike.
Ihr seid um fünf bei Heike.
Peter und Ilse sind um fünf bei Heike.
Sind Sie um fünf bei Heike,
    Fräulein Schneider?

Time and travel expressions

14   Wie spät ist es?
15   Wieviel Uhr ist es?

16   Wann fährt der Zug ab?
17   Der Zug fährt um vierzehn Uhr ab.
18   Von wo fährt der Zug ab?
19   Der Zug fährt von Nürnberg ab.
20   Der Zug fährt um vierzehn Uhr von Stuttgart ab.
21   Er fährt über Ulm nach München.

22   Um wieviel Uhr kommt der Zug an?
23   Der Zug kommt um zwanzig Uhr fünf an.
24   Wo kommt der Zug an?
25   Der Zug kommt in Kassel an.
26   Der Zug kommt um sechs Uhr fünfundvierzig in Worms an.
27   Herr Hartmann steigt in Kiel ein.
28   Herr Hartmann steigt in Hannover aus.

III. Audiolingual Drills

A. Directed Dialog

Part 1

Fragen Sie, worauf Ilse und Peter warten!
Worauf warten Ilse und Peter?

Antworten Sie, daß sie auf den Zug warten!
Sie warten auf den Zug.

Sagen Sie, daß der Zug kommt!
Der Zug kommt.

Fragen Sie, was Peter noch schnell kauft!
Was kauft Peter noch schnell?

Sagen Sie, daß er noch schnell eine Zeitung kauft!
Er kauft noch schnell eine Zeitung.

Fragen Sie, ob das so eilig ist!
Ist das so eilig?

Fragen Sie, wie Ilse so etwas sagen kann!
Wie kann Ilse so etwas sagen?

Sagen Sie, daß sie es jedenfalls so empfindet!
Sie empfindet es jedenfalls so.

Sagen Sie, daß sie eben nicht genug Interesse an Tagesfragen hat!
Sie hat eben nicht genug Interesse an Tagesfragen.

Fragen Sie, ob das so schlimm ist!
Ist das so schlimm?

Sagen Sie, daß es vielleicht schlimm ist!
Es ist vielleicht schlimm.

Sagen Sie, daß der Zug jetzt einläuft!
Der Zug läuft jetzt ein.

Fragen Sie, ob Ilse und Peter einsteigen!
Steigen Ilse und Peter ein?

Sagen Sie, daß sie schnell einsteigen!
Sie steigen schnell ein.

Part 2

Fragen Sie, wen Ilse sieht!
Wen sieht Ilse?

Fragen Sie, wer dort sitzt!
Wer sitzt dort?

Sagen Sie, daß Ilses Freundin Lilo dort sitzt!
Ilses Freundin Lilo sitzt dort.

Fragen Sie, ob heute der Dreizehnte ist!
Ist heute der Dreizehnte?

Antworten Sie, daß Peter gar nicht zu spotten braucht!
Peter braucht gar nicht zu spotten.

Sagen Sie, daß Lilo sehr nett ist!
Lilo ist sehr nett.

Sagen Sie, daß Peter an Ilses Erzählungen über sie denkt!
Peter denkt an Ilses Erzählungen über sie.

Fragen Sie, ob Lilo eigentlich Ilses Mann kennt!
Kennt Lilo eigentlich Ilses Mann?

Antworten Sie, daß Lilo Ilses Mann endlich kennenlernt!
Lilo lernt Ilses Mann endlich kennen.

Sagen Sie, daß Peter Lilo schon lange kennt!
Peter kennt Lilo schon lange.

Fragen Sie, ob Ilse häufig von Lilo spricht!
Spricht Ilse häufig von Lilo?

Antworten Sie, daß sie häufig von Lilo spricht!
Sie spricht häufig von Lilo.

Sagen Sie, daß Lilo Ilses Mann vielleicht noch besser kennt!
Lilo kennt Ilses Mann vielleicht noch besser.

Sagen Sie, daß sie also alte Bekannte sind!
Sie sind also alte Bekannte.

Sagen Sie, daß Peter es nicht zu übertreiben braucht!
Peter braucht es nicht zu übertreiben.

B. Present Tense

Substitute the new subject:

1   The verb **kaufen**:

Ich kaufe nie Nuß-Eis.   **wir**
Wir kaufen nie Nuß-Eis.   **du**
Du kaufst nie Nuß-Eis.   **ihr**
Ihr kauft nie Nuß-Eis.   **er**
Er kauft nie Nuß-Eis.   **die Studenten**
Die Studenten kaufen nie Nuß-Eis.   **das Kind**
Das Kind kauft nie Nuß-Eis.   **ich**
Ich kaufe nie Nuß-Eis.

2   The verb **warten** with a vowel sound after the stem in all forms:

Mein Bruder wartet auch darauf.   **du**
Du wartest auch darauf.   **Hans und Tante Inge**
Hans und Tante Inge warten auch darauf.   **der Schneider**
Der Schneider wartet auch darauf.   **wir**
Wir warten auch darauf.   **ihr**

Ihr wartet auch darauf.   **ich**
Ich warte auch darauf.   **der Müller**
Der Müller wartet auch darauf.

3   The irregular verb **haben**:

Wir haben viel Erfahrung.   **Lilo**
Lilo hat viel Erfahrung.   **ihr**
Ihr habt viel Erfahrung.   **ich**
Ich habe viel Erfahrung.   **Herr Held**
Herr Held hat viel Erfahrung.   **Ilse und Peter**
Ilse und Peter haben viel Erfahrung.   **du**
Du hast viel Erfahrung.   **wir**
Wir haben viel Erfahrung.

4   The verb **nehmen** with the changes in **du nimmst** and **er, sie, es nimmt**:

Das Kind nimmt heute nachmittag kein Eis.   **ihr**
Ihr nehmt heute nachmittag kein Eis.   **du**
Du nimmst heute nachmittag kein Eis.   **die Studenten**
Die Studenten nehmen heute nachmittag kein Eis.   **Professor Müller**
Professor Müller nimmt heute nachmittag kein Eis.   **wir**
Wir nehmen heute nachmittag kein Eis.   **ich**
Ich nehme heute nachmittag kein Eis.   **das Kind**
Das Kind nimmt heute nachmittag kein Eis.

5   The verb **sprechen** with the changes in **du sprichst** and **er spricht**:

Wir sprechen über die Vorlesung.   **ihr**
Ihr sprecht über die Vorlesung.   **du**
Du sprichst über die Vorlesung.   **ich**
Ich spreche über die Vorlesung.   **Herr Held**
Herr Held spricht über die Vorlesung.   **die Studenten**
Die Studenten sprechen über die Vorlesung.   **Fräulein Schneider**
Fräulein Schneider spricht über die Vorlesung.   **wir**
Wir sprechen über die Vorlesung.

6   The verb **helfen** with the changes in **du hilfst** and **er hilft**:

Er hilft Fräulein Schneider häufig.   **wir**
Wir helfen Fräulein Schneider häufig.   **du**
Du hilfst Fräulein Schneider häufig.   **ihr**
Ihr helft Fräulein Schneider häufig.   **Ilse**
Ilse hilft Fräulein Schneider häufig.   **ich**
Ich helfe Fräulein Schneider häufig.   **die Studenten**
Die Studenten helfen Fräulein Schneider häufig.   **er**
Er hilft Fräulein Schneider häufig.

7   The verb **fahren** with the changes in **du fährst** and **er fährt**:

> Sie fahren heute nach München.   **du**
> Du fährst heute nach München.   **ich**
> Ich fahre heute nach München.   **wir**
> Wir fahren heute nach München.   **das Mädchen**
> Das Mädchen fährt heute nach München.   **ihr**
> Ihr fahrt heute nach München.   **die Studenten**
> Die Studenten fahren heute nach München.

8   The verb **laufen** with the changes in **du läufst** and **er läuft**:

> Wir laufen schnell über die Straße.   **er**
> Er läuft schnell über die Straße.   **Rolf und Günther**
> Rolf und Günther laufen schnell über die Straße.   **ihr**
> Ihr lauft schnell über die Straße.   **du**
> Du läufst schnell über die Straße.   **ich**
> Ich laufe schnell über die Straße.   **das Kind**
> Das Kind läuft schnell über die Straße.   **er**
> Er läuft schnell über die Straße.

9   The verb **raten** with the changes in **du rätst** and **er rät**:

> Ich rate nicht, wer es ist.   **wir**
> Wir raten nicht, wer es ist.   **er**
> Er rät nicht, wer es ist.   **ihr**
> Ihr ratet nicht, wer es ist.   **die Studenten**
> Die Studenten raten nicht, wer es ist.   **du**
> Du rätst nicht, wer es ist.   **die Freundin**
> Die Freundin rät nicht, wer es ist.   **ich**
> Ich rate nicht, wer es ist.

10   The irregular verb **sein**:

> Ich bin gegen fünf im Vorlesungsraum.   **wir**
> Wir sind gegen fünf im Vorlesungsraum.   **du**
> Du bist gegen fünf im Vorlesungsraum.   **ihr**
> Ihr seid gegen fünf im Vorlesungsraum.   **er**
> Er ist gegen fünf im Vorlesungsraum.   **die Studenten**
> Die Studenten sind gegen fünf im Vorlesungsraum.   **Professor Wolf**
> Professor Wolf ist gegen fünf im Vorlesungsraum.   **ich**
> Ich bin gegen fünf im Vorlesungsraum.

11   Substitute the new subject or verb from the English cue:

> Er beginnt heute nachmittag.   *he is coming*
> Er kommt heute nachmittag.   *we are coming*

Wir kommen heute nachmittag. *we are staying*
Wir bleiben heute nachmittag. *she is staying*
Sie bleibt heute nachmittag. *she is studying*
Sie studiert heute nachmittag. *I am studying*
Ich studiere heute nachmittag. *I am going*
Ich gehe heute nachmittag. *they are going*
Sie gehen heute nachmittag. *they are helping*
Sie helfen heute nachmittag. *he is helping*
Er hilft heute nachmittag.

12 Substitute the new element from the English cue:

Er glaubt es noch nicht. *we don't believe*
Wir glauben es noch nicht. *we don't read*
Wir lesen es noch nicht. *they don't read*
Sie lesen es noch nicht. *they don't study*
Sie studieren es noch nicht. *he doesn't study*
Er studiert es noch nicht. *he doesn't practice*
Er übt es noch nicht. *I don't practice*
Ich übe es noch nicht. *I don't buy*
Ich kaufe es noch nicht. *she doesn't buy*
Sie kauft es noch nicht. *she doesn't find*
Sie findet es noch nicht. *we don't find*
Wir finden es noch nicht.

C. Dependent Clauses

13 Change the following statements to dependent clauses by introducing them with „**Er sagt, daß . . .**".

Example: Es geht jetzt endlich los.
Er sagt, daß es jetzt endlich losgeht.

Der Milchwagen kippt plötzlich um.
Er sagt, daß der Milchwagen plötzlich umkippt.

Die Straße sieht eigentlich gut aus.
Er sagt, daß die Straße eigentlich gut aussieht.

Der Peterwagen kommt um die Hausecke herum.
Er sagt, daß der Peterwagen um die Hausecke herumkommt.

Fräulein Schneider wartet noch ab.
Er sagt, daß Fräulein Schneider noch abwartet.

Es geht jetzt endlich los.
Er sagt, daß es jetzt endlich losgeht.

Der Zug läuft schon ein.
Er sagt, daß der Zug schon einläuft.

Peter steigt schnell ein.
Er sagt, daß Peter schnell einsteigt.

Lilo lernt Ilses Mann kennen.
Er sagt, daß Lilo Ilses Mann kennenlernt.

Heike kommt heute nachmittag mit.
Er sagt, daß Heike heute nachmittag mitkommt.

D. Question Patterns

14 Change the following sentences to direct questions, dropping „**Sie fragt, ob** . . .".

> *Example*: Sie fragt, ob es jetzt tatsächlich losgeht.
> Geht es jetzt tatsächlich los?

Sie fragt, ob der Milchwagen plötzlich umkippt.
Kippt der Milchwagen plötzlich um?

Sie fragt, ob die Straße schlimm aussieht.
Sieht die Straße schlimm aus?

Sie fragt, ob ein Peterwagen um den Platz herumkommt.
Kommt ein Peterwagen um den Platz herum?

Sie fragt, ob der Zug endlich einläuft.
Läuft der Zug endlich ein?

Sie fragt, ob Peter nun einsteigt.
Steigt Peter nun ein?

Sie fragt, ob Lilo Tante Inge endlich kennenlernt.
Lernt Lilo Tante Inge endlich kennen?

Sie fragt, ob Fräulein Schneider abwartet.
Wartet Fräulein Schneider ab?

Sie fragt, ob es bestimmt losgeht.
Geht es bestimmt los?

Sie fragt, ob Heike heute nachmittag mitkommt.
Kommt Heike heute nachmittag mit?

15 Continue changing the statements to questions. This time begin each one with the question word or phrase.

> *Example*: Hans fragt, wann es endlich losgeht.
> Wann geht es endlich los?

Günther fragt, warum der Milchwagen plötzlich umkippt.
Warum kippt der Milchwagen plötzlich um?

Rolf fragt, wie schlimm die Platzwunde aussieht.
Wie schlimm sieht die Platzwunde aus?

Rolf fragt, was um den Platz herumkommt.
Was kommt um den Platz herum?

Herr Held fragt, was die Studenten abwarten.
Was warten die Studenten ab?

Günther fragt, wer Fräulein Schneider kennenlernt.
Wer lernt Fräulein Schneider kennen?

Peter fragt, wann der Zug endlich einläuft.
Wann läuft der Zug endlich ein?

Peter fragt, um wieviel Uhr der Zug ankommt.
Um wieviel Uhr kommt der Zug an?

Ilse fragt, um wieviel Uhr der Zug abfährt.
Um wieviel Uhr fährt der Zug ab?

Die Frau fragt, wo Herr Hartmann aussteigt.
Wo steigt Herr Hartmann aus?

Tante Inge fragt, warum du so schnell einsteigst.
Warum steigst du so schnell ein?

Uwe fragt, warum Heike nicht zum Baden mitkommt.
Warum kommt Heike nicht zum Baden mit?

E. Noun-Pronoun Agreement

16 Substitute the subject pronoun that agrees with the noun given after each sentence.

Example: Er glaubt nicht daran. **die Frau**
Sie glaubt nicht daran. **das Kind**
Es glaubt nicht daran.

Er kommt um den Platz herum. **die Frau**
Sie kommt um den Platz herum. **der Peterwagen**
Er kommt um den Platz herum. **ein Kind**
Es kommt um den Platz herum. **die Tante**
Sie kommt um den Platz herum. **die Mutti**
Sie kommt um den Platz herum. **der Student**
Er kommt um den Platz herum. **der Schneider**
Er kommt um den Platz herum. **ein Milchwagen**
Er kommt um den Platz herum. **die Freundin**
Sie kommt um den Platz herum. **der Müller**

Er kommt um den Platz herum.　**der Eismann**
Er kommt um den Platz herum.　**Fräulein Schneider**
Sie kommt um den Platz herum.　**ein Junge**
Er kommt um den Platz herum.　**ein Mensch**
Er kommt um den Platz herum.　**der Held**
Er kommt um den Platz herum.　**Frau Hartmann**
Sie kommt um den Platz herum.　**der Mann**
Er kommt um den Platz herum.

F. Time and Travel

17　Substitute the new element:

Herr Hartmann steigt um vierzehn Uhr ein.　**fünfzehn Uhr**
Herr Hartmann steigt um fünfzehn Uhr ein.　**aussteigen**
Herr Hartmann steigt um fünfzehn Uhr aus.　**sechzehn Uhr**
Herr Hartmann steigt um sechzehn Uhr aus.　**ankommen**
Herr Hartmann kommt um sechzehn Uhr an.　**sechzehn Uhr fünfzehn**
Herr Hartmann kommt um sechzehn Uhr fünfzehn an.　**abfahren**
Herr Hartmann fährt um sechzehn Uhr fünfzehn ab.　**zwanzig Uhr dreißig**
Herr Hartmann fährt um zwanzig Uhr dreißig ab.

G. Word Order

18　Begin the sentence with the new element.

Example:	Der Zug	fährt		um fünf Uhr von Stuttgart ab.		**um fünf Uhr**
	Um fünf Uhr	fährt	der Zug		von Stuttgart ab.	**von Stuttgart**
	Von Stuttgart	fährt	der Zug	um fünf Uhr	ab.	**fährt?**
		Fährt	der Zug	um fünf Uhr von Stuttgart ab?		

Der Zug	kommt		um zehn Uhr	in München	an.	**um zehn Uhr**
Um zehn Uhr	kommt	der Zug		in München	an.	**in München**
In München	kommt	der Zug	um zehn Uhr		an.	**kommt?**
	Kommt	der Zug	um zehn Uhr	in München	an?	

Peter und Ilse	steigen		um halb vier	in Stuttgart	ein.	**um halb vier**
Um halb vier	steigen	Peter und Ilse		in Stuttgart	ein.	**in Stuttgart**
In Stuttgart	steigen	Peter und Ilse	um halb vier		ein.	**steigen?**
	Steigen	Peter und Ilse	um halb vier	in Stuttgart	ein?	

Sie	steigen		um fünf Uhr fünf	in München	aus.	**um fünf Uhr fünf**
Um fünf Uhr fünf	steigen	sie		in München	aus.	**in München**
In München	steigen	sie	um fünf Uhr fünf		aus.	**steigen?**
	Steigen	sie	um fünf Uhr fünf	in München	aus?	

H. Questions and Answers

Part 1

Worauf warten Ilse und Peter?
Sie warten auf den Zug.

Was macht Peter noch schnell?
Er kauft noch schnell eine Zeitung.

Was fragt Ilse?
Sie fragt, ob das so eilig ist.

Was sagt sie über die Zeitung?
Sie sagt, es steht immer dasselbe darin.

Was sagt Peter über Ilse?
Er sagt, sie hat nicht genug Interesse an Tagesfragen.

Was fragt Ilse nun?
Sie fragt, ob das so schlimm ist.

Was läuft jetzt ein?
Der Zug läuft jetzt ein.

Was tun Ilse und Peter dann?
Sie steigen dann ein.

Part 2

Wer sitzt dort?
Ilses Freundin Lilo sitzt dort.

Wie spottet Peter?
Er fragt, ob heute der Dreizehnte ist.

Was sagt Ilse über Lilo?
Sie sagt, daß Lilo sehr nett ist.

Woran denkt Peter?
Er denkt an Ilses Erzählungen über Lilo.

Kennt Lilo Ilses Mann schon?
Nein, sie kennt Ilses Mann noch nicht.

Spricht Ilse häufig von Peter?
Ja, sie spricht häufig von Peter.

Was sind Lilo und Peter?
Sie sind alte Bekannte.

Was brauchen Lilo und Peter nicht gleich zu tun?
Sie brauchen nicht gleich zu übertreiben.

IV. Writing Practice

A. Word Copying

The common written representations of German sounds are given in the exercises that follow. Additional spellings can occur, however, especially in words of foreign origin. Copy the words in boldface. Note that all nouns are capitalized.

1 The sound [s] is represented in spelling by **s**, **ss** or **ß**:

Es ist **heiß**.
Du **kannst Eis** kaufen.

Nuß-Eis, bitte.
Was tust du denn?

Du **mußt es wissen**.
Was ist passiert?

2 The sound [aɪ] is represented chiefly by **ei** in spelling:

Hans und **seine** Tante Inge.
Es ist **heiß**.

Du kannst **Eis** kaufen.
Das ist **fein**.

Meinst du?
Kauf **dein Eis**!

3   The sound [i:] is represented in spelling chiefly by **i**, **ie**, **ih** and **ieh**. Note that standard forms of address (**Sie**, **Ihr**, **Ihnen**) are capitalized:

Mutti nimmt **nie** Eis.	Warten **Sie** nur ab!	Da kann er **Ihnen** helfen.
Die Sonne scheint.	Ist das **Ihr** Ernst?	Na, **siehst** du?

4   The sound [ɪ] is almost always represented by **i** followed by two or more consonants. A few short words like **mit**, **hin**, **in**, **im** are exceptions to the two-consonant rule:

Es **ist** heiß, Tante **Inge**.	**Ist** Eis denn **Gift**?	**Nimmst** du kein Eis?
Du **bist** nett.	Nuß-Eis, **bitte**.	Komm **mit**!

5   The sound [t] is represented chiefly by **t**, **tt**, **dt** and by **d** when this letter is final in a word or syllable:

Du **bist** nett.	In der **Stadtbahn**.	Hans **und** seine **Tante** Inge.
Nuß-Eis, **bitte**.	Kauf dein Eis, mein **Kind**!	Es **geht endlich** los.

6   The sound [v] is represented chiefly by **w**:

Was nimmst du?	**Wann** bist du bei uns?	**Wohin** geht **Uwe**?
Wie geht's?	**Wo** ist Heike?	Der alte Professor **Wolf**.

7   The sound [ʃ] is represented by **sch** and by **s** when the **s** is followed by **t** or **p** in initial position in a stressed syllable:

Das **schmeckt** am besten.	Heute **bestimmt**.	Uwe **spottet**.
Das **stimmt**.	Es ist **Spaß**.	Wo **steht** Heike **schon**?

8   The sound [j] is represented chiefly by **j**:

Du wohnst **ja** hier.	Er kippt **jetzt** um.
Ilse empfindet es **jedenfalls** so.	Er studiert **Jurisprudenz**.
Jedenfalls stimmt das.	**Ja**, mein **Junge**.

9   The sound [ɔɪ] is represented chiefly by **eu** or **äu**:

Es ist heiß **heute**.	Da hinten an der **Kreuzung**.
Fräulein Schneider.	Warum **läuft** Rolf?
Was **läufst** du?	Ilse spricht **häufig** von Ihnen.

10   The sound [z] is represented in spelling chiefly by **s** before vowels:

Hans und **seine** Tante Inge.	Die **Sonne** scheint.	**Also**, es geht los.
Na, **siehst** du?	Ich **sehe** dich.	Die **Sache** ist ernst.

B. Copy the First Dialog

V. Word Study

A. Translation of Dialog

In der Stadtbahn
On the Commuter Train

die Stadtbahn (der Stadtbahn *dat.*) **die Stadt** city + **die Bahn** railway; road; track, course

(Ilse, Peter, Lilo)
(Ilse, Peter, Lilo)

Part 1

1 Wo bist du, Peter, der Zug kommt!
Where are you, Peter? The train is coming!

2 Hier, ich kaufe noch schnell eine Zeitung.
Here. I'm quickly buying a newspaper before we go.

kaufen (ich kaufe) · **noch** still; *here:* before we go · **die Zeitung**

3 Ist das so eilig? Es steht doch immer dasselbe darin.
Is that so urgent? There's always the same thing in it anyway.

eilig urgent; quick, speedy · **stehen (es steht** there is; there stands) stand · **doch** anyway; after all · **darin = da + r + in**

4 Ich bitte dich, wie kannst du so etwas sagen!
Please! How can you say such a thing!

bitten (ich bitte) ask · **so** so, thus **etwas** something; anything; some; any; somewhat **so etwas** such a thing, something like that

5 Ich empfinde es jedenfalls so.
Anyway, that's how I feel.

empfinden (ich empfinde) feel; perceive · **jedenfalls** in any case

6 Du hast eben nicht genug Interesse an Tagesfragen.
You just don't have enough interest in current events.

das Interesse · **die Tagesfrage,** *pl.* **die Tagesfragen** **der Tag** day + **die Frage** question

7 Das kann schon sein. Ist das so schlimm?
That may be, all right. Is that so bad?

schon already; all right

8 Vielleicht, ich erkläre dir das mal.
Perhaps. I'll explain it to you sometime.

erklären (ich erkläre) explain · **du (dir** *dat.*) · **mal** *colloquial for* **einmal** once; sometime; just

9 Aber nicht jetzt, hier läuft nämlich unser Zug ein.
But not now. You see, our train is pulling in.

einlaufen (er läuft . . . ein) come in, arrive · **nämlich** you see; that is to say; namely; of course

10 Schon gut, steigen wir ein!
All right, let's get on.

einsteigen (steigen wir . . . ein *imper.*) get on **steigen** climb

95

Part 2

11 Rat mal, Peter, wen ich sehe! Dort sitzt meine Freundin Lilo!

Peter, just guess who I see! My friend Lilo is sitting over there!

raten (rat *imper.*) · **wer (wen** *acc.*) · **sitzen (sie sitzt)** · **die Freundin** (female) friend **der Freund** (male) friend · **Lilo** *nickname for* **Liselotte**

12 Wer? Oh, die Lilo! Ist denn heute der Dreizehnte?

Who? Oh, Lilo! Tell me, is today the thirteenth?

13 Du brauchst gar nicht zu spotten, Lilo ist sehr nett.

You don't have to be so sarcastic. Lilo is very nice.

brauchen (du brauchst) · **gar** quite, very **gar nicht** not at all

14 Na, wenn man an deine Erzählungen über sie denkt!

Well, if one thinks of your stories about her!

wenn *subordinating conjunction* · **denken an (man an . . . denkt)** think of · **die Erzählung,** *pl.* **die Erzählungen**

15 Hallo, Lilo, kennst du eigentlich meinen Mann?

Hello, Lilo; you don't really know my husband, do you?

kennen (du kennst) know · **eigentlich** real(ly); to tell the truth · **mein (meinen Mann** *acc.*)

16 Nein. Guten Morgen, Herr Hartmann. Schön, daß ich Sie endlich kennenlerne.

No. Good morning, Mr. Hartmann. Nice to finally meet you.

kennenlernen become acquainted with, get to know **kennen + lernen** learn

17 Ich kenne Sie schon lange. Ilse spricht häufig von Ihnen.

I've known you for a long time. Ilse often speaks of you.

schon *Present tense with* **schon** *often indicates an action or state begun in the past and still continuing in the present.* · **lange** *adv.* for a long time

18 Oh, wenn Sie es so meinen, dann kenne ich Sie vielleicht noch besser!

Oh, if you mean it that way, then maybe I know you even better!

meinen (Sie meinen) mean; think · **kennen (ich kenne)** · **gut** good **besser** better **am besten** best

19 Dann sind wir also alte Bekannte! So then we're old acquaintances.

sein (wir sind)

20 Na, ihr beiden braucht nicht gleich zu übertreiben!

Well, you two don't need to overdo it right away!

beide (beiden) two; both · **brauchen (ihr braucht)** · **übertreiben** overdo it; exaggerate **über + treiben** drive (e.g., cattle)

Supplement

Part 1

Telling time

1 Es ist sechs Uhr.
It's six o'clock.

2 Es ist fünf (Minuten) nach sechs.
It's five (minutes) after six.

3 Es ist zehn (Minuten) nach sechs.
It's ten (minutes) after six.

4 Es ist (ein) Viertel nach sechs.
It's a quarter after six.
Oder: Es ist Viertel sieben.
(It's one quarter of the way to seven.)

5 Es ist zwanzig nach sechs.
Oder: Es ist zehn vor halb sieben.
It's twenty after six.

6 Es ist fünf vor halb sieben.
It's twenty-five after six.

7 Es ist halb sieben.
It's six thirty.

8 Es ist fünf nach halb sieben.
It's six thirty-five.

9 Es ist zehn nach halb sieben.
It's six forty.
Oder: Es ist zwanzig vor sieben.
It's twenty to seven.

10 Es ist (ein) Viertel vor sieben.
It's a quarter to seven.
Oder: Es ist drei Viertel sieben.
(It's three quarters of the way to seven.)

11 Es ist zehn vor sieben.
It's ten to seven.

12 Es ist fünf vor sieben.
It's five to seven.

13 Es ist sieben Uhr.
It's seven o'clock.

Part 2

Time and travel expressions

14 Wie spät ist es?
How late is it?

15 Wieviel Uhr ist es?
What time is it?

16 Wann fährt der Zug ab?
What time does the train leave?

17 Der Zug fährt um vierzehn Uhr ab.
The train is leaving at 14:00.

18 Von wo fährt der Zug ab?
Where does the train leave from?

19 Der Zug fährt von Nürnberg ab.
The train leaves from Nuremberg.

20 Der Zug fährt um vierzehn Uhr von Stuttgart ab.
The train leaves Stuttgart at 14:00.

wieviel how much, how many · **die Uhr** time of day; clock

abfahren (fährt . . . ab) depart, leave
fahren go, travel, ride
14:00 = 2:00 P.M.

21	Er fährt über Ulm nach München. It goes to Munich by way of Ulm.	**über** by way of; over	
22	Um wieviel Uhr kommt der Zug an? At what time does the train arrive?	**ankommen (kommt . . . an)** arrive	
23	Der Zug kommt um zwanzig Uhr fünf an. The train arrives at 20:05.	20:05 = 8:05 P.M.	
24	Wo kommt der Zug an? Where does the train arrive?		
25	Der Zug kommt in Kassel an. The train arrives in Kassel.		
26	Der Zug kommt um sechs Uhr fünfundvierzig in Worms an. The train arrives in Worms at 6:45.		
27	Herr Hartmann steigt in Kiel ein. Mr. Hartmann is getting on in Kiel.	**einsteigen (er steigt . . . ein)**	
28	Herr Hartmann steigt in Hannover aus. Mr. Hartmann is getting off in Hanover.	**aussteigen (er steigt . . . aus)**	

B. Word Formation

Compound nouns

> **die Stadt** city + **die Bahn** railway; track; course = **die Stadtbahn** commuter train
> **der Tag** day + **die Frage** question = **die Tagesfrage** current issue.   *Note the connecting* **–es**.

Masculine-feminine noun pairs

Many nouns that designate people or animals are alike except that the feminine form has an **–in** suffix. Thus the counterpart of **die Freundin** is **der Freund** *friend, boy friend.* Frequently the feminine form has an umlaut added: **der Wolf, die Wölfin.**

der Fahrer	**die Fahrerin** woman driver
der Freund	**die Freundin** girl friend
der Gott	**die Göttin** goddess
der Held	**die Heldin** heroine
der Professor	**die Professorin** woman professor
der Schneider	**die Schneiderin** woman tailor or dressmaker
der Student	**die Studentin** female student
der Wolf	**die Wölfin** she-wolf

▶ **Profes'sorin** is stressed on the third syllable.

C. Definite Articles

der–nouns	die–nouns	das–noun
der Dreizehnte	die Bahn	das Interesse
der Morgen	die Erzählung, *pl.* die Erzählungen	
der Tag	die Frage	
der Zug	die Freundin	
	die Minute, *pl.* die Minuten	
	die Stadt	
	die Stadtbahn	
	die Tagesfrage, *pl.* die Tagesfragen	
	die Zeitung	

D. Some Difficult Little Words

There are a number of words in German which express delicate shades of meaning. A sentence may be complete and grammatically correct without them but still sound unidiomatic. Although they are difficult and sometimes even impossible to translate into English, they are nevertheless essential words in idiomatic German and, especially, in conversational German. You should observe how they are used, and try to learn to use them correctly. They may be compared with such English expressions as *well, anyway, well now I mean, so, say, still,* etc. Most of them also have definite dictionary meanings. Compare the use of *then* in the following sentences: I finished my studying and then it was too late to go to the movies. Well, then, let's go.

The following list contains a number of these words and also some other little words which are easily confused:

also thus, so; therefore, consequently, then

Also, es geht endlich los.
Dann sind wir also alte Bekannte.
Dann kann er Ihnen also nicht viel helfen?

da there; then; so

Da ist ein Eismann.
Da kommt Professor Müller.
Mensch, da, kannst du sehen?
Da hinten an der Kreuzung.
Aber was ist da rechts?
Da lachst du noch!
Da kann er Ihnen also nicht viel helfen?

dann then

Ob die Sonne dann noch scheint?
Danke, dann bleibe ich hier.
. . . dann kenne ich Sie vielleicht noch besser.

denn anyway; tell me *Indicates mild surprise or a lively interest in the answer or gives slightly more emphasis to the question.*

Ist Eis denn Gift?
Was tust du denn heute nachmittag?
Was läufst du denn plötzlich?
Ist denn heute der Dreizehnte?

doch   do (*in mild commands*); after all;
nevertheless; yet, however; yes (*on the
contrary*). **Doch** *is also a coordinating
conjunction meaning* but.

Komm doch mit!
Ich sehe dich doch noch nicht auf dem
    Podium stehen!
Das macht doch nichts.
Es steht doch immer dasselbe darin.
Vielleicht doch!
Doch was ist nun mit dem Üben?

eigentlich   really, actually, to tell the truth

Eigentlich kann es nun endlich losgehen.
Kennst du eigentlich meinen Mann?

ja   yes; indeed, to be sure; after all

Ja, aller Anfang ist schwer.
Du wohnst ja hier.

na   well

Na, siehst du?
Na, wenn man an deine Erzählungen über
    sie denkt!

noch   still, yet   **noch nicht** not yet

Ob die Sonne dann noch scheint?
Der Platz hier ist noch frei.
Jetzt kippt die alte Kiste sogar noch um.
Da lachst du noch?
Ich kaufe noch schnell eine Zeitung.
Ich sehe dich doch noch nicht auf dem
    Podium stehen.

nun   now

Doch was ist nun mit dem Üben?
Eigentlich kann es nun endlich losgehen.

nur   only; just

Ach, das ist nur ein Sprichwort.
Warten Sie nur ab!

schon   already; so   *Signal that the present
tense indicates an action or state which
began in the past and is still going on in
the present.*   **schon gut** good, all right

Ich sehe dich schon auf dem Podium stehen.
Das kann schon sein.
Ich glaube schon.
Schon gut, steigen wir ein!
Ich kenne Sie schon lange.

wann   when *direct or indirect interrogative*

Wann bist du bei uns?
Wann beginnt die Vorlesung?
Wann fährt der Zug ab?
Fragen Sie, wann die Vorlesung beginnt!

wenn   if; when, whenever

Auch wenn die Sonne so schön scheint?
Nachts, wenn es regnet, passiert das meiste.
Na, wenn man an deine Erzählungen über sie
    denkt!

VI. Grammar

A. Personal Pronouns in the Nominative Case

	Singular		Plural	
1st person	ich	I	wir	we
2nd person familiar	du	you	ihr	you
3rd person	er	he	sie	they
	sie	she		
	es	it		
2nd person standard			Sie	you
(singular and plural)				

Ordinarily, Germans use **du**, familiar singular, and **ihr**, familiar plural, with people they address by their first names, such as members of the family, close friends and children. They also use these forms in speaking to animals and to a deity. The standard form of address is **Sie** (note the capital **S**), which they use with either one or more persons they do not address by their first names. The third person plural form of the verb is always used with **Sie**.

In general, adult Germans do not use first names nearly so freely as Americans do, and even old friends often do not address one another by their first names unless they grew up together. A more detailed explanation of the correct use of these forms will be given in Unit 13.

Es may be used in an impersonal construction just as *it* is often used in an impersonal construction in English: **Es ist heiß. Wie geht's? Es geht endlich los.**

B. Present Tense

Except for a few verbs which are irregular, the present tense of German verbs is formed in the following manner:

sag en	say		**seh en**	see
ich sag e	I say		ich seh e	I see
du sag st	you say		du sieh st	you see
er, sie, es sag t	he, she, it says		er, sie, es sieh t	he, she, it sees
wir sag en	we say		wir seh en	we see
ihr sag t	you say		ihr seh t	you see
sie, Sie sag en	they, you say		sie, Sie seh en	they, you see

➤ The stem of a verb is found by dropping the infinitive ending **–en** or **–n**.

➤ The present tense is formed by adding the personal endings shown in the above examples to the stem.

There is a change in the stem vowel in the **du** and **er** forms of some verbs.

There is no way to determine from the infinitive whether there is a change in the **du** and **er** forms. It is therefore important to learn these forms along with the infinitive. Learn **lesen, du liest, er liest**, not just **lesen**. Later the past tense and the past participle will be added. Until then the stem vowel changes in new verbs will be given in the translation notes. Verbs of this type which have been used in Units 1–5 are:

helfen: du hilfst, er hilft
nehmen: du nimmst, er nimmt
sprechen: du sprichst, er spricht

lesen: du liest, er liest
sehen: du siehst, er sieht

fahren: du fährst, er fährt
laufen: du läufst, er läuft
raten: du rätst, er rät

▶ **Nehmen** not only has a change in the spelling and sound of the stem vowel in the second and third persons singular but also a consonantal spelling change (**hm** to **mm**).

▶ The **s** is dropped from the **–st** (**du** form) ending of **lesen** because the stem ends in **s**.

If the stem of a verb ends in **–d** or **–t**, an **e** [ə] is usually inserted between the stem and the endings **–st** and **–t** for the sake of pronunciation:

```
         ich find   e
          du find   e st
  er, sie, es find   e t
         wir find   en
         ihr find   e t
     sie, Sie find   en
```

Other verbs that follow this pattern are **empfinden, warten, spotten**.

The same pattern is usually followed if the stem ends in **m** or **n** preceded by some other consonant:

es regnet	du zeichn e st	you draw	du atm e st	you breathe
	er zeichn e t	he draws	er atm e t	he breathes
	ihr zeichn e t	you draw	ihr atm e t	you breathe

but:

es stimm t	du beginn st	du nimm st
	er beginn t	er nimm t
	ihr beginn t	ihr nehm t

If the stem ends in an *s*–sound (spellings: **s**, **ss**, **ß**, **z**), the **s** of the **–st** (**du** form) ending is omitted:

du weiß t   du lies t
du sitz t   du muß t

If the stem of the verb ends in **ss** (**wissen**, **müssen**), the spelling becomes **ß** before the consonant **t**.

C. Inseparable Prefixes

Some verb prefixes are called inseparable prefixes because they are never separated from the verb and do not have independent meaning. The stress in pronunciation is always on the verb stem, not on the prefix:

Die Vorlesung **beginnt** um Viertel nach voll.
Die Vorlesung soll um Viertel nach voll **beginnen**.
Sagen Sie, daß die Vorlesung um Viertel nach voll **beginnt**!

Ich **empfinde** es jedenfalls so.
Sagen Sie, daß sie es jedenfalls so **empfindet**.

D. Separable Prefixes

Some verb prefixes are called separable prefixes because they are separated from the simple finite forms of the verb except when they are used in dependent clauses. Most separable prefixes are prepositions, adjectives or adverbs, and occasionally even verbs. They have become so closely associated with certain verbs that they are felt to be a part of them. The stress in pronunciation is always on the prefix:

1a Es **geht los**.
2a **Steigt** Peter **ein**?
3a Es **kippt um**.
4a **Steigen** wir **ein**.
5a **Komm** doch **mit**!
6a Lilo **lernt** Peter **kennen**.

1b Sagen Sie, daß es **losgeht**!
2b Sagen Sie, daß Peter **einsteigt**!
3b Es kann **umkippen**.
4b Wir müssen **einsteigen**.
5b Du kannst doch **mitkommen**.
6b Lilo soll Peter **kennenlernen**.

The stressed prefix comes at the end of the sentence, clause or infinitive phrase, whether it stands alone or is attached to the verb.

▶ In an independent clause the prefix is separated from the finite verb and is placed at the end of the sentence (1a–6a):

In a dependent clause the prefix is attached to the finite verb (1b–2b).

The prefix remains attached to the infinitive (3b–6b).

105

It is important to recognize these separable prefixes because they almost always change the meaning of the verb. Compare the English *stand* and *stand up*; *come* and *come along*; *go* and *go away*:

Sie kauft Milch und Eis.
She is buying milk and ice cream.

Sie kauft heute nachmittag ein.
She is going shopping this afternoon.

Er sieht die Straße.
He sees the street.

Sie sieht gut aus.
It looks good.

E. Present Tense of **sein** and **haben**

Both **sein** *be* and **haben** *have* are irregular. The forms of the present tense are:

sein	**be**
ich bin	I am
du bist	you are
er, sie, es ist	he, she, it is
wir sind	we are
ihr seid	you are
sie, Sie sind	they, you are

haben	**have**
ich habe	I have
du hast	you have
er, sie, es hat	he, she, it has
wir haben	we have
ihr habt	you have
sie, Sie haben	they, you have

F. Uses of the Present Tense

The present tense in German has a range of functions which overlap but do not completely coincide with those of the present tense in English.

1   The present tense is commonly used in German, as in English, to describe an action or condition in the present:

Da kommt der Peterwagen um die Hausecke herum.
There comes the police car around the corner of the building.

Rat mal, Peter, wen ich sehe!
Peter, just guess who I see!

Hier läuft unser Zug ein.
Here comes our train.

2   The present tense is used in German with future meaning, just as the present progressive tense of some verbs is used with future meaning in English. This use is much more common in German than in English. An adverb of time is often used, especially if the meaning is not clear from the context:

Was tust du denn heute nachmittag?
Tell me, what are you doing this afternoon?

Ich gehe zum Baden.
I'm going swimming.

Wann bist du bei uns?
When will you be at our house?

3 The present tense, often with the adverb **schon**, is used in German to describe an action or condition which began in the past and is still going on in the present. The present perfect is used for this purpose in English.

> Ich kenne Sie schon lange.
> I have known you for a long time.

4 The present tense can be used in both languages in a timeless sense, that is, to state a fact or opinion which has no temporal limitation:

> Mutti nimmt nie Eis.
> Mom never eats ice cream.

> Ilse spricht häufig von Ihnen.
> Ilse often speaks of you.

> Es steht doch immer dasselbe darin.
> There's always the same thing in it anyway.

> Aller Anfang ist schwer.
> The first step is always hard.

There are no forms in German which correspond to the English present progressive tense or to the interrogative, negative or emphatic construction of *do* and the infinitive:

Kommt der Zug um fünf?	Is the train coming at five? Does the train come at five?
Ja, der Zug kommt um fünf.	Yes, the train is coming at five. Yes, the train does come at five. Yes, the train comes at five.
Nein, der Zug kommt nicht um fünf.	No, the train isn't coming at five. No, the train doesn't come at five.

G. Imperative Forms

The common forms of the imperative are:

1 *Second Person Familiar Singular* (**du** *form*). With most verbs, an **–e** [ə] is added to the stem. The personal pronoun is rarely used:

kauf e	schau e	spott e

The **–e** is usually dropped in casual speech unless the verb is one that requires a connecting **–e–** in the indicative:

Kauf dein Eis! Schau mal!	*but*:	Spotte nicht! Warte!

Verbs which have a stem vowel change from **e** to **i** or **ie** in the **du** and **er** forms also have the same change in the familiar singular imperative. They do not have an **–e** ending:

helfen	Hilf!	sprechen	Sprich!	sehen	Sieh!
nehmen	Nimm!	lesen	Lies!		

2 *Second Person Familiar Plural* (**ihr** *form*). The form is the same as the indicative. The personal pronoun is rarely used:

Kommt doch mit!   Schaut mal!

3 *Second Person Standard* (**Sie** *form*). The form is the same as the indicative. The personal pronoun is always used and it follows the verb:

Entschuldigen Sie!   Warten Sie!

4 *First Person Plural* (**wir** *form*). The form is the same as the indicative. The personal pronoun is always used and it follows the verb:

Steigen wir ein!   Warten wir ab!

I. Dialog

Der neue Hut

Part 1

1	Frau Wegner:	Schau mal, Heinz, dieser Hut ist doch unmöglich!
2	Herr Wegner:	Warum? Ich finde ihn noch sehr schön, Christa.
3	Frau Wegner:	Aber die Form ist doch vollkommen unmodern!
4	Herr Wegner:	Vielleicht, aber du kannst nicht jeden Monat einen Hut kaufen.
5	Frau Wegner:	Jeden Monat! Ich habe diesen Hut schon ein Jahr!
6	Herr Wegner:	Jedenfalls geht der Monat zu Ende. Mein Geld ist fast alle.
7	Frau Wegner:	Dein Geld? Du meinst: unser Geld!
8	Herr Wegner:	Das macht keinen Unterschied. Das Geld ist knapp.
9	Frau Wegner:	Ich habe ja auch noch ein Sparbuch.
10	Herr Wegner:	Dein Sparbuch ist deine Sache. Davon kannst du meinetwegen jede Woche einen Hut kaufen!

Part 2

11	Frau Wegner:	Was kostet der Hut dort im Fenster, bitte?
12	Verkäuferin:	Der Hut ist ein Gedicht, nicht wahr? Nur vierundachtzig Mark.
13	Frau Wegner:	Wirklich? Sie haben kein Glück, das Gedicht ist zu teuer für mich.
14	Verkäuferin:	Wie finden Sie jenes Hütchen dort?
15	Frau Wegner:	Welches? Das kleine? Scheußlich!
16	Verkäuferin:	Manche Kundin mag solche Hüte leiden. Sie sind billig.
17	Frau Wegner:	So sehen sie auch aus. Ohne mich!
18	Verkäuferin:	Schauen Sie doch einmal durch diese große Auswahl hier.
19	Frau Wegner:	Danke, ich möchte meinen Mann erst fragen. Wissen Sie, ich tue nichts ohne oder gegen ihn!
20	Verkäuferin:	Natürlich, gnädige Frau, ich verstehe Sie vollkommen!

II. Supplement

Part 1

Possessive adjectives

1	ich	Das ist mein Zug.	6	wir	Das ist unser Zug.
2	du	Das ist dein Zug.	7	ihr	Das ist euer Zug.
3	Uwe	Das ist sein Zug.	8	Uwe und Heike	Das ist ihr Zug.
4	Heike	Das ist ihr Zug.	9	Sie	Das ist Ihr Zug, Herr Hartmann!
5	das Kind	Das ist sein Zug.			

Impersonal pronoun subjects **es** *and* **das**

10 Es ist die Zeitung.
11 Es sind die Zeitungen.

12 Das ist die Zeitung.
13 Das sind die Zeitungen.

Part 2

Direct object pronouns

14 Meinst du mich?
15 Ja, ich meine dich.
16 Meinst du uns?

17 Ja, ich meine euch.
18 Wen meinen Sie, Herr Professor?
19 Ich meine Sie, Herr Held!

Prices

20 Was kostet der Hut?
21 Er kostet vierundachtzig Mark.

24 Wieviel kostet das Buch?
25 Es kostet zehn Mark fünfzig.

22 Wieviel kostet die Zeitung?
23 Sie kostet dreißig Pfennig.

III. Audiolingual Drills

A. Directed Dialog

Part 1

Fragen Sie, ob Frau Wegners Hut unmöglich ist!
Ist Frau Wegners Hut unmöglich?

Antworten Sie, daß Herr Wegner ihn noch sehr schön findet!
Herr Wegner findet ihn noch sehr schön.

Sagen Sie, daß die Form doch vollkommen unmodern ist!
Die Form ist doch vollkommen unmodern.

Sagen Sie, daß Frau Wegner nicht jeden Monat einen Hut kaufen kann!
Frau Wegner kann nicht jeden Monat einen Hut kaufen.

Fragen Sie, ob Frau Wegner diesen Hut schon ein Jahr hat!
Hat Frau Wegner diesen Hut schon ein Jahr?

Antworten Sie, daß sie ihn schon ein Jahr hat!
Sie hat ihn schon ein Jahr.

Sagen Sie, daß der Monat zu Ende geht!
Der Monat geht zu Ende.

Sagen Sie, daß das Geld knapp ist!
Das Geld ist knapp.

Fragen Sie, ob es auch Frau Wegners Geld ist!
Ist es auch Frau Wegners Geld?

Antworten Sie, daß es auch Frau Wegners Geld ist!
Es ist auch Frau Wegners Geld.

Fragen Sie, ob das einen Unterschied macht!
Macht das einen Unterschied?

Antworten Sie, daß das keinen Unterschied macht!
Das macht keinen Unterschied.

Fragen Sie, ob Frau Wegner auch noch ein Sparbuch hat!
Hat Frau Wegner auch noch ein Sparbuch?

Antworten Sie, daß sie auch noch ein Sparbuch hat!
Sie hat auch noch ein Sparbuch.

Sagen Sie, daß sie davon jede Woche einen Hut kaufen kann!
Sie kann davon jede Woche einen Hut kaufen.

Part 2

Fragen Sie, was der Hut dort im Fenster kostet!
Was kostet der Hut dort im Fenster?

Antworten Sie, daß er nur vierundachtzig Mark kostet!
Er kostet nur vierundachtzig Mark.

Sagen Sie, daß die Verkäuferin kein Glück hat!
Die Verkäuferin hat kein Glück.

Sagen Sie, daß der Hut zu teuer für Frau Wegner ist!
Der Hut ist zu teuer für Frau Wegner.

Fragen Sie, wie Frau Wegner jenes Hütchen dort findet!
Wie findet Frau Wegner jenes Hütchen dort?

Antworten Sie, daß sie es scheußlich findet!
Sie findet es scheußlich.

Sagen Sie, daß manche Kundin solche Hüte leiden mag!
Manche Kundin mag solche Hüte leiden.

Sagen Sie, daß sie billig sind!
Sie sind billig.

Sagen Sie, daß sie auch so aussehen!
Sie sehen auch so aus.

Fragen Sie, ob Frau Wegner durch die große Auswahl schaut!
Schaut Frau Wegner durch die große Auswahl?

Antworten Sie, daß sie nicht durch die große Auswahl schaut!
Sie schaut nicht durch die große Auswahl.

Sagen Sie, daß Frau Wegner ihren Mann erst fragen möchte!
Frau Wegner möchte ihren Mann erst fragen.

Sagen Sie, daß sie nichts ohne oder gegen ihn tut!
Sie tut nichts ohne oder gegen ihn.

Fragen Sie, ob die Verkäuferin die Frau versteht!
Versteht die Verkäuferin die Frau?

Sagen Sie, daß sie sie vollkommen versteht!
Sie versteht sie vollkommen.

B. **Der**-words, Nominative Case

Der, **dieser**, **jeder**, **jener**, **mancher**, **solcher** and **welcher** are called **der**–words.

1   Repeat the following sentences:

Dieser Platz ist frei.   Jener Herr ist alt.
Diese Form ist unmodern.   Jene Kiste ist groß.
Dieses Gedicht ist gut.   Jenes Kind ist nett.
Diese Unfälle sind schlimm.   Jene Erzählungen sind gut.

Mancher Professor ist langweilig.   Welcher Fahrer ist rücksichtslos?
Manche Kundin ist nett.   Welche Laterne ist schön?
Manches Sprichwort ist wahr.   Welches Hütchen ist teuer?
Manche Erzählungen sind scheußlich.   Welche Hüte sind billig?

Jeder Student ist tüchtig.   Solche Unfälle sind schlimm.
Jede Kreuzung ist rutschig.   Solche Erzählungen sind langweilig.
Jedes Kind ist nett.   Solche Hüte sind billig.

2   Substitute the new noun or **der**–word as indicated.

Example: Dieser Platz ist gut.   **Eis**
              Dieses Eis ist gut.   **jener**
              Jenes Eis ist gut.   **Straße**
              Jene Straße ist gut.

Manche Straße ist gut.   **Sprichwort**
Manches Sprichwort ist gut.   **dieser**
Dieses Sprichwort ist gut.   **Erzählungen**

Diese Erzählungen sind gut.   **welcher?**
Welche Erzählungen sind gut? **Kreuzung**
Welche Kreuzung ist gut? **dieser**
Diese Kreuzung ist gut. **Kind**
Dieses Kind ist gut. **jeder**
Jedes Kind ist gut. **Mensch**
Jeder Mensch ist gut. **mancher**
Mancher Mensch ist gut. **Fahrer**
Mancher Fahrer ist gut. **der**
Der Fahrer ist gut. **Sache**
Die Sache ist gut. **jener**
Jene Sache ist gut. **Licht**
Jenes Licht ist gut. **welcher?**
Welches Licht ist gut? **Erzählung**
Welche Erzählung ist gut? **dieser**
Diese Erzählung ist gut. **Studenten**
Diese Studenten sind gut. **solcher**
Solche Studenten sind gut. **Vorlesungen**
Solche Vorlesungen sind gut.

3 Substitute the new element.

Example: Welcher Platz ist frei? **dieser**
Dieser Platz ist frei. **gut**
Dieser Platz ist gut. **Stelle**
Diese Stelle ist gut. **jener**
Jene Stelle ist gut.

Jene Stelle ist schön. **Gedicht**
Jenes Gedicht ist schön. **mancher**
Manches Gedicht ist schön. **schwer**
Manches Gedicht ist schwer. **Erzählung**
Manche Erzählung ist schwer. **der**
Die Erzählung ist schwer. **scheußlich**
Die Erzählung ist scheußlich. **Hütchen**
Das Hütchen ist scheußlich. **jeder**
Jedes Hütchen ist scheußlich. **teuer**
Jedes Hütchen ist teuer. **Geige**
Jede Geige ist teuer. **welcher?**
Welche Geige ist teuer? **gut**
Welche Geige ist gut? **Erzählungen**
Welche Erzählungen sind gut? **solcher**
Solche Erzählungen sind gut. **Vorlesungen**
Solche Vorlesungen sind gut. **Hüte**
Solche Hüte sind gut.

C. **Der**-words, Accusative Case

4 Substitute the provided accusative form of the new **der**—word:

Die Frau kauft den Hut. **diesen**
Die Frau kauft diesen Hut. **jenen**
Die Frau kauft jenen Hut. **manchen**
Die Frau kauft manchen Hut. **jeden**
Die Frau kauft jeden Hut. **welchen?**
Die Frau kauft welchen Hut?

Der Student liest die Erzählung. **jene**
Der Student liest jene Erzählung. **diese**
Der Student liest diese Erzählung. **jede**
Der Student liest jede Erzählung. **manche**
Der Student liest manche Erzählung. **welche?**
Der Student liest welche Erzählung?

Der Professor erklärt das Gedicht. **manches**
Der Professor erklärt manches Gedicht. **jedes**
Der Professor erklärt jedes Gedicht. **dieses**
Der Professor erklärt dieses Gedicht. **jenes**
Der Professor erklärt jenes Gedicht. **welches?**
Der Professor erklärt welches Gedicht?

Sie kennen die Erzählungen. **solche**
Sie kennen solche Erzählungen. **jene**
Sie kennen jene Erzählungen. **diese**
Sie kennen diese Erzählungen. **manche**
Sie kennen manche Erzählungen. **welche?**
Sie kennen welche Erzählungen?

5 Substitute the new element:

Er kennt diesen Müller. **Kundin**
Er kennt diese Kundin. **mancher**
Er kennt manche Kundin. **Mädchen**
Er kennt manches Mädchen. **jeder**
Er kennt jedes Mädchen. **Straße**
Er kennt jede Straße. **der**
Er kennt die Straße. **Gedicht**
Er kennt das Gedicht. **dieser**
Er kennt dieses Gedicht. **Erzählung**
Er kennt diese Erzählung. **jener**
Er kennt jene Erzählung. **Kind**
Er kennt jenes Kind. **dieser**
Er kennt dieses Kind. **Schneider**

Er kennt diesen Schneider. **manche**
Er kennt manchen Schneider. **Sprichwort**
Er kennt manches Sprichwort. **der**
Er kennt das Sprichwort. **Zeitung**
Er kennt die Zeitung. **dieser**
Er kennt diese Zeitung. **Erzählungen**
Er kennt diese Erzählungen. **solcher**
Er kennt solche Erzählungen. **Studenten**
Er kennt solche Studenten. **welcher?**
Er kennt welche Studenten?

D. **Ein**-words, Nominative Case

Ein, **kein** and the possessive adjectives are called **ein**—words.

6 Repeat the following sentences:

Dort ist ein Wagen.
Dort ist eine Kundin.
Dort ist ein Licht.

Das ist kein Anfang.
Das ist keine Auswahl.
Das ist kein Sprichwort.
Das sind keine Erzählungen.

Mein Hut ist billig.
Meine Geige ist teuer.
Mein Sparbuch ist alt.
Meine Hüte sind teuer.

Dein Bruder ist nett.
Deine Tante ist alt.
Dein Glück ist vollkommen.
Deine Erzählungen sind scheußlich.

Sein Unfall ist ernst.
Seine Erzählung ist gut.
Sein Mädchen ist hübsch.
Seine Vorlesungen sind langweilig.

Ihr Professor ist tüchtig.
Ihre Freundin ist nett.
Ihr Geld ist knapp.
Ihre Hüte sind unmöglich.

Unser Platz ist frei.
Unsre Vorlesung ist leicht.
Unser Podium ist schön.
Unsre Studenten sind tüchtig.

Euer Unfall ist schlimm.
Eure Straße ist rutschig.
Euer Gedicht ist scheußlich.
Eure Unfälle sind schlimm.

7 Substitute the new possessive adjective or noun as indicated.

Example: Dein Platz ist dort. **Geige**
Deine Geige ist dort. **euer**
Eure Geige ist dort. **Hüte**
Eure Hüte sind dort.

Sein Bruder ist hier. **Tante**
Seine Tante ist hier. **unser**
Unsre Tante ist hier. **Sparbuch**
Unser Sparbuch ist hier. **euer**

Euer Sparbuch ist hier. **Straße**
Eure Straße ist hier. **dein**
Deine Straße ist hier. **Hut**
Dein Hut ist hier. **mein**

Mein Hut ist hier. **Geige**
Meine Geige ist hier. **ihr**
Ihre Geige ist hier. **Kundin**
Ihre Kundin ist hier. **unser**
Unsre Kundin ist hier. **Bruder**
Unser Bruder ist hier. **euer**

Euer Bruder ist hier. **Freundin**
Eure Freundin ist hier. **ihr**
Ihre Freundin ist hier. **Hüte**
Ihre Hüte sind hier. **sein**
Seine Hüte sind hier.

8 Substitute **kein**, a noun or **ein** as indicated.

Example: Das ist eine Geige. **kein**
Das ist keine Geige. **Sparbuch**
Das ist kein Sparbuch. **ein**
Das ist ein Sparbuch.

Das ist keine Kundin. **ein**
Das ist eine Kundin. **Sparbuch**
Das ist ein Sparbuch. **kein**
Das ist kein Sparbuch. **Schneiderin**
Das ist keine Schneiderin. **ein**
Das ist eine Schneiderin. **Erzählung**
Das ist eine Erzählung. **kein**

Das ist keine Erzählung. **Gedicht**
Das ist kein Gedicht. **ein**
Das ist ein Gedicht. **Hut**
Das ist ein Hut. **kein**
Das ist kein Hut. **Laterne**
Das ist keine Laterne. **ein**
Das ist eine Laterne.

9 Substitute the new element.

Example: Mein Hut ist teuer. **Geige**
Meine Geige ist teuer. **euer**
Eure Geige ist teuer. **gut**
Eure Geige ist gut. **Erzählungen**
Eure Erzählungen sind gut.

Mein Bruder ist nett. **Tante**
Meine Tante ist nett. **dein**
Deine Tante ist nett. **alt**
Deine Tante ist alt. **Mann**
Dein Mann ist alt. **ihr**
Ihr Mann ist alt. **ernst**
Ihr Mann ist ernst. **Mutti**
Ihre Mutti ist ernst. **euer**
Eure Mutti ist ernst. **schön**
Eure Mutti ist schön. **Hüte**
Eure Hüte sind schön. **ihr**
Ihre Hüte sind schön. **billig**
Ihre Hüte sind billig. **Hut**
Ihr Hut ist billig. **sein**
Sein Hut ist billig. **scheußlich**
Sein Hut ist scheußlich. **Gedicht**

Sein Gedicht ist scheußlich.   **euer**
Euer Gedicht ist scheußlich.   **unmöglich**
Euer Gedicht ist unmöglich.   **Fahrer**
Euer Fahrer ist unmöglich.   **unser**
Unser Fahrer ist unmöglich.   **rücksichtslos**
Unser Fahrer ist rücksichtslos.   **Studenten**
Unsre Studenten sind rücksichtslos.   **euer**
Eure Studenten sind rücksichtslos.   **tüchtig**
Eure Studenten sind tüchtig.   **Junge**
Euer Junge ist tüchtig.   **Ihr**
Ihr Junge ist tüchtig.   **groß**
Ihr Junge ist groß.   **Mädchen**
Ihr Mädchen ist groß.   **euer**
Euer Mädchen ist groß.   **hübsch**
Euer Mädchen ist hübsch.   **Gedicht**
Euer Gedicht ist hübsch.   **unser**
Unser Gedicht ist hübsch.   **schlecht**
Unser Gedicht ist schlecht.   **Straße**
Unsre Straße ist schlecht.   **sein**
Seine Straße ist schlecht.   **gut**
Seine Straße ist gut.   **Vorlesungen**
Seine Vorlesungen sind gut.

E. **Ein**-words, Accusative Case

10 Substitute the provided accusative form of the new **ein**—word:

Ich sehe einen Zug.   **keinen**
Ich sehe keinen Zug.   **meinen**
Ich sehe meinen Zug.   **euren**
Ich sehe euren Zug.   **ihren**
Ich sehe ihren Zug.   **deinen**
Ich sehe deinen Zug.   **unsren**
Ich sehe unsren Zug.   **seinen**
Ich sehe seinen Zug.   **einen**
Ich sehe einen Zug.

Er sieht meine Geige.   **deine**
Er sieht deine Geige.   **ihre**
Er sieht ihre Geige.   **eine**
Er sieht eine Geige.   **keine**
Er sieht keine Geige.   **unsre**
Er sieht unsre Geige.   **eure**
Er sieht eure Geige.   **seine**
Er sieht seine Geige.   **meine**
Er sieht meine Geige.

Du siehst ihr Sparbuch.   **euer**
Du siehst euer Sparbuch.   **sein**
Du siehst sein Sparbuch.   **dein**
Du siehst dein Sparbuch.   **unser**
Du siehst unser Sparbuch.   **mein**
Du siehst mein Sparbuch.   **kein**
Du siehst kein Sparbuch.   **ein**
Du siehst ein Sparbuch.   **ihr**
Du siehst ihr Sparbuch.

Wir sehen eure Hüte.   **deine**
Wir sehen deine Hüte.   **unsre**
Wir sehen unsre Hüte.   **ihre**
Wir sehen ihre Hüte.   **keine**
Wir sehen keine Hüte.   **meine**
Wir sehen meine Hüte.   **seine**
Wir sehen seine Hüte.   **eure**
Wir sehen eure Hüte.

11 Substitute the new element as indicated:

Er sieht meine Geige. **ein**
Er sieht eine Geige. **Licht**
Er sieht ein Licht. **kein**
Er sieht kein Licht. **Zug**
Er sieht keinen Zug. **sein**
Er sieht seinen Zug. **Frau**
Er sieht seine Frau. **dein**
Er sieht deine Frau. **Milchmann**
Er sieht deinen Milchmann. **Ihr**
Er sieht Ihren Milchmann. **Freundin**
Er sieht Ihre Freundin. **unser**
Er sieht unsre Freundin. **Kind**
Er sieht unser Kind. **euer**
Er sieht euer Kind. **Straße**
Er sieht eure Straße. **ihr**
Er sieht ihre Straße. **Bruder**
Er sieht ihren Bruder. **mein**
Er sieht meinen Bruder. **Hut**

Er sieht meinen Hut. **Ihr**
Er sieht Ihren Hut. **Sparbuch**
Er sieht Ihr Sparbuch. **kein**
Er sieht kein Sparbuch. **Salat**
Er sieht keinen Salat. **ein**
Er sieht einen Salat. **Platzwunde**
Er sieht eine Platzwunde. **ihr**
Er sieht ihre Platzwunde. **Geige**
Er sieht ihre Geige. **sein**
Er sieht seine Geige. **Kopf**
Er sieht seinen Kopf. **dein**
Er sieht deinen Kopf. **Tante**
Er sieht deine Tante. **euer**
Er sieht eure Tante. **Kundin**
Er sieht eure Kundin. **kein**
Er sieht keine Kundin. **Hüte**
Er sieht keine Hüte.

F. Direct Object Pronouns

12 Substitute the object pronoun that agrees with the noun object given after each sentence.

Example: Seht ihr die Kreuzung?
Seht ihr sie? **den Hut**
Seht ihr ihn? **das Licht**
Seht ihr es? **die Studenten**
Seht ihr sie?

Seht ihr die Geige?
Seht ihr sie? **das Nuß-Eis**
Seht ihr es? **die Zeitung**
Seht ihr sie? **die Studenten**
Seht ihr sie? **den Hut**
Seht ihr ihn? **das Podium**
Seht ihr es? **Ilse und Peter**
Seht ihr sie? **die Kundin**
Seht ihr sie? **den Professor**
Seht ihr ihn? **das Kind**
Seht ihr es? **den Unfall**
Seht ihr ihn? **den Zug**
Seht ihr ihn? **das Hütchen**

Seht ihr es? **die Hüte**
Seht ihr sie? **den Wagen**
Seht ihr ihn? **die Laterne**
Seht ihr sie? **Uwe und Heike**
Seht ihr sie? **das Haus**
Seht ihr es? **die Ecke**
Seht ihr sie? **die Kreuzung**
Seht ihr sie? **den Bruder**
Seht ihr ihn? **die Wunde**
Seht ihr sie? **Rolf und Günther**
Seht ihr sie? **den Wolf**
Seht ihr ihn?

13 Replace the object pronoun with a new object pronoun that agrees with the cue.

Example: Er meint mich. **du**
Er meint dich.

Er meint mich. **du**
Er meint dich. **er**
Er meint ihn. **das Kind**
Er meint es. **die Frau**
Er meint sie. **wir**
Er meint uns. **ihr**
Er meint euch. **die Studenten**
Er meint sie. **er**
Er meint ihn. **wir**
Er meint uns. **ich**
Er meint mich. **das Mädchen**

Er meint es. **ihr**
Er meint euch. **du**
Er meint dich. **die Verkäuferin**
Er meint sie. **das Gegenteil**
Er meint es. **Uwe und Heike**
Er meint sie. **ich**
Er meint mich. **der Professor**
Er meint ihn. **Peter und Ilse**
Er meint sie. **der Held**
Er meint ihn.

G. Wer? Wen? Was?

14 Change the following sentences into questions beginning with the question word **wer**, **wen** or **was** as may be required.

Example: Uwe ist hier.
Wer ist hier?

Er meint Hans.
Wen meint er?

Er hat die Laterne.
Was hat er?

Das ist ein Sparbuch.
Was ist das?

Er sieht den Schneider.
Wen sieht er?

Er hat eine Wunde.
Was hat er?

Er meint seinen Bruder.
Wen meint er?

Das ist ihre Freundin.
Wer ist das?

Er sieht den Wagen.
Was sieht er?

Der Anfang ist schwer.
Was ist schwer?

Er sieht die Studenten.
Wen sieht er?

Die Ecke ist dort.
Was ist dort?

Dort kommt seine Freundin.
Wer kommt dort?

Das ist das Podium.
Was ist das?

Er sieht Frau Hartmann.
Wen sieht er?

Er findet den Müller.
Wen findet er?

Heike geht zum Baden.
Wer geht zum Baden?

Die Studenten kommen mit.
Wer kommt mit?

H. Es ist, es sind—das ist, das sind

15   Answer the question with the nouns or names indicated.

Example: Wer ist es?   **Uwe**
Es ist Uwe.   **Uwe und Heike**
Es sind Uwe und Heike.

Wer ist es?   **Uwe**
Es ist Uwe.   **Uwe und Heike**
Es sind Uwe und Heike.   **der Schneider**
Es ist der Schneider.   **die Studenten**
Es sind die Studenten.   **Rolf**
Es ist Rolf.   **Rolf und Günther**
Es sind Rolf und Günther.

Wer ist das?   **Hans**
Das ist Hans.   **Hans und Tante Inge**
Das sind Hans und Tante Inge.   **die Schneiderin**
Das ist die Schneiderin.   **Fräulein Schneider und Herr Held**
Das sind Fräulein Schneider und Herr Held.   **Peter**
Das ist Peter.   **Peter und Ilse**
Das sind Peter und Ilse.

Was ist das?   **die Zeitung**
Das ist die Zeitung.   **die Zeitungen**
Das sind die Zeitungen.   **die Kiste**
Das ist die Kiste.   **die Kisten**
Das sind die Kisten.   **die Laterne**
Das ist die Laterne.   **die Laternen**
Das sind die Laternen.

I. Prepositions with the Accusative Case

Für

16   Repeat the following sentences:

Das Geld ist für mich.
Das Geld ist für dich.
Das Geld ist für den Schneider.
Das Geld ist für ihn.
Das Geld ist für die Frau.
Das Geld ist für sie.

Das Geld ist für uns.
Das Geld ist für euch.
Das Geld ist für Rolf und Günther.
Das Geld ist für sie.
Das Geld ist für Sie, Frau Wegner!
Das Geld ist für Sie, Herr und
    Frau Hartmann!

17 Substitute the pronoun object that agrees with the cue.

    Example: Der Hut ist zu teuer für ihn.   **wir**
                   Der Hut ist zu teuer für uns.

    Der Hut ist zu teuer für mich. **du**
    Der Hut ist zu teuer für dich. **die Frau**
    Der Hut ist zu teuer für sie. **wir**
    Der Hut ist zu teuer für uns. **die Studenten**
    Der Hut ist zu teuer für sie. **er**
    Der Hut ist zu teuer für ihn. **ihr**
    Der Hut ist zu teuer für euch. **ich**
    Der Hut ist zu teuer für mich.

Ohne

18 Substitute the pronoun object that agrees with the cue:

    Ohne ihn geht der Zug nicht. **ihr**
    Ohne euch geht der Zug nicht. **Frau Hartmann**
    Ohne sie geht der Zug nicht. **ich**
    Ohne mich geht der Zug nicht. **wir**
    Ohne uns geht der Zug nicht. **du**
    Ohne dich geht der Zug nicht. **die Studenten**
    Ohne sie geht der Zug nicht. **er**
    Ohne ihn geht der Zug nicht.

Gegen

19 Substitute the pronoun object that agrees with the cue:

    Er hat nichts gegen dich. **wir**
    Er hat nichts gegen uns. **die Studenten**
    Er hat nichts gegen sie. **Heike**
    Er hat nichts gegen sie. **ihr**
    Er hat nichts gegen euch. **ich**
    Er hat nichts gegen mich. **die Frau**
    Er hat nichts gegen sie. **du**
    Er hat nichts gegen dich.

Durch, für, gegen, ohne and um with noun objects

20 Repeat the following sentences:

    Wir gehen durch den Zug.
    Der Junge läuft durch die Straße.
    Sie schauen durch das Fenster.

    Das Geld ist für diesen Mann.
    Der Hut ist zu teuer für diese Kundin.
    Das Eis ist für dieses Kind.

Sie sagt nichts gegen unsren Bruder.
Sie tut nichts gegen unsre Freundin.
Sie sagt nichts gegen unser Gedicht.

Sie tut nichts ohne ihren Mann.
Er steigt ohne seine Zeitung nicht ein.
Ohne mein Geld kann sie den Hut nicht
kaufen.

Das Kind läuft um jeden Wagen herum.
Der Wagen kommt um den Platz herum.
Der Professor geht um sein Podium
herum.

21 Replace the noun object of the preposition, the verb or the subject pronoun as indicated.

Example: Sie gehen jetzt durch den Zug. **Straße**
Sie gehen jetzt durch die Straße. **laufen**
Sie laufen jetzt durch die Straße. **er**
Er läuft jetzt durch die Straße.

Er läuft jetzt durch den Vorlesungsraum. **Zug**
Er läuft jetzt durch den Zug. **gehen**
Er geht jetzt durch den Zug. **du**
Du gehst jetzt durch den Zug. **Stadtbahn**
Du gehst jetzt durch die Stadtbahn. **schauen**
Du schaust jetzt durch die Stadtbahn. **wir**
Wir schauen jetzt durch die Stadtbahn. **Auswahl**
Wir schauen jetzt durch die Auswahl. **ihr**
Ihr schaut jetzt durch die Auswahl. **sehen**
Ihr seht jetzt durch die Auswahl. **Fenster**
Ihr seht jetzt durch das Fenster. **er**
Er sieht jetzt durch das Fenster. **kommen**
Er kommt jetzt durch das Fenster. **Straße**
Er kommt jetzt durch die Straße. **du**
Du kommst jetzt durch die Straße. **laufen**
Du läufst jetzt durch die Straße. **Vorlesungsraum**
Du läufst jetzt durch den Vorlesungsraum.

22 Substitute the new element:

Er kommt um den Platz herum. **jener**
Er kommt um jenen Platz herum. **Ecke**
Er kommt um jene Ecke herum. **dieser**
Er kommt um diese Ecke herum. **Wagen**
Er kommt um diesen Wagen herum. **der**
Er kommt um den Wagen herum. **Podium**
Er kommt um das Podium herum. **welcher?**
Er kommt um welches Podium herum? **Kiste**

Er kommt um welche Kiste herum?   **mancher**
Er kommt um manche Kiste herum.   **Platz**
Er kommt um manchen Platz herum.   **ein**
Er kommt um einen Platz herum.

23   Substitute the new element:

Die Studenten stehen um den Professor herum.   **dieser**
Die Studenten stehen um diesen Professor herum.   **Frau**
Die Studenten stehen um diese Frau herum.   **jener**
Die Studenten stehen um jene Frau herum.   **Fräulein**
Die Studenten stehen um jenes Fräulein herum.   **der**
Die Studenten stehen um das Fräulein herum.   **Mann**
Die Studenten stehen um den Mann herum.   **mancher**
Die Studenten stehen um manchen Mann herum.   **Platz**
Die Studenten stehen um manchen Platz herum.   **welcher?**
Die Studenten stehen um welchen Platz herum?   **Mädchen**
Die Studenten stehen um welches Mädchen herum?   **jeder**
Die Studenten stehen um jedes Mädchen herum.   **Professor**
Die Studenten stehen um jeden Professor herum.   **ein**
Die Studenten stehen um einen Professor herum.   **Podium**
Die Studenten stehen um ein Podium herum.   **der**
Die Studenten stehen um das Podium herum.   **Laterne**
Die Studenten stehen um die Laterne herum.

24   Substitute the new element:

Der Junge läuft gegen unsren Milchwagen.   **dieser**
Der Junge läuft gegen diesen Milchwagen.   **Podium**
Der Junge läuft gegen dieses Podium.   **jener**
Der Junge läuft gegen jenes Podium.   **Fenster**
Der Junge läuft gegen jenes Fenster.   **euer**
Der Junge läuft gegen euer Fenster.   **Milchmann**
Der Junge läuft gegen euren Milchmann.   **der**
Der Junge läuft gegen den Milchmann.   **Laterne**
Der Junge läuft gegen die Laterne.   **unser**
Der Junge läuft gegen unsre Laterne.   **Wagen**
Der Junge läuft gegen unsren Wagen.   **ein**
Der Junge läuft gegen einen Wagen.   **Ecke**
Der Junge läuft gegen eine Ecke.   **der**
Der Junge läuft gegen die Ecke.   **Zug**
Der Junge läuft gegen den Zug.   **dieser**
Der Junge läuft gegen diesen Zug.

J. Prices

25 Change the price by adding five **Pfennig** each time until the price is **acht Mark zwanzig**:

Das Buch kostet sieben Mark fünfundachtzig.
Das Buch kostet sieben Mark neunzig.
Das Buch kostet sieben Mark fünfundneunzig.
Das Buch kostet acht Mark.
Das Buch kostet acht Mark fünf.
Das Buch kostet acht Mark zehn.
Das Buch kostet acht Mark fünfzehn.
Das Buch kostet acht Mark zwanzig.

K. Questions and Answers

Part 1

Was sagt Frau Wegner über ihren Hut?
Sie sagt, daß er unmöglich ist.

Wie findet Herr Wegner den Hut?
Er findet ihn noch sehr schön.

Wie findet Frau Wegner die Form?
Sie findet sie vollkommen unmodern.

Was kann Frau Wegner nicht jeden Monat tun?
Sie kann nicht jeden Monat einen Hut kaufen.

Wie lange hat sie den Hut schon?
Sie hat ihn schon ein Jahr.

Was geht zu Ende?
Der Monat geht zu Ende.

Was ist fast alle?
Das Geld ist fast alle.

Was hat Frau Wegner noch?
Sie hat noch ihr Sparbuch.

Ist das Sparbuch Frau Wegners Sache?
Ja, es ist ihre Sache.

Was kann sie davon jede Woche kaufen?
Sie kann davon jede Woche einen Hut kaufen.

Part 2

Was kostet der Hut im Fenster?
Er kostet vierundachtzig Mark.

Was sagt die Verkäuferin über den Hut?
Sie sagt, er ist ein Gedicht.

Hat die Verkäuferin Glück?
Nein, sie hat kein Glück.

Für wen ist das Gedicht zu teuer?
Es ist zu teuer für Frau Wegner.

Wie findet Frau Wegner das Hütchen?
Sie findet es scheußlich.

Sind solche Hüte teuer?
Nein, sie sind billig.

Was sagt Frau Wegner?
Sie sagt, daß sie auch so aussehen.

Wie ist die Auswahl?
Die Auswahl ist groß.

Wen möchte Frau Wegner erst fragen?
Sie möchte erst ihren Mann fragen.

Versteht die Verkäuferin Frau Wegner?
Ja, sie versteht sie vollkommen.

IV. Writing Practice

A. Copy the Words in Boldface

1 Both the sounds [ç] and [x] are represented by **ch**. [ç] is also represented by **g** in the suffix **–ig** if it is not followed by a vowel or by the suffix **–lich**:

Ich sehe **dich doch noch nicht.**
Eigentlich kann es **endlich** losgehen.
Dein **Sparbuch** ist deine **Sache.**

Er liest **langweilig.**
Ist das so **eilig?**
Der **dreißigste** August.

2 The sound [f] is represented by **v**, **f**, **ff** and by **ph** in words of foreign origin:

Im **Vorlesungsraum.**
Ist Eis denn **Gift?**
Das ist **fein.**

So gegen **fünf.**
Er kann **viel helfen.**
Die **Einführung** in die **Philosophie.**

3 The sound [p] is represented by **p** (not **ph**), **pp** and by **b** when it is final in a word or syllable or final but inflected with a voiceless consonant:

Der **Platz** hier ist noch frei.
Das Geld ist **knapp.**
Fragen Sie, **ob . . .**

Abgemacht.
Eine **hübsche** Sache.
Sie **glaubt** daran.

4 The sound [k] is represented chiefly by **ck** and **k**, and by **g** when it is final in a syllable or final and inflected with a voiceless consonant. This does not apply to the suffix **–ig** [ɪç] as in **häufig** or **ng** [ŋ] as in **Vorlesung**:

Das **schmeckt** am besten.
Guten **Tag, Heike.**
Unser **Zug** läuft ein.

Hans **sagt**, das ist fein.
Üben **sagst** du?
Aber natürlich auch **tagsüber.**

5 The combination sound [ts] is represented chiefly by **z**, **ts** and **tz**:

Ich gehe **zum** Baden.
Ich kaufe eine **Zeitung.**
Da hinten an der **Kreuzung.**

Seit dem **zweiundzwanzigsten** August.
Nichts wie hin.
Jetzt kippt er sogar noch um.

6 The umlaut symbol is a part of German spelling. The umlaut vowels are represented by the unmodified spelling of the vowel plus the umlaut symbol over it. If the umlaut symbol is ignored, the word is misspelled and it could even be a different word (**schon** *already*; **schön** *beautiful*):

Die Sonne scheint so **schön.**
Ich muß Geige **üben.**
Tüchtig, tüchtig, Mädchen.

Was **läufst** du denn so **plötzlich?**
Hier **läuft nämlich** unser Zug ein.
Natürlich, gnädige Frau.

B. Copy the Second Dialog

V. Word Study

A. Translation of Dialog

Der neue Hut
The New Hat

neu (neue)

(Herr und Frau Wegner)
(Mr. and Mrs. Wegner)

Part 1

1 Schau mal, Heinz, dieser Hut ist doch unmöglich!
Just look, Heinz, this hat is really impossible.

2 Warum? Ich finde ihn noch sehr schön, Christa.
Why? I think it's still very nice, Christa.

finden think; find · **er (ihn** *acc.*)

3 Aber die Form ist doch vollkommen unmodern!
But the shape is really completely out of style.

4 Vielleicht, aber du kannst nicht jeden Monat einen Hut kaufen.
Maybe so, but you can't buy a hat every month.

der Monat (jeden Monat *acc.*) · **einen Hut** *acc.*

5 Jeden Monat! Ich habe diesen Hut schon ein Jahr!
Every month! I've had this hat for a year!

diesen Hut *acc.* · **das Jahr (ein Jahr** *acc.*)

6 Jedenfalls geht der Monat zu Ende. Mein Geld ist fast alle.
Anyway, the month is coming to an end. My money is almost gone.

gehen go; walk · **das Ende** · **das Geld** · **alle** *adv.* all gone, at an end

7 Dein Geld? Du meinst: unser Geld!
Your money? You mean, our money!

8 Das macht keinen Unterschied. Das Geld ist knapp.
That doesn't make any difference. We're low on money.

der Unterschied (keinen Unterschied *acc.*) · **knapp** scarce

9 Ich habe ja auch noch ein Sparbuch.
Well, I still have a savings account, you know.

das Sparbuch savings account book **spar** (*from* **sparen** save) + **das Buch** book

10 Dein Sparbuch ist deine Sache. Davon kannst du meinetwegen jede Woche einen Hut kaufen!
Your savings account is your affair. For all I care you can buy a hat out of it every week.

die Sache affair; thing; matter · **davon = da + von** from it, out of it; from there · **meinetwegen** for all I care, as far as I'm concerned · **die Woche (jede Woche** *acc.*)

Part 2

11 Was kostet der Hut dort im Fenster, bitte?
How much is the hat in the window, please?

das Fenster (im Fenster *dat.*)

12 Der Hut ist ein Gedicht, nicht wahr? Nur vierundachtzig Mark.
The hat is a dream, isn't it? Only 84 marks.

das Gedicht poem · **wahr** true   **nicht wahr?** isn't it? isn't it true? · **die Mark,** *pl.* **die Mark**

13 Wirklich? Sie haben kein Glück, das Gedicht ist zu teuer für mich.
Really? You're out of luck. The dream is too expensive for me.

das Glück (kein Glück *acc.*) · **ich (mich** *acc.*)

14 Wie finden Sie jenes Hütchen dort?
What do you think of that cute hat over there?

das Hütchen (jenes Hütchen *acc.*) little hat, cute hat   *diminutive of* **der Hut**

15 Welches? Das kleine? Scheußlich!
Which one? The little one? Hideous!

klein (kleine) · **scheußlich** hideous, atrocious, abominable

16 Manche Kundin mag solche Hüte leiden. Sie sind billig.
Lots of customers like such hats. They're cheap.

mancher (manche) *many a* · **die Kundin** (female) customer · **der Kunde** (male) customer · **leiden mögen** like   **mögen (mag)   leiden** suffer; endure; tolerate · **billig** cheap; inexpensive

17 So sehen sie auch aus. Ohne mich!
They look it, too. Not for me!

ohne mich *acc.* without me; leave me out

18 Schauen Sie doch einmal durch diese große Auswahl hier.
Won't you just look through this big selection here?

groß (große) · **die Auswahl (diese große Auswahl** *acc.*)

19 Danke, ich möchte meinen Mann erst fragen. Wissen Sie, ich tue nichts ohne oder gegen ihn!
Thanks. I'd like to ask my husband first. You know, I don't do anything without or against him.

20 Natürlich, gnädige Frau, ich verstehe Sie vollkommen!
Of course, Madam, I understand perfectly.

gnädig (gnädige)

Supplement

Part 1

Possessive adjectives

1   Das ist mein Zug.
That's my train.

2   Das ist dein Zug.
That's your train.

3   Das ist sein Zug.
That's his train.

4   Das ist ihr Zug.
That's her train.

5   Das ist sein Zug.
That's its train.

6   Das ist unser Zug.
That's our train.

7   Das ist euer Zug.
That's your train.

8   Das ist ihr Zug.
That's their train.

9   Das ist Ihr Zug, Herr Hartmann!
That's your train, Mr. Hartmann.

Impersonal pronoun subject **es** and **das**

10   Es ist die Zeitung.
It's the newspaper.

11   Es sind die Zeitungen.
It's the newspapers.

12   Das ist die Zeitung.
That's the newspaper.

13   Das sind die Zeitungen.
Those are the newspapers.

Part 2

Direct object pronouns

14   Meinst du mich?
Do you mean me?

15   Ja, ich meine dich.
Yes, I mean you.

16   Meinst du uns?
Do you mean us?

17   Ja, ich meine euch.
Yes, I mean you.

18   Wen meinen Sie, Herr Professor?
Whom do you mean, Professor?

19   Ich meine Sie, Herr Held.
I mean you, Mr. Held.

Prices

20   Was kostet der Hut?
How much does the hat cost?

21   Er kostet vierundachtzig Mark.
It costs 84 marks.

22   Wieviel kostet die Zeitung?
How much does the newspaper cost?

was how much; what

DM 84 *or* **84 DM**   **DM = Deutsche Mark**

23	Sie kostet dreißig Pfennig. It costs 30 pfennigs.	**30 Pf** **der Pfennig**, *pl.* **die Pfennige** *In* *speaking of prices, the noun is not inflected.*
24	Wieviel kostet das Buch? How much does the book cost?	
25	Es kostet zehn Mark fünfzig. It costs ten marks fifty.	**DM 10,50**

B. Word Formation

Compound noun

spar *from* **sparen** save + **das Buch** book = **das Sparbuch** savings account book

C. Noun Plurals

The plural of most English nouns is formed by adding an *s* or *es* to the singular. However, there are three different pronunciations for this final *s* or *es*, depending upon the preceding sound. There is the *s* sound, as in *cats, books*; the *z* sound, as in *trees, bears*; and the *iz* or *uz* sound, as in *faces, roses*. In addition there are a few nouns whose plural is formed by changing the vowel of the stem, as *mouse, mice*; *man, men*; *foot, feet*. The plural of the noun *woman* is formed by changing two vowel sounds in pronunciation but only one in spelling: *women*. There are some that add *s* and have other changes as well: *lady, ladies*; *wife, wives*; *loaf, loaves*. There are a few nouns of foreign origin which have retained their original plural forms: *alumnus, alumni*; *alumna, alumnae*; *cactus, cacti*; *phenomenon, phenomena*; *lied, lieder*. And there are even a few which are identical in the singular and plural: *sheep, sheep*; *quail, quail*; *trout, trout*.

The plural of German nouns is also formed in various ways, but for the most part not in the same ways as the plural of English nouns. German plural forms are just as automatic for speakers of German as English plural forms are for speakers of English. Incorrect plural forms sound just as bad to speakers of German as "two mouses" or "three foots" do to speakers of English.

Some German nouns are unchanged in the plural. Others are made plural by modification of the stem vowel, indicated by the umlaut symbol. Still others are made plural by the addition of various endings, with or without umlaut. They may be grouped as follows:

Group I	Plural ending: none. Some umlaut.
Group II	Plural ending: **—e**. Some umlaut.
Group III	Plural ending: **—er**. Umlaut whenever possible.
Group IV*	Plural ending: **—(e)n**. Never umlaut.
Group V*	Plural ending: **—(e)n**; also **—(e)n** in all singular cases except the nominative. Never umlaut.
Group VI	Plural: various. Never umlaut. (To be summarized in section D of Word Study, Unit 14.)

* Groups IV and V do not follow the historical classification, which is used in most textbooks.

While it is helpful to understand the groupings, the best way to remember the plural of a noun is to memorize it along with the nominative singular. The plural forms of the nouns which have been used in Units 1–6 follow. Each group is divided by gender. If umlaut is possible, there is one column for nouns which do not umlaut and another for nouns which do umlaut. If a noun in the non-umlaut column has the umlaut symbol in the plural, it is because it also has the symbol in the singular; the vowel sound of the singular is unchanged in the plural. Compound nouns are not included in the chart, but only their noun components. Some nouns are omitted because their plurals are rare or nonexistent or because they will be given special treatment later.

List of Noun Plurals, Units 1–6

Group I   Plural Ending: None

Masculine		Feminine	Neuter
All masculines in –el, –en, –er		*Only two:* **die Mutter** *mother* **die Tochter** *daughter*	*All neuters in* –el, –en, –er; *all nouns in* –chen, –lein
Umlaut: some		*Umlaut: both*	*Umlaut: none*
—	··	··	—
der Fahrer, die Fahrer der Morgen, die Morgen der Müller, die Müller der Schneider, die Schneider der Verkäufer, die Verkäufer der Wagen, die Wagen	der Bruder, die Brüder	die Mutter, die Mütter die Tochter, die Töchter	das Fräulein, die Fräulein das Hütchen, die Hütchen das Mädchen, die Mädchen das Viertel, die Viertel

Group II   Plural Ending: –**e**, –̈**e**

Masculine		Feminine	Neuter
Many monosyllabics; a few polysyllabics		*About 20 common monosyllabics*	*Only a few*
Umlaut: some		*Umlaut: all*	*Umlaut: none*
–e	**–̈e**	**–̈e**	**–e**
der Freund, die Freunde	der Anfang, die Anfänge	die Angst, die Ängste	das Gedicht, die Gedichte
der Monat, die Monate	der Hut, die Hüte	die Nuß, die Nüsse	das Gegenteil, die Gegenteile
der Pfennig, die Pfennige	der Kopf, die Köpfe	die Stadt, die Städte	das Jahr, die Jahre
der Tag, die Tage	der Platz, die Plätze		das Wort, die Worte[1]
der Teil, die Teile	der Raum, die Räume		
der Unterschied, die Unterschiede	der Wolf, die Wölfe		
	der Zug, die Züge		

[1] **Das Wort** has two plurals. **Die Worte** are words in connected discourse, as in: **die Worte Schillers**; **die Wörter** (Group III) are disconnected words, as words on a list.

Group III   Plural Ending: –**er**, –̈**er**

Masculine		Neuter	
A few monosyllabics		*Most monosyllabic neuters and all neuters in* –**tum**	
Umlaut: whenever possible		*Umlaut: whenever possible*	
–er	**–̈er**	**–er**	**–̈er**
(Rare. None in Units 1–6)	der Gott, die Götter	das Kind, die Kinder	das Buch, die Bücher
	der Mann, die Männer	das Licht, die Lichter	das Haus, die Häuser
			das Wort, die Wörter[1]

[1] See Group II, note 1.

Group IV[1] Plural Ending: -(e)n

Masculine	Feminine	Neuter
Only a few	*Almost all feminines*	*Only a few*
Umlaut: none	*Umlaut: none*	*Umlaut: none*
—(e)n	—(e)n	—(e)n
der Professor, die Professoren[2]	die Bahn, die Bahnen die Ecke, die Ecken die Einführung, die Einführungen die Erfahrung, die Erfahrungen die Erzählung, die Erzählungen die Fahrerin, die Fahrerinnen[3] die Form, die Formen die Frage, die Fragen die Frau, die Frauen die Freundin, die Freundinnen[3] die Geige, die Geigen die Göttin, die Göttinnen[3] die Heldin, die Heldinnen[3] die Kiste, die Kisten die Kreuzung, die Kreuzungen die Kundin, die Kundinnen[3] die Laterne, die Laternen die Professorin, die Professorinnen[3] die Sache, die Sachen die Schneiderin, die Schneiderinnen[3] die Stelle, die Stellen die Straße, die Straßen die Studentin, die Studentinnen[3] die Tante, die Tanten die Verkäuferin, die Verkäuferinnen[3] die Vorlesung, die Vorlesungen die Woche, die Wochen die Wölfin, die Wölfinnen[3] die Wunde, die Wunden die Zeitung, die Zeitungen	das Ende, die Enden

[1] Groups IV and V do not follow the historical classification, which is used in most textbooks.

[2] The stress is changed from **Pro'fessor** in the singular to **Profes'soren** in the plural. This is true of all nouns that have the borrowed suffix **—or**: der **'Doktor**, die **Dok'toren**; der **'Traktor**, die **Trak'toren**; die **Pro'fessorin** or **Profes'sorin**, die **Profes'sorinnen**.

[3] The final **n** of feminine nouns ending in **—in** and referring to living beings is always doubled before the **—en** is added.

Group V[1] Plural Ending: –(e)n

Masculine

All masculines that have –(e)n in all singular cases except the nominative. Included are all masculines in –e that refer to living beings.

Umlaut: none

–(e)n

der Held, die Helden
der Herr, die Herren[2]
der Junge, die Jungen
der Kunde, die Kunden
der Mensch, die Menschen
der Student, die Studenten

---

[1] Groups IV and V do not follow the historical classification, which is used in most textbooks.
[2] Only an –n is added to **Herr** in the singular: der **Herr**, den **Herrn**.

Singular and plural of nouns

Change the noun subject to the plural:

Der Fahrer ist rücksichtslos.
Die Fahrer sind rücksichtslos.

Der Bruder ist nett.
Die Brüder sind nett.

Der Schneider ist gut.
Die Schneider sind gut.

Der Verkäufer ist da hinten.
Die Verkäufer sind da hinten.

Das Mädchen ist tüchtig.
Die Mädchen sind tüchtig.

Das Hütchen ist teuer.
Die Hütchen sind teuer.

Der Wagen ist neu.
Die Wagen sind neu.

Der Tag geht zu Ende.
Die Tage gehen zu Ende.

Das Jahr geht zu Ende.
Die Jahre gehen zu Ende.

Der Freund kommt mit.
Die Freunde kommen mit.

Der Teil ist klein.
Die Teile sind klein.

Der Monat geht zu Ende.
Die Monate gehen zu Ende.

Das Gedicht ist scheußlich.
Die Gedichte sind scheußlich.

Der Unterschied ist groß.
Die Unterschiede sind groß.

Der Hut ist billig.
Die Hüte sind billig.

Es ist der Wolf.
Es sind die Wölfe.

Der Kopf ist klein.
Die Köpfe sind klein.

Die Stadt ist schön.
Die Städte sind schön.

Der Platz ist frei.
Die Plätze sind frei.

Der Zug ist schnell.
Die Züge sind schnell.

Der Anfang ist schwer.
Die Anfänge sind schwer.

Der Unfall ist schlimm.
Die Unfälle sind schlimm.

Der Raum ist schön.
Die Räume sind schön.

Der Pfennig ist neu.
Die Pfennige sind neu.

Das Kind ist nett.
Die Kinder sind nett.

Das Haus ist teuer.
Die Häuser sind teuer.

Der Mann ist tüchtig.
Die Männer sind tüchtig.

Das Wort ist schwer.
Die Wörter sind schwer.

Das Buch ist ganz neu.
Die Bücher sind ganz neu.

Der Professor ist alt.
Die Professoren sind alt.

Die Form ist unmodern.
Die Formen sind unmodern.

Die Frau ist klein.
Die Frauen sind klein.

Die Bahn ist schnell.
Die Bahnen sind schnell.

Die Woche geht zu Ende.
Die Wochen gehen zu Ende.

Die Stelle ist rutschig.
Die Stellen sind rutschig.

Die Straße ist schlecht.
Die Straßen sind schlecht.

Die Geige ist teuer.
Die Geigen sind teuer.

Die Laterne ist gut.
Die Laternen sind gut.

Die Ecke ist rutschig.
Die Ecken sind rutschig.

Die Wunde ist schlimm.
Die Wunden sind schlimm.

Die Tante ist alt.
Die Tanten sind alt.

Die Kiste ist leicht.
Die Kisten sind leicht.

Die Zeitung ist gut.
Die Zeitungen sind gut.

Die Vorlesung ist unmöglich.
Die Vorlesungen sind unmöglich.

Die Erzählung ist gut.
Die Erzählungen sind gut.

Die Einführung ist langweilig.
Die Einführungen sind langweilig.

Die Kreuzung ist rutschig.
Die Kreuzungen sind rutschig.

Die Frage ist leicht.
Die Fragen sind leicht.

Die Freundin ist hübsch.
Die Freundinnen sind hübsch.

Die Kundin ist nett.
Die Kundinnen sind nett.

Die Verkäuferin ist schlecht.
Die Verkäuferinnen sind schlecht.

Die Studentin wartet.
Die Studentinnen warten.

Der Mensch ist gut.
Die Menschen sind gut.

Der Student ist neu.
Die Studenten sind neu.

Der Junge ist groß.
Die Jungen sind groß.

Der Held ist tüchtig.
Die Helden sind tüchtig.

Der Kunde kauft nichts.
Die Kunden kaufen nichts.

Der Herr ist unmöglich.
Die Herren sind unmöglich.

VI. Grammar

A. Grammatical Gender of Nouns

Grammatical gender is an important feature of German grammar that does not exist in English grammar. It is true that pronouns in English are masculine, feminine or neuter, depending upon the noun to which they refer, as *the man—he, the woman—she, the house—it, the ship—she* or *it*. But the gender of a pronoun is determined either by the meaning of the noun to which it refers, as *the man—he* or by the attitude of the speaker toward it, as *the ship—she*, and not by the noun itself.

In German the gender of a noun is a grammatical feature of the noun and does not indicate the sex of the referent. There are three genders: masculine (**der**–nouns), feminine (**die**–nouns) and neuter (**das**–nouns). The gender of nouns which refer to living beings usually coincides with the sex of the referent, as **der Mann**, **der Junge**, **die Frau**, **die Tante**. Nouns which refer to inanimate objects and to abstract concepts may be masculine, feminine or neuter: **der Zug**, **der Monat**, **die Sonne**, **die Angst**, **das Eis**, **das Sprichwort**.

There is no simple general rule by which the gender of a noun can be determined. It is therefore important to learn the definite article with each new noun, as though the article and the noun were one word.

B. Cases of Nouns

The term *case* refers to the manner in which a noun or pronoun is used in a sentence. The four cases of German are: nominative, accusative, dative and genitive. These roughly correspond to the English subject, direct object, indirect object and possessive.

C. Limiting Words in the Nominative and Accusative Cases

Definite article

The nominative singular forms of the definite article, **der**, **die** and **das**, identify nouns as masculine, feminine or neuter. The plural form is **die** for all three genders:

	Masculine	Feminine	Neuter	Plural
Nom.	der Hut	die Tante	das Gedicht	die Hüte
Acc.	den Hut	die Tante	das Gedicht	die Hüte

Der–words

The following words are all declined like **der** and are called **der**–words: **dieser** *this*; **jener** *that*; **jeder** *each*, *every*; **mancher** *many, many a*; **solcher** *such* (ordinarily used only in the plural); and **welcher** *which, what*:

	Masculine	Feminine	Neuter	Plural
Nom.	dieser Hut	diese Tante	dieses Gedicht	diese Hüte
Acc.	diesen Hut	diese Tante	dieses Gedicht	diese Hüte
Nom.	jener Hut	jene Tante	jenes Gedicht	jene Hüte
Acc.	jenen Hut	jene Tante	jenes Gedicht	jene Hüte

Indefinite article

The nominative forms of the indefinite article are **ein, eine** and **ein**:

	Masculine	Feminine	Neuter	Plural
Nom.	ein Hut	eine Tante	ein Gedicht	ein *has no plural*
Acc.	einen Hut	eine Tante	ein Gedicht	

Possessive adjectives

The German possessive adjectives and their English equivalents are:

	Singular		Plural	
1st person	mein	my	unser	our
2nd person familiar	dein	your	euer	your
3rd person	sein	his	ihr	their
	ihr	her		
	sein	its		
2nd person standard *(singular and plural)*	Ihr	your		

Ein–words

Kein *no, not any* and the possessive adjectives are all declined like **ein** and are called **ein**–words:

	Masculine	Feminine	Neuter	Plural
Nom.	kein Hut	keine Tante	kein Gedicht	keine Hüte
Acc.	keinen Hut	keine Tante	kein Gedicht	keine Hüte
Nom.	mein Hut	meine Tante	mein Gedicht	meine Hüte
Acc.	meinen Hut	meine Tante	mein Gedicht	meine Hüte
Nom.	unser Hut	unsre Tante	unser Gedicht	unsre Hüte
Acc.	unsren Hut	unsre Tante	unser Gedicht	unsre Hüte

► **Unser** and **euer** are usually changed to **unsr–** and **eur–** when an ending is added: **unsre**, **unsren**; **eure**, **euren**. *Caution*: **Unser** and **euer** must not be confused with **der–**words just because the stem happens to end in **–er**:

Stem	Accusative
dies–	diesen Hut
uns(e)r–	unsren Hut
eu(e)r–	euren Hut

D. Summary of Limiting Words and Personal Pronouns in the Nominative and Accusative Cases

Definite articles

Nom.		der	die	das		die
Acc.		**den**	die	das		die

Der–words

Nom.		dieser	diese	dieses		diese
Acc.		**diesen**	diese	dieses		diese

Indefinite articles

Nom.		ein	eine	ein		*no plural*
Acc.		**einen**	eine	ein		*no plural*

Ein–words

Nom.		mein	meine	mein		meine
Acc.		**meinen**	meine	mein		meine

Personal pronouns

Nom.	ich	du	er	sie	es	wir	ihr	sie	Sie
Acc.	**mich**	**dich**	**ihn**	sie	es	**uns**	**euch**	sie	Sie

► Accusative case of limiting words: Only the masculine forms differ from the nominative; the feminine, neuter and plural forms are the same as the nominative.

► There is only one plural form for all genders.

► There is no plural of **ein**.

E. The Nominative Case

The nominative case is the case of the subject, of direct address and of the predicate noun or pronoun.

F. Uses of the Nominative Case

1 The subject of a sentence or clause is in the nominative case:

> **Der Zug** läuft ein.
> Ist **der Milchmann** versichert?
>
> **Die Form** ist vollkommen unmodern.
> Da sitzt **meine Freundin Lilo**.
>
> **Das Geld** ist knapp, **es** ist fast alle.
> **Das Kind** kommt.
>
> Wann beginnen **die Vorlesungen**?
> **Die älteren Studenten** haben alle viel Erfahrung.

2 Direct address:

> Guten Morgen, **Herr Hartmann**.
> Es ist heiß heute, **Tante Inge**.
> Kauf dein Eis, **mein Kind**!

3 Predicate noun (that is, a noun which follows such verbs as **sein** *be* and stands for the same thing as the subject):

> Das ist **mein Bruder**.
> Das ist **deine Sache**.
> Das ist nur **ein Sprichwort**.
> Dann sind wir also **alte Bekannte**.

The nominative case answers the question **wer?** *who?* or **was?** *what?*:

> **Wer** ist bestimmt versichert?
> **Der Milchmann** ist bestimmt versichert.
>
> **Wer** liegt auf der Straße?
> **Die alte Frau** liegt auf der Straße.
>
> **Wer** kommt dort?
> **Das Kind** kommt dort.
>
> **Wer** ist das?
> Das ist **der Student**.
> Das sind **die Studenten**.

> **Was** läuft ein?
> **Der Zug** läuft ein.
>
> **Was** schwappt über die Straße?
> **Die ganze Milch** schwappt über die Straße.
>
> **Was** ist knapp?
> **Das Geld** ist knapp.
>
> **Was** ist es?
> Es ist **die Zeitung**.
> Es sind **die Zeitungen**.

► **Wer?** refers to persons, **was?** to things.

► Unlike English, the verb which follows **es** or **das** must agree in number with the noun which follows: **Das sind die Studenten**.

140

G. The Accusative Case

The accusative case is the case of the direct object of a verb. It is also used as the object of certain prepositions. In addition, it has several special uses.

H. Uses of the Accusative Case

1 The direct object of a verb is in the accusative case:

Christa kauft **einen Hut**.
Kennst du **meinen Mann**?

Ich kaufe **eine Zeitung**.
Die Verkäuferin versteht **die Frau**.

Wie finden Sie **jenes Hütchen**?
Er sieht **das Kind**.

Manche Kundin mag **solche Hüte** leiden.

Guten Morgen, Herr Hartmann.
Guten Tag, Heike.

Er meint **mich**.
Er meint **uns**.

Ich bitte **dich**.
Ich bitte **euch**.

Ich kenne **Sie** schon lange, Herr Hartmann.
Ich kenne **Sie** schon lange, Herr und Frau Hartmann.

Such expressions as **Guten Tag! Guten Morgen! Guten Abend!** (good evening) **Gute Nacht!** (good night) are in the accusative case because a verb of wishing is implied: *I wish you a good day.*

The accusative case answers the question **wen?** or **was?**:

Wen lernt sie kennen?
Sie lernt **den Mann** kennen.

Wen sieht Ilse?
Sie sieht **ihre Freundin** Lilo.

Wen meinst du?
Ich meine **das Kind**.

Was hat sie noch auf der Stirn?
Sie hat noch **den Angstschweiß** auf der Stirn.

Was kauft Herr Hartmann?
Herr Hartmann kauft **eine Zeitung**.

Was lernt sie kennen?
Sie lernt **das Sprichwort** kennen.

2 Certain prepositions govern the accusative case. In English, prepositions are followed by an object which has the same form for all prepositions. In German some prepositions are followed by the accusa-

141

tive, some by the dative, some by either the accusative or the dative, and some by the genitive. The most important prepositions which govern the accusative are:

durch through

Schauen Sie **durch** diese Auswahl!	Look *through* this selection.

für for

Der Hut ist zu teuer **für** mich.	The hat is too expensive *for* me.

gegen against, into · toward, at about (*temporal*)

Ich tue nichts **gegen** ihn.	I don't do anything *against* him.
Der Junge läuft **gegen** das Fenster.	The boy runs *into* (*against*) the window.
Uwe kommt **gegen** fünf Uhr.	Uwe is coming *toward* (*at about*) five.

ohne without

Ohne mich!	That's not for me! (*Without* me!)
Er steigt **ohne** seine Zeitung nicht ein.	He doesn't get on *without* his newspaper.

um around · at (*temporal*)

Er läuft **um** die Ecke.	He runs *around* the corner.
Der Peterwagen kommt **um** den Platz herum.	The police car comes *around* the square.
Der Zug kommt **um** fünf Uhr zehn an.	The train arrives *at* five ten.

The following contractions are made, especially in everyday speech:

durch + das = durchs	Er läuft durchs Haus.
um + das = ums	Die Studenten stehen ums Podium herum.

3 Definite time or duration of time can be expressed in the accusative case without a preposition:

Du kannst nicht **jeden Monat** einen Hut kaufen.
Davon kannst du **jede Woche** einen Hut kaufen.
Ich habe diesen Hut schon **ein Jahr**.

I. Agreement of Nouns and Pronouns

A pronoun of the third person must agree in *number* and *gender* with the noun to which it refers. Its *case* is determined by its use in the sentence.

Masculine

Nom. **Der Platz** ist frei.
Er ist frei.

Acc. Ich finde **den Hut** noch sehr schön.
Ich finde **ihn** noch sehr schön.

Feminine

Nom. **Die Vorlesung** beginnt um Viertel nach voll.
Sie beginnt um Viertel nach voll.

Acc. Ich kaufe **eine Zeitung**.
Ich kaufe **sie**.

Neuter

Nom. **Das Kind** kauft Eis.
Es kauft Eis. (**Er** kauft Eis. **Sie** kauft Eis.)

Acc. Sie lernt **das Sprichwort** kennen.
Sie lernt **es** kennen.

Plural

Nom. **Die Vorlesungen** beginnen um Viertel nach voll.
Sie beginnen um Viertel nach voll.

Acc. Manche Kundin mag **solche Hüte** leiden.
Manche Kundin mag **sie** leiden.

Most neuter nouns refer to things. In referring to **das Kind** one may say **es**, especially if the child is very young, but one may also say **er** or **sie**. In referring to **das Mädchen** one ordinarily says **sie** unless the girl is quite young. If the name of the girl has been mentioned the pronoun **sie** is always used, no matter how young she is. In referring to **das Fräulein** one always says **sie**.

Unit 7

I. Dialog

Der Schrank aus der Kiste

Part 1

1	Margrit:	Du, Gerhard, da kommt eine Kiste mit der Post. Von wem mag sie wohl sein?
2	Gerhard:	Ich gehe dem Postboten mal entgegen. Schau, wieviel Mühe er mit dem Paket hat.
3	Margrit:	Frag aber gleich, vielleicht gehört es uns gar nicht.
4	Gerhard:	Wahrscheinlich ist es der Schrank vom Versandgeschäft.
5	Margrit:	Was, ein Schrank aus dieser Kiste? Das glaube ich nicht!
6	Gerhard:	Warum nicht? Es sind ja nur die Einzelteile.
7	Margrit:	Und wir sollen sie zu einem Schrank zusammenbauen?
8	Gerhard:	Mit dem richtigen Werkzeug, denke ich, gelingt es mir.
9	Margrit:	Na, hoffentlich gefällt er uns auch noch, wenn er fertig ist!
10	Gerhard:	Wenn nicht, schicken wir ihn den Leuten einfach zurück.

Part 2

11	Gerhard:	Er ist es also! Und schon seit dem dritten Juli ist er unterwegs!
12	Margrit:	Du meinst: seine Einzelteile! Noch ist er nichts außer diesen Brettern und Schrauben hier.
13	Gerhard:	Nicht mehr lange. Es macht mir Spaß, ihn dir zusammenzubauen.
14	Margrit:	Hoffentlich klappt es auch. Ich kann dir dabei nicht helfen.
15	Gerhard:	Das macht nichts. Holst du mir bitte den Schraubenzieher aus dem Werkzeugkasten?
16	Margrit:	Was ist mit diesem Ding? Es liegt schon seit heute morgen hier im Zimmer.
17	Gerhard:	Ja, der ist genau der richtige. Doch nun laß mich bitte mit meiner Arbeit allein.
18	Margrit:	Gern. Ich gehe solange zu Mutter hinüber. Vater kommt bald nach Hause.
19	Gerhard:	Gut. Nach einer Stunde steht hier ein Schrank wie aus unsrem Katalog entsprungen!
20	Margrit:	Niemand wünscht dir dazu so viel Glück wie ich. Also, ich bin bald wieder zu Hause!

II. Supplement

1 Die Tage heißen: (der) Sonntag, (der) Montag, (der) Dienstag, (der) Mittwoch, (der) Donnerstag, (der) Freitag und (der) Samstag oder (der) Sonnabend.

2 Er kommt am Montag von Köln.
3 Er fährt am Mittwoch nach Freiburg.
4 Er kommt am Morgen an.
5 Er kommt am Vormittag an.
6 Er kommt am Mittag an.
7 Er kommt am Nachmittag an.
8 Er kommt am Abend an.
9 Er kommt in der Nacht an.
10 Er kommt um Mitternacht an.

11 Die Monate heißen: (der) Januar, (der) Februar, (der) März, (der) April, (der) Mai, (der) Juni, (der) Juli, (der) August, (der) September, (der) Oktober, (der) November, (der) Dezember.

> 12 Mein Bruder kommt im Januar hier an.
> 13 Er kommt am zehnten Januar in Bonn an.
> 14 Mein Vater fährt im April von Hamburg ab.
> 15 Er fährt am letzten April von Frankfurt ab.

16 Die Jahreszeiten heißen: (der) Frühling, (der) Sommer, (der) Herbst, (der) Winter.

> 17 Er kommt im Herbst von Berlin.
> 18 Er fährt im Frühling von Deutschland nach Amerika.

19 Die Himmelsrichtungen sind:

(der) Norden	nördlich	(der) Nordosten	nordöstlich
(der) Süden	südlich	(der) Südosten	südöstlich
(der) Osten	östlich	(der) Nordwesten	nordwestlich
(der) Westen	westlich	(der) Südwesten	südwestlich

20 Der Bodensee liegt im Süden Deutschlands.
21 Der Schwarzwald verläuft ungefähr in Nord-Süd-Richtung.
22 Schleswig-Holstein liegt im Norden Deutschlands, Bayern im Süden.
23 Berlin liegt südöstlich von Hamburg.
24 Im Süden grenzen Österreich und die Schweiz an die deutsche Bundesrepublik.
25 Die westlichen Nachbarländer vom Süden zum Norden heißen: Frankreich, Luxemburg, Belgien und die Niederlande.

III. Audiolingual Drills

A. Directed Dialog

Part 1

Sagen Sie, daß da eine Kiste mit der Post kommt!
Da kommt eine Kiste mit der Post.

Fragen Sie, von wem sie wohl sein mag!
Von wem mag sie wohl sein?

Sagen Sie, daß Gerhard dem Postboten entgegengeht!
Gerhard geht dem Postboten entgegen.

Sagen Sie, daß der Mann viel Mühe mit dem Paket hat!
Der Mann hat viel Mühe mit dem Paket.

Fragen Sie, wem das Paket gehört!
Wem gehört das Paket?

Antworten Sie, daß es Margrits Schrank vom Versandgeschäft ist!
Es ist Margrits Schrank vom Versandgeschäft.

Fragen Sie, ob ein Schrank aus dieser Kiste kommen soll!
Soll ein Schrank aus dieser Kiste kommen?

Sagen Sie, daß Margrit das nicht glaubt!
Margrit glaubt das nicht.

Sagen Sie, daß es nur die Einzelteile sind!
Es sind nur die Einzelteile.

Fragen Sie, was Margrit und Gerhard mit den Einzelteilen tun sollen!
Was sollen Margrit und Gerhard mit den Einzelteilen tun?

Antworten Sie, daß sie sie zu einem Schrank zusammenbauen sollen!
Sie sollen sie zu einem Schrank zusammenbauen.

Sagen Sie, daß es Gerhard gelingt!
Es gelingt Gerhard.

Sagen Sie, daß der Schrank Margrit und Gerhard hoffentlich gefällt!
Der Schrank gefällt Margrit und Gerhard hoffentlich.

Fragen Sie, ob sie den Schrank zurückschicken!
Schicken sie den Schrank zurück?

Antworten Sie, daß sie ihn nicht zurückschicken!
Sie schicken ihn nicht zurück.

Part 2

Fragen Sie, wie lange der Schrank schon unterwegs ist!
Wie lange ist der Schrank schon unterwegs?

Antworten Sie, daß er schon seit dem dritten Juli unterwegs ist!
Er ist schon seit dem dritten Juli unterwegs.

Sagen Sie, daß er noch nichts außer diesen Brettern und Schrauben ist!
Er ist noch nichts außer diesen Brettern und Schrauben.

Fragen Sie, ob es Gerhard Spaß macht, den Schank zusammenzubauen!
Macht es Gerhard Spaß, den Schrank zusammenzubauen?

Antworten Sie, daß es ihm Spaß macht!
Es macht ihm Spaß.

Fragen Sie, ob es auch klappt!
Klappt es auch?

Antworten Sie, daß es hoffentlich klappt!
Es klappt hoffentlich.

Sagen Sie, daß Margrit ihm dabei nicht helfen kann!
Margrit kann ihm dabei nicht helfen.

Sagen Sie, daß das nichts macht!
Das macht nichts.

Fragen Sie, ob Margrit den Schraubenzieher holen soll!
Soll Margrit den Schraubenzieher holen?

Antworten Sie, daß der Schraubenzieher schon seit heute morgen im Zimmer liegt!
Der Schraubenzieher liegt schon seit heute morgen im Zimmer.

Sagen Sie, daß Margrit Gerhard mit seiner Arbeit allein lassen soll!
Margrit soll Gerhard mit seiner Arbeit allein lassen.

Sagen Sie, daß Margrit solange zu Mutter hinübergeht!
Margrit geht solange zu Mutter hinüber.

Sagen Sie, daß Magrits Vater bald nach Hause kommt!
Margrits Vater kommt bald nach Hause.

Sagen Sie, daß Margrit bald wieder zu Hause ist!
Margrit ist bald wieder zu Hause.

B. Time Expressions

1 Repeat:

Er kommt im Frühling in Berlin an.	Er kommt am Vormittag in Berlin an.
Er kommt im Januar in Berlin an.	Er kommt am Mittag in Berlin an.
Er kommt in der Nacht in Berlin an.	Er kommt am Nachmittag in Berlin an.
Er kommt am Montag in Berlin an.	Er kommt am Abend in Berlin an.
Er kommt am Morgen in Berlin an.	Er kommt um Mitternacht in Berlin an.

2 Substitute the new time expression with the appropriate prepositional element before it:

Er fährt im Frühling von Hamburg ab.   **Mittwoch**
Er fährt am Mittwoch von Hamburg ab.   **Winter**
Er fährt im Winter von Hamburg ab.   **Januar**
Er fährt im Januar von Hamburg ab.   **Sonntag**
Er fährt am Sonntag von Hamburg ab.   **Mitternacht**
Er fährt um Mitternacht von Hamburg ab.   **Morgen**
Er fährt am Morgen von Hamburg ab.   **Nacht**
Er fährt in der Nacht von Hamburg ab.   **Mittag**

Er fährt am Mittag von Hamburg ab.   **März**
Er fährt im März von Hamburg ab.   **Februar**
Er fährt im Februar von Hamburg ab.   **Abend**
Er fährt am Abend von Hamburg ab.   **Juli**
Er fährt im Juli von Hamburg ab.   **Nachmittag**
Er fährt am Nachmittag von Hamburg ab.   **Herbst**
Er fährt im Herbst von Hamburg ab.   **Dezember**
Er fährt im Dezember von Hamburg ab.   **Vormittag**
Er fährt am Vormittag von Hamburg ab.   **Donnerstag**
Er fährt am Donnerstag von Hamburg ab.   **Sommer**
Er fährt im Sommer von Hamburg ab.   **November**
Er fährt im November von Hamburg ab.   **Nacht**
Er fährt in der Nacht von Hamburg ab.   **Mitternacht**
Er fährt um Mitternacht von Hamburg ab.

C. Dative Case: Indirect Object of Verbs

3   Repeat the following sentences. Note that nouns must end in **–n** in the dative plural:

Ich schicke dem Mann ein Paket.
Ich schicke der Frau ein Paket.
Ich schicke dem Kind ein Paket.
Ich schicke den Leuten ein Paket.

4   Substitute the new noun as the indirect object.

Example: Rolf wünscht dem Professor viel Glück.   **Frau**
Rolf wünscht der Frau viel Glück.

Rolf wünscht dem Postboten viel Glück.   **Bruder**
Rolf wünscht dem Bruder viel Glück.   **Frau**
Rolf wünscht der Frau viel Glück.   **Eismann**
Rolf wünscht dem Eismann viel Glück.   **Professor**
Rolf wünscht dem Professor viel Glück.   **Verkäuferin**
Rolf wünscht der Verkäuferin viel Glück.   **Milchmann**
Rolf wünscht dem Milchmann viel Glück.   **Kind**
Rolf wünscht dem Kind viel Glück.   **Leute**
Rolf wünscht den Leuten viel Glück.   **Studenten**
Rolf wünscht den Studenten viel Glück.   **Kundinnen**
Rolf wünscht den Kundinnen viel Glück.

5   Repeat the following sentences:

Peter schickt mir ein Paket.
Peter schickt dir ein Paket.
Peter schickt dem Mann ein Paket.

Peter schickt ihm ein Paket.
Peter schickt der Frau ein Paket.
Peter schickt ihr ein Paket.
Peter schickt dem Kind ein Paket.
Peter schickt ihm ein Paket.
Peter schickt uns ein Paket.
Peter schickt euch ein Paket.
Peter schickt den Leuten ein Paket.
Peter schickt ihnen ein Paket.
Peter schickt Ihnen ein Paket, Herr Hartmann.
Peter schickt Ihnen ein Paket, Herr und Frau Hartmann.

6   Substitute the dative pronoun object for the dative noun object.

    Example: Wir schicken dem Mann den Schrank zurück.
                    Wir schicken ihm den Schrank zurück.

Wir schicken der Verkäuferin den Hut zurück.
Wir schicken ihr den Hut zurück.

Ich kaufe dem Kind einen Werkzeugkasten.
Ich kaufe ihm einen Werkzeugkasten.

Sie wünscht dem Mann viel Glück.
Sie wünscht ihm viel Glück.

Der Professor erklärt den Studenten das Gedicht.
Der Professor erklärt ihnen das Gedicht.

Tante Inge kauft dem Kind Nuß-Eis.
Tante Inge kauft ihm Nuß-Eis.

Er baut der Frau einen Schrank zusammen.
Er baut ihr einen Schrank zusammen.

Ich hole dem Vater eine Zeitung.
Ich hole ihm eine Zeitung.

Wir schicken den Leuten den Schrank zurück.
Wir schicken ihnen den Schrank zurück.

7   Substitute the new dative noun object and then replace it with the dative pronoun object.

    Example: Er kauft seinem Freund ein Buch.   **Frau**
                    Er kauft seiner Frau ein Buch.
                    Er kauft ihr ein Buch.   **Kind**
                    Er kauft seinem Kind ein Buch.
                    Er kauft ihm ein Buch.   **Freund**
                    Er kauft seinem Freund ein Buch.
                    Er kauft ihm ein Buch.

Er schickt seinem Bruder ein Buch.   **Mutter**
Er schickt seiner Mutter ein Buch.
Er schickt ihr ein Buch.   **Kind**
Er schickt seinem Kind ein Buch.

Er schickt ihm ein Buch. **Freundin**
Er schickt seiner Freundin ein Buch.
Er schickt ihr ein Buch. **Kinder**
Er schickt seinen Kindern ein Buch.
Er schickt ihnen ein Buch. **Vater**
Er schickt seinem Vater ein Buch.
Er schickt ihm ein Buch. **Kundin**
Er schickt seiner Kundin ein Buch.
Er schickt ihr ein Buch. **Professor**
Er schickt seinem Professor ein Buch.
Er schickt ihm ein Buch. **Studenten**
Er schickt seinen Studenten ein Buch.
Er schickt ihnen ein Buch. **Tante**
Er schickt seiner Tante ein Buch.
Er schickt ihr ein Buch. **Bruder**
Er schickt seinem Bruder ein Buch.
Er schickt ihm ein Buch.

8 Change the accusative noun object to a pronoun and place it before the dative noun object.

Example: Wir schicken dem Mann den Schrank zurück.
Wir schicken ihn dem Mann zurück.

Der Professor erklärt dem Studenten die Erzählung.
Der Professor erklärt sie dem Studenten.

Er holt seinem Vater das Werkzeug.
Er holt es seinem Vater.

Er kauft seiner Frau einen Hut.
Er kauft ihn seiner Frau.

Sie kauft ihren Kindern Bücher.
Sie kauft sie ihren Kindern.

Er baut seiner Tante einen Schrank zusammen.
Er baut ihn seiner Tante zusammen.

Ich kaufe meinem Vater eine Zeitung.
Ich kaufe sie meinem Vater.

Der Professor erklärt Herrn Held die Gedichte.
Der Professor erklärt sie Herrn Held.

9 Change both the dative and accusative noun objects to pronouns and place the accusative pronoun before the dative pronoun.

Example: Der Professor erklärt dem Studenten die Erzählung.
Der Professor erklärt sie ihm.

Gerhard baut seiner Frau den Schrank zusammen.
Gerhard baut ihn ihr zusammen.

Margrit holt ihrem Mann den Schraubenzieher.
Margrit holt ihn ihm.

Der Mann erklärt den Leuten die Vorlesung.
Der Mann erklärt sie ihnen.

Der Junge kauft seinem Vater die Zeitung.
Der Junge kauft sie ihm.

Die Frau kauft ihrem Kind das Buch.
Die Frau kauft es ihm.

Der Professor erklärt den Studenten die Gedichte.
Der Professor erklärt sie ihnen.

Heike holt ihrer Mutter die Milch.
Heike holt sie ihr.

Er erklärt seiner Tante das Sprichwort.
Er erklärt es ihr.

Er erklärt seiner Frau die Erzählungen.
Er erklärt sie ihr.

Er baut seinem Kind einen Schrank zusammen.
Er baut ihn ihm zusammen.

Er kauft seinem Jungen das Werkzeug.
Er kauft es ihm.

Er kauft seinem Jungen die Bretter.
Er kauft sie ihm.

Er holt seinem Kind die Bücher.
Er holt sie ihm.

Er erklärt den Studenten das Gedicht.
Er erklärt es ihnen.

Er holt den Männern den Werkzeugkasten.
Er holt ihn ihnen.

Er kauft dem Kind die Laterne.
Er kauft sie ihm.

D. Verbs That Govern the Dative

10 Substitute the new noun phrase as the dative object:

Der Schrank gefällt dem Mann sehr gut.   **diese Kundin**
Der Schrank gefällt dieser Kundin sehr gut.   **der Professor**
Der Schrank gefällt dem Professor sehr gut.   **die Verkäuferin**
Der Schrank gefällt der Verkäuferin sehr gut.   **unser Fahrer**
Der Schrank gefällt unsrem Fahrer sehr gut.   **unsre Kinder**
Der Schrank gefällt unsren Kindern sehr gut.   **mein Vater**
Der Schrank gefällt meinem Vater sehr gut.   **seine Freundin**
Der Schrank gefällt seiner Freundin sehr gut.   **die Kundinnen**
Der Schrank gefällt den Kundinnen sehr gut.   **die Frau**
Der Schrank gefällt der Frau sehr gut.   **die Studenten**
Der Schrank gefällt den Studenten sehr gut.   **das Mädchen**
Der Schrank gefällt dem Mädchen sehr gut.   **der Mann**
Der Schrank gefällt dem Mann sehr gut.

11 Substitute the pronoun that agrees with the cue:

Das Kind kann mir helfen.   **ihr**
Das Kind kann euch helfen.   **er**
Das Kind kann ihm helfen.   **die Mutter**
Das Kind kann ihr helfen.   **wir**

Das Kind kann uns helfen.   **die Frauen**
Das Kind kann ihnen helfen.   **du**
Das Kind kann dir helfen.   **ich**
Das Kind kann mir helfen.

Die Frau glaubt ihm gar nichts.   **du**
Die Frau glaubt dir gar nichts.   **wir**
Die Frau glaubt uns gar nichts.   **ich**
Die Frau glaubt mir gar nichts.   **ihr**
Die Frau glaubt euch gar nichts.   **Margrit**
Die Frau glaubt ihr gar nichts.   **Rolf und Günther**
Die Frau glaubt ihnen gar nichts.   **er**
Die Frau glaubt ihm gar nichts.

Das Ding gehört mir nicht.   **du**
Das Ding gehört dir nicht.   **wir**
Das Ding gehört uns nicht.   **er**
Das Ding gehört ihm nicht.   **die Frauen**
Das Ding gehört ihnen nicht.   **ihr**
Das Ding gehört euch nicht.   **die Kundin**
Das Ding gehört ihr nicht.   **ich**
Das Ding gehört mir nicht.

12   Substitute the new verb or dative pronoun that agrees with the cue:

Die Sache gefällt mir nicht.   **gelingen**
Die Sache gelingt mir nicht.   **er**
Die Sache gelingt ihm nicht.   **gefallen**
Die Sache gefällt ihm nicht.   **du**
Die Sache gefällt dir nicht.   **gelingen**
Die Sache gelingt dir nicht.   **ihr**
Die Sache gelingt euch nicht.   **gefallen**
Die Sache gefällt euch nicht.   **wir**
Die Sache gefällt uns nicht.   **gelingen**
Die Sache gelingt uns nicht.   **er und sie**
Die Sache gelingt ihnen nicht.   **gefallen**
Die Sache gefällt ihnen nicht.   **wir**
Die Sache gefällt uns nicht.   **gelingen**
Die Sache gelingt uns nicht.   **ich**
Die Sache gelingt mir nicht.

13   Substitute the new element:

Ich gehe dem Postboten entgegen.   **Milchmann**
Ich gehe dem Milchmann entgegen.   **unser**
Ich gehe unsrem Milchmann entgegen.   **Kundin**

Ich gehe unsrer Kundin entgegen.　**sein**
Ich gehe seiner Kundin entgegen.　**Mädchen**
Ich gehe seinem Mädchen entgegen.　**ihr**
Ich gehe ihrem Mädchen entgegen.　**Vater**
Ich gehe ihrem Vater entgegen.　**dein**
Ich gehe deinem Vater entgegen.　**Kinder**
Ich gehe deinen Kindern entgegen.　**unser**
Ich gehe unsren Kindern entgegen.　**Studenten**
Ich gehe unsren Studenten entgegen.　**der**
Ich gehe den Studenten entgegen.　**Leute**
Ich gehe den Leuten entgegen.

14　Substitute the pronoun that agrees with the cue:

Der Mann geht dir entgegen.　**ihr**
Der Mann geht euch entgegen.　**Ilse**
Der Mann geht ihr entgegen.　**Kinder**
Der Mann geht ihnen entgegen.　**er**
Der Mann geht ihm entgegen.　**du**
Der Mann geht dir entgegen.

E. Prepositions That Govern the Dative

Noun objects of prepositions

Außer

15　Substitute the new feminine noun as the dative object:

Er hat nichts außer der Geige.　**die Kiste**
Er hat nichts außer der Kiste.　**die Arbeit**
Er hat nichts außer der Arbeit.　**die Laterne**
Er hat nichts außer der Laterne.　**die Erfahrung**
Er hat nichts außer der Erfahrung.　**die Platzwunde**
Er hat nichts außer der Platzwunde.　**die Geige**
Er hat nichts außer der Geige.

16　Substitute the new masculine noun as the dative object:

Er hat nichts außer dem Schraubenzieher.　**der Hut**
Er hat nichts außer dem Hut.　**der Werkzeugkasten**
Er hat nichts außer dem Werkzeugkasten.　**der Schrank**
Er hat nichts außer dem Schrank.　**der Wagen**
Er hat nichts außer dem Wagen.　**der Tisch**
Er hat nichts außer dem Tisch.　**der Schraubenzieher**
Er hat nichts außer dem Schraubenzieher.

17   Substitute the new neuter noun as the dative object:

       Er hat nichts außer dem Buch.   **das Werkzeug**
       Er hat nichts außer dem Werkzeug.   **das Brett**
       Er hat nichts außer dem Brett.   **das Paket**
       Er hat nichts außer dem Paket.   **das Sparbuch**
       Er hat nichts außer dem Sparbuch.   **das Haus**
       Er hat nichts außer dem Haus.   **das Geschäft**
       Er hat nichts außer dem Geschäft.   **das Buch**
       Er hat nichts außer dem Buch.

18   Substitute the new plural noun as the dative object:

       Er hat nichts außer den Kisten.   **Laternen**
       Er hat nichts außer den Laternen.   **Schrauben**
       Er hat nichts außer den Schrauben.   **Bretter**
       Er hat nichts außer den Brettern.   **Schraubenzieher**
       Er hat nichts außer den Schraubenziehern.   **Werkzeugkästen**
       Er hat nichts außer den Werkzeugkästen.   **Pakete**
       Er hat nichts außer den Paketen.   **Einzelteile**
       Er hat nichts außer den Einzelteilen.   **Geigen**
       Er hat nichts außer den Geigen.   **Schränke**
       Er hat nichts außer den Schränken.   **Wagen**
       Er hat nichts außer den Wagen.   **Häuser**
       Er hat nichts außer den Häusern.   **Kisten**
       Er hat nichts außer den Kisten.

19   Substitute the new noun:

       Er hat nichts außer dem Werkzeugkasten.   **Schraube**
       Er hat nichts außer der Schraube.   **Werkzeug**
       Er hat nichts außer dem Werkzeug.   **Paket**
       Er hat nichts außer dem Paket.   **Kiste**
       Er hat nichts außer der Kiste.   **Hut**
       Er hat nichts außer dem Hut.   **Hüte**
       Er hat nichts außer den Hüten.   **Brett**
       Er hat nichts außer dem Brett.   **Bretter**
       Er hat nichts außer den Brettern.   **Geige**
       Er hat nichts außer der Geige.   **Geigen**
       Er hat nichts außer den Geigen.   **Schrank**
       Er hat nichts außer dem Schrank.   **Schränke**
       Er hat nichts außer den Schränken.   **Buch**
       Er hat nichts außer dem Buch.   **Bücher**
       Er hat nichts außer den Büchern.   **Kataloge**
       Er hat nichts außer den Katalogen.   **Einzelteil**
       Er hat nichts außer dem Einzelteil.   **Einzelteile**

Er hat nichts außer den Einzelteilen.   **Katalog**
Er hat nichts außer dem Katalog.   **Schraube**
Er hat nichts außer der Schraube.   **Werkzeugkasten**
Er hat nichts außer dem Werkzeugkasten.

20   Substitute the new element.

Example: Er hat nichts außer jener Zeitung.   **Buch**
Er hat nichts außer jenem Buch.   **sein**
Er hat nichts außer seinem Buch.   **Wagen**
Er hat nichts außer seinem Wagen.

Er hat nichts außer seiner Geige.   **Hut**
Er hat nichts außer seinem Hut.   **dieser**
Er hat nichts außer diesem Hut.   **Buch**
Er hat nichts außer diesem Buch.   **jener**
Er hat nichts außer jenem Buch.   **Schrank**
Er hat nichts außer jenem Schrank.   **ein**
Er hat nichts außer einem Schrank.   **Mark**
Er hat nichts außer einer Mark.   **dieser**
Er hat nichts außer dieser Mark.   **Paket**
Er hat nichts außer diesem Paket.   **sein**
Er hat nichts außer seinem Paket.   **Bretter**
Er hat nichts außer seinen Brettern.   **euer**
Er hat nichts außer euren Brettern.   **Kiste**
Er hat nichts außer eurer Kiste.   **dieser**
Er hat nichts außer dieser Kiste.   **Schränke**
Er hat nichts außer diesen Schränken.   **jener**
Er hat nichts außer jenen Schränken.   **der**
Er hat nichts außer den Schränken.   **Bücher**
Er hat nichts außer den Büchern.   **sein**
Er hat nichts außer seinen Büchern.   **Pakete**
Er hat nichts außer seinen Paketen.   **jener**
Er hat nichts außer jenen Paketen.   **Sachen**
Er hat nichts außer jenen Sachen.   **sein**
Er hat nichts außer seinen Sachen.   **Erfahrung**
Er hat nichts außer seiner Erfahrung.

Mit

21   Substitute the new feminine noun as the dative object:

Da kommt er mit der Kiste.   **die Geige**
Da kommt er mit der Geige.   **die Laterne**
Da kommt er mit der Laterne.   **die Kundin**
Da kommt er mit der Kundin.   **die Zeitung**

Da kommt er mit der Zeitung.   **die Schraube**
Da kommt er mit der Schraube.   **die Milch**
Da kommt er mit der Milch.   **die Kiste**
Da kommt er mit der Kiste.

22   Substitute the new masculine noun as the dative object:

Da kommt er mit dem Hut.   **der Werkzeugkasten**
Da kommt er mit dem Werkzeugkasten.   **der Schraubenzieher**
Da kommt er mit dem Schraubenzieher.   **der Schrank**
Da kommt er mit dem Schrank.   **der Katalog**
Da kommt er mit dem Katalog.   **der Milchmann**
Da kommt er mit dem Milchmann.   **der Junge**
Da kommt er mit dem Jungen.   **der Postbote**
Da kommt er mit dem Postboten.

23   Substitute the new neuter noun as the dative object:

Da kommt er mit dem Buch.   **das Brett**
Da kommt er mit dem Brett.   **das Werkzeug**
Da kommt er mit dem Werkzeug.   **das Paket**
Da kommt er mit dem Paket.   **das Mädchen**
Da kommt er mit dem Mädchen.   **das Kind**
Da kommt er mit dem Kind.   **das Geld**
Da kommt er mit dem Geld.   **das Sparbuch**
Da kommt er mit dem Sparbuch.

24   Substitute the new plural noun as the dative object:

Da kommt er mit den Kindern.   **Pakete**
Da kommt er mit den Paketen.   **Kataloge**
Da kommt er mit den Katalogen.   **Zeitungen**
Da kommt er mit den Zeitungen.   **Schraubenzieher**
Da kommt er mit den Schraubenziehern.   **Hüte**
Da kommt er mit den Hüten.   **Bücher**
Da kommt er mit den Büchern.   **Schrauben**
Da kommt er mit den Schrauben.   **Werkzeugkästen**
Da kommt er mit den Werkzeugkästen.   **Bretter**
Da kommt er mit den Brettern.   **Mädchen**
Da kommt er mit den Mädchen.   **Kisten**
Da kommt er mit den Kisten.   **Geigen**
Da kommt er mit den Geigen.   **Kinder**
Da kommt er mit den Kindern.

25 Substitute the new noun:

Jetzt kommt er mit dem Werkzeug.   **Werkzeugkasten**
Jetzt kommt er mit dem Werkzeugkasten.   **Geige**
Jetzt kommt er mit der Geige.   **Kind**
Jetzt kommt er mit dem Kind.   **Kisten**
Jetzt kommt er mit den Kisten.   **Paket**
Jetzt kommt er mit dem Paket.   **Pakete**
Jetzt kommt er mit den Paketen.   **Bücher**
Jetzt kommt er mit den Büchern.   **Männer**
Jetzt kommt er mit den Männern.   **Bretter**
Jetzt kommt er mit den Brettern.   **Brett**
Jetzt kommt er mit dem Brett.   **Zeitung**
Jetzt kommt er mit der Zeitung.   **Zeitungen**
Jetzt kommt er mit den Zeitungen.   **Milch**
Jetzt kommt er mit der Milch.   **Hüte**
Jetzt kommt er mit den Hüten.   **Kinder**
Jetzt kommt er mit den Kindern.   **Werkzeug**
Jetzt kommt er mit dem Werkzeug.

26 Substitute the new element.

Example: Er kommt morgen mit seiner Freundin.   **Kind**
Er kommt morgen mit seinem Kind.   **jener**
Er kommt morgen mit jenem Kind.

Er kommt morgen mit einer Freundin.   **Kundin**
Er kommt morgen mit einer Kundin.   **jener**
Er kommt morgen mit jener Kundin.   **Verkäuferin**
Er kommt morgen mit jener Verkäuferin.   **sein**
Er kommt morgen mit seiner Verkäuferin.   **Geige**
Er kommt morgen mit seiner Geige.   **mein**
Er kommt morgen mit meiner Geige.   **Paket**
Er kommt morgen mit meinem Paket.   **unser**
Er kommt morgen mit unsrem Paket.   **Pakete**
Er kommt morgen mit unsren Paketen.   **euer**
Er kommt morgen mit euren Paketen.   **Bücher**
Er kommt morgen mit euren Büchern.   **unser**
Er kommt morgen mit unsren Büchern.   **Schrank**
Er kommt morgen mit unsrem Schrank.   **ihr**
Er kommt morgen mit ihrem Schrank.   **Kiste**
Er kommt morgen mit ihrer Kiste.   **dein**
Er kommt morgen mit deiner Kiste.   **Kisten**
Er kommt morgen mit deinen Kisten.   **sein**

Er kommt morgen mit seinen Kisten.   **Zeitung**
Er kommt morgen mit seiner Zeitung.   **der**
Er kommt morgen mit der Zeitung.   **Post**
Er kommt morgen mit der Post.

Bei

27   Substitute the new feminine noun as the dative object:

Er steht da bei der Laterne.   **die Verkäuferin**
Er steht da bei der Verkäuferin.   **die Frau**
Er steht da bei der Frau.   **die Tante**
Er steht da bei der Tante.   **die Kiste**
Er steht da bei der Kiste.   **die Mutter**
Er steht da bei der Mutter.   **die Kundin**
Er steht da bei der Kundin.   **die Laterne**
Er steht da bei der Laterne.

28   Substitute the new masculine noun as the dative object:

Er steht da bei dem Fahrer.   **der Eismann**
Er steht da bei dem Eismann.   **der Tisch**
Er steht da bei dem Tisch.   **der Wagen**
Er steht da bei dem Wagen.   **der Schrank**
Er steht da bei dem Schrank.   **der Werkzeugkasten**
Er steht da bei dem Werkzeugkasten.   **der Professor**
Er steht da bei dem Professor.   **der Fahrer**
Er steht da bei dem Fahrer.

29   Substitute the new neuter noun as the dative object:

Er steht dort bei dem Fenster.   **das Mädchen**
Er steht dort bei dem Mädchen.   **das Podium**
Er steht dort bei dem Podium.   **das Geschäft**
Er steht dort bei dem Geschäft.   **das Haus**
Er steht dort bei dem Haus.   **das Licht**
Er steht dort bei dem Licht.   **das Paket**
Er steht dort bei dem Paket.   **das Werkzeug**
Er steht dort bei dem Werkzeug.   **das Fenster**
Er steht dort bei dem Fenster.

30   Substitute the new plural noun as the dative object:

Er steht dort bei den Brettern.   **Kundinnen**
Er steht dort bei den Kundinnen.   **Kinder**
Er steht dort bei den Kindern.   **Männer**

Er steht dort bei den Männern.   **Studenten**
Er steht dort bei den Studenten.   **Frauen**
Er steht dort bei den Frauen.   **Freundinnen**
Er steht dort bei den Freundinnen.   **Wagen**
Er steht dort bei den Wagen.   **Mädchen**
Er steht dort bei den Mädchen.   **Laternen**
Er steht dort bei den Laternen.   **Fahrer**
Er steht dort bei den Fahrern.   **Professoren**
Er steht dort bei den Professoren.

31 Substitute the new noun:

Er steht da bei der Kiste.   **Professoren**
Er steht da bei den Professoren.   **Kundin**
Er steht da bei der Kundin.   **Freundinnen**
Er steht da bei den Freundinnen.   **Studenten**
Er steht da bei den Studenten.   **Licht**
Er steht da bei dem Licht.   **Lichter**
Er steht da bei den Lichtern.   **Podium**
Er steht da bei dem Podium.   **Laterne**
Er steht da bei der Laterne.   **Haus**
Er steht da bei dem Haus.   **Geschäft**
Er steht da bei dem Geschäft.   **Kundinnen**
Er steht da bei den Kundinnen.   **Verkäuferin**
Er steht da bei der Verkäuferin.   **Pakete**
Er steht da bei den Paketen.   **Kiste**
Er steht da bei der Kiste.

32 Substitute the new element.

Example: Er steht da hinten bei dem Fenster.   **Bücher**
Er steht da hinten bei den Büchern.   **unser**
Er steht da hinten bei unsren Büchern.

Er steht da hinten bei der Kiste.   **Haus**
Er steht da hinten bei dem Haus.   **jener**
Er steht da hinten bei jenem Haus.   **Kinder**
Er steht da hinten bei jenen Kindern.   **unser**
Er steht da hinten bei unsren Kindern.   **Geschäft**
Er steht da hinten bei unsrem Geschäft.   **dein**
Er steht da hinten bei deinem Geschäft.   **Bruder**
Er steht da hinten bei deinem Bruder.   **ihr**
Er steht da hinten bei ihrem Bruder.   **mein**
Er steht da hinten bei meinem Bruder.   **Mutter**
Er steht da hinten bei meiner Mutter.   **dein**

Er steht da hinten bei deiner Mutter.   **Milchmann**
Er steht da hinten bei deinem Milchmann.   **unser**
Er steht da hinten bei unsrem Milchmann.   **Kundinnen**
Er steht da hinten bei unsren Kundinnen.   **euer**
Er steht da hinten bei euren Kundinnen.   **Kiste**
Er steht da hinten bei eurer Kiste.

Zu

33 Substitute the new feminine noun as the dative object. Note that **zu** and **der** are contracted into **zur**:

Er geht jetzt zur Bahn.   **die Vorlesung**
Er geht jetzt zur Vorlesung.   **die Stadtbahn**
Er geht jetzt zur Stadtbahn.   **die Post**
Er geht jetzt zur Post.   **die Stadt**
Er geht jetzt zur Stadt.   **die Arbeit**
Er geht jetzt zur Arbeit.   **die Bahn**
Er geht jetzt zur Bahn.

34 Substitute the new masculine noun as the dative object. Note that **zu** and **dem** are contracted into **zum**:

Er geht jetzt zum Zug.   **der Wagen**
Er geht jetzt zum Wagen.   **der Fahrer**
Er geht jetzt zum Fahrer.   **der Milchmann**
Er geht jetzt zum Milchmann.   **der Professor**
Er geht jetzt zum Professor.   **der Schrank**
Er geht jetzt zum Schrank.   **der Werkzeugkasten**
Er geht jetzt zum Werkzeugkasten.   **der Zug**
Er geht jetzt zum Zug.

35 Substitute the new neuter noun as the dative object. Note that **zu** and **dem** are contracted into **zum**:

Er geht jetzt zum Baden.   **das Üben**
Er geht jetzt zum Üben.   **das Podium**
Er geht jetzt zum Podium.   **das Geschäft**
Er geht jetzt zum Geschäft.   **das Fenster**
Er geht jetzt zum Fenster.   **das Baden**
Er geht jetzt zum Baden.

36 Substitute the new plural noun as the dative object:

Sie geht jetzt zu den Studenten.   **Mädchen**
Sie geht jetzt zu den Mädchen.   **Kinder**
Sie geht jetzt zu den Kindern.   **Kundinnen**
Sie geht jetzt zu den Kundinnen.   **Jungen**

Sie geht jetzt zu den Jungen.   **Leute**
Sie geht jetzt zu den Leuten.   **Freundinnen**
Sie geht jetzt zu den Freundinnen.   **Vorlesungen**
Sie geht jetzt zu den Vorlesungen.

37   Substitute the new noun:

Er geht jetzt zur Bahn.   **Zug**
Er geht jetzt zum Zug.   **Vorlesung**
Er geht jetzt zur Vorlesung.   **Vorlesungen**
Er geht jetzt zu den Vorlesungen.   **Baden**
Er geht jetzt zum Baden.   **Stadt**
Er geht jetzt zur Stadt.   **Eismann**
Er geht jetzt zum Eismann.   **Jungen**
Er geht jetzt zu den Jungen.   **Stadtbahn**
Er geht jetzt zur Stadtbahn.   **Geschäft**
Er geht jetzt zum Geschäft.   **Leute**
Er geht jetzt zu den Leuten.   **Arbeit**
Er geht jetzt zur Arbeit.   **Kinder**
Er geht jetzt zu den Kindern.   **Bahn**
Er geht jetzt zur Bahn.

38   Substitute the new element.

Example: Er geht zu seiner Kundin.   **Wagen**
Er geht zu seinem Wagen.   **jener**
Er geht zu jenem Wagen.

Er geht zu seiner Vorlesung.   **Milchmann**
Er geht zu seinem Milchmann.   **jener**
Er geht zu jenem Milchmann.   **Haus**
Er geht zu jenem Haus.   **unser**
Er geht zu unsrem Haus.   **Schrank**
Er geht zu unsrem Schrank.   **mein**
Er geht zu meinem Schrank.   **Brüder**
Er geht zu meinen Brüdern.   **sein**
Er geht zu seinen Brüdern.   **Freundin**
Er geht zu seiner Freundin.   **dein**
Er geht zu deiner Freundin.   **Vater**
Er geht zu deinem Vater.   **sein**
Er geht zu seinem Vater.   **Tante**
Er geht zu seiner Tante.   **euer**
Er geht zu eurer Tante.   **Kundinnen**
Er geht zu euren Kundinnen.

Aus

39   Substitute the new singular noun as the dative object:

Er holt es aus dem Haus.   **die Stadt**
Er holt es aus der Stadt.   **der Vorlesungsraum**
Er holt es aus dem Vorlesungsraum.   **der Zug**
Er holt es aus dem Zug.   **das Zimmer**
Er holt es aus dem Zimmer.   **der Wagen**
Er holt es aus dem Wagen.   **der Peterwagen**
Er holt es aus dem Peterwagen.   **die Kiste**
Er holt es aus der Kiste.   **das Paket**
Er holt es aus dem Paket.   **der Schrank**
Er holt es aus dem Schrank.   **das Geschäft**
Er holt es aus dem Geschäft.   **der Kasten**
Er holt es aus dem Kasten.   **das Haus**
Er holt es aus dem Haus.

40   Substitute the new plural noun as the dative object:

Er holt es aus den Kästen.   **Pakete**
Er holt es aus den Paketen.   **Zimmer**
Er holt es aus den Zimmern.   **Räume**
Er holt es aus den Räumen.   **Wagen**
Er holt es aus den Wagen.   **Häuser**
Er holt es aus den Häusern.   **Kisten**
Er holt es aus den Kisten.   **Schränke**
Er holt es aus den Schränken.   **Städte**
Er holt es aus den Städten.   **Geschäfte**
Er holt es aus den Geschäften.   **Züge**
Er holt es aus den Zügen.   **Kästen**
Er holt es aus den Kästen.

41   Substitute the new noun:

Wir holen es aus dem Zimmer.   **Haus**
Wir holen es aus dem Haus.   **Häuser**
Wir holen es aus den Häusern.   **Schrank**
Wir holen es aus dem Schrank.   **Schränke**
Wir holen es aus den Schränken.   **Zug**
Wir holen es aus dem Zug.   **Züge**
Wir holen es aus den Zügen.   **Stadt**
Wir holen es aus der Stadt.   **Kiste**
Wir holen es aus der Kiste.   **Kisten**
Wir holen es aus den Kisten.   **Raum**
Wir holen es aus dem Raum.   **Räume**
Wir holen es aus den Räumen.   **Paket**

Wir holen es aus dem Paket. **Pakete**
Wir holen es aus den Paketen. **Geschäft**
Wir holen es aus dem Geschäft. **Geschäfte**
Wir holen es aus den Geschäften. **Kasten**
Wir holen es aus dem Kasten. **Kästen**
Wir holen es aus den Kästen.

42 Substitute the new element:

Sie holen es aus meinem Wagen. **Kiste**
Sie holen es aus meiner Kiste. **jener**
Sie holen es aus jener Kiste. **Paket**
Sie holen es aus jenem Paket. **dieser**
Sie holen es aus diesem Paket. **Stadt**
Sie holen es aus dieser Stadt. **der**
Sie holen es aus der Stadt. **Geschäft**
Sie holen es aus dem Geschäft. **euer**
Sie holen es aus eurem Geschäft. **Schränke**
Sie holen es aus euren Schränken. **unser**
Sie holen es aus unsren Schränken. **Kasten**
Sie holen es aus unsrem Kasten. **dieser**
Sie holen es aus diesem Kasten. **Kästen**
Sie holen es aus diesen Kästen. **dein**
Sie holen es aus deinen Kästen. **Haus**
Sie holen es aus deinem Haus. **ihr**
Sie holen es aus ihrem Haus. **Paket**
Sie holen es aus ihrem Paket. **sein**
Sie holen es aus seinem Paket. **Pakete**
Sie holen es aus seinen Paketen. **der**
Sie holen es aus den Paketen. **Zug**
Sie holen es aus dem Zug.

Seit

43 Substitute the new singular noun as the dative object:

Sie kennt ihn seit dem Unfall. **der Winter**
Sie kennt ihn seit dem Winter. **das Baden**
Sie kennt ihn seit dem Baden. **der Sommer**
Sie kennt ihn seit dem Sommer. **der Monat Juni**
Sie kennt ihn seit dem Monat Juni. **der Herbst**
Sie kennt ihn seit dem Herbst. **der Monat Februar**
Sie kennt ihn seit dem Monat Februar. **der Frühling**
Sie kennt ihn seit dem Frühling. **der Monat Mai**
Sie kennt ihn seit dem Monat Mai. **die Vorlesung**
Sie kennt ihn seit der Vorlesung. **der Unfall**
Sie kennt ihn seit dem Unfall.

44 Substitute the new singular noun as the dative object:

> Sie kennt ihn seit jenem Tag. **Unfall**
> Sie kennt ihn seit jenem Unfall. **Dezember**
> Sie kennt ihn seit jenem Dezember. **Woche**
> Sie kennt ihn seit jener Woche. **Vorlesung**
> Sie kennt ihn seit jener Vorlesung. **Frühling**
> Sie kennt ihn seit jenem Frühling. **Sonnabend**
> Sie kennt ihn seit jenem Sonnabend. **Stunde**
> Sie kennt ihn seit jener Stunde. **November**
> Sie kennt ihn seit jenem November. **Monat**
> Sie kennt ihn seit jenem Monat. **Sonntag**
> Sie kennt ihn seit jenem Sonntag. **Morgen**
> Sie kennt ihn seit jenem Morgen. **Tag**
> Sie kennt ihn seit jenem Tag. **Oktober**
> Sie kennt ihn seit jenem Oktober. **März**
> Sie kennt ihn seit jenem März. **Winter**
> Sie kennt ihn seit jenem Winter. **September**
> Sie kennt ihn seit jenem September. **Tag**
> Sie kennt ihn seit jenem Tag.

Nach

45 Substitute the new singular noun as the dative object:

> Er fragt nach dem Eismann. **die Straße**
> Er fragt nach der Straße. **das Buch**
> Er fragt nach dem Buch. **der Fahrer**
> Er fragt nach dem Fahrer. **der Zug**
> Er fragt nach dem Zug. **das Haus**
> Er fragt nach dem Haus. **die Post**
> Er fragt nach der Post. **der Schillerplatz**
> Er fragt nach dem Schillerplatz. **der Vorlesungsraum**
> Er fragt nach dem Vorlesungsraum. **die Verkäuferin**
> Er fragt nach der Verkäuferin. **der Eismann**
> Er fragt nach dem Eismann.

46 Substitute the new singular noun as the dative object:

> Sie kommt nach dem Baden. **die Arbeit**
> Sie kommt nach der Arbeit. **das Üben**
> Sie kommt nach dem Üben. **die Vorlesung**
> Sie kommt nach der Vorlesung. **das Baden**
> Sie kommt nach dem Baden.

47   Substitute the new singular noun as the dative object:

> Sie kommt nach einem Monat.   **Jahr**
> Sie kommt nach einem Jahr.   **Woche**
> Sie kommt nach einer Woche.   **Tag**
> Sie kommt nach einem Tag.   **Monat**
> Sie kommt nach einem Monat.

Von

48   Substitute the new singular noun as the dative object. Note that **von** and **dem** are contracted into **vom**:

> Da kommt er von der Arbeit.   **das Baden**
> Da kommt er vom Baden.   **der Schillerplatz**
> Da kommt er vom Schillerplatz.   **die Bahn**
> Da kommt er von der Bahn.   **der Milchmann**
> Da kommt er vom Milchmann.   **die Vorlesung**
> Da kommt er von der Vorlesung.   **der Zug**
> Da kommt er vom Zug.   **das Geschäft**
> Da kommt er vom Geschäft.   **die Kundin**
> Da kommt er von der Kundin.   **die Post**
> Da kommt er von der Post.   **die Arbeit**
> Da kommt er von der Arbeit.

Pronoun objects of prepositions

49   Substitute the dative pronoun that agrees with the cue:

> Hier ist niemand außer mir.   **wir**
> Hier ist niemand außer uns.   **du**
> Hier ist niemand außer dir.   **ihr**
> Hier ist niemand außer euch.   **Heike**
> Hier ist niemand außer ihr.   **die Studenten**
> Hier ist niemand außer ihnen.   **er**
> Hier ist niemand außer ihm.   **ich**
> Hier ist niemand außer mir.

> Das Kind kommt morgen zu uns.   **du**
> Das Kind kommt morgen zu dir.   **ihr**
> Das Kind kommt morgen zu euch.   **er**
> Das Kind kommt morgen zu ihm.   **die Leute**
> Das Kind kommt morgen zu ihnen.   **ich**
> Das Kind kommt morgen zu mir.   **Margrit**
> Das Kind kommt morgen zu ihr.   **wir**
> Das Kind kommt morgen zu uns.

Der Student hat ein Buch von mir.   **du**
Der Student hat ein Buch von dir.   **wir**
Der Student hat ein Buch von uns.   **er**
Der Student hat ein Buch von ihm.   **Uwe und Heike**
Der Student hat ein Buch von ihnen.   **ihr**
Der Student hat ein Buch von euch.   **die Frau**
Der Student hat ein Buch von ihr.   **ich**
Der Student hat ein Buch von mir.

Der Mann fragt häufig nach dir.   **wir**
Der Mann fragt häufig nach uns.   **er**
Der Mann fragt häufig nach ihm.   **ihr**
Der Mann fragt häufig nach euch.   **Studenten**
Der Mann fragt häufig nach ihnen.   **ich**
Der Mann fragt häufig nach mir.   **Ilse**
Der Mann fragt häufig nach ihr.   **du**
Der Mann fragt häufig nach dir.

Der Junge geht heute mit euch nach Hause.   **du**
Der Junge geht heute mit dir nach Hause.   **wir**
Der Junge geht heute mit uns nach Hause.   **er**
Der Junge geht heute mit ihm nach Hause.   **Heike**
Der Junge geht heute mit ihr nach Hause.   **die Kinder**
Der Junge geht heute mit ihnen nach Hause.   **ich**
Der Junge geht heute mit mir nach Hause.   **ihr**
Der Junge geht heute mit euch nach Hause.

Meine Mutter bleibt heute bei mir zu Hause.   **wir**
Meine Mutter bleibt heute bei uns zu Hause.   **du**
Meine Mutter bleibt heute bei dir zu Hause.   **ihr**
Meine Mutter bleibt heute bei euch zu Hause.   **er**
Meine Mutter bleibt heute bei ihm zu Hause.   **die Kinder**
Meine Mutter bleibt heute bei ihnen zu Hause.   **Lilo**
Meine Mutter bleibt heute bei ihr zu Hause.   **ich**
Meine Mutter bleibt heute bei mir zu Hause.

F. **Nach Hause** and **zu Hause**

50   Substitute the new verb.

Example: Der Junge kommt nach Hause.   **sitzen**
Der Junge sitzt zu Hause.

Der Junge kommt nach Hause.   **sitzen**
Der Junge sitzt zu Hause.   **laufen**
Der Junge läuft nach Hause.   **warten**
Der Junge wartet zu Hause.   **bleiben**
Der Junge bleibt zu Hause.   **gehen**

Der Junge geht nach Hause. **sein**
Der Junge ist zu Hause. **kommen**
Der Junge kommt nach Hause.

G. Questions and Answers

Part 1

Wie heißt der siebte Dialog?
Er heißt „Der Schrank aus der Kiste".

Wem geht Gerhard entgegen?
Er geht dem Postboten entgegen.

Von wem mag die Kiste wohl sein?
Sie ist wohl vom Versandgeschäft.

Wem gehört das Paket?
Es gehört Margrit und Gerhard.

Was ist in der Kiste?
Ein Schrank ist in der Kiste.

Was müssen Margrit und Gerhard tun?
Sie müssen die Einzelteile zu einem Schrank zusammenbauen.

Gelingt das Gerhard?
Ja, es gelingt ihm.

Was tun Margrit und Gerhard mit dem Schrank, wenn er ihnen nicht gefällt?
Sie schicken ihn den Leuten einfach zurück.

Part 2

Wie lange ist der Schrank schon unterwegs?
Er ist schon seit dem dritten Juli unterwegs.

Wo sind die Einzelteile?
Sie sind in einer Kiste.

Wer baut den Schrank zusammen?
Gerhard baut ihn zusammen.

Kann Margrit ihm dabei helfen?
Nein, sie kann ihm dabei nicht helfen.

Was soll Margrit Gerhard holen?
Sie soll ihm einen Schraubenzieher holen.

Liegt der Schraubenzieher im Werkzeugkasten?
Nein, er liegt im Zimmer.

Wohin geht Margrit?
Sie geht zu ihrer Mutter hinüber.

Ist ihr Vater zu Hause?
Nein, aber er kommt bald nach Hause.

Was wünscht Margrit ihrem Mann?
Sie wünscht ihm viel Glück.

IV. Writing Practice

A. Word Copying

1 Concentrate on the proper pronunciation of the sounds for **l** and **r** as you copy the words in boldface:

Aller Anfang ist **leicht**.
Eigentlich kann es nun **endlich losgehen**.
Alle Vorlesungen beginnen **erst** um **Viertel** nach **voll**.

Mein **Bruder** hat es **mir erzählt.**
Die **älteren** Studenten haben **alle viel Erfahrung.**
Hoffentlich liest er nicht so **langweilig** wie **der alte Professor Wolf.**

2   Generally speaking, a vowel is long if it is final in a word or syllable, if it is followed by the letter **h**, if it is doubled or if it is followed by only one consonant. Grammatical endings, such as the verb endings **–t** and **–st**, do not cause a vowel that is long in the infinitive to become short. Short vowels followed by only one consonant occur in a number of short words of high frequency, such as: **an, am, in, im, von, vom, um, mit, das, was, es, hat.** Copy the words that contain the long vowels in boldface:

Ist dies Ihre erste Vorlesung?
Mein Bruder hat es mir erzählt.
Und nicht nur im Studieren.

Da kann er Ihnen also nicht viel helfen.
Also, es geht endlich los.
Üben sagst du?

B. Copy the Third Dialog

V. Word Study

A. Translation of Dialog

Der Schrank aus der Kiste
The Cabinet out of the Box

der Schrank, *pl.* die Schränke · die Kiste, *pl.* **die Kisten** (der Kiste *dat.*)

(Margrit und Gerhard)
(Margrit and Gerhard)

Part 1

1   Du, Gerhard, da kommt eine Kiste mit der Post. Von wem mag sie wohl sein?
Hey, Gerhard, there comes a box in the mail. I wonder who it can be from?

die Post (der Post *dat.*) · **wer (wem** *dat.*) · **wohl** I wonder, do you suppose; probably; well

2   Ich gehe dem Postboten mal entgegen. Schau, wieviel Mühe er mit dem Paket hat.
I'll just go meet the mailman. Look how much trouble he's having with the package.

entgegengehen go to, toward   **entgegen** toward + **gehen** · **der Postbote (dem Postboten** *dat.*)   **die Post** + **der Bote,** *pl.* **die Boten** (Group V) messenger · **die Mühe wieviel Mühe** *used as a subordinating conjunction* · **das Paket,** *pl.* **die Pakete (dem Paket** *dat.*)

3 Frag aber gleich, vielleicht gehört es uns gar nicht.

But ask right away. Maybe it doesn't even belong to us.

wir (uns *dat.*) · **gar nicht** not at all   *here* not even

4 Wahrscheinlich ist es der Schrank vom Versandgeschäft.

It's probably the cabinet from the mail order house.

vom = von + dem · **das Versandgeschäft der Versand** shipment + **das Geschäft,** *pl.* **die Geschäfte** business

5 Was, ein Schrank aus dieser Kiste? Das glaube ich nicht!

What, a cabinet out of this box? That I don't believe!

dieser Kiste *dat.*

6 Warum nicht? Es sind ja nur die Einzelteile.

Why not? Of course, it's only the separate pieces.

das Einzelteil   einzeln separate + **der (das) Teil,** *pl.* **die Teile**

7 Und wir sollen sie zu einem Schrank zusammenbauen?

And we're supposed to put them together into a cabinet?

zu into, to · **einem Schrank** *dat.* · **zusammenbauen   zusammen** together + **bauen** build

8 Mit dem richtigen Werkzeug, denke ich, gelingt es mir.

With the right tools, I think I'll be able to do it.

das Werkzeug (dem richtigen Werkzeug *dat.*) tool *or* tools *collective* · *The introductory prepositional phrase governs the word order of the parenthetical* **denke ich** *as well as of the main clause.* · **gelingen (es gelingt mir** *literally*: it succeeds to me) succeed · **ich (mir** *dat.*)

9 Na, hoffentlich gefällt er uns auch noch, wenn er fertig ist.

Well, I hope we'll still like it when it's finished.

gefallen: du gefällst, er gefällt (er gefällt uns we like it   *literally*: it is pleasing to us) please · **fertig** finished; ready

10 Wenn nicht, schicken wir ihn den Leuten einfach zurück.

If not, we'll simply send it back to the people.

die Leute people *no singular*   **(den Leuten** *dat.*) · **zurückschicken   zurück** back + **schicken** send

Part 2

11 Er ist es also! Und schon seit dem dritten Juli ist er unterwegs.

Well, that's what it is! And it's been on the way since the third of July.

der Juli (dem dritten Juli *dat.*) · **unterwegs** on the way, under way   **unter** under **der Weg** way; road; path

169

12 Du meinst: seine Einzelteile! Noch ist er nichts außer diesen Brettern und Schrauben hier.
You mean its separate pieces! So far it's nothing but these boards and screws here.

außer except (for), outside of · **das Brett,** *pl.* **die Bretter** · **die Schraube,** *pl.* **die Schrauben (diesen Brettern und Schrauben** *dat. pl.*)

13 Nicht mehr lange. Es macht mir Spaß, ihn dir zusammenzubauen.
Not for long. It'll be fun for me to put it together for you.

viel much **mehr** more · **es macht mir Spaß** *compare*: it gives me pleasure · **du (dir** *dat.*)

14 Hoffentlich klappt es auch. Ich kann dir dabei nicht helfen.
I hope it'll work too. I can't help you with it.

klappen (es klappt it works, clicks) clap · **dabei = da + bei**

15 Das macht nichts. Holst du mir bitte den Schraubenzieher aus dem Werkzeugkasten?
That doesn't matter. Will you please get me the screwdriver out of the toolbox?

der Schraubenzieher die Schraube + der Zieher, *pl.* **die Zieher** instrument for pulling · **aus** from, out of · **der Werkzeugkasten (dem Werkzeugkasten** *dat.*) **das Werkzeug + der Kasten,** *pl.* **die Kästen** box

16 Was ist mit diesem Ding? Es liegt schon seit heute morgen hier im Zimmer.
What about this thing? It's been lying here in the room since this morning.

das Ding, *pl.* **die Dinge (diesem Ding** *dat.*) · **das Zimmer,** *pl.* **die Zimmer (im Zimmer** *dat.*)

17 Ja, der ist genau der richtige. Doch nun laß mich bitte mit meiner Arbeit allein.
Yes, that's just the right one. But now please leave me alone with my work.

genau just; exactly, precisely · **lassen: du läßt, er läßt allein lassen allein** *is almost felt to be a separable prefix and therefore comes at the end* · **die Arbeit,** *pl.* **die Arbeiten (meiner Arbeit** *dat.*)

18 Gern. Ich gehe solange zu Mutter hinüber. Vater kommt bald nach Hause.
Gladly. Meanwhile I'll go over to Mother's. Father is coming home soon.

hinübergehen hinüber over, across **+ gehen** · **die Mutter,** *pl.* **die Mütter** · **der Vater,** *pl.* **die Väter** · **nach Hause kommen** come home

19 Gut. Nach einer Stunde steht hier ein Schrank wie aus unsrem Katalog entsprungen!
Fine. In an hour a cabinet will be standing here as if it had come out of our catalog.

Die Stunde, *pl.* **die Stunden (einer Stunde** *dat.*) · **der Katalog,** *pl.* **die Kataloge (unsrem Katalog** *dat.*) · **entspringen (entsprungen** *past participle used as an adjective*) escape **springen** jump

20 Niemand wünscht dir dazu so viel Glück wie ich. Also, ich bin bald wieder zu Hause!
No one wishes you so much luck at it as I do. So, I'll be back home soon.

dazu = da + zu for it, with it, at it · **wieder** again · **zu Hause sein** be (at) home

Supplement

1 Die Tage heißen: (der) Sonntag, (der) Montag, (der) Dienstag, (der) Mittwoch, (der) Donnerstag, (der) Freitag und (der) Samstag oder (der) Sonnabend.
The days are called: Sunday, Monday, Tuesday, Wednesday, Thursday, Friday and Saturday.

heißen be called   **ich heiße Gerhard** my name is Gerhard • *There are two names for Saturday.* **Samstag** *is used mainly in the south and* **Sonnabend** *in the north.*

2 Er kommt am Montag von Köln.
He is coming from Cologne on Monday.

am Montag *dat.*

3 Er fährt am Mittwoch nach Freiburg.
He is going to Freiburg on Wednesday.

4 Er kommt am Morgen an.
He is arriving in the morning.

der Morgen, *pl.* **die Morgen**

5 Er kommt am Vormittag an.
He is arriving in the forenoon.

der Vormittag, *pl.* **die Vormittage**

6 Er kommt am Mittag an.
He is arriving at noon.

der Mittag, *pl.* **die Mittage**

7 Er kommt am Nachmittag an.
He is arriving in the afternoon.

8 Er kommt am Abend an.
He is arriving in the evening.

der Abend, *pl.* **die Abende**

9 Er kommt in der Nacht an.
He is arriving at night *or* in the night.

die Nacht, *pl.* **die Nächte (der Nacht** *dat.***)**

10 Er kommt um Mitternacht an.
He is arriving at midnight.

die Mitternacht   die Mitte middle

11 Die Monate heißen: (der) Januar, (der) Februar, (der) März, (der) April, (der) Mai, (der) Juni, (der) Juli, (der) August, (der) September, (der) Oktober, (der) November, (der) Dezember.
The months are called: January, February, March, April, May, June, July, August, September, October, November, December.

der Monat, *pl.* **die Monate**

12 Mein Bruder kommt im Januar hier an.
My brother is arriving here in January.

im Januar *dat.*

13 Er kommt am zehnten Januar in Bonn an.
He is arriving in Bonn on the tenth of January.

14 Mein Vater fährt im April von Hamburg ab.
My father is leaving Hamburg in April.

15 Er fährt am siebten April von Frankfurt ab.
He is leaving Frankfort on the seventh of
April.

am siebten April *dat.*

16 Die Jahreszeiten heißen: (der) Frühling,
(der) Sommer, (der) Herbst, (der) Winter.
The seasons are called: spring, summer, fall,
winter.

die Jahreszeit   das Jahr, *pl.* **die Jahre** year
+ **die Zeit,** *pl.* **die Zeiten** time

17 Er kommt im Herbst von Berlin.
He is coming from Berlin in the fall.

im Herbst *dat.*

18 Er fährt im Frühling von Deutschland nach
Amerika.
He is going from Germany to America in the
spring.

(das) Deutschland   deutsch German +
das Land, *pl.* **die Länder** country; land ·
(das) Amerika

19 Die Himmelsrichtungen sind:
The points of the compass are:

die Himmelsrichtung   der Himmel sky;
heaven + **die Richtung,** *pl.* **die Richtungen**
direction

(der) Norden	**nördlich**
(the) north	north(ern)
(der) Süden	**südlich**
(the) south	south(ern)
(der) Osten	**östlich**
(the) east	east(ern)
(der) Westen	**westlich**
(the) west	west(ern)
(der) Nordosten	**nordöstlich**
(the) northeast	northeast(ern)
(der) Südosten	**südöstlich**
(the) southeast	southeast(ern)
(der) Nordwesten	**nordwestlich**
(the) northwest	northwest(ern)
(der) Südwesten	**südwestlich**
(the) southwest	southwest(ern)

20 Der Bodensee liegt im Süden Deutschlands.
Lake Constance is in the south of Germany.

im Süden *dat.* · **Deutschlands** *genitive*

21 Der Schwarzwald verläuft ungefähr in
Nord-Süd-Richtung.
The Black Forest runs approximately in a
north-south direction.

verlaufen (er verläuft)

22 Schleswig-Holstein liegt im Norden
Deutschlands, Bayern im Süden.
Schleswig-Holstein is in the north
of Germany, Bavaria in the south.

23 Berlin liegt südöstlich von Hamburg.
Berlin is southeast of Hamburg.

24 Im Süden grenzen Österreich und die Schweiz
an die deutsche Bundesrepublik.
In the south Austria and Switzerland border
on the German Federal Republic.

25 Die westlichen Nachbarländer vom Süden
zum Norden heißen: Frankreich, Luxemburg,
Belgien und die Niederlande.
The western neighboring countries from south
to north are: France, Luxemburg, Belgium
and the Netherlands.

vom Süden *dat.*
zum Norden *dat.*

B. Word Formation

Compound nouns

einzeln separate, single, detached + **der** (or **das**) **Teil** part, piece = **das Einzelteil** separate part

der Himmel sky; heaven + **die Richtung** direction = **die Himmelsrichtung** point of the compass

die Post mail; post office + **der Bote** messenger = **der Postbote** mailman

die Schraube screw + **der Zieher** instrument for pulling = **der Schraubenzieher** screwdriver

der Versand shipment + **das Geschäft** store; business = **das Versandgeschäft** mail order house

das Werk work; factory + **das Zeug** thing = **das Werkzeug** tool(s), implement(s)

das Werkzeug + **der Kasten** box = **der Werkzeugkasten** toolbox

Neuter noun suffixes –chen, –lein

The suffixes **–chen** and **–lein** are used to form neuter nouns indicating small size or endearment, or both. Such nouns are called diminutives. They all belong to Group I; that is, there is no ending added for the plural. The stem vowel of the basic noun is almost always umlauted if umlaut is possible. Thus **das Hütchen**, from **der Hut**, may mean *little hat, cute hat* or *cute little hat*. A great many nouns are used in diminutive form. In modern German the **–chen** (compare English *–kin* as in *lambkin*) ending is preferred, whereas the **–lein**, which originated in South Germany, is frequent in older literature and South German conversation. The suffix **–lein** is used with nouns ending in **–ch** because it is easier to pronounce: **das Büchlein**. In **das Fräulein** the **–lein** is mandatory for the meaning *Miss* or *young lady*. Note the following examples:

das Fenster	das Fensterchen, *pl.* die Fensterchen
das Haus	das Häuschen, *pl.* die Häuschen

das Kind	das Kindchen, *pl.* die Kindchen
der Kopf	das Köpfchen, *pl.* die Köpfchen
der Mann	das Männchen, *pl.* die Männchen
die Stadt	das Städtchen, *pl.* die Städtchen
das Zimmer	das Zimmerchen, *pl.* die Zimmerchen

C. Singular and Plural of Nouns

Change the noun subject to the plural:

Der Kasten steht in der Ecke.
Die Kästen stehen in der Ecke.

Das Paket liegt im Wagen.
Die Pakete liegen im Wagen.

Der Schraubenzieher liegt im Werkzeugkasten.
Die Schraubenzieher liegen im Werkzeugkasten.

Die Mutter ist noch nicht angekommen.
Die Mütter sind noch nicht angekommen.

Der Schrank kommt vom Versandgeschäft.
Die Schränke kommen vom Versandgeschäft.

Das Geschäft ist ziemlich teuer.
Die Geschäfte sind ziemlich teuer.

Der Teil liegt in der Kiste.
Die Teile liegen in der Kiste.

Die Kiste ist sehr schwer.
Die Kisten sind sehr schwer.

Das Brett liegt unter dem Wagen.
Die Bretter liegen unter dem Wagen.

Das Zimmer sieht heute sehr schön aus.
Die Zimmer sehen heute sehr schön aus.

Die Arbeit ist eigentlich sehr gut.
Die Arbeiten sind eigentlich sehr gut.

Der Katalog liegt dort im Schrank.
Die Kataloge liegen dort im Schrank.

Die Schraube ist plötzlich kaputtgegangen.
Die Schrauben sind plötzlich kaputtgegangen.

Der Vater geht jetzt an die Arbeit.
Die Väter gehen jetzt an die Arbeit.

VI. Grammar

A. The Dative Case

The dative case is the case of the indirect object, the object of some verbs and the object of certain prepositions.

B. Summary of Limiting Words and Personal Pronouns in the Nominative, Accusative and Dative Cases

Definite articles

Nom.	der	die	das	die
Acc.	den	die	das	die
Dat.	dem	der	dem	den

Der–Words

Nom.	dieser	diese	dieses	diese
Acc.	diesen	diese	dieses	diese
Dat.	diesem	dieser	diesem	diesen

Indefinite articles

Nom.	ein	eine	ein	*no plural*
Acc.	einen	eine	ein	*no plural*
Dat.	einem	einer	einem	*no plural*

Ein–words

Nom.	mein	meine	mein	meine
Acc.	meinen	meine	mein	meine
Dat.	meinem	meiner	meinem	meinen

Personal pronouns

Nom.	ich	du	er	sie	es	wir	ihr	sie	Sie
Acc.	mich	dich	ihn	sie	es	uns	euch	sie	Sie
Dat.	mir	dir	ihm	ihr	ihm	uns	euch	ihnen	Ihnen

The endings of the **der–** and **ein–**words are identical in the dative case.

C. Noun Endings in the Dative Case

An **–e** *may* be added to most masculine and neuter nouns of one syllable in the dative singular. This ending is usually not used in modern German except in such idiomatic expressions as **nach Hause** and **zu Hause**. An **–n** is added to the plural form of every noun in the dative plural unless it already ends in **–n** or **–s**:

	Singular	Plural
Nom.	der Bruder	die Brüder
Dat.	dem Bruder	den Brüdern
Nom.	die Straße	die Straßen
Dat.	der Straße	den Straßen
Nom.	das Hotel	die Hotels
Dat.	dem Hotel	den Hotels

Most masculine nouns whose plural is formed by adding **–(e)n** to the singular also have the **–(e)n** ending added to the singular of all cases except the nominative:

	Singular	Plural
Nom.	der Student	die Studenten
Acc.	den Studenten	die Studenten
Dat.	dem Studenten	den Studenten

Other nouns which follow the pattern of **Student** are **der Held, der Junge, der Kunde, der Mensch** and **der Postbote**. An **–n** only is added to **Herr** in both the accusative and dative singular: **der Herr, den Herrn, dem Herrn** (but plural **die Herren**).

D. Uses of the Dative Case

Indirect object of verbs

The indirect object of a verb is in the dative case. Many verbs take both an accusative (direct) object and a dative object:

1 Holst du mir den Schraubenzieher?
Will you get me the screwdriver?

2 Es macht mir Spaß.
It'll be fun for me.

3 Wir schicken ihn den Leuten zurück.
We'll send it back to the people.

4 Mein Bruder hat es mir erzählt.
My brother told me that (it to me).

▶ Unlike English, no preposition is needed with the dative object of a verb. The case form indicates that it is the indirect object.

The dative object or the accusative object (or both) may be a pronoun. Note the positions of the objects in the following examples:

1 Wir schicken den Leuten den Schrank zurück.
We'll send the cabinet back to the people.

2 Wir schicken ihnen den Schrank zurück.
We'll send the cabinet back to them.

3 Wir schicken ihn den Leuten zurück.
We'll send it back to the people.

4 Wir schicken ihn ihnen zurück.
We'll send it back to them.

► The dative object precedes the accusative object (1 and 2) unless the accusative object is a personal pronoun (3 and 4).

Verbs that govern the dative

Certain verbs govern the dative case; that is, they take a dative object, not an accusative object. Those which have been used follow:

danken

Sie dankt ihm. She is thanking him.

helfen

Da kann er Ihnen also nicht viel helfen. Then he can't help you much.
Wir müssen ihr helfen. We have to help her.

entgegengehen

Er geht dem Postboten entgegen. He goes toward the mailman.

gehören

Es gehört der Frau nicht. It doesn't belong to the woman.

antworten and **glauben**

Sie glaubt es nicht. She doesn't believe it.
Sie glaubt ihm nicht. She doesn't believe him.
Sie glaubt es ihm nicht. She doesn't believe what he says.
Er antwortet es nicht. He doesn't answer it.
Er antwortet ihr nicht. He doesn't answer her.
Er antwortet es ihr nicht. He doesn't answer her. (He doesn't answer it to her.)

Personal objects of **antworten** and **glauben** are in the dative case; other objects are in the accusative. Unlike English, both kinds of objects may occur in the same sentence.

gefallen

Du gefällst mir.	I like you. (You please me; you are pleasing to me.)
Der Hut gefällt ihm.	He likes the hat.
Der Hut gefällt uns.	We like the hat.

► The grammatical subject is the person or thing that pleases. The person who is pleased is the dative object.

gelingen

Es gelingt dir.	You are succeeding. (It succeeds to you.)

► The grammatical subject is the thing which turns out successfully. The person involved is the dative object.

Prepositions that govern the dative

The following prepositions govern the dative case. The examples given illustrate some of the common uses of the prepositions.

aus out of, from

Was, ein Schrank **aus** dieser Kiste?	What, a cabinet *out of* this box?
Holst du mir den Schraubenzieher **aus** dem Werkzeugkasten?	Will you get me the screwdriver *from* the toolbox?
Er kommt **aus** Berlin.	He comes *from* Berlin.

► **Aus. Er kommt aus Berlin** means that he was born in Berlin, used to live there or is moving from there. **Er kommt von Berlin** means that he is traveling from Berlin.

außer except, besides, but, outside of

Noch ist er nichts **außer** diesen Brettern und Schrauben.	It still isn't anything *but* these boards and screws.
Er hat nichts **außer** dem Buch.	He doesn't have anything *except* the book.

bei near, with, at, beside, at the house of

Wann bist du **bei** uns?	When will you be *at our house*?
Stuttgart liegt nicht **bei** München.	Stuttgart is not *near* Munich.
Er steht **bei** der Frau.	He is standing *beside* (by, near) the woman.
Er bleibt **bei** mir zu Hause.	He is staying at home *with* me.

► **Bei** does not ordinarily mean *by*, except in a sentence such as **Er steht bei der Frau**, where it means *by* in the sense of *beside*, or *near*. Otherwise *by* is expressed by **von**. **Bei** is also used with place names to mean *near*.

mit with

Er sitzt da **mit** den Kindern.	He is sitting there *with* the children.
Was ist **mit** dem Üben?	What about practice? (What's *with* the practice?)

nach after, in (*temporal*) · to, about, according to

Sie kommt **nach** der Vorlesung.	She is coming *after* the lecture.
Nach einer Stunde steht hier ein Schrank.	*In* an hour a cabinet will be standing here.
Er fährt im Frühling **nach** Amerika.	He is going *to* America in the spring.
Der Junge kommt **nach** Hause.	The boy is coming home.
Der Mann fragt **nach** uns.	The man is asking *about* us.
Nach deinen Erzählungen ist sie nett.	*According to* your stories she's nice.

Nach is used for *to* when a geographical name is mentioned: **Er geht nach Stuttgart**. Otherwise **zu** is ordinarily used: **Er geht zur Bahn**. **Nach** also has the force of *to* in the idiom **nach Hause**.

seit since, for (*temporal*)

Seit dem dritten August ist er dort.	It's been *since* the third of August.
Er ist **seit** einer Woche hier.	He has been here *for* a week.
Sie kennt ihn **seit** einem Jahr.	She has known him *for* a year.

Seit is used only in expressions of time. It is often used with the present tense to express *for*, as in the sentence **Er ist seit einer Woche hier**. The adverb **schon** may be used in the same way, and often both **schon** and **seit** are used: **Er ist schon eine Woche hier**. **Er ist schon seit einer Woche hier**.

von of, about, from, by

Der Student hat ein Buch **von** dir.	The student has a book *of* yours.
Er ist ein Freund **von** mir.	He is a friend *of* mine.
Ilse spricht häufig **von** Ihnen.	Ilse often speaks *of* (about) you.
Er kommt am Dienstag **von** Berlin.	He is coming *from* Berlin on Tuesday.
Die Kiste ist **von** meiner Tante.	The box is *from* my aunt.
Das ist ein Gedicht **von** Schiller.	That is a poem *by* Schiller.

zu to

Er geht **zur** Bahn.	He's going *to the* train.
Ich gehe solange **zu** meinem Vater.	I'm going *to* my father's.
Er geht jetzt **zum** Wagen.	He's going *to the* car now.
Der Junge bleibt **zu** Hause.	The boy stays *at* home.

Zu means *at* in the idiom **zu Hause**. **Zu** is used with persons and with places when a geographical name is not mentioned.

The following contractions of prepositions and definite articles are made in speech and often in writing:

bei + dem = **beim**	Er steht dort **beim** Fenster.
von + dem = **vom**	Die Kiste kommt **vom** Versandgeschäft.
zu + dem = **zum**	Mutter schickt Hans **zum** Milchmann.
zu + der = **zur**	Wir müssen jetzt **zur** Stadtbahn gehen.

Accusative/dative prepositions

The following prepositions govern the accusative case when change of place is expressed and the dative when location is expressed: **an, auf, hinter, in, neben, über, unter, vor, zwischen**. The prepositions **an, in, vor** and **zwischen** are also used in expressions of time and govern the dative. The accusative/dative preposition will be treated fully in Unit 8.

E. Wem?

The dative case answers the question **wem?**:

Wem hat dein Bruder es erzählt?
Mein Bruder hat es **mir** erzählt.

Wem gelingt es?
Es gelingt **dem Studenten**.

Von **wem** mag die Kiste sein?
Sie mag von **meinem Vater** sein.

I. Dialog

Susi deckt den Mittagstisch

Part 1

1	Susi:	Kann ich dir etwas helfen, Mutti?
2	Mutter:	Gern, mein Kind, magst du den Tisch decken?
3	Susi:	Den Mittagstisch? Oh ja, das ist fein.
4	Mutter:	Aber wirst du auch aufpassen? Es darf nichts kaputtgehen.
5	Susi:	Ich werde schon vorsichtig sein.
6	Mutter:	Also, zuerst die Decke auf den Tisch und dann die Teller.
7	Susi:	Soll ich den Löffel neben oder hinter den Teller legen, Mutti?
8	Mutter:	Der Löffel kommt hinter den Teller, das Messer und die Gabel kommen neben den Teller.
9	Susi:	Dann kann ich die Teller ebensogut zwischen die Messer und die Gabeln stellen?
10	Mutter:	Meinetwegen, du Schlaukopf! Aber ich werde die Suppe in die Schüssel füllen.

Part 2

11	Vater:	Was ist denn heute mit dem Tisch los?
12	Susi:	Außer der Suppenschüssel ist alles andere von mir gedeckt. Prima, was?
13	Vater:	Du bist mir eine schöne Wirtin! Aber es wird wohl bald besser.
14	Susi:	Wieso besser? Die Teller stehen zwischen dem Messer und der Gabel.
15	Vater:	Gut, aber das Messer muß rechts und die Gabel muß links vom Teller liegen.
16	Susi:	Liegen denn wenigstens die Löffel richtig?
17	Vater:	Ja, hinter dem Teller, das stimmt.
18	Susi:	Und wir sitzen hungrig vor unseren Tellern!
19	Vater:	Dann wollen wir also essen: Guten Appetit!
20	Susi:	Danke, Paps. Das nächste Mal will ich es besser machen.

II. Supplement

1 Die Mutter stellt das gebratene Fleisch, den Kuchen und den Kaffee auf den Tisch.
2 Der Vater stellt das kalte Bier, den Wein und den Saft auf den Tisch.
3 Susi stellt das frische Brot, die Butter und die Marmelade auf den Tisch.

4 Woraus kommt der Schrank?
5 Er kommt aus der Kiste.
6 Er kommt daraus.

7 Womit baut Gerhard ihn zusammen?
8 Er baut ihn mit dem Schraubenzieher zusammen.
9 Er baut ihn damit zusammen.

10 Wonach fragt der Mann?
11 Er fragt nach der Zeitung.
12 Er fragt danach.

13 Worüber sprechen die Kinder?
14 Sie sprechen über den Unfall.
15 Sie sprechen darüber.

16 Worauf sitzt der Junge?
17 Er sitzt auf der Kiste.
18 Er sitzt darauf.

19 Woran glaubt die Studentin?
20 Sie glaubt an seine Ideen.
21 Sie glaubt daran.

22 Worauf warten die Studenten?
23 Sie warten auf die Vorlesung.
24 Sie warten darauf.

III. Audiolingual Drills

A. Directed Dialog

Part 1

Sagen Sie, daß Susi Mutti helfen kann!
Susi kann Mutti helfen.

Sagen Sie, daß sie den Mittagstisch deckt!
Sie deckt den Mittagstisch.

Sagen Sie, daß sie aber aufpassen muß!
Sie muß aber aufpassen.

Fragen Sie, ob Susi vorsichtig sein wird!
Wird Susi vorsichtig sein?

Antworten Sie, daß sie vorsichtig sein wird!
Sie wird vorsichtig sein.

Fragen Sie, was zuerst auf den Tisch kommt!
Was kommt zuerst auf den Tisch?

Antworten Sie, daß die Decke zuerst auf den Tisch kommt!
Die Decke kommt zuerst auf den Tisch.

Fragen Sie, was dann auf den Tisch kommt!
Was kommt dann auf den Tisch?

Antworten Sie, daß dann die Teller auf den Tisch kommen!
Dann kommen die Teller auf den Tisch.

Fragen Sie, ob Susi den Löffel neben oder hinter den Teller legen soll!
Soll Susi den Löffel neben oder hinter den Teller legen?

Sagen Sie, daß der Löffel hinter den Teller kommt!
Der Löffel kommt hinter den Teller.

Sagen Sie, daß das Messer und die Gabel neben den Teller kommen!
Das Messer und die Gabel kommen neben den Teller.

Sagen Sie, daß Susi die Teller auch zwischen die Messer und die Gabeln stellen kann!
Susi kann die Teller auch zwischen die Messer und die Gabeln stellen.

Fragen Sie, ob die Mutter die Suppe in die Schüssel füllen wird!
Wird die Mutter die Suppe in die Schüssel füllen?

Antworten Sie, daß sie die Suppe in die Schüssel füllen wird!
Sie wird die Suppe in die Schüssel füllen.

Part 2

Fragen Sie, was denn heute mit dem Tisch los ist!
Was ist denn heute mit dem Tisch los?

Antworten Sie, daß er von Susi gedeckt ist!
Er ist von Susi gedeckt.

Fragen Sie, ob es bald besser wird!
Wird es bald besser?

Sagen Sie, daß es bald besser gehen wird!
Es wird bald besser gehen.

Fragen Sie, wo die Teller stehen!
Wo stehen die Teller?

Sagen Sie, daß sie zwischen dem Messer und der Gabel stehen!
Sie stehen zwischen dem Messer und der Gabel.

Fragen Sie, ob das Messer rechts vom Teller liegen muß!
Muß das Messer rechts vom Teller liegen?

Antworten Sie, daß es rechts vom Teller liegen muß!
Es muß rechts vom Teller liegen.

Fragen Sie, ob die Gabel links vom Teller liegen muß!
Muß die Gabel links vom Teller liegen?

Sagen Sie, daß sie links vom Teller liegen muß!
Sie muß links vom Teller liegen.

Sagen Sie, daß die Löffel hinter dem Teller liegen!
Die Löffel liegen hinter dem Teller.

Sagen Sie, daß Mutter, Vater und Susi hungrig vor ihren Tellern sitzen!
Mutter, Vater und Susi sitzen hungrig vor ihren Tellern.

Sagen Sie, daß sie nun essen wollen!
Sie wollen nun essen.

Sagen Sie, daß Susi es das nächste Mal besser machen will!
Susi will es das nächste Mal besser machen.

B. Dependent Infinitives with **zu**

1 Repeat the following sentences:

Er braucht gar nicht zu spotten.
Er braucht gar nicht zu lachen.
Er braucht gar nicht zu übertreiben.
Er braucht gar nicht aufzupassen.
Er braucht gar nicht einzusteigen.

2 Substitute the new infinitive:

Sie bittet ihn, es zu kaufen.   **tun**
Sie bittet ihn, es zu tun.   **beginnen**
Sie bittet ihn, es zu beginnen.   **machen**
Sie bittet ihn, es zu machen.   **zusammenbauen**
Sie bittet ihn, es zusammenzubauen.   **erklären**
Sie bittet ihn, es zu erklären.   **zurückschicken**
Sie bittet ihn, es zurückzuschicken.   **versichern**
Sie bittet ihn, es zu versichern.

Die Leute beginnen zu kommen.   **warten**
Die Leute beginnen zu warten.   **aufpassen**
Die Leute beginnen aufzupassen.   **spotten**
Die Leute beginnen zu spotten.   **einsteigen**
Die Leute beginnen einzusteigen.   **fahren**
Die Leute beginnen zu fahren.   **abfahren**
Die Leute beginnen abzufahren.   **erzählen**
Die Leute beginnen zu erzählen.   **essen**
Die Leute beginnen zu essen.   **ankommen**
Die Leute beginnen anzukommen.   **lachen**
Die Leute beginnen zu lachen.   **aussteigen**
Die Leute beginnen auszusteigen.

C. Future Tense

3 Repeat the following sentences:

Ich werde die Stadtbahn nehmen.
Du wirst die Stadtbahn nehmen.
Er wird die Stadtbahn nehmen.

Wir werden die Stadtbahn nehmen.
Ihr werdet die Stadtbahn nehmen.
Sie werden die Stadtbahn nehmen.

4 Substitute the new subject:

Er wird einen Wagen kaufen.   **wir**
Wir werden einen Wagen kaufen.   **Inge**
Inge wird einen Wagen kaufen.   **Vater und Mutter**
Vater und Mutter werden einen Wagen kaufen.   **du**
Du wirst einen Wagen kaufen.   **das Mädchen**
Das Mädchen wird einen Wagen kaufen.   **ich**
Ich werde einen Wagen kaufen.   **ihr**
Ihr werdet einen Wagen kaufen.   **er**
Er wird einen Wagen kaufen.

5 Substitute the new pronoun subject in both clauses.

Example: Wenn ich genug Geld habe, werde ich ein Haus kaufen.   **er**
Wenn er genug Geld hat, wird er ein Haus kaufen.

Wenn sie genug Geld haben, werden sie ein Haus kaufen.   **er**
Wenn er genug Geld hat, wird er ein Haus kaufen.   **du**
Wenn du genug Geld hast, wirst du ein Haus kaufen.   **wir**
Wenn wir genug Geld haben, werden wir ein Haus kaufen.   **ihr**
Wenn ihr genug Geld habt, werdet ihr ein Haus kaufen.   **ich**
Wenn ich genug Geld habe, werde ich ein Haus kaufen.

D. Modal Auxiliaries

Dürfen

6 Repeat the following sentences:

Ich darf heute zum Baden gehen.
Du darfst heute zum Baden gehen.
Er darf heute zum Baden gehen.

Wir dürfen heute zum Baden gehen.
Ihr dürft heute zum Baden gehen.
Sie dürfen heute zum Baden gehen.

7 Substitute the new subject:

Wir dürfen heute zum Baden gehen.   **er**
Er darf heute zum Baden gehen.   **ihr**

Ihr dürft heute zum Baden gehen.   **die Kinder**
Die Kinder dürfen heute zum Baden gehen.   **du**
Du darfst heute zum Baden gehen.   **ich**
Ich darf heute zum Baden gehen.

Können

8   Repeat the following sentences:

Hoffentlich kann ich Kuchen kaufen.
Hoffentlich kannst du Saft kaufen.
Hoffentlich kann er Bier kaufen.

Hoffentlich können wir Brot kaufen.
Hoffentlich könnt ihr Marmelade kaufen.
Hoffentlich können sie Eis kaufen.

9   Substitute the new subject:

Ob er Kuchen kaufen kann?   **wir**
Ob wir Kuchen kaufen können?   **die Kinder**
Ob die Kinder Kuchen kaufen können?   **ich**
Ob ich Kuchen kaufen kann?   **ihr**
Ob ihr Kuchen kaufen könnt?   **du**
Ob du Kuchen kaufen kannst?

Mögen

10   Repeat the following sentences:

Ich mag solche Hüte nicht leiden.
Du magst solche Hüte nicht leiden.
Er mag solche Hüte nicht leiden.

Wir mögen solche Hüte nicht leiden.
Ihr mögt solche Hüte nicht leiden.
Sie mögen solche Hüte nicht leiden.

11   Substitute the new subject:

Wir mögen solche Hüte nicht leiden.   **er**
Er mag solche Hüte nicht leiden.   **ihr**
Ihr mögt solche Hüte nicht leiden.   **ich**
Ich mag solche Hüte nicht leiden.   **du**
Du magst solche Hüte nicht leiden.   **die Männer**
Die Männer mögen solche Hüte nicht leiden.

Müssen

12   Repeat the following sentences:

Ich muß heute wahrscheinlich Geige
üben.

Du mußt heute wahrscheinlich Geige
üben.

Er muß heute wahrscheinlich Geige
üben.
Wir müssen heute wahrscheinlich Geige
üben.

Ihr müßt heute wahrscheinlich Geige
üben.
Sie müssen heute wahrscheinlich Geige
üben.

13 Substitute the new subject:

Mußt du heute wieder Geige üben? **Heike**
Muß Heike heute wieder Geige üben? **wir**
Müssen wir heute wieder Geige üben? **ich**
Muß ich heute wieder Geige üben? **ihr**
Müßt ihr heute wieder Geige üben? **die Kinder**
Müssen die Kinder heute wieder Geige üben?

Sollen

14 Repeat the following sentences:

Ich soll das Brot auf den Tisch stellen.
Du sollst das Fleisch auf den Tisch
stellen.
Er soll die Marmelade auf den Tisch
stellen.

Wir sollen die Butter auf den Tisch
stellen.
Ihr sollt den Kaffee auf den Tisch stellen.
Sie sollen den Wein auf den Tisch stellen.

15 Substitute the new subject:

Ich soll die Decke auf den Tisch legen. **ihr**
Ihr sollt die Decke auf den Tisch legen. **du**
Du sollst die Decke auf den Tisch legen. **wir**
Wir sollen die Decke auf den Tisch legen. **Susi**
Susi soll die Decke auf den Tisch legen. **die Kinder**
Die Kinder sollen die Decke auf den Tisch legen.

Wollen

16 Repeat the following sentences:

Ich will es das nächste Mal besser
machen.
Du willst es das nächste Mal besser
machen.
Er will es das nächste Mal besser
machen.

Wir wollen es das nächste Mal besser
machen.
Ihr wollt es das nächste Mal besser
machen.
Sie wollen es das nächste Mal besser
machen.

17 Substitute the new subject:

Susi will es das nächste Mal besser machen. **die Kinder**
Die Kinder wollen es das nächste Mal besser machen. **du**

Du willst es das nächste Mal besser machen. **ihr**
Ihr wollt es das nächste Mal besser machen. **ich**
Ich will es das nächste Mal besser machen. **wir**
Wir wollen es das nächste Mal besser machen.

Modal auxiliaries mixed

18   Substitute the new subject or modal as indicated:

Ihr wollt heute nachmittag in die Stadt gehen. **du**
Du willst heute nachmittag in die Stadt gehen. **können**
Du kannst heute nachmittag in die Stadt gehen. **die Frauen**
Die Frauen können heute nachmittag in die Stadt gehen. **müssen**
Die Frauen müssen heute nachmittag in die Stadt gehen. **Inge**
Inge muß heute nachmittag in die Stadt gehen. **dürfen**
Inge darf heute nachmittag in die Stadt gehen. **ich**
Ich darf heute nachmittag in die Stadt gehen. **sollen**
Ich soll heute nachmittag in die Stadt gehen. **wir**
Wir sollen heute nachmittag in die Stadt gehen.

19   Form questions and negative answers with the new modal.

Example: Darfst du heute mitkommen?
Nein, ich darf nicht. **wollen**
Willst du heute mitkommen?
Nein, ich will nicht.

Magst du heute mitkommen?
Nein, ich mag nicht. **müssen**

Mußt du heute mitkommen?
Nein, ich muß nicht. **wollen**

Willst du heute mitkommen?
Nein, ich will nicht. **können**

Kannst du heute mitkommen?
Nein, ich kann nicht. **dürfen**

Darfst du heute mitkommen?
Nein, ich darf nicht. **sollen**

Sollst du heute mitkommen?
Nein, ich soll nicht. **mögen**

Magst du heute mitkommen?
Nein, ich mag nicht.

20   Form questions and positive answers with the new modal.

Example: Kann er das?
Ja, das kann er. **wollen**
Will er das?
Ja, das will er.

Mag er das?
Ja, das mag er. **müssen**

Muß er das?
Ja, das muß er. **dürfen**

Darf er das?
Ja, das darf er.   **sollen**

Kann er das?
Ja, das kann er.   **mögen**

Soll er das?
Ja, das soll er.   **wollen**

Mag er das?
Ja, das mag er.

Will er das?
Ja, das will er.   **können**

E. The Verb **wissen**

21   Repeat the following sentences:

Ich weiß es.
Du weißt es.
Er weiß es.

Wir wissen es.
Ihr wißt es.
Sie wissen es.

22   Substitute the new subject:

Ich weiß es nicht.   **ihr**
Ihr wißt es nicht.   **wir**
Wir wissen es nicht.   **du**

Du weißt es nicht.   **Lilo**
Lilo weiß es nicht.   **die Männer**
Die Männer wissen es nicht.

23   Substitute the new subject in the first clause:

Wir wissen nicht, wo die Kinder wohnen.   **Heike**
Heike weiß nicht, wo die Kinder wohnen.   **die Leute**
Die Leute wissen nicht, wo die Kinder wohnen.   **ich**
Ich weiß nicht, wo die Kinder wohnen.   **du**
Du weißt nicht, wo die Kinder wohnen.   **ihr**
Ihr wißt nicht, wo die Kinder wohnen.

24   Form questions and negative answers with the new subject.

Example: Weiß er es?
Nein, er weiß es nicht.   **Ilse**

Weiß Ilse es?
Nein, Ilse weiß es nicht.

Wissen wir es?
Nein, wir wissen es nicht.   **die Kinder**

Weißt du es?
Nein, du weißt es nicht.   **ich**

Wissen die Kinder es?
Nein, die Kinder wissen es nicht.   **ihr**

Weiß ich es?
Nein, ich weiß es nicht.   **Heike**

Wißt ihr es?
Nein, ihr wißt es nicht.   **du**

Weiß Heike es?
Nein, sie weiß es nicht.

F. Accusative/Dative Prepositions

An, auf, hinter, in, neben, über, unter, vor, zwischen

25 Repeat the following sentences. The accusative is used when motion toward a goal is expressed and the dative is used when the idea of location is expressed. Note the following contractions: **an** and **das** become **ans**; **an** and **dem** become **am**; **in** and **das** become **ins** and **in** and **dem** become **im**:

Er geht schnell ans Fenster.
Er steht jetzt am Fenster.

Er geht eilig auf das Podium.
Er steht jetzt auf dem Podium.

Er geht schnell hinter die Kiste.
Er steht jetzt hinter der Kiste.

Er geht schnell ins Zimmer.
Er ist jetzt im Zimmer.

Das Messer kommt neben den Teller.
Das Messer liegt neben dem Teller.

Die Decke kommt über den Tisch.
Die Decke liegt über dem Tisch.

Er läuft plötzlich unter das Fenster.
Er steht jetzt unter dem Fenster.

Er läuft plötzlich vor den Wagen.
Er steht jetzt vor dem Wagen.

Der Teller kommt zwischen das Messer und die Gabel.
Der Teller ist zwischen dem Messer und der Gabel.

Accusative case

26 Repeat the following sentences. Note that the accusative case is used with every preposition and that motion toward a goal is expressed in each sentence, thus answering the question **wohin?** *where . . . to?* or *whither?*

Susi geht ans Fenster.
Die Decke kommt auf den Tisch.
Der Löffel kommt hinter den Teller.
Der Vater kommt ins Zimmer.
Die Gabel kommt neben den Teller.
Die Suppe läuft über den Tisch.
Stelle die Kiste unter den Tisch!
Das Kind läuft vor den Milchwagen.
Der Teller kommt zwischen das Messer und die Gabel.
Die Teller kommen zwischen die Messer und die Gabeln.

27 Substitute the new preposition:

Es kommt auf den Tisch.　**hinter**
Es kommt hinter den Tisch.　**vor**
Es kommt vor den Tisch.　**neben**
Es kommt neben den Tisch.　**unter**
Es kommt unter den Tisch.　**über**
Es kommt über den Tisch.　**auf**
Es kommt auf den Tisch.

Der Löffel kommt nicht in die Schüssel.   **neben**
Der Löffel kommt nicht neben die Schüssel.   **unter**
Der Löffel kommt nicht unter die Schüssel.   **vor**
Der Löffel kommt nicht vor die Schüssel.   **hinter**
Der Löffel kommt nicht hinter die Schüssel.   **in**
Der Löffel kommt nicht in die Schüssel.

Er geht ans Podium.   **hinter**
Er geht hinter das Podium.   **vor**
Er geht vor das Podium   **neben**
Er geht neben das Podium.   **auf**
Er geht auf das Podium.   **an**
Er geht ans Podium.

Es kommt nicht hinter die Teller.   **unter**
Es kommt nicht unter die Teller.   **zwischen**
Es kommt nicht zwischen die Teller.   **auf**
Es kommt nicht auf die Teller.   **vor**
Es kommt nicht vor die Teller.   **neben**
Es kommt nicht neben die Teller.   **hinter**
Es kommt nicht hinter die Teller.   **in**
Es kommt nicht in die Teller.

28   Substitute the new noun or the new verb plus preposition.

Example: Er kommt an den Tisch.   **Podium**
Er kommt ans Podium.   **gehen auf**
Er geht auf das Podium.

Er geht an den Milchwagen.   **Zug**
Er geht an den Zug.   **kommen in**
Er kommt in den Zug.   **Haus**
Er kommt ins Haus.   **gehen vor**
Er geht vor das Haus.   **Podium**
Er geht vor das Podium.   **kommen auf**
Er kommt auf das Podium.   **Straße**
Er kommt auf die Straße.   **gehen über**
Er geht über die Straße.   **Platz**
Er geht über den Platz.   **laufen an**
Er läuft an den Platz.   **Laterne**
Er läuft an die Laterne.   **laufen unter**
Er läuft unter die Laterne.   **Tisch**
Er läuft unter den Tisch.   **gehen an**
Er geht an den Tisch.   **Fenster**
Er geht ans Fenster.   **kommen vor**
Er kommt vor das Fenster.   **Haus**
Er kommt vor das Haus.   **gehen in**

Er geht ins Haus.   **Post**
Er geht in die Post.   **gehen hinter**
Er geht hinter die Post.   **Schrank**
Er geht hinter den Schrank.   **gehen neben**
Er geht neben den Schrank.   **Stelle**
Er geht neben die Stelle.   **gehen an**
Er geht an die Stelle.   **Arbeit**
Er geht an die Arbeit.

29   Substitute the new element.

> *Example*:   Der Junge kommt auf diesen Platz.   **gehen über**
> Der Junge geht über diesen Platz.   **jene Straße**
> Der Junge geht über jene Straße.

Der Junge kommt auf die Straße.   **dieser Platz**
Der Junge kommt auf diesen Platz.   **gehen an**
Der Junge geht an diesen Platz.   **unser Wagen**
Der Junge geht an unsren Wagen.   **laufen hinter**
Der Junge läuft hinter unsren Wagen.   **jene Laterne**
Der Junge läuft hinter jene Laterne.   **laufen unter**
Der Junge läuft unter jene Laterne.   **euer Fenster**
Der Junge läuft unter euer Fenster.   **gehen an**
Der Junge geht an euer Fenster.   **der Platz**
Der Junge geht an den Platz.   **kommen über**
Der Junge kommt über den Platz.   **diese Straße**
Der Junge kommt über diese Straße.   **laufen in**
Der Junge läuft in diese Straße.   **unser Haus**
Der Junge läuft in unser Haus.   **gehen vor**
Der Junge geht vor unser Haus.   **dieses Podium**
Der Junge geht vor dieses Podium.   **kommen neben**
Der Junge kommt neben dieses Podium.

30   Substitute the new preposition or the pronoun object suggested by the cue.

> *Example*:   Der Tisch kommt zwischen uns.   **ihr**
> Der Tisch kommt zwischen euch.   **neben**
> Der Tisch kommt neben euch.   **die Studenten**
> Der Tisch kommt neben sie.

Der Tisch kommt neben mich.   **er**
Der Tisch kommt neben ihn.   **vor**
Der Tisch kommt vor ihn.   **du**
Der Tisch kommt vor dich.   **hinter**
Der Tisch kommt hinter dich.   **wir**
Der Tisch kommt hinter uns.   **zwischen**
Der Tisch kommt zwischen uns.   **die Studenten**

Der Tisch kommt zwischen sie.   **neben**
Der Tisch kommt neben sie.   **die Jungen**
Der Tisch kommt neben sie.   **zwischen**
Der Tisch kommt zwischen sie.   **ihr**
Der Tisch kommt zwischen euch.   **vor**
Der Tisch kommt vor euch.   **Rolf und Günther**
Der Tisch kommt vor sie.   **zwischen**
Der Tisch kommt zwischen sie.   **Ilse und Peter**
Der Tisch kommt zwischen sie.

31 Repeat the following sentences. Note that the accusative/dative prepositions govern the accusative when used in transferred situations that are less concrete than location:

Professor Wolf liest die ,,Einführung in die Jurisprudenz''.
Er denkt an den Unfall.
Fräulein Schneider glaubt nicht an jenen Menschen.
Wir warten auf seine Vorlesung.
Ich antworte auf die Frage.
Sie spricht über ihren Bruder.
Rolf lacht über das Gedicht.

32 Substitute the new noun or verbal phrase:

Er antwortet auf die Frage.   **denken an**
Er denkt an die Frage.   **Unfall**
Er denkt an den Unfall.   **sprechen über**
Er spricht über den Unfall.   **Vorlesung**
Er spricht über die Vorlesung.   **warten auf**
Er wartet auf die Vorlesung.   **Zeitung**
Er wartet auf die Zeitung.   **glauben an**
Er glaubt an die Zeitung.   **Quatsch**
Er glaubt an den Quatsch.   **sprechen über**
Er spricht über den Quatsch.   **Unfall**
Er spricht über den Unfall.   **lachen über**
Er lacht über den Unfall.   **Erzählungen**
Er lacht über die Erzählungen.   **denken an**
Er denkt an die Erzählungen.

Dative case

33 Repeat the following sentences. Note that the dative case is used with every preposition and that the idea of location is expressed in every sentence, thus answering the question **wo**? *where*? in the sense of *at what place*?

Susi sitzt am Tisch.
Das Fleisch steht auf dem Tisch.
Der Löffel liegt hinter dem Teller.

Die Suppe ist im Teller.
Die Gabel liegt neben der Schüssel.
Die Decke liegt über dem Tisch.
Der Schraubenzieher liegt unter dem Werkzeugkasten.
Der Vater steht vor dem Tisch.
Der Teller steht zwischen dem Messer und der Gabel.
Die Teller stehen zwischen den Messern und den Gabeln.

34   Substitute the new preposition:

Er sitzt am Tisch.   **auf**
Er sitzt auf dem Tisch.   **hinter**
Er sitzt hinter dem Tisch.   **neben**
Er sitzt neben dem Tisch.   **unter**
Er sitzt unter dem Tisch.   **vor**
Er sitzt vor dem Tisch.   **an**
Er sitzt am Tisch.

Der Löffel ist nicht in der Schüssel.   **unter**
Der Löffel ist nicht unter der Schüssel.   **hinter**
Der Löffel ist nicht hinter der Schüssel.   **vor**
Der Löffel ist nicht vor der Schüssel.   **neben**
Der Löffel ist nicht neben der Schüssel.   **in**
Der Löffel ist nicht in der Schüssel.

Sie steht am Podium.   **auf**
Sie steht auf dem Podium.   **vor**
Sie steht vor dem Podium.   **hinter**
Sie steht hinter dem Podium.   **neben**
Sie steht neben dem Podium.   **an**
Sie steht am Podium.

Es liegt nicht hinter den Kisten.   **in**
Es liegt nicht in den Kisten.   **unter**
Es liegt nicht unter den Kisten.   **zwischen**
Es liegt nicht zwischen den Kisten.   **vor**
Es liegt nicht vor den Kisten.   **neben**
Es liegt nicht neben den Kisten.   **auf**
Es liegt nicht auf den Kisten.   **hinter**
Es liegt nicht hinter den Kisten.

35   Substitute the new noun or verb plus preposition.

Example: Der Junge sitzt im Zimmer.   **Wagen**
Der Junge sitzt im Wagen.   **stehen neben**
Der Junge steht neben dem Wagen.

Er sitzt auf dem Tisch.   **stehen neben**
Er steht neben dem Tisch.   **Podium**
Er steht neben dem Podium.   **warten hinter**
Er wartet hinter dem Podium.   **Haus**
Er wartet hinter dem Haus.   **stehen vor**
Er steht vor dem Haus.   **Podium**
Er steht vor dem Podium.   **sitzen auf**
Er sitzt auf dem Podium.   **Kiste**
Er sitzt auf der Kiste.   **stehen an**
Er steht an der Kiste.   **Post**
Er steht an der Post.   **stehen in**
Er steht in der Post.   **Wagen**
Er steht im Wagen.   **liegen unter**
Er liegt unter dem Wagen.   **Laterne**
Er liegt unter der Laterne.

36   Substitute the new element.

   Example: Das Mädchen sitzt unter jenem Fenster.   **wohnen hinter**
   Das Mädchen wohnt hinter jenem Fenster.   **unser Haus**
   Das Mädchen wohnt hinter unsrem Haus.

Das Mädchen sitzt auf deinem Platz.   **stehen hinter**
Das Mädchen steht hinter deinem Platz.   **dieses Podium**
Das Mädchen steht hinter diesem Podium.   **sitzen auf**
Das Mädchen sitzt auf diesem Podium.   **jener Tisch**
Das Mädchen sitzt auf jenem Tisch.   **stehen neben**
Das Mädchen steht neben jenem Tisch.   **ihr Fenster**
Das Mädchen steht neben ihrem Fenster.   **sitzen vor**
Das Mädchen sitzt vor ihrem Fenster.   **unser Wagen**
Das Mädchen sitzt vor unsrem Wagen.   **sitzen in**
Das Mädchen sitzt in unsrem Wagen.   **der Zug**
Das Mädchen sitzt im Zug.   **stehen an**
Das Mädchen steht am Zug.   **der Schillerplatz**
Das Mädchen steht am Schillerplatz.   **stehen auf**
Das Mädchen steht auf dem Schillerplatz.   **die Straße**
Das Mädchen steht auf der Straße.   **stehen an**
Das Mädchen steht an der Straße.   **die Laterne**
Das Mädchen steht an der Laterne.   **sitzen unter**
Das Mädchen sitzt unter der Laterne.   **der Tisch**
Das Mädchen sitzt unter dem Tisch.   **stehen auf**
Das Mädchen steht auf dem Tisch.   **der Kopf**
Das Mädchen steht auf dem Kopf.

37 Substitute the new prepositions and the pronoun objects that agree with the cue.

> *Example*: Er steht neben dir. **wir**
> Er steht neben uns. **zwischen**
> Er steht zwischen uns. **die Kinder**
> Er steht zwischen ihnen.

Der Fahrer sitzt neben mir. **er**
Der Fahrer sitzt neben ihm. **vor**
Der Fahrer sitzt vor ihm. **ihr**
Der Fahrer sitzt vor euch. **hinter**
Der Fahrer sitzt hinter euch. **Ilse**
Der Fahrer sitzt hinter ihr. **vor**
Der Fahrer sitzt vor ihr. **du**
Der Fahrer sitzt vor dir. **hinter**
Der Fahrer sitzt hinter dir. **ich**
Der Fahrer sitzt hinter mir. **neben**
Der Fahrer sitzt neben mir. **wir**
Der Fahrer sitzt neben uns. **zwischen**
Der Fahrer sitzt zwischen uns. **die Studenten**
Der Fahrer sitzt zwischen ihnen. **vor**
Der Fahrer sitzt vor ihnen. **die Leute**
Der Fahrer sitzt vor ihnen.

Dative and accusative cases mixed

38 Substitute the new verbal phrase:

Der Junge kommt an unsren Wagen. **stehen neben**
Der Junge steht neben unsrem Wagen. **kommen in**
Der Junge kommt in unsren Wagen. **sitzen in**
Der Junge sitzt in unsrem Wagen. **sitzen vor**
Der Junge sitzt vor unsrem Wagen. **gehen hinter**
Der Junge geht hinter unsren Wagen. **stehen hinter**
Der Junge steht hinter unsrem Wagen. **laufen vor**
Der Junge läuft vor unsren Wagen. **stehen vor**
Der Junge steht vor unsrem Wagen. **sitzen auf**
Der Junge sitzt auf unsrem Wagen.

39 Substitute the new element:

Der Junge geht an den Tisch. **Podium**
Der Junge geht ans Podium. **sitzen auf**
Der Junge sitzt auf dem Podium. **Straße**
Der Junge sitzt auf der Straße. **laufen über**
Der Junge läuft über die Straße. **Schillerplatz**

Der Junge läuft über den Schillerplatz.   **stehen vor**
Der Junge steht vor dem Schillerplatz.   **Podium**
Der Junge steht vor dem Podium.   **gehen hinter**
Der Junge geht hinter das Podium.   **Wagen**
Der Junge geht hinter den Wagen.   **sitzen unter**
Der Junge sitzt unter dem Wagen.   **Laterne**
Der Junge sitzt unter der Laterne.   **gehen an**
Der Junge geht an die Laterne.

Der Junge kommt an diesen Tisch.   **Podium**
Der Junge kommt an dieses Podium.   **sitzen auf**
Der Junge sitzt auf diesem Podium.   **Decke**
Der Junge sitzt auf dieser Decke.   **laufen über**
Der Junge läuft über diese Decke.   **Platz**
Der Junge läuft über diesen Platz.   **stehen hinter**
Der Junge steht hinter diesem Platz.   **Podium**
Der Junge steht hinter diesem Podium.   **gehen vor**
Der Junge geht vor dieses Podium.   **Fenster**
Der Junge geht vor dieses Fenster.   **sitzen vor**
Der Junge sitzt vor diesem Fenster.   **Tisch**
Der Junge sitzt vor diesem Tisch.   **stehen neben**
Der Junge steht neben diesem Tisch.   **Wagen**
Der Junge steht neben diesem Wagen.   **sitzen in**
Der Junge sitzt in diesem Wagen.   **Bahn**
Der Junge sitzt in dieser Bahn.

40   Substitute the new element:

Der Teller steht zwischen dem Messer und der Gabel.   **kommen**
Der Teller kommt zwischen das Messer und die Gabel.   **Löffel und Gabel**
Der Teller kommt zwischen den Löffel und die Gabel.   **stehen**
Der Teller steht zwischen dem Löffel und der Gabel.   **Löffel und Messer**
Der Teller steht zwischen dem Löffel und dem Messer.   **kommen**
Der Teller kommt zwischen den Löffel und das Messer.   **Messer und Gabel**
Der Teller kommt zwischen das Messer und die Gabel.   **stehen**
Der Teller steht zwischen dem Messer und der Gabel.

41   Substitute the new verb, preposition or plural noun subject:

Die Löffel kommen nicht hinter die Teller.   **liegen**
Die Löffel liegen nicht hinter den Tellern.   **vor**
Die Löffel liegen nicht vor den Tellern.   **die Messer**
Die Messer liegen nicht vor den Tellern.   **kommen**
Die Messer kommen nicht vor die Teller.   **unter**
Die Messer kommen nicht unter die Teller.   **die Löffel**

Die Löffel kommen nicht unter die Teller.   **liegen**
Die Löffel liegen nicht unter den Tellern.   **neben**
Die Löffel liegen nicht neben den Tellern.   **die Messer**
Die Messer liegen nicht neben den Tellern.   **kommen**
Die Messer kommen nicht neben die Teller.   **in**
Die Messer kommen nicht in die Teller.   **die Gabeln**
Die Gabeln kommen nicht in die Teller.   **liegen**
Die Gabeln liegen nicht in den Tellern.   **hinter**
Die Gabeln liegen nicht hinter den Tellern.   **die Messer**
Die Messer liegen nicht hinter den Tellern.   **kommen**
Die Messer kommen nicht hinter die Teller.   **auf**
Die Messer kommen nicht auf die Teller.   **die Gabeln**
Die Gabeln kommen nicht auf die Teller.   **liegen**
Die Gabeln liegen nicht auf den Tellern.

G. **Wo-** and **da-**Compounds

Wo–compounds

42   Form questions with **wo**–compounds. A connecting **–r–** is used if the preposition begins with a vowel.

> *Example*:   Er fragt nach der Zeitung.
> Wonach fragt er?
>
> Er denkt an den Unfall.
> Woran denkt er?

Sie sitzen auf der Kiste.
Worauf sitzen sie?

Es kommt vom Geschäft.
Wovon kommt es?

Er macht es mit dem Schraubenzieher.
Womit macht er es?

Es liegt im Kasten.
Worin liegt es?

Er spricht über das Gedicht.
Worüber spricht er?

Sie warten auf den Milchwagen.
Worauf warten sie?

Sie glaubt an das Sprichwort.
Woran glaubt sie?

Da–compounds

43   Replace the object of the preposition with **da**, prefixing it to the preposition. A connecting **–r–** is used if the preposition begins with a vowel.

> *Example*:   Er fragt nach dem Schillerplatz.
> Er fragt danach.
>
> Er denkt an den Frühling.
> Er denkt daran.

Er steht neben der Laterne.
Er steht daneben.

Er ist bei der Arbeit.
Er ist dabei.

Sie sitzt vor ihrem Haus.
Sie sitzt davor.

Es liegt im Werkzeugkasten.
Es liegt darin.

Wir laufen über den Schillerplatz.
Wir laufen darüber.

Kommst du endlich mit dem Werkzeug?
Kommst du endlich damit?

Warten Sie auch auf die Vorlesung?
Warten Sie auch darauf?

Er glaubt nicht an das Sprichwort.
Er glaubt nicht daran.

44 Replace the subject with a pronoun and the object of the preposition with **da**.

Example: Der Mann steht hinter dem Haus.
Er steht dahinter.

Das Kind sitzt neben der Kiste.
Es sitzt daneben.

Das Buch liegt unter dem Tisch.
Es liegt darunter.

Ist dieses Geld für Bücher?
Ist es dafür?

Hans läuft gegen die Kisten.
Er läuft dagegen.

Die Studentin sitzt zwischen dem Tisch
und dem Podium.
Sie sitzt dazwischen.

Die Studenten sitzen nicht auf den
Tischen.
Sie sitzen nicht darauf.

Die Kinder sitzen noch am Mittagstisch.
Sie sitzen noch daran.

H. **Wo**, **wohin** and **woher**

45 Form questions with **woher?** and **wohin?**

Example: Er kommt aus der Vorlesung.
Woher kommt er?

Er geht in die Stadt.
Wohin geht er?

Sie laufen zum Wagen.
Wohin laufen sie?

Sie kommen vom Schillerplatz.
Woher kommen sie?

Er fährt nach München.
Wohin fährt er?

Er schickt das Paket nach Amerika.
Wohin schickt er das Paket?

Er kommt von der Bahn.
Woher kommt er?

46 Form questions with **wo?**, **wohin?** and **woher?**

> *Example*:   Es liegt im Werkzeugkasten.
> Wo liegt es?
>
> Er geht jetzt ins Zimmer.
> Wohin geht er jetzt?
>
> Sie kommen wahrscheinlich aus Hamburg.
> Woher kommen sie wahrscheinlich?

Die Leute warten an der Ecke.
Wo warten die Leute?

Mutti schickt Susi zum Milchmann.
Wohin schickt Mutti Susi?

Der Kuchen steht auf dem Tisch.
Wo steht der Kuchen?

Peter holt das Paket aus dem Wagen.
Woher holt Peter das Paket?

Der Student legt das Buch in den
Schrank.
Wohin legt der Student das Buch?

Fräulein Schneider wohnt am Schillerplatz.
Wo wohnt Fräulein Schneider?

Professor Wolf geht in den
Vorlesungsraum.
Wohin geht Professor Wolf?

Mutter nimmt die Teller aus dem
Schrank.
Woher nimmt Mutter die Teller?

Die Kinder sind auf der Straße.
Wo sind die Kinder?

Vater und Mutter bleiben zu Hause.
Wo bleiben Vater und Mutter?

Die Leute fahren jetzt nach Hause.
Wohin fahren die Leute jetzt?

Vater arbeitet in der Stadt.
Wo arbeitet Vater?

I. Questions and Answers

Part 1

Wie kann Susi ihrer Mutter helfen?
Sie kann den Mittagstisch decken.

Wird Susi aufpassen?
Ja, sie wird aufpassen.

Was sagt sie?
Sie sagt, sie wird schon vorsichtig sein.

Was kommt zuerst auf den Tisch?
Die Decke kommt zuerst auf den Tisch.

Und was kommt dann auf den Tisch?
Die Teller kommen dann auf den Tisch.

Wohin kommen die Löffel?
Sie kommen hinter den Teller.

Was kommt neben den Teller?
Das Messer und die Gabel kommen neben den Teller.

Was wird Susis Mutter gleich tun?
Sie wird gleich die Suppe in die Schüssel füllen.

Part 2

Was fragt Susis Vater?
Er fragt, was mit dem Tisch los ist.

Was antwortet Susi?
Sie antwortet, daß alles, außer der Suppenschüssel, von ihr gedeckt ist.

Wird es bald besser?
Ja, es wird bald besser.

Wo stehen die Teller?
Sie stehen zwischen dem Messer und der Gabel.

Wo muß das Messer liegen?
Es muß rechts vom Teller liegen.

Und wo muß die Gabel liegen?
Sie muß links vom Teller liegen.

Wo liegen die Löffel?
Sie liegen hinter dem Teller.

Wie will Susi es das nächste Mal machen?
Sie will es das nächste Mal besser machen.

IV. Writing Practice

A. Word Copying

1   Watch the consonant clusters carefully as you copy the words in boldface:

Der **Milchwagen rutscht.**
Sie hat noch den **Angstschweiß** auf der **Stirn.**
Dies ist eine ganz **schlechte, rutschige Straße.**
Quatsch, rücksichtslos!
Täuschst du dich auch nicht?
Seit dem **zweiundzwanzigsten** August **zwölf** Unfälle . . .

2 Generally speaking, a vowel is short if it is followed by two or more consonants other than **h**. Remember that **ch** is unpredictable, and **ss** between vowels is assurance that the foregoing vowel is short. Copy the words in which the short vowels are in boldface:

Klar, das m**a**cht d**o**ch n**i**chts.
Der M**i**lchmann **i**st best**i**mmt vers**i**chert.
Es **i**st n**i**cht **a**llzu schl**i**mm.
Die Frau hat eine Pl**a**tzwunde am K**o**pf.

Dies **i**st eine g**a**nz schl**e**chte, r**u**tschige Straße.
Wir m**ü**ssen ihr h**e**lfen.

B. Copy the Fourth Dialog

V. Word Study

A. Translation of Dialog

Susi deckt den Mittagstisch
Susi Sets the Dinner Table

decken set (the table); cover · **der Mittagstisch   der Mittag + der Tisch**, *pl.* **die Tische** table   *The noon meal is the big meal of the day in a German family.*

(Susi, Mutter und Vater)
(Susi, Mother and Father)

Part 1

1 Kann ich dir etwas helfen, Mutti?
Can I help you a little, Mommy?

können: ich kann, du kannst, er kann can · **etwas** some; something · **dir . . . helfen   helfen** *governs the dative*

2 Gern, mein Kind, magst du den Tisch decken?
Why yes, my child. Do you want to set the table?

gern gladly, with pleasure · **mögen: ich mag, du magst, er mag** like; want

3 Den Mittagstisch? Oh ja, das ist fein.
The dinner table? Oh yes. That's fine.

4 Aber wirst du auch aufpassen? Es darf nichts kaputtgehen.
But are you also going to be careful? Nothing must get broken.

werden *future auxiliary*: **du wirst, er wird** · **aufpassen: du paßt auf, er paßt auf** be careful · **dürfen: ich darf, du darfst, er darf** may, must · **kaputtgehen (es geht kaputt** it gets broken)   **kaputt** broken; spoiled; out of order + **gehen**

5 Ich werde schon vorsichtig sein.
I'll be careful, all right.

6 Also, zuerst die Decke auf den Tisch und dann die Teller.
Well then, first the tablecloth on the table and then the plates.

die **Decke**, *pl.* die **Decken** tablecloth; blanket; ceiling • der **Teller**, *pl.* die **Teller**

7 Soll ich den Löffel neben oder hinter den Teller legen, Mutti?
Am I supposed to put the spoon beside or behind the plate, Mommy?

sollen: ich **soll**, du **sollst**, er **soll** • der **Löffel**, *pl.* die **Löffel** • **legen** put, lay, place

8 Der Löffel kommt hinter den Teller, das Messer und die Gabel kommen neben den Teller.
The spoon goes behind the plate, the knife and fork go beside the plate.

kommen come; *but here*: go • das **Messer**, *pl.* die **Messer** • die **Gabel**, *pl.* die **Gabeln**

9 Dann kann ich die Teller ebensogut zwischen die Messer und die Gabeln stellen?
Then can I just put the plates between the knives and forks?

ebensogut just as well

10 Meinetwegen, du Schlaukopf! Aber ich werde die Suppe in die Schüssel füllen.
That's all right, smarty pants! But I'll put the soup in the tureen.

meinetwegen as far as I'm concerned; for all I care • die **Schüssel**, *pl.* die **Schüsseln** bowl; tureen • **füllen** put; fill; stuff

Part 2

11 Was ist denn heute mit dem Tisch los?
What's the matter with the table today, anyway?

12 Außer der Suppenschüssel ist alles andere von mir gedeckt. Prima, was?
I put everything except the soup tureen on the table. Great, huh?

außer except   **außerdem** besides, moreover • **alles** all, everything • **decken** (**gedeckt** *pp. used as an adjective*) set; cover • **prima** first-class

13 Du bist mir eine schöne Wirtin! Aber es wird wohl bald besser.
You're some hostess! But I'm sure it'll soon get better.

du bist mir *literally*: you are for me • die **Wirtin**, *pl.* die **Wirtinnen**   der **Wirt**, *pl.* die **Wirte** innkeeper • **werden** (*here not the future auxiliary*) get, become • **wohl** indeed, to be sure, I'm sure • **bald** soon

14 Wieso besser? Die Teller stehen zwischen dem Messer und der Gabel.
What do you mean better? The plates are between the knife and the fork.

wieso? how so?

15 Gut, aber das Messer muß rechts und die
Gabel muß links vom Teller liegen.
Fine, but the knife must be to the right and
the fork to the left of the plate.

müssen: ich muß, du mußt, er muß · liegen be; lie; be situated

16 Liegen denn wenigstens die Löffel richtig?
Well, are the spoons at least O.K.?

wenigstens at least · **richtig** right

17 Ja, hinter dem Teller, das stimmt.
Yes, behind the plate; that's right.

18 Und wir sitzen hungrig vor unseren Tellern!
And we're sitting hungry in front of our plates.

19 Dann wollen wir also essen. Guten Appetit!
Well then, let's eat. I hope you enjoy it.

essen: du ißt, er ißt · der Appetit appetite **guten Appetit** good appetite *Germans usually wish each other a good appetite before starting to eat.*

20 Danke, Paps. Das nächste Mal will ich es
besser machen.
Thanks, Pop. Next time I intend to do it
better.

nah (das nächste next; nearest *superlative*) near · **wollen: ich will, du willst, er will** intend to, want to, be about to

Supplement

1 Die Mutter stellt das gebratene Fleisch, den
Kuchen und den Kaffee auf den Tisch.
The mother puts the roast meat, the cake and
the coffee on the table.

braten: du brätst, er brät (gebratene *pp. used as an adjective*) roast; bake; fry · **der Kuchen,** *pl.* **die Kuchen**

2 Der Vater stellt das kalte Bier, den Wein und
den Saft auf den Tisch.
The father puts the cold beer, the wine and
the juice on the table.

das Bier, *pl.* **die Biere · der Wein,** *pl.* **die Weine · der Saft,** *pl.* **die Säfte**

3 Susi stellt das frische Brot, die Butter und
die Marmelade auf den Tisch.
Susi puts the fresh bread, the butter and the
jam on the table.

das Brot

4 Woraus kommt der Schrank?
What does the cabinet come out of?

5 Er kommt aus der Kiste.
It comes out of the box.

6 Er kommt daraus.
It comes out of it.

7 Womit baut Gerhard ihn zusammen?
With what does Gerhard put it together?

8 Er baut ihn mit dem Schraubenzieher
zusammen.
He puts it together with the screwdriver.

9 Er baut ihn damit zusammen.
He puts it together with it.

10 Wonach fragt der Mann?
What is the man asking about?

11 Er fragt nach der Zeitung.
He is asking about the newspaper.

12 Er fragt danach.
He is asking about it.

13 Worüber sprechen die Kinder?
What are the children talking about?

14 Sie sprechen über den Unfall.
They are talking about the accident.

15 Sie sprechen darüber.
They are talking about it.

16 Worauf sitzt der Junge?
What is the boy sitting on?

17 Er sitzt auf der Kiste.
He is sitting on the box.

18 Er sitzt darauf.
He is sitting on it.

19 Woran glaubt die Studentin?
What does the student believe in?

20 Sie glaubt an das Sprichwort.
She believes in the proverb.

21 Sie glaubt daran.
She believes in it.

22 Worauf warten die Studenten?
What are the students waiting for?

23 Sie warten auf die Vorlesung.
They are waiting for the lecture.

24 Sie warten darauf.
They are waiting for it.

B. Word Formation

Compound nouns

> **der Mittag** noon + **der Tisch** table = **der Mittagstisch** dinner table
> **die Suppe** soup + **die Schüssel** bowl = **die Suppenschüssel** soup bowl, tureen

Adjective/adverb suffix –lich

The suffix **–lich** is added to nouns to make adjective/adverbs. These often correspond to English words ending in –*al*, –*ly*, –*like*, –*ous*. Sometimes the meaning is *typical of*. The stem vowel of the noun is usually umlauted. Some words of this type you have had are: **endlich, nämlich, natürlich, tatsächlich.**

> **das Ende** end + **–lich** = **endlich** final(ly)
> **der Name** name + **–lich** = **nämlich** namely; you see
> **die Natur** nature + **–lich** = **natürlich** natural(ly)
> **die Tatsache** fact + **–lich** = **tatsächlich** factual(ly); actual(ly)

You will encounter a great many more adjective/adverbs of this type and you will be expected to recognize their meanings. With the nouns you already know, for example, you should be able to recognize the following without difficulty:

der Abend	abendlich	evening; of or in the evening
die Angst	ängstlich	anxious; uneasy; timid
die Form	förmlich	formal; ceremonial
der Freund	freundlich	friendly
das Geschäft	geschäftlich	commercial; on business
das Glück	glücklich	lucky; happy
der Gott	göttlich	divine, godlike
das Haus	häuslich	domestic
das Jahr	jährlich	yearly, annual
das Kind	kindlich	childlike
der Mann	männlich	male, manly
der Mensch	menschlich	human, humane
der Monat	monatlich	monthly
die Mutter	mütterlich	motherly
die Nacht	nächtlich	nightly; at night
die Stunde	stündlich	hourly; every hour
der Tag	täglich	daily; every day
der Unterschied	unterschiedlich	different
der Vater	väterlich	fatherly
die Woche	wöchentlich*	weekly; every week
das Wort	wörtlich	literal, verbal

* Note the addition of an internal –nt–.

C. Singular and Plural of Nouns

Change the noun subject to the plural:

Der Tisch ist schon gedeckt.
Die Tische sind schon gedeckt.

Die Decke liegt wahrscheinlich im Schrank.
Die Decken liegen wahrscheinlich im Schrank.

Der Teller steht auf dem Tisch.
Die Teller stehen auf dem Tisch.

Der Kuchen ist schon auf dem Tisch.
Die Kuchen sind schon auf dem Tisch.

Der Löffel liegt hinter der Schüssel.
Die Löffel liegen hinter der Schüssel.

Das Messer muß rechts vom Teller liegen.
Die Messer müssen rechts vom Teller liegen.

Die Gabel muß links vom Teller liegen.
Die Gabeln müssen links vom Teller liegen.

Die Schüssel geht plötzlich kaputt.
Die Schüsseln gehen plötzlich kaputt.

Die Wirtin ist sehr tüchtig.
Die Wirtinnen sind sehr tüchtig.

Der Wirt hat immer viel zu tun.
Die Wirte haben immer viel zu tun.

VI. Grammar

A. The Dependent Infinitive

A dependent infinitive is often used in English with a finite form of a verb: *I begin to study. I can go. I see him come.* Most verbs require *to* before a dependent infinitive, but some very common ones do not. The same is true in German, and the use or omission of **zu** with a dependent infinitive is quite similar to the use or omission of *to* in English.

The dependent infinitive with zu

Most verbs which can be used with a dependent infinitive require **zu**:

1 Du brauchst gar nicht zu spotten.
You really don't have to be sarcastic.

2 Man braucht nur zu fragen.
One only has to ask.

3 Sie beginnt zu studieren.
She begins to study.

4 Ich bitte dich abzuwarten.
Please wait and see.

► **Brauchen** with an infinitive is used only in negative sentences or with **nur** (1–2).

► If the infinitive has a separable prefix, the **zu** is placed between the prefix and the verb (4).

The dependent infinitive without zu

A dependent infinitive is used without **zu** as follows:

With the present tense of **werden** to form the *future tense*

With the *modal auxiliaries*

With a few *other verbs* such as **sehen**, **helfen**, **lassen** and **lernen**

The rules for the position of the finite verb and the infinitive were explained in the grammar of Unit 4:

Questions that can be answered by *yes* or *no*: finite verb first, infinitive last.

Independent statements: finite verb second, infinitive last.

Dependent clauses: finite verb last with the infinitive immediately preceding it.

The future tense

The present tense of the auxiliary verb **werden** is used with a dependent infinitive to form the future tense:

1 Wirst du auch aufpassen?
Will you also be careful?

2 Ich werde die Suppe in die Schüssel füllen.
I'll put the soup in the tureen (bowl).

3 Wann wird er nach Berlin fahren?
When is he going to drive to Berlin?

4 Susi sagt, daß sie vorsichtig sein wird.
Susi says that she'll be careful.

► **Zu** is not used before the dependent infinitive when **werden** is used to form the future tense. This is like the use of *shall* and *will* without *to* as future auxiliaries in English.

The future tense is used less commonly in German than in English. In German the present tense forms are frequently used instead, particularly if an adverb of time points to the future.

Ich gehe gegen fünf zum Baden.
I am going swimming about five.

Caution: **Werden** is also an independent intransitive verb meaning *become, get*:

Es wird jetzt besser.
It's becoming (getting) better now.

Modal auxiliaries

1 Es darf nichts kaputtgehen.
Nothing must get broken.

2 Kann ich dir etwas helfen?
Can I help you a little?

3 Magst du den Tisch decken?
Do you want to set the table?

4 Du mußt aber aufpassen.
But you must be careful.

5 Soll ich den Löffel hinter den Teller legen?
Am I supposed to put the spoon behind the plate?

6 Ich will es besser machen.
I want to do it better.

Such verbs as *can, could, may, might, must, shall, should, will, would* are modal auxiliaries; that is, they indicate whether the action expressed by the infinitive which follows is possible, permissible, necessary, etc. *Shall* and *will* in English are also used as tense auxiliaries in the formation of the future tense. They are less commonly used in modern English as modals: *Thou shalt not kill. Will you do this for me?*

The modals in English are defective; they have no infinitives, no participles and in some instances no past tenses. The missing forms have to be paraphrased. For example, *can* has only a present and a simple past tense. *Be able to* is used for the other tenses: *I can* (*am able to*), *I could* (*was able to*), *I have been able to, I had been able to, I will be able to, I will have been able to.* Speakers of German have difficulty in realizing that *must*, for instance, has no infinitive and no past tenses: *have to: I must, I had to,* etc. The German modals have infinitives and a complete set of forms, just like other verbs. They are listed below with their approximate English equivalents.

dürfen be allowed to, may (idea of permission; in the negative, must not or cannot)

Darf ich gehen? | May (can) I go?
Du darfst nicht lachen. | You mustn't laugh. (You are not permitted to laugh.)

können be able to, can (idea of ability, possibility, permission)

Heike kann Geige spielen. | Heike can play the violin.
Er kann viel helfen. | He can (is able to) help a lot.
Du kannst Eis kaufen. | You may buy some ice cream.

mögen want to; like to; like (idea of inclination; possibility; mainly used in the negative and also in the subjunctive)

Magst du den Tisch decken? | Do you want to set the table?
Ich mag das nicht. | I don't like that.
Das möchte ich auch. | I'd like to do that, too.
Das mag sein. | That may be.

müssen be obliged to, must, have to (idea of necessity)

Ich muß Geige üben. | I must (have to) practice violin.
Er muß heute nicht arbeiten. | He doesn't have to work today.

sollen be to; be supposed to; be said to (idea of obligation, reputation)

Er soll es heute tun.	He is to do it today.
Soll ich mitgehen?	Am I supposed to (should I) go along?
Er soll langweilig sein.	He is said to be boring.

wollen want to; be about to; intend to; claim to (idea of desire, intention, assertion)

Er will Saft kaufen.	He wants to (is about to) buy some juice.
Ich will es besser machen.	I intend to do it better.
Er will es immer besser wissen.	He always claims to know more about it.

► As shown by the examples, there is considerable overlapping of meanings among the modals in both English and German.

► Just as the genuine modal auxiliaries in English (*can, may, must,* etc.) are followed by a dependent infinitive without *to,* the German modal auxiliaries are followed by an infinitive without **zu.**

Conjugation of the modals in the *present tense:*

	dürfen	**können**	**mögen**	**müssen**	**sollen**	**wollen**
ich	darf	kann	mag	muß	soll	will
du	darfst	kannst	magst	mußt	sollst	willst
er, sie, es	darf	kann	mag	muß	soll	will
wir	dürfen	können	mögen	müssen	sollen	wollen
ihr	dürft	könnt	mögt	müßt	sollt	wollt
sie, Sie	dürfen	können	mögen	müssen	sollen	wollen

► Except for **sollen** the stem vowels of the singular forms of the modals differ from those of the infinitive. All of the modals lack a personal ending in the **ich** and **er** forms.

As in English, modal auxiliaries may also be used without a dependent infinitive, but, unlike English, an object is required.

1	Kann er es (das) tun?	2	Kann er uns finden?
	Can he do it?		Can he find us?
	Ja, er kann es.		Ja, er kann es.
	Ja, er kann das.		Ja, das kann er.
	Yes, he can.		Yes, he can.

Unlike English, some of the modals, especially **können** and **mögen,** can have independent *meaning.*

1	Er kann Deutsch.	2	Sie mag ihn nicht.
	He knows German.		She doesn't like him.

Other verbs

Some other verbs which take a dependent infinitive without **zu**:

sehen

> Ich sehe dich auf dem Podium stehen.
> I see you standing on the stage.

helfen

> Susi hilft Mutti den Tisch decken.
> Susi helps Mom set the table.

lassen

> Fräulein Schneider läßt immer ihre Bücher herumliegen.
> Miss Schneider always leaves her books lying around.

lernen

> Lilo lernt Ilses Mann endlich kennen.
> Lilo finally meets Ilse's husband.

▶ The present participle is often used in English where German requires the infinitive.

B. The Verb **wissen**

The stem vowel changes from **i** to **ei** in all present tense singular forms. Also, like the modal auxiliaries, it does not have an ending in the **ich** and **er** forms.

ich weiß	wir wissen
du weißt	ihr wißt
er, sie, es weiß	sie, Sie wissen

Wissen means *know* in the sense of knowing a fact. **Kennen** means *know* in the sense of being acquainted with people or being familiar with places or things.

1 Ich weiß es einfach nicht.
I simply don't know.

2 Ich weiß, daß aller Anfang schwer ist.
I know that the first step is the hardest.

3 Ich kenne jenen Professor sehr gut.
I know that professor very well.

4 Ich kenne München nicht sehr gut.
I don't know Munich very well.

5 Ich kenne die Erzählung nicht.
I am not familiar with the story.

▶ **Wissen** is usually used with a direct object (1) or a dependent clause (2).

C. Accusative/Dative Prepositions

The following prepositions may govern either the accusative or the dative case, depending upon whether direction toward a place or location is expressed. The accusative is used when the verb in combination with the preposition expresses motion toward a place. It answers the question **wohin?** *where . . . to?*

The dative is used when the verb in combination with the preposition states the location of a thing or action, or when it expresses motion within a place. It answers the question **wo?** *where?* When used in expressions of time after the prepositions **an**, **in**, **vor** and **zwischen**, it answers the question **wann?** *when?*

an to; at (*location*) ▪ in; on (*temporal*)

Wohin geht sie?	Sie geht **ans (an das)** Fenster.	She is going *to* the window.
Wo ist sie?	Sie ist **am (an dem)** Fenster.	She is *at* the window.
Wann kommt er?	Er kommt **am (an dem)** Nachmittag.	He is coming *in* the afternoon.
Wann fährt er ab?	Er fährt **am (an dem)** Mittwoch ab.	He is leaving *on* Wednesday.

auf on; onto; upon; on top of

Wohin kommt die Decke?	Sie kommt **auf** den Tisch.	It goes *on* (*upon*) the table.
Wohin geht er?	Er geht **auf** das Podium.	He goes *onto* the stage.
Wo liegt die Decke?	Sie liegt **auf** dem Tisch.	It is lying *on* the table.
Wo steht er?	Er steht **auf** dem Podium.	He is standing *on* the stage.
Wo ist der Schraubenzieher?	Er liegt **auf** der Kiste.	It is *on top of* the crate.

hinter behind

Wohin geht Hans?	Er geht **hinter** das Haus.	He is going *behind* the house.
Wo steht er?	Er steht **hinter** dem Haus.	He is standing *behind* the house.

in in; into (*location*) ▪ during; at; in (*temporal*)

Wohin geht er?	Er geht **in** die Stadt.	He is going *into* the city.
Wo ist er?	Er ist **im (in dem)** Vorlesungsraum.	He is *in* the lecture hall.
Wann kommt er?	Er kommt **in** der Nacht.	He is coming *at* (*during the*) night.
	Er kommt **im** Januar an.	He is arriving *in* January.
	Er kommt **im** Herbst von Berlin.	He is coming from Berlin *in* the fall.
	Er kommt bestimmt **in** diesem Jahr.	He will definitely be coming this year.
	Er kommt bestimmt **in** diesem Monat.	He will definitely be coming this month.
	Er kommt bestimmt **in** dieser Woche.	He is definitely coming this week.

neben beside, to the side of, at the side of

Wohin legt sie das Messer?	Sie legt das Messer **neben** den Teller.	She puts (lays) the knife *beside* the plate.
Wo liegt das Messer?	Das Messer liegt **neben** dem Teller.	The knife is (lying) *beside* the plate.

über over; above; across; about

Wohin kommt die Laterne?	Sie kommt **über** die Kreuzung.	It goes *over* (*above*) the intersection.
Wohin laufen die Jungen?	Sie laufen **über** den Platz.	They are running *across* the square.
Wo ist die Laterne?	Sie ist **über** der Kreuzung.	It is *over* (*above*) the intersection.
Worüber spricht er?	Er spricht **über** das Gedicht.	He is talking *about* the poem.

unter under, below; among, between; into

Wohin läuft das Kind?	Es läuft **unter** den Tisch.	It is running *under* the table.
	Es läuft **unter** die Leute.	It is running *into* the crowd (*among* the people).
Wo sitzt das Kind?	Es sitzt **unter** dem Tisch.	It is sitting *under* the table.
	Es sitzt **unter** den Leuten.	It is sitting *among* the people.

vor in front of (*location*) ▪ before; ago (*temporal*)

Wohin läuft der Junge?	Er läuft **vor** den Wagen.	He runs *in front of* the car.
Wo sitzt die Frau?	Sie sitzt **vor** dem Haus.	She is sitting *in front of* the house.
Wann kommt er?	Er kommt noch **vor** dem Winter.	He will still come *before* winter.
Wann hat er es dir erzählt?	Er hat es mir **vor** einer Woche erzählt.	He told it to me a week *ago*.

zwischen between (*location*) ▪ between (*temporal*)

Wohin stellt sie den Teller?	Sie stellt ihn **zwischen** das Messer und die Gabel.	She puts it *between* the knife and the fork.
Wo steht der Teller?	Er steht **zwischen** dem Messer und der Gabel.	It is *between* the knife and the fork.
Wann kommt er?	Er kommt **zwischen** dem ersten und zehnten Mai.	He is coming *between* the first and tenth of May.

The following contractions are almost always made in both speech and writing:

an + dem = **am**
in + dem = **im**
an + das = **ans**
in + das = **ins**

The following additional contractions are commonly made in everyday speech:

hinter + dem = **hinterm**	hinter + den = **hintern**	hinter + das = **hinters**
über + dem = **überm**	über + den = **übern**	über + das = **übers**
unter + dem = **unterm**	unter + den = **untern**	unter + das = **unters**
vor + dem = **vorm**	vor + den = **vorn**	vor + das = **vors**

When the verb in combination with the preposition shows neither motion toward a place nor location in a place, it usually governs the accusative, except in time expressions and a few other expressions:

1 Das Mädchen denkt nur **ans** Baden.
The girl is thinking only *about* swimming.

2 Die Studenten warten **auf** die Vorlesung.
The students are waiting *for* the lecture.

3 Er glaubt nicht **an** diese Sache.
He doesn't believe *in* this thing.

4 Er kommt **im** Januar an.
He's arriving *in* January.

5 Sie fährt **am** Mittwoch ab.
She's leaving *on* Wednesday.

6 Er hat Angst **vor** dem Wolf.
He's afraid *of* the wolf.

D. **Wo-** and **da**-Compounds

Pronoun substitute **wo**

When the third person interrogative pronoun **was** is governed by a preposition, it is usually replaced by **wo**, which is prefixed to the preposition. (Compare English *wherein, wherefor,* etc.)

1 Sie sitzen auf der Kiste.
Worauf sitzen sie?

They are sitting on the box.
What are they sitting on?

2 Sie fragt nach dem Wagen.
Wonach fragt sie?

She is asking about the car.
What is she asking about?

3 Sie glaubt an den Quatsch.
Woran glaubt sie?

She believes in the nonsense.
What does she believe in?

Pronoun substitute **da**

When a third person personal pronoun referring to a thing or idea is governed by a preposition, it is usually replaced by **da**, which is prefixed to the preposition. (Compare English *thereon, therein,* etc.)

1 Sie sitzen auf der Kiste.
Sie sitzen darauf.

They are sitting on the box.
They are sitting on it.

2 Sie fragt nach dem Wagen.
Sie fragt danach.

She is asking about the car.
She is asking about it.

3 Sie glaubt an den Quatsch.
Sie glaubt daran.

She believes in the nonsense.
She believes in it.

▶ No distinction in gender, number and case is made.

▶ A connecting **–r–** is used when the preposition begins with a vowel.

The meanings of the nine accusative/dative prepositions can be illustrated in relation to the figure nine:

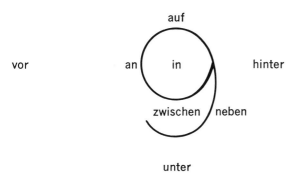

über

auf

vor   an   in   hinter

zwischen / neben

unter

An, auf, hinter, in
neben, über, unter, vor und zwischen
sollst du deine Zähne wischen!

der Zahn, **die Zähne** tooth · **wischen**
brush; clean; wipe

Unit 9

I. Dialog

Ein Krankenbesuch

Part 1

1	Jürgen:	Hallo, Onkel Richard, du machst ja schöne Geschichten!
2	Onkel Richard:	Ja, mein Junge, so etwas hast du noch nicht gekonnt!
3	Jürgen:	Wie geht es dir denn jetzt?
4	Onkel Richard:	Oh, ganz gut, wie du siehst.
5	Jürgen:	Wie ist der Herzanfall eigentlich gekommen?
6	Onkel Richard:	Vermutlich habe ich ein bißchen zu flott gelebt. Du kennst mich ja.
7	Jürgen:	Also, Onkel, sei jetzt schön brav und halte Ruhe!
8	Onkel Richard:	Was bleibt mir hier anderes übrig?
9	Jürgen:	Dann bist du sicher auch bald wieder auf den Beinen.
10	Onkel Richard:	Natürlich, ich liege ja den ganzen Tag im Bett, schlafe ordentlich und bekomme laufend Medizin!

Part 2

11	Christine:	Bist du bei Onkel Richard gewesen, Jürgen?
12	Jürgen:	Ja, aber er sieht noch recht leidend aus, finde ich.
13	Christine:	Wieso? Erzähl mal, wie es gewesen ist!
14	Jürgen:	Also: Ich komme lachend ins Zimmer und treffe ihn lesend an.
15	Christine:	Aber das ist doch mehr ein Zeichen dafür, daß er nicht sehr krank ist.
16	Jürgen:	Das habe ich zuerst auch gedacht. Aber er hat gar nicht gelesen.
17	Christine:	Wie kannst du das wissen?
18	Jürgen:	Er hat die Zeitschrift falsch herum gehalten und ziemlich blaß ausgesehen.
19	Christine:	Du meinst, er hat nur so getan, um dich zu beruhigen?
20	Jürgen:	Ganz gewiß. Jedenfalls bin ich sehr bald wieder weggegangen, damit der Besuch nicht zu anstrengend für ihn wird.

II. Supplement

1 Er ist heute hier gewesen.
2 Er ist heute früh gekommen.
3 Er ist heute morgen angekommen.
4 Er ist heute vormittag mitgekommen.
5 Er ist eben gegangen.
6 Er ist gestern mittag gegangen.
7 Er ist gestern nachmittag weggegangen.
8 Er ist gestern abend losgegangen.
9 Er ist gestern nacht abgefahren.

10   Rolf bleibt bis morgen hier.
11   Rolf bleibt bis übermorgen hier.
12   Rolf ist vorgestern hier geblieben.

13   Mein Bruder ist morgens nie zu Hause.
14   Mein Bruder ist vormittags nie zu Hause.
15   Mein Bruder ist mittags nie zu Hause.
16   Mein Bruder kommt nachts nie nach Hause.
17   Mein Bruder kommt nachmittags immer nach Hause.
18   Mein Bruder kommt abends immer nach Hause.
19   Mein Bruder kommt sonntags immer nach Hause.

20   Sie ist vor einer Stunde hinübergegangen.
21   Sie bleibt bis vier Uhr dort.

22   Mein Onkel ist vor einem Monat nach Amerika gefahren.
23   Mein Onkel wird bis April dort bleiben.
24   Er ist vor einem Jahr hier gewesen.
25   Er wird in einem Jahr zurückkommen.

26   Er tut es nur, um Jürgen zu beruhigen.
27   Er hält die Zeitschrift, ohne zu lesen.
28   Er hat viel gearbeitet, statt Ruhe zu halten.

29   Das ist ein Zeichen dafür, daß er nicht sehr krank ist.
30   Er wartet darauf, daß du ihm hilfst.
31   Sie hat nichts dagegen gehabt, daß wir wegfahren.
32   Das ist davon gekommen, daß er zu flott gelebt hat.

33   Er denkt nicht daran, so etwas zu sagen.
34   Er hat nicht daran gedacht, so etwas zu sagen.

III. Audiolingual Drills

A. Directed Dialog

Part 1

Sagen Sie, daß Onkel Richard schöne Geschichten macht!
Onkel Richard macht schöne Geschichten.

Sagen Sie, daß Jürgen so etwas noch nicht gekonnt hat!
Jürgen hat so etwas noch nicht gekonnt.

Fragen Sie, wie es dem Onkel jetzt geht!
Wie geht es dem Onkel jetzt?

Antworten Sie, daß es ihm ganz gut geht!
Es geht ihm ganz gut.

Fragen Sie, wie der Herzanfall eigentlich gekommen ist!
Wie ist der Herzanfall eigentlich gekommen?

Antworten Sie, daß der Onkel ein bißchen zu flott gelebt hat!
Der Onkel hat ein bißchen zu flott gelebt.

Sagen Sie, daß Jürgen ihn ja kennt!
Jürgen kennt ihn ja.

Sagen Sie, daß der Onkel jetzt schön brav sein soll!
Der Onkel soll jetzt schön brav sein.

Sagen Sie, daß er Ruhe halten soll!
Er soll Ruhe halten.

Fragen Sie, was ihm hier anderes übrigbleibt!
Was bleibt ihm hier anderes übrig?

Antworten Sie, daß ihm hier nichts anderes übrigbleibt!
Ihm bleibt hier nichts anderes übrig.

Sagen Sie, daß er dann sicher auch bald wieder auf den Beinen ist!
Dann ist er sicher auch bald wieder auf den Beinen.

Sagen Sie, daß er ja den ganzen Tag im Bett liegt!
Er liegt ja den ganzen Tag im Bett.

Sagen Sie, daß er ordentlich schläft!
Er schläft ordentlich.

Sagen Sie, daß er laufend Medizin bekommt!
Er bekommt laufend Medizin.

Part 2

Fragen Sie, ob Jürgen bei Onkel Richard gewesen ist!
Ist Jürgen bei Onkel Richard gewesen?

Antworten Sie, daß er bei ihm gewesen ist!
Er ist bei ihm gewesen.

Sagen Sie, daß Onkel Richard noch recht leidend aussieht!
Onkel Richard sieht noch recht leidend aus.

Sagen Sie, daß Jürgen Christine erzählen soll, wie es gewesen ist!
Jürgen soll Christine erzählen, wie es gewesen ist.

Sagen Sie, daß Jürgen lachend ins Zimmer kommt!
Jürgen kommt lachend ins Zimmer.

Sagen Sie, daß er Onkel Richard lesend antrifft!
Er trifft Onkel Richard lesend an.

Sagen Sie, daß das doch ein Zeichen dafür ist, daß er nicht sehr krank ist!
Das ist doch ein Zeichen dafür, daß er nicht sehr krank ist.

Sagen Sie, daß Jürgen das zuerst auch gedacht hat!
Jürgen hat das zuerst auch gedacht.

Sagen Sie, daß Onkel Richard gar nicht gelesen hat!
Onkel Richard hat gar nicht gelesen.

Fragen Sie, wie Jürgen das wissen kann!
Wie kann Jürgen das wissen?

Antworten Sie, daß der Onkel die Zeitschrift falsch herum gehalten hat!
Der Onkel hat die Zeitschrift falsch herum gehalten.

Sagen Sie, daß er ziemlich blaß ausgesehen hat!
Er hat ziemlich blaß ausgesehen.

Sagen Sie, daß er nur so getan hat, um Jürgen zu beruhigen!
Er hat nur so getan, um Jürgen zu beruhigen.

Sagen Sie, daß Jürgen jedenfalls sehr bald wieder weggegangen ist!
Jürgen ist jedenfalls sehr bald wieder weggegangen.

Sagen Sie, daß der Besuch für Onkel Richard anstrengend ist!
Der Besuch ist für Onkel Richard anstrengend.

B. Present Perfect Tense (Conversational Past)

The present perfect tense is made up of the past participle of the main verb and the present tense of **haben** or **sein**.

Weak verbs

The past participles of regular weak verbs like **leben** have **ge–** prefixed to the stem and **–t** suffixed to it: **gelebt.**

1   Substitute the new subject:

> Onkel Richard hat etwas zu flott gelebt.   **die Leute**
> Die Leute haben etwas zu flott gelebt.   **du**
> Du hast etwas zu flott gelebt.   **wir**
> Wir haben etwas zu flott gelebt.   **ihr**
> Ihr habt etwas zu flott gelebt.   **ich**
> Ich habe etwas zu flott gelebt.

2   The verbs in this drill all follow the pattern of **leben**. Substitute the new verb.

Example: Vor einer Woche hat er dieses Buch gehabt.   **kaufen**
Vor einer Woche hat er dieses Buch gekauft.

Er hat es heute gesagt.   **kaufen**
Er hat es heute gekauft.   **üben**
Er hat es heute geübt.   **machen**
Er hat es heute gemacht.   **fragen**
Er hat es heute gefragt.   **brauchen**
Er hat es heute gebraucht.   **lernen**
Er hat es heute gelernt.   **bauen**
Er hat es heute gebaut.   **schicken**
Er hat es heute geschickt.   **holen**
Er hat es heute geholt.   **haben**
Er hat es heute gehabt.

Verbs requiring the connecting **–e–** in the present tense also require it in the past participle.

3   Repeat:

Wieviel kostet der Wagen eigentlich?
Wieviel hat der Wagen eigentlich gekostet?

Wir warten schon seit einer Stunde auf euch.
Wir haben schon seit einer Stunde auf euch gewartet.

Uwe spottet einfach darüber.
Uwe hat einfach darüber gespottet.

Was antwortest du dem Professor darauf?
Was hast du dem Professor darauf geantwortet?

Es regnet tagsüber häufig.
Es hat tagsüber häufig geregnet.

4   Substitute the new subject:

Wir haben dem Verkäufer nicht darauf geantwortet.   **er**
Er hat dem Verkäufer nicht darauf geantwortet.   **ihr**
Ihr habt dem Verkäufer nicht darauf geantwortet.   **du**
Du hast dem Verkäufer nicht darauf geantwortet.   **ich**
Ich habe dem Verkäufer nicht darauf geantwortet.   **die Kunden**
Die Kunden haben dem Verkäufer nicht darauf geantwortet.

The prefix **ge—** is not added to verbs which have an unstressed, inseparable prefix or to verbs like **studieren** and **passieren** which have the stress on the first syllable of the suffix ['iːʀən].

5 Repeat:

Mein Bruder hat mir davon erzählt.
Der Professor hat die Geschichte erklärt.
Dem Fahrer ist nichts passiert.
Das Fräulein hat Philosophie studiert.
Man hat den Jungen heute entschuldigt.

Onkel Richard hat Jürgen nicht beruhigt.
Gestern habe ich meinen Wagen ver-
sichert.
Das Paket hat dem Mann wirklich gehört.

The modals and **wissen**

The modals with an umlaut in the infinitive do not have it in the past participle and **mögen** has a consonant change as well: **gemocht**. The past participle of **wissen** is **gewußt**.

6 Repeat:

Er hat es noch nie gekonnt.
Ich habe es noch nie gedurft.
Wir haben es noch nie gemußt.

Ihr habt es noch nie gewollt.
Sie haben es noch nie gesollt.
Du hast es noch nie gemocht.

7 Substitute the new subject:

Jürgen hat so etwas noch nicht gekonnt.   **ich**
Ich habe so etwas noch nicht gekonnt.   **Rolf und Günther**
Rolf und Günther haben so etwas noch nicht gekonnt.   **ihr**
Ihr habt so etwas noch nicht gekonnt.   **du**
Du hast so etwas noch nicht gekonnt.   **wir**
Wir haben so etwas noch nicht gekonnt.

8 Substitute the new subject or verb:

Hast du es eigentlich nicht gedurft?   **er**
Hat er es eigentlich nicht gedurft?   **können**
Hat er es eigentlich nicht gekonnt?   **wir**
Haben wir es eigentlich nicht gekonnt?   **wollen**
Haben wir es eigentlich nicht gewollt?   **ihr**
Habt ihr es eigentlich nicht gewollt?   **müssen**
Habt ihr es eigentlich nicht gemußt?   **die Kinder**
Haben die Kinder es eigentlich nicht gemußt?   **sollen**
Haben die Kinder es eigentlich nicht gesollt?   **ich**
Habe ich es eigentlich nicht gesollt?   **mögen**
Habe ich es eigentlich nicht gemocht?   **du**
Hast du es eigentlich nicht gemocht?   **wissen**
Hast du es eigentlich nicht gewußt?

The irregular weak verb **denken**

9   Repeat:

>Das denkt Jürgen auch.
>Das hat Jürgen auch gedacht.

10   Substitute the new subject:

>Das habe ich zuerst auch gedacht.   **der Fahrer**
>Das hat der Fahrer zuerst auch gedacht.   **die Fahrer**
>Das haben die Fahrer zuerst auch gedacht.   **du**
>Das hast du zuerst auch gedacht.   **ihr**
>Das habt ihr zuerst auch gedacht.   **wir**
>Das haben wir zuerst auch gedacht.

The irregular weak verb **kennen**

11   Repeat:

>Wir kennen das alte Berlin ganz gut.
>Wir haben das alte Berlin ganz gut gekannt.

12   Substitute the new subject:

>Haben Sie Herrn Held aus Bonn gekannt?   **du**
>Hast du Herrn Held aus Bonn gekannt?   **ihr**
>Habt ihr Herrn Held aus Bonn gekannt?   **ich**
>Habe ich Herrn Held aus Bonn gekannt?   **er**
>Hat er Herrn Held aus Bonn gekannt?   **wir**
>Haben wir Herrn Held aus Bonn gekannt?

Strong verbs

Lesen, **bitten**, **sitzen**, **essen**, **sehen**, **aussehen**, **liegen**

13   Repeat:

>Er liest das Buch bestimmt.
>Er hat das Buch bestimmt gelesen.
>
>Er bittet sie, das nicht zu erzählen.
>Er hat sie gebeten, das nicht zu erzählen.
>
>Susi sitzt hungrig am Tisch.
>Susi hat hungrig am Tisch gesessen.
>
>Sie ißt zuerst ihre Suppe.
>Sie hat zuerst ihre Suppe gegessen.

Ich sehe den Kunden im Geschäft.
Ich habe den Kunden im Geschäft gesehen.

Er sieht noch ziemlich blaß aus.
Er hat noch ziemlich blaß ausgesehen.

Mein Onkel liegt lesend im Bett.
Mein Onkel hat lesend im Bett gelegen.

14   Substitute the new subject:

Sie haben hungrig am Tisch gesessen.   **Susi**
Susi hat hungrig am Tisch gesessen.   **wir**
Wir haben hungrig am Tisch gesessen.   **du**
Du hast hungrig am Tisch gesessen.   **ihr**
Ihr habt hungrig am Tisch gesessen.   **ich**
Ich habe hungrig am Tisch gesessen.

Wir haben zuerst das Fleisch gegessen.   **er**
Er hat zuerst das Fleisch gegessen.   **ihr**
Ihr habt zuerst das Fleisch gegessen.   **du**
Du hast zuerst das Fleisch gegessen.   **ich**
Ich habe zuerst das Fleisch gegessen.   **die Kinder**
Die Kinder haben zuerst das Fleisch gegessen.

Er hat noch recht leidend ausgesehen.   **wir**
Wir haben noch recht leidend ausgesehen.   **ich**
Ich habe noch recht leidend ausgesehen.   **die Männer**
Die Männer haben noch recht leidend ausgesehen.   **du**
Du hast noch recht leidend ausgesehen.   **ihr**
Ihr habt noch recht leidend ausgesehen.

Nehmen, sprechen, helfen, antreffen

15   Repeat:

Er nimmt das Buch aus dem Schrank.
Er hat das Buch aus dem Schrank genommen.

Sie spricht häufig von ihrem Mann.
Sie hat häufig von ihrem Mann gesprochen.

Mein Bruder hilft ihnen viel.
Mein Bruder hat ihnen viel geholfen.

Wir treffen unsren Onkel lesend an.
Wir haben unsren Onkel lesend angetroffen.

16 Substitute the new subject:

Ich habe seinen Onkel lesend angetroffen. **ihr**
Ihr habt seinen Onkel lesend angetroffen. **wir**
Wir haben seinen Onkel lesend angetroffen. **du**
Du hast seinen Onkel lesend angetroffen. **Christine**
Christine hat seinen Onkel lesend angetroffen. **die Kinder**
Die Kinder haben seinen Onkel lesend angetroffen.

Meine Brüder haben den Leuten viel geholfen. **wir**
Wir haben den Leuten viel geholfen. **du**
Du hast den Leuten viel geholfen. **ich**
Ich habe den Leuten viel geholfen. **er**
Er hat den Leuten viel geholfen. **ihr**
Ihr habt den Leuten viel geholfen.

Finden, gelingen, empfinden, beginnen. Verbs with inseparable prefixes do not have the prefix **ge–** in the past participle.

17 Repeat:

Die Frau findet die Form scheußlich.
Die Frau hat die Form scheußlich gefunden.

Es gelingt ihm, den Schrank zusammenzubauen.
Es ist ihm gelungen, den Schrank zusammenzubauen.

Seine Frau empfindet es jedenfalls so.
Seine Frau hat es jedenfalls so empfunden.

Die Studenten beginnen schon mit der Arbeit.
Die Studenten haben schon mit der Arbeit begonnen.

18 Substitute the new subject:

Endlich haben sie das Buch gefunden. **wir**
Endlich haben wir das Buch gefunden. **das Fräulein**
Endlich hat das Fräulein das Buch gefunden. **ich**
Endlich habe ich das Buch gefunden. **ihr**
Endlich habt ihr das Buch gefunden. **du**
Endlich hast du das Buch gefunden.

Er hat vor einer Stunde mit der Arbeit begonnen. **wir**
Wir haben vor einer Stunde mit der Arbeit begonnen. **ihr**
Ihr habt vor einer Stunde mit der Arbeit begonnen. **ich**
Ich habe vor einer Stunde mit der Arbeit begonnen. **du**
Du hast vor einer Stunde mit der Arbeit begonnen. **die Studenten**
Die Studenten haben vor einer Stunde mit der Arbeit begonnen.

Scheinen, bleiben, übertreiben, einsteigen, aussteigen leiden. The tense auxiliary **sein** is used with intransitive verbs denoting a change of position or condition. It is also used with **bleiben**.

19 Repeat:

Die Sonne scheint so schön.
Die Sonne hat so schön geschienen.

Die Kunden bleiben eine Stunde bei uns.
Die Kunden sind eine Stunde bei uns geblieben.

Die Leute übertreiben die Sache.
Die Leute haben die Sache übertrieben.

Der Verkäufer steigt in Hamburg ein.
Der Verkäufer ist in Hamburg eingestiegen.

Die Freunde steigen in Bonn aus.
Die Freunde sind in Bonn ausgestiegen.

Der Mann leidet nachts ziemlich viel.
Der Mann hat nachts ziemlich viel gelitten.

20 Substitute the new subject:

Wir sind einen Tag bei ihm geblieben.   **ihr**
Ihr seid einen Tag bei ihm geblieben.   **du**
Du bist einen Tag bei ihm geblieben.   **er**
Er ist einen Tag bei ihm geblieben.   **die Leute**
Die Leute sind einen Tag bei ihm geblieben.   **ich**
Ich bin einen Tag bei ihm geblieben.

Du hast ziemlich darunter gelitten.   **er**
Er hat ziemlich darunter gelitten.   **die Jungen**
Die Jungen haben ziemlich darunter gelitten.   **ihr**
Ihr habt ziemlich darunter gelitten.   **ich**
Ich habe ziemlich darunter gelitten.   **wir**
Wir haben ziemlich darunter gelitten.

Laufen, braten, schlafen, halten, gefallen, lassen, heißen

21 Repeat:

Die Jungen laufen da rechts über den Platz.
Die Jungen sind da rechts über den Platz gelaufen.

Die Mutter brät das Fleisch schon.
Die Mutter hat das Fleisch schon gebraten.

Der Onkel schläft ja ordentlich.
Der Onkel hat ja ordentlich geschlafen.

Er hält die Zeitschrift falsch herum.
Er hat die Zeitschrift falsch herum gehalten.

Der Schrank gefällt den Leuten sogar.
Der Schrank hat den Leuten sogar gefallen.

Sie läßt ihn mit seiner Arbeit allein.
Sie hat ihn mit seiner Arbeit allein gelassen.

Wie heißt dein Freund eigentlich?
Wie hat dein Freund eigentlich geheißen?

22 Substitute the new subject:

Die Mädchen sind schnell über die Straße gelaufen. **ich**
Ich bin schnell über die Straße gelaufen. **er**
Er ist schnell über die Straße gelaufen. **ihr**
Ihr seid schnell über die Straße gelaufen. **du**
Du bist schnell über die Straße gelaufen. **wir**
Wir sind schnell über die Straße gelaufen.

Er hat die Zeitschrift falsch herum gehalten. **wir**
Wir haben die Zeitschrift falsch herum gehalten. **du**
Du hast die Zeitschrift falsch herum gehalten. **die Kinder**
Die Kinder haben die Zeitschrift falsch herum gehalten. **ich**
Ich habe die Zeitschrift falsch herum gehalten. **ihr**
Ihr habt die Zeitschrift falsch herum gehalten.

Fahren and **abfahren**. The auxiliary **haben** is used with a verb of motion, such as **fahren**, when it has an object.

23 Repeat:

Der Verkäufer fährt eben in die Stadt.
Der Verkäufer ist eben in die Stadt gefahren.

Der Fahrer fährt den Wagen zu schnell.
Der Fahrer hat den Wagen zu schnell gefahren.

Meine Tante fährt um zehn Uhr ab.
Meine Tante ist um zehn Uhr abgefahren.

24 Substitute the new subject:

Sie ist erst spät in der Nacht abgefahren. **ihr**
Ihr seid erst spät in der Nacht abgefahren. **du**
Du bist erst spät in der Nacht abgefahren. **ich**
Ich bin erst spät in der Nacht abgefahren. **die Mädchen**
Die Mädchen sind erst spät in der Nacht abgefahren. **wir**
Wir sind erst spät in der Nacht abgefahren.

Der Fahrer hat den Wagen schlecht gefahren.   **ich**
Ich habe den Wagen schlecht gefahren.   **wir**
Wir haben den Wagen schlecht gefahren.   **die Jungen**
Die Jungen haben den Wagen schlecht gefahren.   **du**
Du hast den Wagen schlecht gefahren.   **ihr**
Ihr habt den Wagen schlecht gefahren.

Kommen, herumkommen, ankommen, mitkommen, zurückkommen, bekommen

25   Repeat:

Der Postbote kommt eilig um die Ecke.
Der Postbote ist eilig um die Ecke gekommen.

Sein Freund kommt schnell um das Haus herum.
Sein Freund ist schnell um das Haus herumgekommen.

Der Kunde kommt am Donnerstag an.
Der Kunde ist am Donnerstag angekommen.

Das Mädchen kommt heute mit.
Das Mädchen ist heute mitgekommen.

Hans kommt nach einer Stunde zurück.
Hans ist nach einer Stunde zurückgekommen.

Mein Onkel bekommt laufend Medizin.
Mein Onkel hat laufend Medizin bekommen.

26   Substitute the new subject:

Sie ist um das Haus herumgekommen.   **wir**
Wir sind um das Haus herumgekommen.   **du**
Du bist um das Haus herumgekommen.   **ihr**
Ihr seid um das Haus herumgekommen.   **die Freunde**
Die Freunde sind um das Haus herumgekommen.   **ich**
Ich bin um das Haus herumgekommen.

Er hat ja laufend Medizin bekommen.   **wir**
Wir haben ja laufend Medizin bekommen.   **du**
Du hast ja laufend Medizin bekommen.   **ich**
Ich habe ja laufend Medizin bekommen.   **ihr**
Ihr habt ja laufend Medizin bekommen.   **die Jungen**
Die Jungen haben ja laufend Medizin bekommen.

The irregular strong verb **sein** requires the tense auxiliary **sein**.

27   Repeat:

Ich bin heute bei ihm.
Ich bin heute bei ihm gewesen.

28 Substitute the new subject:

    Du bist eben bei Onkel Richard gewesen.   **Christine**
    Christine ist eben bei Onkel Richard gewesen.   **ihr**
    Ihr seid eben bei Onkel Richard gewesen.   **wir**
    Wir sind eben bei Onkel Richard gewesen.   **die Kinder**
    Die Kinder sind eben bei Onkel Richard gewesen.   **ich**
    Ich bin eben bei Onkel Richard gewesen.

The irregular strong verb **werden**

29 Repeat:

    Es wird plötzlich sehr heiß.
    Es ist plötzlich sehr heiß geworden.

30 Substitute the new subject:

    Sie ist gegen Mitternacht krank geworden.   **du**
    Du bist gegen Mitternacht krank geworden.   **wir**
    Wir sind gegen Mitternacht krank geworden.   **die Mädchen**
    Die Mädchen sind gegen Mitternacht krank geworden.   **ihr**
    Ihr seid gegen Mitternacht krank geworden.   **ich**
    Ich bin gegen Mitternacht krank geworden.

The irregular strong verb **tun**

31 Repeat:

    Er tut nur so, um uns zu beruhigen.
    Er hat nur so getan, um uns zu beruhigen.

32 Substitute the new subject:

    Er hat nur so getan, um Jürgen zu beruhigen.   **wir**
    Wir haben nur so getan, um Jürgen zu beruhigen.   **ich**
    Ich habe nur so getan, um Jürgen zu beruhigen.   **ihr**
    Ihr habt nur so getan, um Jürgen zu beruhigen.   **die Jungen**
    Die Jungen haben nur so getan, um Jürgen zu beruhigen.   **du**
    Du hast nur so getan, um Jürgen zu beruhigen.

The irregular strong verbs **gehen**, **losgehen**, **weggehen**, **kaputtgehen**, **entgegengehen**

33 Repeat:

    Wir gehen heute mittag in die Stadt.
    Wir sind heute mittag in die Stadt gegangen.

Die Jungen gehen schon los.
Die Jungen sind schon losgegangen.

Jürgen geht sehr bald wieder weg.
Jürgen ist sehr bald wieder weggegangen.

Das Werkzeug geht vollkommen kaputt.
Das Werkzeug ist vollkommen kaputtgegangen.

Gehst du den Kindern nicht entgegen?
Bist du den Kindern nicht entgegengegangen?

34 Substitute the new subject:

Wir sind um neun Uhr nach Hause gegangen. **er**
Er ist um neun Uhr nach Hause gegangen. **ihr**
Ihr seid um neun Uhr nach Hause gegangen. **du**
Du bist um neun Uhr nach Hause gegangen. **ich**
Ich bin um neun Uhr nach Hause gegangen. **die Mädchen**
Die Mädchen sind um neun Uhr nach Hause gegangen.

The irregular strong verbs **stehen**, **herumstehen**, **verstehen**

35 Repeat:

Der Tisch steht da hinten im Zimmer.
Der Tisch hat da hinten im Zimmer gestanden.

Die Leute stehen um den Wagen herum.
Die Leute haben um den Wagen herumgestanden.

Er versteht das Gedicht ganz und gar nicht.
Er hat das Gedicht ganz und gar nicht verstanden.

36 Substitute the new subject:

Ihr habt die Geschichte gar nicht verstanden. **wir**
Wir haben die Geschichte gar nicht verstanden. **die Studenten**
Die Studenten haben die Geschichte gar nicht verstanden. **ich**
Ich habe die Geschichte gar nicht verstanden. **er**
Er hat die Geschichte gar nicht verstanden. **du**
Du hast die Geschichte gar nicht verstanden.

C. Transformation Drills, Weak and Strong Verbs

37 Change from the present to the conversational past. All verbs are weak and require the auxiliary **haben**.

Example: Er lebt zu flott.
Er hat zu flott gelebt.

Er wohnt in diesem Haus.
Er hat in diesem Haus gewohnt.

Er arbeitet nur morgens.
Er hat nur morgens gearbeitet.

Das stimmt nicht ganz.
Das hat nicht ganz gestimmt.

Der Kuchen schmeckt gut.
Der Kuchen hat gut geschmeckt.

Die Kinder mögen die Milch nicht.
Die Kinder haben die Milch nicht gemocht.

Susi paßt gut auf.
Susi hat gut aufgepaßt.

Das Buch kostet zehn Mark.
Das Buch hat zehn Mark gekostet.

Wie meinst du das?
Wie hast du das gemeint?

Glaubst du nicht daran?
Hast du nicht daran geglaubt?

Wir legen das Buch auf den Tisch.
Wir haben das Buch auf den Tisch gelegt.

Stellt ihr den Tisch ins Zimmer?
Habt ihr den Tisch ins Zimmer gestellt?

Er weiß es einfach nicht.
Er hat es einfach nicht gewußt.

Ich erkläre die Geschichten.
Ich habe die Geschichten erklärt.

Denkst du häufig daran?
Hast du häufig daran gedacht?

Was antwortest du auf die Frage?
Was hast du auf die Frage geantwortet?

Du schaust unter den Wagen.
Du hast unter den Wagen geschaut.

Die Jungen warten einfach ab.
Die Jungen haben einfach abgewartet.

Hoffentlich klappt es auch.
Hoffentlich hat es auch geklappt.

Ich kann es heute nicht.
Ich habe es heute nicht gekonnt.

Tagsüber regnet es viel.
Tagsüber hat es viel geregnet.

Sie hat kein Interesse an Tagesfragen.
Sie hat kein Interesse an Tagesfragen gehabt.

Ich kenne ihn sehr gut.
Ich habe ihn sehr gut gekannt.

Das wünscht Margrit auch.
Das hat Margrit auch gewünscht.

Susi deckt den Mittagstisch.
Susi hat den Mittagstisch gedeckt.

Mutter füllt die Suppe in die Schüssel.
Mutter hat die Suppe in die Schüssel gefüllt.

Ihr lernt ihn heute kennen.
Ihr habt ihn heute kennengelernt.

Die Frauen lachen über die Geschichte.
Die Frauen haben über die Geschichte gelacht.

38 Change from the present to the conversational past. All verbs are strong and require the auxiliary **haben**:

Die Sonne scheint so schön.
Die Sonne hat so schön geschienen.

Der Onkel liegt leidend im Bett.
Der Onkel hat leidend im Bett gelegen.

Er leidet sehr viel.
Er hat sehr viel gelitten.

Der Onkel schläft ordentlich.
Der Onkel hat ordentlich geschlafen.

Er bekommt laufend Medizin.
Er hat laufend Medizin bekommen.

Wir lassen ihn bald wieder allein.
Wir haben ihn bald wieder allein gelassen.

Wir beginnen heute morgen mit der Arbeit.
Wir haben heute morgen mit der Arbeit begonnen.

Ich tue es gern für dich.
Ich habe es gern für dich getan.

Er bittet uns um die Zeitung.
Er hat uns um die Zeitung gebeten.

Der Wagen sieht ziemlich neu aus.
Der Wagen hat ziemlich neu ausgesehen.

Die Männer fahren den Wagen zu schnell.
Die Männer haben den Wagen zu schnell gefahren.

Die Leute übertreiben die Sache ein bißchen.
Die Leute haben die Sache ein bißchen übertrieben.

Sie findet den Hut im Schrank.
Sie hat den Hut im Schrank gefunden.

Die Leute sitzen sehr lange am Tisch.
Die Leute haben sehr lange am Tisch gesessen.

Du hältst die Zeitung ja falsch herum.
Du hast die Zeitung ja falsch herum gehalten.

Sprichst du über die Geschichte?
Hast du über die Geschichte gesprochen?

Die Geschichten gefallen mir sehr gut.
Die Geschichten haben mir sehr gut gefallen.

Versteht ihr die Erzählung?
Habt ihr die Erzählung verstanden?

39 Change from the present to the conversational past. All verbs require the auxiliary **sein**:

Ich gehe heute mittag in die Stadt.
Ich bin heute mittag in die Stadt gegangen.

Dem Fahrer passiert dabei nichts.
Dem Fahrer ist dabei nichts passiert.

Der Fahrer ist ziemlich rücksichtslos.
Der Fahrer ist ziemlich rücksichtslos gewesen.

Der Wagen rutscht gegen die Laterne.
Der Wagen ist gegen die Laterne gerutscht.

Es gelingt ihm heute morgen nicht.
Es ist ihm heute morgen nicht gelungen.

Der Wagen kippt plötzlich um.
Der Wagen ist plötzlich umgekippt.

Es bleibt ihm nichts anderes übrig.
Es ist ihm nichts anderes übriggeblieben.

Die Milch schwappt über die Straße.
Die Milch ist über die Straße geschwappt.

Die Sache wird mir nicht klar.
Die Sache ist mir nicht klar geworden.

Die Plätze hier sind noch frei.
Die Plätze hier sind noch frei gewesen.

Ich komme um drei Viertel zehn an.
Ich bin um drei Viertel zehn angekommen.

Wann fährst du eigentlich ab?
Wann bist du eigentlich abgefahren?

Gehst du gleich wieder hinüber?
Bist du gleich wieder hinübergegangen?

40   Change from the present to the conversational past:

Sie nimmt nie Brot.
Sie hat nie Brot genommen.

Er steigt in Bonn aus.
Er ist in Bonn ausgestiegen.

Wir wünschen dir viel Glück.
Wir haben dir viel Glück gewünscht.

Sie helfen mir häufig.
Sie haben mir häufig geholfen.

Du weißt es bestimmt.
Du hast es bestimmt gewußt.

Ich esse zuerst die Suppe.
Ich habe zuerst die Suppe gegessen.

Sie empfindet es wahrscheinlich so.
Sie hat es wahrscheinlich so empfunden.

Das Geld ist sehr knapp.
Das Geld ist sehr knapp gewesen.

Er will heute keine Milch.
Er hat heute keine Milch gewollt.

Man spottet über den Unfall.
Man hat über den Unfall gespottet.

Wir fahren schnell in die Stadt.
Wir sind schnell in die Stadt gefahren.

Gehst du gleich in die Vorlesung?
Bist du gleich in die Vorlesung gegangen?

Die Kiste steht unter dem Tisch.
Die Kiste hat unter dem Tisch gestanden.

Der Postbote kommt mit einem Paket.
Der Postbote ist mit einem Paket gekommen.

Ich treffe ihn lesend an.
Ich habe ihn lesend angetroffen.

Der Mann wird alt.
Der Mann ist alt geworden.

Der Wagen rutscht über die Kreuzung.
Der Wagen ist über die Kreuzung gerutscht.

Die Bücher gehören ihm nicht.
Die Bücher haben ihm nicht gehört.

Er studiert immer tüchtig.
Er hat immer tüchtig studiert.

Wartest du auf mich?
Hast du auf mich gewartet?

Ich sehe ihn heute nachmittag.
Ich habe ihn heute nachmittag gesehen.

Der Milchwagen kippt tatsächlich um.
Der Milchwagen ist tatsächlich umgekippt.

Er bleibt bis Mittwoch in Köln.
Er ist bis Mittwoch in Köln geblieben.

Mein Vater arbeitet nachts immer.
Mein Vater hat nachts immer gearbeitet.

Sie mag dieses Nuß-Eis nicht.
Sie hat dieses Nuß-Eis nicht gemocht.

Ihm bleibt nichts anderes übrig.
Ihm ist nichts anderes übriggeblieben.

Die Kinder dürfen es nicht.
Die Kinder haben es nicht gedurft.

Ich gehe dem Mann entgegen.
Ich bin dem Mann entgegengegangen.

Das wissen wir nicht.
Das haben wir nicht gewußt.

Muß er es wirklich?
Hat er es wirklich gemußt?

Unser Zug läuft ein.
Unser Zug ist eingelaufen.

Verstehst du die Vorlesung?
Hast du die Vorlesung verstanden?

Der Mann hat eine Million Mark.
Der Mann hat eine Million Mark gehabt.

Mein Geld wird knapp.
Mein Geld ist knapp geworden.

Die Sachen sind sehr hübsch.
Die Sachen sind sehr hübsch gewesen.

Er sagt genau das Gegenteil.
Er hat genau das Gegenteil gesagt.

Der Unfall ist nicht allzu schlimm.
Der Unfall ist nicht allzu schlimm gewesen.

Die Frau hat eine Wunde.
Die Frau hat eine Wunde gehabt.

Tante Inge ist sehr nett.
Tante Inge ist sehr nett gewesen.

Er lacht darüber.
Er hat darüber gelacht.

Sie geht zu Mutter hinüber.
Sie ist zu Mutter hinübergegangen.

Wie heißt der Junge?
Wie hat der Junge geheißen?

D. Clauses with Two Past Participles

41 Substitute the new subject:

Onkel Richard hat im Bett gelegen und Ruhe gehalten. **wir**
Wir haben im Bett gelegen und Ruhe gehalten. **du**
Du hast im Bett gelegen und Ruhe gehalten. **ihr**
Ihr habt im Bett gelegen und Ruhe gehalten. **ich**
Ich habe im Bett gelegen und Ruhe gehalten. **die Kinder**
Die Kinder haben im Bett gelegen und Ruhe gehalten.

Wir sind schnell gefahren und früh dort angekommen. **er**
Er ist schnell gefahren und früh dort angekommen. **ihr**
Ihr seid schnell gefahren und früh dort angekommen. **du**
Du bist schnell gefahren und früh dort angekommen. **ich**
Ich bin schnell gefahren und früh dort angekommen. **die Jungen**
Die Jungen sind schnell gefahren und früh dort angekommen.

Er ist hier geblieben und hat auf den Kunden gewartet. **ich**
Ich bin hier geblieben und habe auf den Kunden gewartet. **wir**
Wir sind hier geblieben und haben auf den Kunden gewartet. **die Leute**
Die Leute sind hier geblieben und haben auf den Kunden gewartet. **du**
Du bist hier geblieben und hast auf den Kunden gewartet. **ihr**
Ihr seid hier geblieben und habt auf den Kunden gewartet.

E. Idiomatic Use of the Present Tense

42 Substitute the new time or place expression.

> *Example*: Er lebt erst seit einem Monat in Bonn. **zwei Jahre**
> Er lebt erst seit zwei Jahren in Bonn. **Frankfurt**
> Er lebt erst seit zwei Jahren in Frankfurt.

Er wohnt schon seit einem Monat in Frankfurt. **eine Woche**
Er wohnt schon seit einer Woche in Frankfurt. **Stuttgart**
Er wohnt schon seit einer Woche in Stuttgart. **acht Tage**
Er wohnt schon seit acht Tagen in Stuttgart. **Berlin**
Er wohnt schon seit acht Tagen in Berlin. **sechs Monate**
Er wohnt schon seit sechs Monaten in Berlin. **Amerika**
Er wohnt schon seit sechs Monaten in Amerika. **ein Jahr**
Er wohnt schon seit einem Jahr in Amerika. **Köln**
Er wohnt schon seit einem Jahr in Köln.

43 Transform each statement using the present tense and **schon** to indicate how long the subject has been in the place mentioned.

> *Example*: Ich bin vor einem Monat nach München gekommen.
> Ich bin schon einen Monat in München.

Er ist vor einer Woche nach Hamburg gegangen.
Er ist schon eine Woche in Hamburg.

Sie sind vor einem Jahr nach Bonn gefahren.
Sie sind schon ein Jahr in Bonn.

Wir sind vor acht Tagen nach Köln gekommen.
Wir sind schon acht Tage in Köln.

Sie ist vor sechs Monaten nach Freiburg gefahren.
Sie ist schon sechs Monate in Freiburg.

Ich bin vor drei Jahren nach Berlin gekommen.
Ich bin schon drei Jahre in Berlin.

Du bist vor vier Wochen nach München gekommen.
Du bist schon vier Wochen in München.

F. Questions and Answers

Part 1

Wie heißt der neunte Dialog?
Er heißt „Ein Krankenbesuch".

Wer ist krank?
Onkel Richard ist krank.

Was ist dem Onkel passiert?
Er hat einen Herzanfall gehabt.

Wie ist der Herzanfall gekommen?
Onkel Richard sagt, er hat wahrscheinlich ein bißchen zu flott gelebt.

Was sagt Jürgen seinem Onkel?
Er soll schön brav sein und Ruhe halten.

Wird der Onkel bald besser?
Ja, er ist sicher bald wieder auf den Beinen.

Was macht er den ganzen Tag?
Er liegt den ganzen Tag im Bett und schläft ordentlich.

Was bekommt er laufend?
Er bekommt laufend Medizin.

Part 2

Was fragt Christine ihren Mann?
Sie fragt, ob er bei Onkel Richard gewesen ist.

Was soll Jürgen mal erzählen?
Er soll mal erzählen, wie es gewesen ist.

Wie ist Jürgen ins Zimmer gegangen?
Er ist lachend ins Zimmer gegangen.

Wie hat er den Onkel angetroffen?
Er hat ihn lesend angetroffen.

Was sagt Christine darauf?
Sie sagt, das ist mehr ein Zeichen dafür, daß er nicht sehr krank ist.

Warum stimmt das aber nicht?
Der Onkel hat gar nicht gelesen.

Wie kann Jürgen das wissen?
Onkel Richard hat die Zeitschrift falsch herum gehalten.

Warum ist Jürgen sehr bald wieder weggegangen?
Er ist sehr bald wieder weggegangen, damit der Besuch nicht zu anstrengend wird.

IV. Writing Practice

A. Sentence Completion

Complete the following sentences with any suitable sentence segments you know. Watch the word order.

> *Example*: Hans sagt, daß . . .
> *You could write*: Hans sagt, daß es heute heiß ist.
> *or*: Hans sagt, daß Tante Inge nett ist.
> *or*: Hans sagt, daß Nuß-Eis am besten schmeckt.

1 Hans fragt, ob . . .
2 Uwe fragt Heike, was . . .
3 Fräulein Schneider meint, daß . . .
4 Herr Held antwortet, daß . . .
5 Der Unfall ist schlimm, denn . . .
6 Der Peterwagen . . .
7 Ilse und Peter sind in der Stadtbahn und . . .
8 Peter denkt an . . .
9 Heinz sagt, daß Christa . . .
10 Christa sagt der Verkäuferin, daß . . .
11 Margrit sagt, daß der Postbote . . .
12 Gerhard will . . .
13 Der Schraubenzieher . . .
14 Susi legt . . .
15 Susi sagt ihrem Vater, daß . . .
16 Das Messer muß rechts . . .
17 Onkel Richard ist krank, denn . . .
18 Der Onkel wird bald besser sein, denn . . .
19 Christine will wissen, . . .
20 Jürgen erzählt Christine, daß . . .

B. Copy and Supply Appropriate Prepositions

1 Hans ist _____ seiner Tante in die Stadt gegangen; sie bleiben den ganzen Tag _____ der Stadt.
2 Heike und Uwe sind nicht _____ Hause; sie sind _____ einer Stunde zum Baden gegangen.
3 Fräulein Schneider und Herr Held warten _____ eine Vorlesung; Fräulein Schneider sitzt _____ Herrn Held.
4 Herr Held glaubt nicht _____ das alte Sprichwort; er erzählt dem Mädchen _____ seiner Erfahrung damit.
5 Der Unfall ist _____ der Kreuzung passiert; Rolf und Günther laufen _____ die Kreuzung.
6 Eine alte Frau liegt _____ der Laterne; sie hat eine Wunde _____ der Stirn.

7 Peter will _____ eine Zeitung nicht abfahren; er kauft schnell eine Zeitung _____ 30 Pfennig.

8 Peter spottet _____ die Freundin von Ilse; er denkt _____ Ilses Geschichten über sie.

9 Christa will schon _____ einem Monat einen Hut kaufen; sie schaut _____ eine große Auswahl von Hüten.

10 Heinz gibt Christa kein Geld _____ einen Hut, und Christa kauft keinen Hut, denn sie tut nichts _____ ihren Mann.

V. Word Study

A. Translation of Dialog

Ein Krankenbesuch
Visiting a Patient

der Krankenbesuch   der Kranke, *pl.* **die Kranken** patient, sick person + **der Besuch**, *pl.* **die Besuche** visit   **besuchen** visit

(Jürgen, Onkel Richard und Christine)
(Jürgen, Uncle Richard and Christine)

der Onkel, *pl.* **die Onkel**

Part 1

1 Hallo, Onkel Richard, du machst ja schöne Geschichten!
Hello, Uncle Richard. You're really up to great things! (This is a fine story!)

die Geschichte, *pl.* **die Geschichten** story; history; event, affair, business

2 Ja, mein Junge, so etwas hast du noch nicht gekonnt.
Yes, my boy, you haven't been able to do such a thing yet.

können (du hast gekonnt)

3 Wie geht es dir denn jetzt?
How are you now, anyway?

4 Oh, ganz gut, wie du siehst.
Oh, pretty good, as you see.

ganz quite; entirely; very   *weaker than* **sehr**

5 Wie ist der Herzanfall eigentlich gekommen?
How did the heart attack actually come?

der Herzanfall   das Herz, *pl.* **die Herzen** + **der Anfall**, *pl.* **die Anfälle** · **kommen (er ist gekommen)**

6 Vermutlich habe ich ein bißchen zu flott gelebt. Du kennst mich ja.
I suppose I was living a little too gaily. After all, you know me.

vermutlich presumable (–ly) · **bißchen** *from the diminutive noun:* **das Bißchen** little bite (bit) · **leben (ich habe gelebt)**

7 Also, Onkel, sei jetzt schön brav und halte Ruhe!
Well, Uncle, be good now and stay quiet.

brav good; honest; brave **schön brav** very good · **Ruhe halten** keep quiet **die Ruhe** rest; peace, quiet, calm **halten: du hältst, er hält; er hat gehalten**

8 Was bleibt mir hier anderes übrig?
What else is there left for me here?

übrigbleiben be left, remain **übrig** left (over), remaining + **bleiben: er ist geblieben**

9 Dann bist du sicher auch bald wieder auf den Beinen.
Then you'll surely be back on your feet again soon.

das Bein, *pl.* **die Beine** leg

10 Natürlich, ich liege ja den ganzen Tag im Bett, schlafe ordentlich und bekomme laufend Medizin!
Of course. After all, I lie in bed the whole day, sleep a lot and get medicine continuously.

das Bett, *pl.* **die Betten** · **schlafen: du schläfst, er schläft; er hat geschlafen** · **ordentlich** proper(ly); orderly · **die Medizin**

Part 2

11 Bist du bei Onkel Richard gewesen, Jürgen?
Were you with Uncle Richard, Jürgen?

sein (du bist gewesen)

12 Ja, aber er sieht noch recht leidend aus, finde ich.
Yes, but he still looks rather bad, I think.

recht rather; very; right; just · **leiden: er hat gelitten (leidend** *present participle*) suffer

13 Wieso? Erzähl mal, wie es gewesen ist.
What do you mean? Tell me how it was.

sein (es ist gewesen)

14 Also: Ich komme lachend ins Zimmer und treffe ihn lesend an.
Well, I come into the room laughing and find him reading.

lachen (lachend *prs. p.*) **antreffen** find, come across **treffen: du triffst, er trifft; er hat getroffen** meet; hit · **lesen (lesend** *prs. p.*)

15 Aber das ist doch mehr ein Zeichen dafür, daß er nicht sehr krank ist.
But that is really more of a sign that he isn't very sick.

das Zeichen, *pl.* **die Zeichen** · **dafür = da + für** for it, for that

16 Das habe ich zuerst auch gedacht. Aber er hat gar nicht gelesen.
I thought so at first, too. But he wasn't reading at all.

denken (ich habe gedacht) · **lesen (er hat gelesen)**

17 Wie kannst du das wissen?
How can you know that?

18 Er hat die Zeitschrift falsch herum gehalten und ziemlich blaß ausgesehen.
He was holding the magazine upside down and he looked quite pale.

die Zeitschrift   die Zeit, *pl.* **die Zeiten** time; era + **die Schrift,** *pl.* **die Schriften** writing · **falsch herum   falsch** false, wrong **herum** about · **aussehen (er hat ausgesehen)**

19 Du meinst, er hat nur so getan, um dich zu beruhigen?
You mean he only did that to reassure you?

tun (er hat getan)

20 Ganz gewiß. Jedenfalls bin ich sehr bald wieder weggegangen, damit der Besuch nicht zu anstrengend für ihn wird.
Sure. At any rate, I left again very soon so that the visit wouldn't become too strenuous for him.

gewiß sure(ly), certain(ly) · **weggehen (ich bin weggegangen)** go away, leave   **weg** away; off + **gehen** · **werden**   *here, not the future auxiliary*

Supplement

1 Er ist heute hier gewesen.
He was here today.

2 Er ist heute früh gekommen.
He came this morning.

heute früh this morning   **früh** early

3 Er ist heute morgen angekommen.
He arrived this morning.

ankommen (er ist angekommen)

4 Er ist heute vormittag mitgekommen.
He came along this morning.

mitkommen (er ist mitgekommen)

5 Er ist eben gegangen.
He just left.

gehen (er ist gegangen)

6 Er ist gestern mittag gegangen.
He left yesterday noon.

7 Er ist gestern nachmittag weggegangen.
He went away yesterday afternoon.

8 Er ist gestern abend losgegangen.
He started out last night.

losgehen (er ist losgegangen)

9 Er ist gestern nacht abgefahren.
He left last night.

abfahren (er ist abgefahren) leave, depart

10 Rolf bleibt bis morgen hier.
Rolf is staying here until tomorrow.

11 Rolf bleibt bis übermorgen hier.
Rolf is staying here until day after tomorrow.

12 Rolf ist vorgestern hier geblieben.
Rolf stayed here day before yesterday.

bleiben (er ist geblieben)

13 Mein Bruder ist morgens nie zu Hause.
My brother is never at home mornings.

14 Mein Bruder ist vormittags nie zu Hause.
My brother is never at home mornings.

15 Mein Bruder ist mittags nie zu Hause.
My brother is never at home at noon.

16 Mein Bruder kommt nachts nie nach Hause.
My brother never comes home at night.

17 Mein Bruder kommt nachmittags immer nach Hause.
My brother always comes home in the afternoon.

18 Mein Bruder kommt abends immer nach Hause.
My brother always comes home in the evening.

19 Mein Bruder kommt sonntags immer nach Hause.
My brother always comes home on Sundays.

20 Sie ist vor einer Stunde hinübergegangen.
She went over there an hour ago.

hinübergehen (sie ist hinübergegangen)

21 Sie bleibt bis vier Uhr dort.
She is staying there until four o'clock.

22 Mein Onkel ist vor einem Monat nach Amerika gefahren.
My uncle went to America a month ago.

fahren (er ist gefahren)

23 Mein Onkel wird bis April dort bleiben.
My uncle will stay there until April.

24 Er ist vor einem Jahr hier gewesen.
He was here a year ago.

25 Er wird in einem Jahr zurückkommen.
He'll come back in a year.

26 Er tut es nur, um Jürgen zu beruhigen.
He does it only to reassure Jürgen.

27 Er hält die Zeitschrift, ohne zu lesen.
He holds the magazine without reading.

28 Er hat viel gearbeitet, statt Ruhe zu halten.
He worked a lot instead of keeping quiet.

29 Das ist ein Zeichen dafür, daß er nicht sehr krank ist.
That is a sign that he's not very sick.

30 Er wartet darauf, daß du ihm hilfst.
He is waiting for you to help him.

31 Sie hat nichts dagegen gehabt, daß wir wegfahren.
She had nothing against our going away.

haben (sie hat gehabt)

32 Das ist davon gekommen, daß er zu flott gelebt hat.
That happened because he lived too gay a life.
  (It happened from it, that he lived too gaily.)

33 Er denkt nicht daran, so etwas zu sagen.
He isn't thinking of saying such a thing.
  (He isn't thinking of it, to say such a thing.)

34 Er hat nicht daran gedacht, so etwas zu sagen.
He didn't think of saying such a thing.

B. Word Formation

Compound nouns

der Kranke patient + **der Besuch** visit = **der Krankenbesuch** visit with a patient
das Herz heart + **der Anfall** attack = **der Herzanfall** heart attack
die Zeit time + **die Schrift** writing = **die Zeitschrift** magazine

The suffix –los

The suffix **–los** is added to many nouns to form adjective/adverbs denoting the meaning *without*. The English equivalent is usually *–less*. **Die Rücksicht** *respect, consideration* thus yields **rücksichtslos** *incon-*

siderate; *reckless*. As in this instance, a connective **–s–** is sometimes used. Other minor spelling changes can also occur: see **endlos** and **namenlos** below. Words ending in **–los** based on nouns you know follow:

die Arbeit	arbeitslos	out of work, unemployed
das Ende	endlos	endless, interminable
der Gott	gottlos	godless
das Kind	kinderlos	childless
der Kopf	kopflos	headless; confused
die Mühe	mühelos	effortless, easy
der Name	namenlos	nameless
die Ruhe	ruhelos	restless
das Wort	wortlos	wordless, without saying a word

The prefix un–

The prefix **un–** is affixed to adjective/adverbs and past participles used as adjectives to reverse the meaning. Thus **un–** + **möglich** *possible* = **unmöglich** *impossible* and **un–** + **modern** *modern* = **unmodern** *unfashionable, outmoded*. Some words you know whose meanings can be reversed in this manner are:

bestimmt	unbestimmt	indefinite; uncertain, undecided
endlich	unendlich	endless, infinite
frei	unfrei	unfree, not free
freundlich	unfreundlich	unfriendly
genau	ungenau	inaccurate, inexact
gern	ungern	unwillingly; reluctantly
gewiß	ungewiß	uncertain
kindlich	unkindlich	unchildlike, precocious
klar	unklar	vague; not clear; muddy; misty
natürlich	unnatürlich	unnatural
sicher	unsicher	insecure; unsteady; unsafe; uncertain
versichert	unversichert	uninsured
vollkommen	unvollkommen	imperfect
vorsichtig	unvorsichtig	not cautious; inconsiderate; imprudent
wahr	unwahr	untrue
wichtig	unwichtig	unimportant

The prefix **un–** is also affixed to nouns to reverse the meaning:

der Dank	der Undank	ingratitude
das Glück	das Unglück	misfortune; bad luck; disaster; accident; misery
der Fall (fall, case, event)	der Unfall	accident
der Mensch	der Unmensch	monster, brute
die Ruhe	die Unruhe	uneasiness; trouble; anxiety

C. Singular and Plural of Nouns

Change the noun subject to the plural:

Die Geschichte ist mir zu ernst gewesen.
Die Geschichten sind mir zu ernst gewesen.

Der Besuch wird ihm zu anstrengend.
Die Besuche werden ihm zu anstrengend.

Der Onkel ist vermutlich nach Amerika gefahren.
Die Onkel sind vermutlich nach Amerika gefahren.

Der Anfall ist sehr plötzlich gekommen.
Die Anfälle sind sehr plötzlich gekommen.

Das Bett ist vom Versandgeschäft gekommen.
Die Betten sind vom Versandgeschäft gekommen.

Das Bein vom Bett ist kaputtgegangen.
Die Beine vom Bett sind kaputtgegangen.

Die Zeitschrift kommt immer monatlich.
Die Zeitschriften kommen immer monatlich.

VI. Grammar

A. Weak and Strong Verbs

German verbs, like English verbs, fall roughly into two categories:

1   Weak verbs, which have no stem vowel change in the past tense or the past participle (like English *work, worked, worked*). The past participle ends in **–(e)t**: **gelebt**, **geregnet**.
2   Strong verbs, which do have a stem vowel change in the past tense and often in the past participle (like English *sing, sang, sung*; *see, saw, seen*; *eat, ate, eaten*; *blow, blew, blown*). The past participle ends in **–(e)n**: **gesehen**, **getan**.

A number of strong verbs also have a vowel change in the **du** and **er** forms of the present tense. Those which were used before Unit 5 were listed in the grammar of Unit 5. Others have been noted in the Word Study sections. The full principal parts will not be listed until Unit 12, where the past tense is introduced.

B. The Past Participle

Weak verbs

The past participle of a weak verb is formed by adding the unaccented prefix **ge–** and the suffix **–(e)t** to the stem:

Infinitive	Past participle
leb en	ge leb t
sag en	ge sag t
mach en	ge mach t
wart en	ge wart et
regn en	ge regn et

There are a few irregular weak verbs which have a vowel change in the past participle. The **–t** suffix identifies them as weak verbs. Some of these are:

Infinitive	Past participle
dürfen	gedurft
können	gekonnt
mögen	gemocht
müssen	gemußt
wissen	gewußt
bringen	gebracht
denken	gedacht
kennen	gekannt

▶ The modal auxiliaries are irregular weak verbs. **Dürfen, können, mögen** and **müssen** have a vowel change in the past participle, **sollen** and **wollen** do not. **Mögen** has a consonant as well as a vowel change. The non-modals **denken** and **bringen** (bring) also have a consonant change.

Strong verbs

The past participle of a strong verb is formed by adding the unaccented prefix **ge–** and the suffix **–(e)n** to the stem:

Infinitive	Past participle
les en	ge les en
fahr en	ge fahr en
lauf en	ge lauf en
schein en	ge schien en
find en	ge fund en
sprech en	ge sproch en

▶ Some strong verbs have a vowel change in the stem of the past participle. The present tense and the present perfect (conversational past) of the strong verbs used in Units 1–9 are in the drills of this Unit.

Separable prefixes

If a verb has a stressed, separable prefix, the **ge–** prefix of the past participle comes between the separable prefix and the stem:

Infinitive	Past participle
aussteigen	aus ge stiegen
herumkommen	herum ge kommen
losgehen	los ge gangen
umkippen	um ge kippt
aufpassen	auf ge paßt

Inseparable prefixes

If a verb has an inseparable prefix, the unaccented **ge–** prefix is not added to the past participle because the verb already has one unaccented prefix:

Infinitive	Past participle
erzählen	erzählt
versichern	versichert
gehören	gehört
empfinden	empfunden
entspringen	entsprungen
beginnen	begonnen
übertreiben	übertrieben

Verbs ending in –ieren

Verbs whose infinitives end in the suffix **–ieren** are weak and the stress is on the first syllable of the suffix. The **ge–** prefix is not added to the past participle of these verbs.

Infinitive	Past participle
studieren	studiert
passieren	passiert

C. The Present Perfect Tense (Conversational Past)

1 Ich habe ein bißchen zu flott gelebt.
   I lived a little too gaily.

2 Er hat die Zeitschrift falsch herum gehalten.
   He was holding the magazine upside down.

3 Was ist dem Onkel eigentlich passiert?
   What actually happened to the uncle?

4 Jürgen ist bald wieder weggegangen.
   Jürgen left again soon.

The present perfect tense is made up of the present form of the tense auxiliary **haben** or **sein** and the past participle of the verb.

Haben is used with all transitive verbs (verbs which take an accusative object) and with most intransitive verbs (verbs which do not take an accusative object):

1 Er **hat** Onkel Richard gesehen.
   He saw Uncle Richard.

2 Der Onkel **hat** einen Herzanfall gehabt.
   The uncle had a heart attack.

3 Er **hat** ein bißchen zu flott gelebt.
   He lived a little too gaily.

4 Er **hat** ziemlich blaß ausgesehen.
   He looked quite pale.

Sein is used with those intransitive verbs which denote a change of position or condition. While *be* is no longer used as a tense auxiliary in English, it was formerly used in the same way as **sein** in modern German: *The Lord is come.* Some of the most common verbs which show a change of position are **gehen, kommen, laufen, fahren, steigen. Gelingen** and **passieren** are intransitive verbs which show a change of condition. **Sein** is also used with the past participles of **sein** and **bleiben**, although these verbs do not show a change of position or condition:

1. Das Paket **ist** mit der Post gekommen.
   The package came in the mail.

2. Ich **bin** gleich wieder weggegangen.
   I left again right away.

3. Dem rücksichtslosen Fahrer **ist** nichts passiert.
   Nothing happened to the reckless driver.

4. Jürgen **ist** bei Onkel Richard gewesen.
   Jürgen was with Uncle Richard.

5. Er **ist** nicht lange bei ihm geblieben.
   He didn't stay with him long.

6. Es **ist** dem Mann endlich gelungen.
   The man finally succeeded.

A few verbs may be used either transitively or intransitively. A good example is **fahren**. When it has an object the auxiliary is **haben**; when it doesn't, the auxiliary is **sein**:

1. Günther hat den Wagen in die Stadt gefahren.
   Günther drove the car into the city.

2. Günther ist in die Stadt gefahren.
   Günther drove (rode) into the city.

D. Word Order with the Present Perfect Tense (Conversational Past)

In compound tenses the *auxiliary* is the finite verb and is in first position (questions without a question word), second position (independent statements and questions with a question word) or last position (dependent clauses). The *past participle* is at the end of the clause, except in dependent clauses, where it precedes the inflected verb:

1. Bist du bei Onkel Richard gewesen?
   Were you with Uncle Richard?

2. Hast du ihn heute gesehen?
   Did you see him today?

3. Susi hat gut aufgepaßt.
   Susi was very careful.

4. Wie ist der Herzanfall eigentlich gekommen?
   How did the heart attack actually come?

5 Erzähl mal, wie es gewesen ist!
Tell me how it was.

6 Sagen Sie, daß der Onkel ein bißchen zu flott gelebt hat!
Say that the uncle was living a little too gaily.

E. Use of the Present Perfect Tense (Conversational Past)

Although the present perfect tense in both German and English is made up of the present tense of an auxiliary verb plus the past participle, there are some differences in its use in the two languages.

In German, the present perfect is the past tense of conversation and is used in speaking of single past events. It is used where the past tense or the past progressive is ordinarily used in English.

1 Er hat zehn Jahre hier gewohnt.
He lived here for ten years. (But he is no longer here.)

2 Das habe ich zuerst auch gedacht.
That's what I thought at first, too.

3 Onkel Richard hat gar nicht gelesen.
Uncle Richard wasn't reading at all.

4 Ich habe ein bißchen zu flott gelebt.
I was living a little too gaily.

The present perfect tense in German always indicates that an act is completed, although the results may still be felt in the present.

Mein Bruder hat es mir erzählt.
My brother told me that. *Or:* My brother has told me that.

In speaking of an action that began in the past and is still going on in the present, the present perfect is used in English but not in German. *He has lived here for a month* is expressed in German in the present tense, usually with the adverb **schon** or the preposition **seit** or both.

1 Er wohnt einen Monat hier.
2 Er wohnt schon einen Monat hier.

3 Er wohnt seit einem Monat hier.
4 Er wohnt schon seit einem Monat hier.

F. The Present Participle

The present participle of both weak and strong verbs is formed by adding the suffix **–(e)nd** to the stem of the verb:

lach en	lach end
lauf en	lauf end
leid en	leid end
les en	les end

The present participle is used much less frequently in German than in English because it is not used in the formation of any tenses. (Remember that the English present progressive tense, *the sun is shining*, is expressed in German by the present tense, **die Sonne scheint**.) The present participle is used only as an adjective or adverb.

1 Er sieht **leidend** aus.
   He looks as if he's *suffering*.

2 Ich komme **lachend** ins Zimmer und treffe ihn **lesend** an.
   I come *laughing* into the room and find him *reading*.

3 . . . damit der Besuch nicht zu **anstrengend** für ihn wird.
   . . . so that the visit doesn't become too *strenuous* for him.

G. **Um, ohne**, **(an)statt** with an Infinitive

The three prepositions, **um** *in order to*, **ohne** *without*, **(an)statt** *instead of*, are frequently used with **zu** plus an infinitive:

1 Er hat es nur getan, **um** Jürgen **zu** beruhigen.
   He did it only (in order) to calm Jürgen.

2 Er hält die Zeitschrift, **ohne** sie **zu** lesen.
   He is holding the magazine without reading it.

3 Er hat viel gearbeitet, **statt** Ruhe **zu** halten.
   He worked a lot instead of resting.

► In English the present participle instead of the infinitive is used after *without* and *instead of*.

H. Anticipating **da**-Compounds

If the object of a preposition is an infinitive construction or a **daß**–clause, the **da**–form of the preposition (**daran, darauf, dafür, dagegen, davon**, etc.) must be used to anticipate it. (Compare English: *See to it that the job gets done.*) This construction is especially common with such verb phrases as **denken an, warten auf, sprechen über, glauben an**:

1 Er hat nicht daran gedacht, so etwas zu sagen.
   He didn't think of saying such a thing.

2 Er wartet darauf, daß du ihm hilfst.
   He's waiting for you to help him.

3 Das ist ein Zeichen dafür, daß er nicht sehr krank ist.
   That's a sign that he isn't very sick.

► If there is no change of subject, an infinitive follows (1); if there is a change of subject, a **daß**–clause follows (2, 3).

Unit 10

I. Dialog

Am Verkaufsstand

Part 1

1	Verkäufer:	Sie wünschen, bitte?
2	Käufer:	Ich möchte einige Ansichtskarten haben.
3	Verkäufer:	Gern. Sehen Sie hier ruhig alles an. Diese kosten nur 15 Pfennig pro Stück.
4	Käufer:	Haben Sie keine besseren Schwarzweißbilder, oder gute Farbfotos vielleicht?
5	Verkäufer:	Natürlich. Sie sind wegen der höheren Herstellungskosten aber wesentlich teurer im Preis.
6	Käufer:	Das ist selbstverständlich. Wie teuer sind sie denn?
7	Verkäufer:	Die kleineren 30, die größeren 50 und 60 Pfennig.
8	Käufer:	Ist auch ein Bild des Domes dabei?
9	Verkäufer:	Ja, hier. Aufgenommen während des Festzugs anläßlich der 800-Jahr-Feier.
10	Käufer:	Die Aufnahme gefällt mir am besten. Ich nehme sie.

Part 2

11	Verkäufer:	Darf es sonst noch etwas sein?
12	Käufer:	Wessen Bild ist denn das auf der Titelseite der Illustrierten da?
13	Verkäufer:	Oh, Sie kennen das reizende Mädchen nicht, den Stern der Sterne am Filmhimmel?
14	Käufer:	Nein, keine Ahnung. Aber sie sieht gut aus.
15	Verkäufer:	Es gibt keine hübschere! Eines Tages wird sie einen Oscar bekommen.
16	Käufer:	Meinetwegen. Wie teuer ist die Zeitschrift?
17	Verkäufer:	70 Pfennig. Ich hab' noch mehr Bilder von unserer Schönen, wollen Sie ein paar davon?
18	Käufer:	Um Himmels willen, nein; ich bin glücklich verheiratet! Das hier genügt mir.
19	Verkäufer:	Dann macht es zusammen 1 Mark 30.
20	Käufer:	Das ist billiger, als ich gedacht habe.

II. Supplement

Prepositions that govern the genitive

1 Er kommt wegen jeder Feier nach Hause.
2 Ich fahre wegen der kommenden Feste wahrscheinlich nach München.

3 Er wird während des ganzen Spätherbstes zu Hause sein.
4 Er muß sogar während der Feiertage studieren.

5 Trotz des Osterfestes will er arbeiten.
6 Trotz der Festtage will er wegfahren.
7 Trotz des Weihnachtsfestes kann er nicht zu Hause bleiben.

8   Statt des großen Filmsterns haben wir einen schlimmen Unfall gesehen.
9   Statt der Fotos haben wir eine Zeitschrift gekauft.

10   Die Kirche steht dort unten jenseits des Flusses.
11   Die Kaufhäuser stehen diesseits des Domes.

12   Die Kirche steht oberhalb des Waldes.
13   Innerhalb dieser Wälder da oben steht eine Kirche.
14   Die Kirchen stehen hier außerhalb der Dörfer.
15   Unsre Kirche liegt unterhalb des Dorfes.
16   Der Unfall ist innerhalb des Kaufhauses passiert.

Appositives

17   Susi trinkt ein Glas warme Milch.
18   Onkel Richard bekommt eine Flasche roten Wein.
19   Mutter nimmt eine Tasse starken Kaffee und ein Stück frischen Kuchen.
20   Vater ißt eine Scheibe schwarzes Brot, eine Portion kaltes Fleisch und dazu grünen Salat.

III. Audiolingual Drills

A. Directed Dialog

Part 1

Fragen Sie, wie Dialog zehn heißt!
Wie heißt Dialog zehn?

Sagen Sie, daß er ,,Am Verkaufsstand'' heißt!
Er heißt ,,Am Verkaufsstand''.

Fragen Sie, was der Käufer haben möchte!
Was möchte der Käufer haben?

Antworten Sie, daß er einige Ansichtskarten haben möchte!
Er möchte einige Ansichtskarten haben.

Fragen Sie, wieviel die Karten kosten!
Wieviel kosten die Karten?

Sagen Sie, daß sie nur 15 Pfennig pro Stück kosten!
Sie kosten nur 15 Pfennig pro Stück.

Fragen Sie, ob der Verkäufer keine besseren Schwarzweißbilder oder gute Farbfotos hat!
Hat der Verkäufer keine besseren Schwarzweißbilder oder gute Farbfotos?

Antworten Sie, daß sie wegen der höheren Herstellungskosten aber wesentlich teurer im Preis sind!
Sie sind wegen der höheren Herstellungskosten aber wesentlich teurer im Preis.

Fragen Sie, wie teuer sie denn sind!
Wie teuer sind sie denn?

Sagen Sie, daß die kleineren 30, die größeren 50 und 60 Pfennig kosten!
Die kleineren kosten 30, die größeren 50 und 60 Pfennig.

Fragen Sie, ob auch ein Bild des Domes dabei ist!
Ist auch ein Bild des Domes dabei?

Sagen Sie, daß das Bild des Domes während des Festzugs aufgenommen ist!
Das Bild des Domes ist während des Festzugs aufgenommen.

Sagen Sie, daß es anläßlich der 800-Jahr-Feier aufgenommen ist!
Es ist anläßlich der 800-Jahr-Feier aufgenommen.

Fragen Sie, ob die Aufnahme dem Käufer gefällt!
Gefällt die Aufnahme dem Käufer?

Antworten Sie, daß sie ihm am besten gefällt!
Sie gefällt ihm am besten.

Part 2

Fragen Sie, ob es sonst noch etwas sein darf!
Darf es sonst noch etwas sein?

Fragen Sie, wessen Bild denn das auf der Titelseite der Illustrierten da ist!
Wessen Bild ist denn das auf der Titelseite der Illustrierten da?

Fragen Sie, ob der Käufer das reizende Mädchen nicht kennt!
Kennt der Käufer das reizende Mädchen nicht?

Sagen Sie, daß es der Stern der Sterne am Filmhimmel ist!
Es ist der Stern der Sterne am Filmhimmel.

Sagen Sie, daß sie eines Tages einen Oscar bekommen wird!
Sie wird eines Tages einen Oscar bekommen.

Fragen Sie, wie teuer die Zeitschrift ist!
Wie teuer ist die Zeitschrift?

Antworten Sie, daß sie 70 Pfennig kostet!
Sie kostet 70 Pfennig.

Fragen Sie, ob der Verkäufer noch mehr Bilder von der Schönen hat!
Hat der Verkäufer noch mehr Bilder von der Schönen?

Antworten Sie, daß er noch mehr Bilder von der Schönen hat!
Er hat noch mehr Bilder von der Schönen.

Fragen Sie, ob der Käufer ein paar davon will!
Will der Käufer ein paar davon?

Sagen Sie, daß er es nicht will!
Er will es nicht.

Fragen Sie, ob er glücklich verheiratet ist!
Ist er glücklich verheiratet?

Antworten Sie, daß er glücklich verheiratet ist!
Er ist glücklich verheiratet.

Fragen Sie, wieviel es dann zusammen macht!
Wieviel macht es dann zusammen?

Sagen Sie, daß es dann zusammen 1 Mark 30 macht!
Es macht dann zusammen 1 Mark 30.

Sagen Sie, daß das billiger ist, als der Käufer gedacht hat!
Das ist billiger, als der Käufer gedacht hat.

B. Genitive Case

Feminine nouns have no genitive singular ending added. The **der–** or **ein–**word ends in **–er**.

1   Repeat:

Die Vorlesungen der Professorin sind langweilig.
Hier ist ein Foto einer Freundin von mir.
Wie findest du den Hut dieser Frau?
Sind dies die Sachen eurer Tante?

2   Substitute the new feminine noun phrase:

Wie findest du den Hut der Frau?   **seine Tante**
Wie findest du den Hut seiner Tante?   **deine Kundin**
Wie findest du den Hut deiner Kundin?   **unsre Freundin**
Wie findest du den Hut unsrer Freundin?   **jene Professorin**
Wie findest du den Hut jener Professorin?   **diese Frau**
Wie findest du den Hut dieser Frau.   **ihre Verkäuferin**
Wie findest du den Hut ihrer Verkäuferin?   **meine Schneiderin**
Wie findest du den Hut meiner Schneiderin?

Most polysyllabic masculine and neuter nouns have **–s** added in the genitive singular. The **der–** or **ein–**word ends in **–es**.

3   Repeat:

Er ist der Onkel des Mädchens.
Siehst du den Freund des Fahrers?
Wo liegt das Haus eures Bruders?
Ein Bild jenes Fräuleins genügt mir.

4   Substitute the new masculine or neuter noun phrase:

> Der Wagen des Fräuleins steht hinter dem Haus.   **unser Eismann**
> Der Wagen unsres Eismanns steht hinter dem Haus.   **dein Bruder**
> Der Wagen deines Bruders steht hinter dem Haus.   **mein Vater**
> Der Wagen meines Vaters steht hinter dem Haus.   **ihr Onkel**
> Der Wagen ihres Onkels steht hinter dem Haus.   **jenes Mädchen**
> Der Wagen jenes Mädchens steht hinter dem Haus.

Most masculine or neuter nouns have **—es** added in the genitive singular if they are monosyllabic or if the last of two or more syllables is stressed.

5   Repeat:

> Die Form jenes Hutes finde ich scheußlich.
> Februar ist der zweite Monat des Jahres.
> Der Katalog dieses Geschäftes ist schon alt.
> Er ist wegen des Gedichtes gekommen.

6   Substitute the new noun phrase:

> Sie wird morgen wegen des Buches zu uns kommen.   **der Besuch**
> Sie wird morgen wegen des Besuches zu uns kommen.   **sein Freund**
> Sie wird morgen wegen seines Freundes zu uns kommen.   **unser Geschäft**
> Sie wird morgen wegen unsres Geschäftes zu uns kommen.   **ein Bild**
> Sie wird morgen wegen eines Bildes zu uns kommen.   **ihr Gedicht**
> Sie wird morgen wegen ihres Gedichtes zu uns kommen.

Masculine or neuter nouns have **—es** added in the genitive singular if the basic form ends in the sound [s], [ʃ] or [st], no matter how many syllables the noun has.

7   Repeat:

> Hier ist ein Farbfoto des Hauses.
> Hier ist ein Farbfoto des Wohnhauses.
> Die Form dieses Tisches ist mir zu modern.
> Vater hat Susi wegen des Mittagstisches gefragt.
> Wir wohnen jenseits jenes Platzes.
> Wir wohnen jenseits des Schillerplatzes.
> Während des Herbstes fahre ich nach München.
> Während des Spätherbstes bin ich in München.

8   Substitute the new noun phrase:

> Wir haben hier eine nette Aufnahme unsres Hauses.   **jenes Kaufhaus**
> Wir haben hier eine nette Aufnahme jenes Kaufhauses.   **der Festtisch**

Wir haben hier eine nette Aufnahme des Festtisches. **euer Weihnachtsfest**
Wir haben hier eine nette Aufnahme eures Weihnachtsfestes. **der Schillerplatz**
Wir haben hier eine nette Aufnahme des Schillerplatzes. **unser Haus**
Wir haben hier eine nette Aufnahme unsres Hauses.

Masculine nouns of Group V have **–(e)n** added in the genitive singular as in all other cases except the nominative singular:

9 Repeat:

Es ist die Geschichte eines Helden.
Ich habe das Sparbuch des Jungen.
Wer kennt das Foto dieses Menschen?
Dort steht der Wagen des Postboten.
Wir warten auf das Geld unsres Kunden.
Hier liegen die Bücher jenes Studenten.

10 Substitute the new noun phrase:

Dort steht der Wagen des Boten. **ein Kunde**
Dort steht der Wagen eines Kunden. **dieser Student**
Dort steht der Wagen dieses Studenten. **unser Junge**
Dort steht der Wagen unsres Jungen. **jener Mensch**
Dort steht der Wagen jenes Menschen. **euer Postbote**
Dort steht der Wagen eures Postboten.

Most monosyllabic nouns that end in **–es** in the genitive singular end in **–s** when they are unstressed final components of compounds.

11 Repeat:

Mit dem Abend beginnt das Ende des Tages.
Der Abend kommt am Ende des Nachmittags.
Das ist der Hut jenes Mannes.
Das ist der Wagen dieses Milchmanns.

12 Substitute the new noun phrase:

Er ist wegen des Zuges hier. **das Buch**
Er ist wegen des Buches hier. **sein Sparbuch**
Er ist wegen seines Sparbuchs hier. **dein Mann**
Er ist wegen deines Mannes hier. **der Festzug**
Er ist wegen des Festzugs hier. **unser Milchmann**
Er ist wegen unsres Milchmanns hier. **der Festtag**
Er ist wegen des Festtags hier. **dieser Fall**

Er ist wegen dieses Falles hier.   **ein Unfall**
Er ist wegen eines Unfalls hier.   **dieses Werkzeug**
Er ist wegen dieses Werkzeugs hier.   **der Zug**
Er ist wegen des Zuges hier.

The genitive plural form of all nouns is the same as the nominative and accusative plural. The **der–** or **ein–** word ends in **–er**.

13   Repeat:

Der Platz liegt diesseits jener Häuser.
Die Einzelteile der Schränke liegen noch im Zimmer herum.
Kennen Sie die Namen der Jahreszeiten?
Alle Fenster unsrer Zimmer liegen nach Süden.

14   Substitute the new plural noun phrase:

Da hinten stehen die Wagen der Leute.   **die Studenten**
Da hinten stehen die Wagen der Studenten.   **meine Freunde**
Da hinten stehen die Wagen meiner Freunde.   **deine Kunden**
Da hinten stehen die Wagen deiner Kunden.   **seine Brüder**
Da hinten stehen die Wagen seiner Brüder.   **jene Fahrer**
Da hinten stehen die Wagen jener Fahrer.   **die Professoren**
Da hinten stehen die Wagen der Professoren.   **eure Jungen**
Da hinten stehen die Wagen eurer Jungen.   **diese Frauen**
Da hinten stehen die Wagen dieser Frauen.   **die Filmsterne**
Da hinten stehen die Wagen der Filmsterne.   **die Mädchen**
Da hinten stehen die Wagen der Mädchen.   **die Postboten**
Da hinten stehen die Wagen der Postboten.   **ihre Verkäufer**
Da hinten stehen die Wagen ihrer Verkäufer.   **jene Männer**
Da hinten stehen die Wagen jener Männer.   **meine Kundinnen**
Da hinten stehen die Wagen meiner Kundinnen.

15   Substitute the new element:

Vermutlich sind es die Bücher des Mädchens.   **Mann**
Vermutlich sind es die Bücher des Mannes.   **dieser**
Vermutlich sind es die Bücher dieses Mannes.   **Professor**
Vermutlich sind es die Bücher dieses Professors.   **jener**
Vermutlich sind es die Bücher jenes Professors.   **Student**
Vermutlich sind es die Bücher jenes Studenten.   **ein**
Vermutlich sind es die Bücher eines Studenten.   **Freundin**
Vermutlich sind es die Bücher einer Freundin.   **unser**
Vermutlich sind es die Bücher unsrer Freundin.   **Kinder**

Vermutlich sind es die Bücher unsrer Kinder. **ihr**
Vermutlich sind es die Bücher ihrer Kinder. **Bruder**
Vermutlich sind es die Bücher ihres Bruders. **dein**
Vermutlich sind es die Bücher deines Bruders. **Mutter**
Vermutlich sind es die Bücher deiner Mutter. **euer**
Vermutlich sind es die Bücher eurer Mutter. **Kunde**
Vermutlich sind es die Bücher eures Kunden. **sein**
Vermutlich sind es die Bücher seines Kunden. **Junge**
Vermutlich sind es die Bücher seines Jungen. **der**
Vermutlich sind es die Bücher des Jungen. **Freunde**
Vermutlich sind es die Bücher der Freunde. **sein**
Vermutlich sind es die Bücher seiner Freunde. **Studenten**
Vermutlich sind es die Bücher seiner Studenten. **dieser**
Vermutlich sind es die Bücher dieser Studenten. **Studentinnen**
Vermutlich sind es die Bücher dieser Studentinnen. **der**
Vermutlich sind es die Bücher der Studentinnen.

C. Prepositions that Govern the Genitive

Außerhalb, innerhalb, oberhalb, unterhalb, diesseits, jenseits

16 Substitute the new prepositional object or the new preposition:

Die Kirche steht innerhalb des Waldes. **diese Stadt**
Die Kirche steht innerhalb dieser Stadt. **außerhalb**
Die Kirche steht außerhalb dieser Stadt. **unser Städtchen**
Die Kirche steht außerhalb unsres Städtchens. **oberhalb**
Die Kirche steht oberhalb unsres Städtchens. **jene Wälder**
Die Kirche steht oberhalb jener Wälder. **unterhalb**
Die Kirche steht unterhalb jener Wälder. **ihr Dorf**
Die Kirche steht unterhalb ihres Dorfes. **diesseits**
Die Kirche steht diesseits ihres Dorfes. **der Fluß**
Die Kirche steht diesseits des Flusses. **jenseits**
Die Kirche steht jenseits des Flusses.

Anläßlich, trotz, während, wegen

17 Substitute the new prepositional object or the new preposition:

Er ist wegen des Osterfestes gekommen. **ihr Festzug**
Er ist wegen ihres Festzugs gekommen. **trotz**
Er ist trotz ihres Festzugs gekommen. **unsre Feier**
Er ist trotz unsrer Feier gekommen. **während**
Er ist während unsrer Feier gekommen. **der Feiertag**
Er ist während des Feiertags gekommen. **anläßlich**

Er ist anläßlich des Feiertags gekommen. **die Festzüge**
Er ist anläßlich der Festzüge gekommen.

18 Substitute the new element:

Er kann wegen der Arbeit nicht kommen. **Vorlesung**
Er kann wegen der Vorlesung nicht kommen. **dieser**
Er kann wegen dieser Vorlesung nicht kommen. **während**
Er kann während dieser Vorlesung nicht kommen. **Besuch**
Er kann während dieses Besuches nicht kommen. **ihr**
Er kann während ihres Besuches nicht kommen. **trotz**
Er kann trotz ihres Besuches nicht kommen. **Fest**
Er kann trotz ihres Festes nicht kommen. **euer**
Er kann trotz eures Festes nicht kommen. **wegen**
Er kann wegen eures Festes nicht kommen. **Brüder**
Er kann wegen eurer Brüder nicht kommen.

Statt

19 Substitute the new prepositional object:

Statt des Vaters ist Günther gekommen. **die Mutter**
Statt der Mutter ist Günther gekommen. **das Kind**
Statt des Kindes ist Günther gekommen. **dein Bruder**
Statt deines Bruders ist Günther gekommen. **sein Mädchen**
Statt seines Mädchens ist Günther gekommen. **euer Freund**
Statt eures Freundes ist Günther gekommen. **ihre Kinder**
Statt ihrer Kinder ist Günther gekommen. **unsre Tante**
Statt unsrer Tante ist Günther gekommen.

Um . . . willen

20 Substitute the new prepositional object.

Example: Er hat es um des Kindes willen getan. **Lilo**
Er hat es um Lilos willen getan. **meine Mutter**
Er hat es um meiner Mutter willen getan.

Der Mann hat es um dieses Kindes willen getan. **sein Vater**
Der Mann hat es um seines Vaters willen getan. **eure Tante**
Der Mann hat es um eurer Tante willen getan. **unsre Brüder**
Der Mann hat es um unsrer Brüder willen getan. **dein Freund**
Der Mann hat es um deines Freundes willen getan. **ihre Kinder**
Der Mann hat es um ihrer Kinder willen getan. **Margrit**
Der Mann hat es um Margrits willen getan. **der Schneider**
Der Mann hat es um des Schneiders willen getan.

D. Genitive Case in Expressions of Indefinite Time

21 Transform and expand the following sentences by putting the indefinite time expression in the genitive case after the finite form of the verb.

Example: Die Schöne wird einen Oscar bekommen. **Tag**
Die Schöne wird eines Tages einen Oscar bekommen.

Er hat plötzlich einen Herzanfall bekommen. **Nacht**
Er hat eines Nachts plötzlich einen Herzanfall bekommen.

Der Mann ist zu uns gekommen. **Abend**
Der Mann ist eines Abends zu uns gekommen.

Wir sind einfach nach München gefahren. **Sonntag**
Wir sind eines Sonntags einfach nach München gefahren.

Die Jungen sind zusammen zum Baden gegangen. **Nachmittag**
Die Jungen sind eines Nachmittags zusammen zum Baden gegangen.

Mein Onkel und meine Tante sind plötzlich nach Amerika gefahren. **Winter**
Mein Onkel und meine Tante sind eines Winters plötzlich nach Amerika gefahren.

Herr Schneider ist plötzlich krank geworden. **Morgen**
Herr Schneider ist eines Morgens plötzlich krank geworden.

Seine Freunde haben bei uns gegessen. **Mittag**
Seine Freunde haben eines Mittags bei uns gegessen.

Hier ist ein Unfall passiert. **Nacht**
Hier ist eines Nachts ein Unfall passiert.

E. Attributive Adjectives

Weak adjective endings

The endings **–e** and **–en** are used when an attributive adjective follows a **der–**word or an inflected **ein–**word, that is, an **ein–**word with an ending.

In the nominative and accusative singular, except for the masculine accusative, an adjective following a **der–**word ends in **–e**.

All genders — nominative singular

22 Substitute the new element:

Jetzt kippt die alte Kiste sogar noch um. **Wagen**
Jetzt kippt der alte Wagen sogar noch um. **neu**
Jetzt kippt der neue Wagen sogar noch um. **jener**

Jetzt kippt jener neue Wagen sogar noch um.　**Weinglas**
Jetzt kippt jenes neue Weinglas sogar noch um.　**voll**
Jetzt kippt jenes volle Weinglas sogar noch um.　**dieser**
Jetzt kippt dieses volle Weinglas sogar noch um.　**Kiste**
Jetzt kippt diese volle Kiste sogar noch um.　**schwer**
Jetzt kippt diese schwere Kiste sogar noch um.

Feminine and neuter — accusative singular

23 Substitute the new element:

Ich habe heute die neue Schneiderin getroffen.　**Kundin**
Ich habe heute die neue Kundin getroffen.　**nett**
Ich habe heute die nette Kundin getroffen.　**jener**
Ich habe heute jene nette Kundin getroffen.　**Mädchen**
Ich habe heute jenes nette Mädchen getroffen.　**jung**
Ich habe heute jenes junge Mädchen getroffen.　**mancher**
Ich habe heute manches junge Mädchen getroffen.

In the nominative and accusative feminine singular an adjective following an **ein**–word also ends in **–e**.

Feminine — nominative singular

24 Substitute the new element:

Seine alte Wirtin ist angekommen.　**ein**
Eine alte Wirtin ist angekommen.　**neu**
Eine neue Wirtin ist angekommen.　**Professorin**
Eine neue Professorin ist angekommen.　**unser**
Unsre neue Professorin ist angekommen.　**freundlich**
Unsre freundliche Professorin ist angekommen.　**Schneiderin**
Unsre freundliche Schneiderin ist angekommen.　**ihr**
Ihre freundliche Schneiderin ist angekommen.

Feminine — accusative singular

25 Substitute the new element:

Er hat eine alte Geige.　**mein**
Er hat meine alte Geige.　**gut**
Er hat meine gute Geige.　**Decke**
Er hat meine gute Decke.　**ihr**
Er hat ihre gute Decke.　**neu**
Er hat ihre neue Decke.　**Illustrierte**
Er hat ihre neue Illustrierte.　**kein**
Er hat keine neue Illustrierte.

In all other instances the adjective ending is **—en**, whether the adjective follows a **der**—word or an inflected **ein**—word.

Masculine — accusative singular

26   Substitute the new element:

Er hat den schönen Hut noch nicht gesehen.   **Dom**
Er hat den schönen Dom noch nicht gesehen.   **groß**
Er hat den großen Dom noch nicht gesehen.   **unser**
Er hat unsren großen Dom noch nicht gesehen.   **Wagen**
Er hat unsren großen Wagen noch nicht gesehen.   **neu**
Er hat unsren neuen Wagen noch nicht gesehen.   **dein**
Er hat deinen neuen Wagen noch nicht gesehen.   **Tisch**
Er hat deinen neuen Tisch noch nicht gesehen.   **klein**
Er hat deinen kleinen Tisch noch nicht gesehen.   **dieser**
Er hat diesen kleinen Tisch noch nicht gesehen.   **Raum**
Er hat diesen kleinen Raum noch nicht gesehen.   **hübsch**
Er hat diesen hübschen Raum noch nicht gesehen.

All genders — dative singular

27   Substitute the new element:

Gestern haben wir es dem guten Mann zurückgeschickt.   **Frau**
Gestern haben wir es der guten Frau zurückgeschickt.   **nett**
Gestern haben wir es der netten Frau zurückgeschickt.   **dieser**
Gestern haben wir es dieser netten Frau zurückgeschickt.   **Mädchen**
Gestern haben wir es diesem netten Mädchen zurückgeschickt.   **brav**
Gestern haben wir es diesem braven Mädchen zurückgeschickt.   **ihr**
Gestern haben wir es ihrem braven Mädchen zurückgeschickt.   **Wirtin**
Gestern haben wir es ihrer braven Wirtin zurückgeschickt.   **alt**
Gestern haben wir es ihrer alten Wirtin zurückgeschickt.   **unser**
Gestern haben wir es unsrer alten Wirtin zurückgeschickt.   **Onkel**
Gestern haben wir es unsrem alten Onkel zurückgeschickt.   **freundlich**
Gestern haben wir es unsrem freundlichen Onkel zurückgeschickt.

All genders — genitive singular

28   Substitute the new element:

Der Preis der alten Geige ist mir zu hoch.   **Buch**
Der Preis des alten Buches ist mir zu hoch.   **blau**
Der Preis des blauen Buches ist mir zu hoch.   **dieser**
Der Preis dieses blauen Buches ist mir zu hoch.   **Schüssel**
Der Preis dieser blauen Schüssel ist mir zu hoch.   **grün**
Der Preis dieser grünen Schüssel ist mir zu hoch.   **Ihr**

Der Preis Ihrer grünen Schüssel ist mir zu hoch.   **Hut**
Der Preis Ihres grünen Hutes ist mir zu hoch.   **neu**
Der Preis Ihres neuen Hutes ist mir zu hoch.   **dein**
Der Preis deines neuen Hutes ist mir zu hoch.

All genders — all cases — plural

29   Nominative plural. Substitute the new element:

Die neuen Bücher liegen dort hinten.   **Hüte**
Die neuen Hüte liegen dort hinten.   **klein**
Die kleinen Hüte liegen dort hinten.   **sein**
Seine kleinen Hüte liegen dort hinten.   **Bilder**
Seine kleinen Bilder liegen dort hinten.   **scheußlich**
Seine scheußlichen Bilder liegen dort hinten.   **jener**
Jene scheußlichen Bilder liegen dort hinten.   **Aufnahmen**
Jene scheußlichen Aufnahmen liegen dort hinten.

30   Accusative plural. Substitute the new element:

Seht ihr denn die kleinen Kinder nicht?   **Kästen**
Seht ihr denn die kleinen Kästen nicht?   **alt**
Seht ihr denn die alten Kästen nicht?   **dieser**
Seht ihr denn diese alten Kästen nicht?   **Frauen**
Seht ihr denn diese alten Frauen nicht?   **hübsch**
Seht ihr denn diese hübschen Frauen nicht?   **jener**
Seht ihr denn jene hübschen Frauen nicht?   **Mädchen**
Seht ihr denn jene hübschen Mädchen nicht?

31   Dative plural. Substitute the new element:

Das Fest hat den alten Leuten sehr gut gefallen.   **Männer**
Das Fest hat den alten Männern sehr gut gefallen.   **jung**
Das Fest hat den jungen Männern sehr gut gefallen.   **jener**
Das Fest hat jenen jungen Männern sehr gut gefallen.   **Mädchen**
Das Fest hat jenen jungen Mädchen sehr gut gefallen.   **klein**
Das Fest hat jenen kleinen Mädchen sehr gut gefallen.   **euer**
Das Fest hat euren kleinen Mädchen sehr gut gefallen.   **Brüder**
Das Fest hat euren kleinen Brüdern sehr gut gefallen.

32   Genitive plural. Substitute the new element:

Er ist wegen der schweren Kisten gekommen.   **Pakete**
Er ist wegen der schweren Pakete gekommen.   **viel**
Er ist wegen der vielen Pakete gekommen.   **sein**
Er ist wegen seiner vielen Pakete gekommen.   **Bücher**

Er ist wegen seiner vielen Bücher gekommen.   **alt**
Er ist wegen seiner alten Bücher gekommen.   **dieser**
Er ist wegen dieser alten Bücher gekommen.   **Kästen**
Er ist wegen dieser alten Kästen gekommen.

Review of weak adjective endings, all cases

33 Expand each sentence by putting the indicated modifier before the noun.

Examples: Ich finde ihren Hut scheußlich.   **grün**
Ich finde ihren grünen Hut scheußlich.

Unsre Farbfotos sind noch nicht fertig.   **neu**
Unsre neuen Farbfotos sind noch nicht fertig.

Der Mann ist bald wieder weggefahren.   **alt**
Der alte Mann ist bald wieder weggefahren.

Die Kundin ist eben hier gewesen.   **nett**
Die nette Kundin ist eben hier gewesen.

Ich habe endlich einen Wagen gekauft.   **ander**
Ich habe endlich einen anderen Wagen gekauft.

Hast du schon unseren Verkaufsstand gesehen?   **hübsch**
Hast du schon unseren hübschen Verkaufsstand gesehen?

Eure Kinder sind wirklich reizend.   **beide**
Eure beiden Kinder sind wirklich reizend.

Sie ist wegen des Buches zu ihm gegangen.   **neu**
Sie ist wegen des neuen Buches zu ihm gegangen.

Die Frau kann heute nicht mit uns fahren.   **krank**
Die kranke Frau kann heute nicht mit uns fahren.

Das Fräulein hier will etwas kaufen.   **jung**
Das junge Fräulein hier will etwas kaufen.

Haben sie meine Geige schon geschickt?   **schön**
Haben sie meine schöne Geige schon geschickt?

Wir schicken den Schrank einfach zurück.   **scheußlich**
Wir schicken den scheußlichen Schrank einfach zurück.

Er muß wegen seines Herzanfalls noch viel schlafen.   **schlimm**
Er muß wegen seines schlimmen Herzanfalls noch viel schlafen.

Sie sind mit einem Freund angekommen.   **gut**
Sie sind mit einem guten Freund angekommen.

Trotz seiner Unfälle fährt er immer noch zu schnell.   **viel**
Trotz seiner vielen Unfälle fährt er immer noch zu schnell.

Du kannst es mit diesem Werkzeug zusammenbauen.   **richtig**
Du kannst es mit diesem richtigen Werkzeug zusammenbauen.

Es ist gestern an einer Kreuzung passiert.   **rutschig**
Es ist gestern an einer rutschigen Kreuzung passiert.

Es ist zusammen mit den Kisten angekommen.   **schwer**
Es ist zusammen mit den schweren Kisten angekommen.

Strong adjective endings

The endings are the same as the **der**–word endings except for the masculine and neuter genitive singular, which is **–en**. A strong ending is used when an attributive adjective follows an uninflected **ein**–word (**ein**, **dein**, **kein**, etc.) or when there is no **der**– or **ein**–word.

An adjective following an uninflected **ein**–word

Neuter — nominative singular: **–es**

34   Substitute the new element:

Hat hier nicht eben noch ein kleines Paket gelegen?   **Bild**
Hat hier nicht eben noch ein kleines Bild gelegen?   **alt**
Hat hier nicht eben noch ein altes Bild gelegen?   **ihr**
Hat hier nicht eben noch ihr altes Bild gelegen?   **Buch**
Hat hier nicht eben noch ihr altes Buch gelegen?   **neu**
Hat hier nicht eben noch ihr neues Buch gelegen?   **mein**
Hat hier nicht eben noch mein neues Buch gelegen?   **Messer**
Hat hier nicht eben noch mein neues Messer gelegen?   **gut**
Hat hier nicht eben noch mein gutes Messer gelegen?   **unser**
Hat hier nicht eben noch unser gutes Messer gelegen?

Neuter — accusative singular: **–es**

35   Substitute the new element:

Hans hat ein schönes Foto verkauft.   **Bild**
Hans hat ein schönes Bild verkauft.   **groß**
Hans hat ein großes Bild verkauft.   **mein**
Hans hat mein großes Bild verkauft.   **Haus**
Hans hat mein großes Haus verkauft.   **neu**
Hans hat mein neues Haus verkauft.   **unser**
Hans hat unser neues Haus verkauft.   **Geschäft**
Hans hat unser neues Geschäft verkauft.   **alt**
Hans hat unser altes Geschäft verkauft.   **sein**
Hans hat sein altes Geschäft verkauft.

Masculine — nominative singular: **–er**

36 Substitute the new element:

> Mein alter Onkel ist plötzlich krank geworden.   **Schneider**
> Mein alter Schneider ist plötzlich krank geworden.   **neu**
> Mein neuer Schneider ist plötzlich krank geworden.   **unser**
> Unser neuer Schneider ist plötzlich krank geworden.   **Fahrer**
> Unser neuer Fahrer ist plötzlich krank geworden.   **gut**
> Unser guter Fahrer ist plötzlich krank geworden.   **ihr**
> Ihr guter Fahrer ist plötzlich krank geworden.   **Freund**
> Ihr guter Freund ist plötzlich krank geworden.   **klein**
> Ihr kleiner Freund ist plötzlich krank geworden.   **sein**
> Sein kleiner Freund ist plötzlich krank geworden.

Review of weak and strong adjective endings with **ein**–*words*

37 Substitute the new element:

> Dort rechts steht ein neuer Wagen.   **Haus**
> Dort rechts steht ein neues Haus.   **schön**
> Dort rechts steht ein schönes Haus.   **dein**
> Dort rechts steht dein schönes Haus.   **Schrank**
> Dort rechts steht dein schöner Schrank.   **groß**
> Dort rechts steht dein großer Schrank.   **unser**
> Dort rechts steht unser großer Schrank.   **Kiste**
> Dort rechts steht unsre große Kiste.   **alt**
> Dort rechts steht unsre alte Kiste.   **mein**
> Dort rechts steht meine alte Kiste.   **Bett**
> Dort rechts steht mein altes Bett.   **klein**
> Dort rechts steht mein kleines Bett.   **euer**
> Dort rechts steht euer kleines Bett.   **Verkaufsstand**
> Dort rechts steht euer kleiner Verkaufsstand.   **hübsch**
> Dort rechts steht euer hübscher Verkaufsstand.   **ihr**
> Dort rechts steht ihr hübscher Verkaufsstand.   **Freundin**
> Dort rechts steht ihre hübsche Freundin.   **flott**
> Dort rechts steht ihre flotte Freundin.   **sein**
> Dort rechts steht seine flotte Freundin.

Review of weak and strong adjective endings with **der**– *and* **ein**–*words*

38 Expand each sentence by putting the indicated adjective before the noun:

> Mein Onkel ist plötzlich krank geworden.   **alt**
> Mein alter Onkel ist plötzlich krank geworden.
>
> Er hat die Zeitschriften gar nicht gelesen.   **neu**
> Er hat die neuen Zeitschriften gar nicht gelesen.

Euer Fahrer ist wieder zu schnell gefahren.   **rücksichtslos**
Euer rücksichtsloser Fahrer ist wieder zu schnell gefahren.

Ich habe heute eine Schneiderin kennengelernt.   **tüchtig**
Ich habe heute eine tüchtige Schneiderin kennengelernt.

Wir gehen ungern in sein Geschäft.   **alt**
Wir gehen ungern in sein altes Geschäft.

Er hat euren Festzug nicht mehr gesehen.   **schön**
Er hat euren schönen Festzug nicht mehr gesehen.

Sie hat heute ihre Geige abgeholt.   **teuer**
Sie hat heute ihre teure Geige abgeholt.

Ich habe mir heute morgen einen Hut gekauft.   **hübsch**
Ich habe mir heute morgen einen hübschen Hut gekauft.

Jene Bücher gefallen mir gar nicht.   **billig**
Jene billigen Bücher gefallen mir gar nicht.

Dein Zimmer sieht wirklich nett aus.   **klein**
Dein kleines Zimmer sieht wirklich nett aus.

Habt ihr seine Freundin schon kennengelernt?   **neu**
Habt ihr seine neue Freundin schon kennengelernt?

Wir sind mit einem Zug angekommen.   **spät**
Wir sind mit einem späten Zug angekommen.

Er ist eigentlich kein Schneider.   **gut**
Er ist eigentlich kein guter Schneider.

Wir haben natürlich eine Weile auf dich gewartet.   **klein**
Wir haben natürlich eine kleine Weile auf dich gewartet.

Sie hat eine Stunde dort gesessen.   **ganz**
Sie hat eine ganze Stunde dort gesessen.

Er will eben nicht an die Sprichwörter glauben.   **alt**
Er will eben nicht an die alten Sprichwörter glauben.

Sie haben über jenen Unfall erzählt.   **schlimm**
Sie haben über jenen schlimmen Unfall erzählt.

An adjective without a preceding **der–** or **ein–**word

Nominative singular

39   Repeat:

Roter Wein wird auch immer teurer!
Frische Milch ist gut für kleine Kinder.
Schwarzes Brot schmeckt mir am besten.

40 Substitute the new noun in the nominative case. Drop the article and make the adjective ending agree:

> Guter Wein wird auch immer teurer!   **das Brot**
> Gutes Brot wird auch immer teurer!   **die Milch**
> Gute Milch wird auch immer teurer!   **das Fleisch**
> Gutes Fleisch wird auch immer teurer!   **das Bier**
> Gutes Bier wird auch immer teurer!   **die Marmelade**
> Gute Marmelade wird auch immer teurer!   **der Kaffee**
> Guter Kaffee wird auch immer teurer!   **die Butter**
> Gute Butter wird auch immer teurer!   **der Kuchen**
> Guter Kuchen wird auch immer teurer!   **der Wein**
> Guter Wein wird auch immer teurer!

Accusative singular

41 Repeat:

> Die Leute wollen alle kalten Saft haben.
> Die Leute wollen alle heiße Suppe haben.
> Die Leute wollen alle frisches Bier haben.

42 Substitute the new noun in the accusative singular:

> Jeder möchte natürlich frischen Fisch haben.   **Kaffee**
> Jeder möchte natürlich frischen Kaffee haben.   **Butter**
> Jeder möchte natürlich frische Butter haben.   **Fleisch**
> Jeder möchte natürlich frisches Fleisch haben.   **Salat**
> Jeder möchte natürlich frischen Salat haben.   **Marmelade**
> Jeder möchte natürlich frische Marmelade haben.   **Bier**
> Jeder möchte natürlich frisches Bier haben.   **Milch**
> Jeder möchte natürlich frische Milch haben.   **Brot**
> Jeder möchte natürlich frisches Brot haben.   **Kuchen**
> Jeder möchte natürlich frischen Kuchen haben.

Dative singular

43 Repeat:

> Der Mann hat nach gutem Wein gefragt.
> Der Mann hat nach heißer Suppe gefragt.
> Der Mann hat nach frischem Brot gefragt.

44 Substitute the new noun in the dative singular:

> Der Mann hat nach frischem Kuchen gefragt.   **Milch**
> Der Mann hat nach frischer Milch gefragt.   **Fleisch**

Der Mann hat nach frischem Fleisch gefragt. **Brot**
Der Mann hat nach frischem Brot gefragt. **Salat**
Der Mann hat nach frischem Salat gefragt. **Butter**
Der Mann hat nach frischer Butter gefragt. **Marmelade**
Der Mann hat nach frischer Marmelade gefragt. **Bier**
Der Mann hat nach frischem Bier gefragt.

All genders — all cases — plural

45 Repeat:

Gute Ansichtskarten sind hier billig.
Hier kann man schöne Bilder kaufen.
Da kommt er mit neuen Zeitschriften.
Trotz guter Kunden geht sein Geschäft schlecht.

46 Substitute the indicated adjective for the plural limiting word:

Die Ansichtskarten sind dort billig. **schön**
Schöne Ansichtskarten sind dort billig.

Trotz seiner Kunden geht sein Geschäft schlecht. **viel**
Trotz vieler Kunden geht sein Geschäft schlecht.

Da kommt er mit seinen Ansichtskarten. **neu**
Da kommt er mit neuen Ansichtskarten.

Hier kann man solche Ansichtskarten kaufen. **hübsch**
Hier kann man hübsche Ansichtskarten kaufen.

Die Unfälle passieren hier, wenn es regnet. **schlimm**
Schlimme Unfälle passieren hier, wenn es regnet.

Du kannst doch deine Freunde mitnehmen. **gut**
Du kannst doch gute Freunde mitnehmen.

Trotz dieser Straßen fährt er sehr schnell. **schlecht**
Trotz schlechter Straßen fährt er sehr schnell.

Unsere Antworten gefallen ihm natürlich nicht. **falsch**
Falsche Antworten gefallen ihm natürlich nicht.

Mit solchen Wagen muß man gut aufpassen. **schnell**
Mit schnellen Wagen muß man gut aufpassen.

Er glaubt nicht an diese Sprichwörter. **alt**
Er glaubt nicht an alte Sprichwörter.

Two or more attributive adjectives

47 If there are two or more attributive adjectives, all have the same ending. Expand the following sentences by putting the indicated additional adjective just before the noun.

    Example: Mein Bruder hat jetzt einen sehr schönen Wagen. **rot**
                Mein Bruder hat jetzt einen sehr schönen, roten Wagen.

    Ihr kleiner Hut ist schon ein Jahr alt. **grün**
    Ihr kleiner, grüner Hut ist schon ein Jahr alt.

    Dies ist eine ganz schlechte Straße. **rutschig**
    Dies ist eine ganz schlechte, rutschige Straße.

    Ich bin bei einem guten Freund gewesen. **alt**
    Ich bin bei einem guten, alten Freund gewesen.

    Guter Wein ist dieses Jahr sehr teuer. **alt**
    Guter, alter Wein ist dieses Jahr sehr teuer.

    Der Hut hat eine scheußliche Form. **unmodern**
    Der Hut hat eine scheußliche, unmoderne Form.

    Hans hat den netten Leuten ein Bild geschickt. **jung**
    Hans hat den netten, jungen Leuten ein Bild geschickt.

F. Adjectival Nouns

48 Reduce following sentences by dropping the noun, so that adjective stands for the modified noun.

    Example: Wer ist das auf der illustrierten Zeitschrift da?
                Wer ist das auf der Illustrierten da?

    Ich habe noch nie etwas von dieser schönen Frau gelesen.
    Ich habe noch nie etwas von dieser Schönen gelesen.

    Heute ist der dreizehnte Februar.
    Heute ist der Dreizehnte.

    Ein kranker Mensch muß viel schlafen.
    Ein Kranker muß viel schlafen.

    Ihr kleines Kind sieht noch ziemlich blaß aus.
    Ihr Kleines sieht noch ziemlich blaß aus.

    Das ist genau der richtige Schraubenzieher.
    Das ist genau der Richtige.

    Ich sehe dort einen bekannten Studenten.
    Ich sehe dort einen Bekannten.

G. Comparison of Adjectives and Adverbs

Comparative degree

49 Repeat:

> Er will wissen, ob mein Wagen schnell fährt.
> Er will wissen, ob dein Wagen noch schneller fährt.
>
> Sie sagt, daß das Fleisch in dieser Stadt teuer ist.
> Sie sagt, daß das Fleisch in jener Stadt noch teurer ist.

50 Substitute the new element, put the word **noch** before the adjective or adverb and change the latter to the comparative degree:

> Sie sagt, daß diese Kuchen frisch sind. **jener**
> Sie sagt, daß jene Kuchen noch frischer sind.
>
> Sie finden, daß Margrits Hut scheußlich ist. **Heike**
> Sie finden, daß Heikes Hut noch scheußlicher ist.
>
> Er fragt, ob der Student klar geantwortet hat. **die Studentin**
> Er fragt, ob die Studentin noch klarer geantwortet hat.
>
> Er meint, daß es heute heiß gewesen ist. **gestern**
> Er meint, daß es gestern noch heißer gewesen ist.
>
> Er fragt, ob unser Wagen teuer gewesen ist. **euer**
> Er fragt, ob euer Wagen noch teurer gewesen ist.
>
> Sie erklären, daß der Raum dort voll ist. **hier**
> Sie erklären, daß der Raum hier noch voller ist.
>
> Sie antwortet, daß die Kirche dort unten klein ist. **oben**
> Sie antwortet, daß die Kirche dort oben noch kleiner ist.
>
> Ich finde, daß Susi heute blaß aussieht. **Hans**
> Ich finde, daß Hans heute noch blasser aussieht.

51 Note the umlaut in the comparative form. Repeat:

> Er fragt, ob deine Tante alt ist.
> Er fragt, ob dein Onkel noch älter ist.
>
> Er sagt, daß sein Bruder lange gearbeitet hat.
> Er sagt, daß sein Vater noch länger gearbeitet hat.

52 Substitute the new element, put the word **noch** before the adjective or adverb and change the latter to the comparative with an umlaut:

Er fragt, ob Günthers Zimmer groß ist.   **Rolf**
Er fragt, ob Rolfs Zimmer noch größer ist.

Sie sagt, daß Ilses Hut alt ist.   **Lilo**
Sie sagt, daß Lilos Hut noch älter ist.

Ich glaube, daß seine Tante krank ist.   **Onkel**
Ich glaube, daß sein Onkel noch kränker ist.

Sie meinen, daß Peter jung aussieht.   **Heinz**
Sie meinen, daß Heinz noch jünger aussieht.

Sie erzählen, daß Jürgen stark ist.   **Gerhard**
Sie erzählen, daß Gerhard noch stärker ist.

Sie erklären, daß es nachts im Süden kalt wird.   **Norden**
Sie erklären, daß es nachts im Norden noch kälter wird.

Er will wissen, ob die Frauen lange gewartet haben.   **Männer**
Er will wissen, ob die Männer noch länger gewartet haben.

Sie sagen, daß es im Osten warm werden kann.   **Westen**
Sie sagen, daß es im Westen noch wärmer werden kann.

Ich sehe, daß der Himmel im Südosten schwarz wird.   **Nordwesten**
Ich sehe, daß der Himmel im Nordwesten noch schwärzer wird.

53 Substitute the new adjective:

Richard ist älter als Jürgen.   **nett**
Richard ist netter als Jürgen.   **jung**
Richard ist jünger als Jürgen.   **freundlich**
Richard ist freundlicher als Jürgen.   **groß**
Richard ist größer als Jürgen.   **blaß**
Richard ist blasser als Jürgen.   **krank**
Richard ist kränker als Jürgen.   **schnell**
Richard ist schneller als Jürgen.   **stark**
Richard ist stärker als Jürgen.   **alt**
Richard ist älter als Jürgen.

Superlative degree

54 Repeat:

Rolf läuft schnell.
Günther läuft noch schneller.
Jürgen läuft am schnellsten.

Heike ist hübsch.
Lilo ist noch hübscher.
Inge ist am hübschesten.

Christa ist reizend.
Heike ist noch reizender.
Lilo ist am reizendsten.

55   Substitute the new adjective in the superlative degree:

Ich glaube, jener Junge ist am schnellsten.   **brav**
Ich glaube, jener Junge ist am bravsten.   **glücklich**
Ich glaube, jener Junge ist am glücklichsten.   **vorsichtig**
Ich glaube, jener Junge ist am vorsichtigsten.   **klein**
Ich glaube, jener Junge ist am kleinsten.   **schwer**
Ich glaube, jener Junge ist am schwersten.   **tüchtig**
Ich glaube, jener Junge ist am tüchtigsten.   **ängstlich**
Ich glaube, jener Junge ist am ängstlichsten.   **schnell**
Ich glaube, jener Junge ist am schnellsten.

A connecting **–e–** is used before the superlative ending if the adjective ends in a [s]–, [ʃ]– or [t]–sound, except for present participial adjectives, such as **reizend**.

56   Repeat:

Jenes Kind sieht am blassesten aus.
Ist dieses kleine Mädchen nicht am hübschesten?
Ich finde dieses Buch am leichtesten.
Jener Junge ist am ernstesten.

57   Substitute the new adjective in the superlative degree:

Sie findet jenen Jungen am flottesten.   **nett**
Sie findet jenen Jungen am nettesten.   **blaß**
Sie findet jenen Jungen am blassesten.   **ernst**
Sie findet jenen Jungen am ernstesten.   **schlecht**
Sie findet jenen Jungen am schlechtesten.

58   Adjectives that umlaut in the comparative also umlaut in the superlative. Substitute the new adjective in the superlative degree:

Er glaubt, jenes Mädchen ist am jüngsten.   **nett**
Er glaubt, jenes Mädchen ist am nettesten.   **ernst**
Er glaubt, jenes Mädchen ist am ernstesten.   **schön**
Er glaubt, jenes Mädchen ist am schönsten.   **reizend**

Er glaubt, jenes Mädchen ist am reizendsten.   **blaß**
Er glaubt, jenes Mädchen ist am blassesten.   **brav**
Er glaubt, jenes Mädchen ist am bravsten.   **hübsch**
Er glaubt, jenes Mädchen ist am hübschesten.   **alt**
Er glaubt, jenes Mädchen ist am ältesten.

Irregular comparisons

59   Repeat:

Das Wohnhaus ist hoch, das Kaufhaus ist noch höher, doch die Kirche ist am höchsten.
Der Fluß ist nah, der Wald ist noch näher, doch das Dorf ist am nächsten.
Jürgen ist groß, Gerhard ist noch größer, doch Richard ist am größten.
Ich arbeite gern, ich schlafe noch lieber, doch ich esse am liebsten.
Herr Held studiert viel, Fräulein Schneider studiert noch mehr, doch Herr Wolf studiert am meisten.
Seine Arbeit ist gut, ihre Arbeit ist noch besser, doch deine Arbeit ist am besten.

60   Change from the positive to the comparative degree:

Example: Rolf ist so groß wie Günther.
Rolf ist größer als Günther.

Das Kaufhaus ist so hoch wie die Kirche.
Das Kaufhaus ist höher als die Kirche.

Der Dom ist von hier aus so nah wie das Kaufhaus.
Der Dom ist von hier aus näher als das Kaufhaus.

Ilse ist so alt wie Lilo.
Ilse ist älter als Lilo.

Der Junge arbeitet so gern wie sein Vater.
Der Junge arbeitet lieber als sein Vater.

Herr Held studiert so viel wie Fräulein Schneider.
Herr Held studiert mehr als Fräulein Schneider.

Seine Arbeit ist so gut wie Rolfs.
Seine Arbeit ist besser als Rolfs.

Heike ist so reizend wie Margrit.
Heike ist reizender als Margrit.

Unser Kind ist so groß wie Susi.
Unser Kind ist größer als Susi.

61   Change from the comparative to the superlative degree.

> *Example*:   Ich möchte lieber schlafen.
> Ich möchte am liebsten schlafen.

Sein anderer Wagen fährt schneller.
Sein anderer Wagen fährt am schnellsten.

Ich glaube, die Kirche ist näher.
Ich glaube, die Kirche ist am nächsten.

Dieses Wohnhaus ist bestimmt höher.
Dieses Wohnhaus ist bestimmt am höchsten.

Hans ist wahrscheinlich älter.
Hans ist wahrscheinlich am ältesten.

Ich finde jenes Kind reizender.
Ich finde jenes Kind am reizendsten.

Gerhard ist doch sicher größer.
Gerhard ist doch sicher am größten.

Dieses Foto ist wirklich hübscher.
Dieses Foto ist wirklich am hübschesten.

Ihre Geige ist tatsächlich besser.
Ihre Geige ist tatsächlich am besten.

Diese Aufnahme vom Dom kostet mehr.
Diese Aufnahme vom Dom kostet am meisten.

Dieser Kunde hat länger gewartet.
Dieser Kunde hat am längsten gewartet.

Die Kinder möchten lieber zum Baden gehen.
Die Kinder möchten am liebsten zum Baden gehen.

Endings of comparative and superlative

The comparative and superlative forms of attributive adjectives require the same declensional endings as the positive form.

62   Repeat:

> Es gibt keine hübschere Frau.
> Hans will mir ein besseres Foto machen.
> Der Gast fragt nach frischerem Brot.
> Schönere Aufnahmen kann man nicht finden.
> Die größten Karten kosten natürlich mehr.
> Er hat mir seine schönste Aufnahme gegeben.
> Heute ist der wärmste Tag des Sommers gewesen.

63 Change from the positive to the comparative:

> Der Gast fragt nach frischem Brot.
> Der Gast fragt nach frischerem Brot.

> Die kleinen Karten kosten 15 Pfennig pro Stück.
> Die kleineren Karten kosten 15 Pfennig pro Stück.

> Hans will mir ein gutes Foto machen.
> Hans will mir ein besseres Foto machen.

> Schöne Aufnahmen kann man nicht finden.
> Schönere Aufnahmen kann man nicht finden.

> Wir sind mit einem jungen Mann in die Stadt gefahren.
> Wir sind mit einem jüngeren Mann in die Stadt gefahren.

> Gibt es auch noch einen späten Zug?
> Gibt es auch noch einen späteren Zug?

64 Change from the positive to the superlative:

> Ihr großer Junge ist eben hier gewesen.
> Ihr größter Junge ist eben hier gewesen.

> Die alte Frau arbeitet noch immer im Kaufhaus.
> Die älteste Frau arbeitet noch immer im Kaufhaus.

> Mein guter Freund ist nach Amerika gefahren.
> Mein bester Freund ist nach Amerika gefahren.

> Ist dies seine hübsche Verkäuferin?
> Ist dies seine hübscheste Verkäuferin?

> Hat der Kunde die billigen Karten nicht gewollt?
> Hat der Kunde die billigsten Karten nicht gewollt?

> Die Kinder wollen in den nahen Wald gehen.
> Die Kinder wollen in den nächsten Wald gehen.

H. Appositives

The noun of quantity and the noun which follows it are in apposition. The adjective before the appositive has the **der**–word ending.

65 Repeat:

> Vater bekommt eine Portion Fleisch.
> Vater bekommt eine Portion kaltes Fleisch.

> Mutter nimmt eine Tasse Kaffee.
> Mutter nimmt eine Tasse starken Kaffee.

> Susi trinkt ein Glas Milch.
> Susi trinkt ein Glas frische Milch.

66 Expand by putting the indicated adjective between the quantity and the noun in apposition:

> Onkel Richard nimmt eine Flasche Wein.   **gut**
> Onkel Richard nimmt eine Flasche guten Wein.
>
> Tante Inge möchte eine Portion Salat.   **grün**
> Tante Inge möchte eine Portion grünen Salat.
>
> Frau Hartmann nimmt einen Teller Suppe.   **heiß**
> Frau Hartmann nimmt einen Teller heiße Suppe.
>
> Jürgen will eine Scheibe Brot.   **schwarz**
> Jürgen will eine Scheibe schwarzes Brot.
>
> Lilo ißt ein Stück Kuchen.   **warm**
> Lilo ißt ein Stück warmen Kuchen.
>
> Gerhard wünscht ein Glas Bier.   **kalt**
> Gerhard wünscht ein Glas kaltes Bier.
>
> Das Kind will eine Flasche Saft haben.   **rot**
> Das Kind will eine Flasche roten Saft haben.

I. Questions with **wer**, **wen**, **wem**, **wessen**

67 Repeat:

> Onkel Jürgen ist heute hier gewesen.
> Wer ist heute hier gewesen?
>
> Sie haben eben den netten Postboten gesehen.
> Wen haben sie eben gesehen?
>
> Die neue Geige hat Margrit gefallen.
> Wem hat die neue Geige gefallen?
>
> Sie ist eben bei den Kindern gewesen.
> Bei wem ist sie eben gewesen?
>
> Das ist das Geschäft meines Freundes.
> Wessen Geschäft ist das?

68 Formulate questions with **wer**, **wen**, **wem** or **wessen**:

> Das ist das große Haus meines Onkels.
> Wessen großes Haus ist das?
>
> Er hat seinem Onkel ein großes Paket geschickt.
> Wem hat er ein großes Paket geschickt?
>
> Da steht der neue Wagen meiner Tante.
> Wessen neuer Wagen steht da?

Die Bücher gehören dem älteren Studenten.
Wem gehören die Bücher?
Der alte Professor Wolf ist vor einer Stunde hier gewesen.
Wer ist vor einer Stunde hier gewesen?
Er hat das teure Werkzeug von einem Freund bekommen.
Von wem hat er das teure Werkzeug bekommen?
Hier liegen die alten Bücher der Studentinnen.
Wessen alte Bücher liegen hier?
Die Jungen sind über den Platz gelaufen.
Wer ist über den Platz gelaufen?
Dieses schöne Buch ist für seine Frau.
Für wen ist dieses schöne Buch?
Dem Fahrer ist ein schlimmer Unfall passiert.
Wem ist ein schlimmer Unfall passiert?
Das ist die neue Illustrierte meiner Wirtin.
Wessen neue Illustrierte ist das?

J. Questions and Answers

Part 1

Wo ist der Käufer im zehnten Dialog?
Er ist am Verkaufsstand.

Was möchte er haben?
Er möchte einige Ansichtskarten haben.

Wie gefallen ihm die billigsten Karten?
Sie gefallen ihm nicht sehr gut.

Wonach fragt er?
Er fragt nach besseren Schwarzweißbildern oder guten Farbfotos.

Warum sind die Farbfotos wesentlich teurer?
Sie sind wegen der höheren Herstellungskosten wesentlich teurer.

Wie teuer sind die Farbfotos?
Die kleineren kosten 30 Pfennig, die größeren 50 und 60.

Wovon will der Käufer ein Farbfoto haben?
Er will ein Farbfoto vom Dom haben.

Warum hat es hier einen Festzug gegeben?
Die Stadt hat ihre 800-Jahr-Feier gehabt.

Part 2

Wo sieht der Käufer das Bild der Schönen?
Er sieht es auf der Titelseite einer Illustrierten.

Wer ist das reizende Mädchen?
Sie ist der Stern der Sterne am Filmhimmel.

Was wird sie eines Tages vielleicht bekommen?
Sie wird eines Tages vielleicht einen Oscar bekommen.

Was kostet die Zeitschrift?
Sie kostet 70 Pfennig.

Von wem hat der Verkäufer noch mehr Bilder?
Er hat noch mehr Bilder von der Schönen.

Will der Käufer noch ein paar davon?
Nein, das eine Bild genügt ihm.

Warum will er nicht noch mehr Bilder von der Schönen?
Er sagt, daß er glücklich verheiratet ist.

Wieviel kosten die Zeitschrift und das Bild des Domes zusammen?
Sie kosten zusammen 1 Mark 30.

IV. Writing Practice

A. Rewrite in the Conversational Past Tense

Onkel Richard hat einen Herzanfall. Er liegt den ganzen Tag im Bett. Es bleibt ihm nichts anderes übrig. Er bekommt laufend Medizin, und er schläft auch ordentlich.

Jürgen kommt lachend in Onkel Richards Zimmer und trifft ihn lesend an. Aber der Onkel liest gar nicht. Er hält die Zeitschrift falsch herum. Er sieht auch ziemlich blaß aus. Der Besuch wird nicht sehr anstrengend für Onkel Richard, denn Jürgen geht bald wieder weg.

B. Copy and Supply the Correct Endings

1 D_____ Postbote kommt mit ein_____ Kiste; Margrit weiß nicht von w_____ d_____ Kiste kommt.
2 D_____ Postbote stellt d_____ Paket zwischen d_____ Tisch und d_____ Fenster, und Margrit wartet auf ihr_____ Mann.
3 Gerhard kommt nach ein_____ Stunde aus d_____ Stadt; er meint, daß ein Schrank aus jen_____ Paket kommen muß.
4 D_____ Schrank ist nichts außer einig_____ Einzelteilen; aus dies_____ Einzelteilen will Gerhard ein_____ Schrank bauen.

5 Gerhard kann d_____ Schraubenzieher nicht in sein_____ Werkzeugkasten finden, denn er liegt schon seit ein_____ Tag unter d_____ Tisch.

6 Margrit geht um ihr_____ Tisch herum, findet d_____ Werkzeug und gibt es ihr_____ Mann.

7 Nun beginnt Gerhard mit dies_____ Brettern und Schrauben zu arbeiten; er will d_____ Schrank in ein_____ Stunde zusammenbauen.

8 Margrit geht solange zu ihr_____ Mutter; sie wohnt in ein_____ Wohnhaus hinter d_____ Haus von Gerhard und Margrit.

9 Margrits Vater ist noch bei sein_____ Arbeit, aber er fährt nach ein_____ Stunde in sein_____ Volkswagen um d_____ Hausecke herum.

10 Er parkt sein_____ Wagen hinter d_____ Haus und kommt dann ins Haus zu sein_____ Frau und Margrit.

V. Word Study

A. Translation of Dialog

Am Verkaufsstand
At the Sales Booth

der Verkaufsstand   der Verkauf, die Verkäufe sale + **der Stand, die Stände** booth; stand

(Verkäufer und Käufer)
(Salesman and Customer)

der Verkäufer, die Verkäufer salesman; seller · **der Käufer, die Käufer** customer; buyer

Part 1

1 Sie wünschen, bitte?
May I help you?

2 Ich möchte einige Ansichtskarten haben.
I'd like a few picture postcards.

die Ansichtskarte   die Ansicht, die Ansichten view; opinion + **die Karte, die Karten** card; ticket; map

3 Gern. Sehen Sie hier ruhig alles an. Diese kosten nur 15 Pfennig pro Stück.
Fine. Take your time and look through everything here. These cost only 15 pfennigs apiece.

pro per · **das Stück, die Stücke** piece

4 Haben Sie keine besseren Schwarzweißbilder, oder gute Farbfotos vielleicht?
Don't you have any better black and white pictures or perhaps good color photographs?

gut, besser, am besten (besseren) · **das Schwarzweißbild   schwarz** black + **weiß** white + **das Bild, die Bilder** picture · **das Farbfoto   die Farbe, die Farben** color + **das Foto, die Fotos**

5 Natürlich. Sie sind wegen der höheren Herstellungskosten aber wesentlich teurer im Preis.
Of course. But because of the higher production costs they're considerably higher in price.

hoch, höher, am höchsten (höheren) · **die Herstellungskosten** *pl.* **die Herstellung** production + **die Kosten** *pl.* cost(s) **(wegen der höheren Herstellungskosten** *gen.*) · **teuer, teurer, am teuersten (teurer)** · **der Preis, die Preise**

6 Das ist selbstverständlich. Wie teuer sind sie denn?
That's obvious. How expensive are they, anyway?

selbstverständlich   selbst self + **verständlich** understandable

7 Die kleineren 30, die größeren 50 und 60 Pfennig.
The smaller ones 30, the larger ones 50 and 60 pfennigs.

klein, kleiner, am kleinsten [die kleineren (Farbfotos)] · **groß, größer, am größten [die größeren (Farbfotos)]**

8 Ist auch ein Bild des Domes dabei?
Is there also a picture of the cathedral among them?

der Dom, die Dome (des Domes *gen.*)

9 Ja, hier. Aufgenommen während des Festzugs anläßlich der 800-Jahr-Feier.
Yes, here. Taken during the festival procession on the occasion of the 800-year celebration.

aufnehmen take a photograph *or* make a recording of; take up; receive · **der Festzug das Fest, die Feste** festival; feast + **der Zug, die Züge** procession; pull(ing); train **(während des Festzugs** *gen.*) · **die Feier, die Feiern** celebration; holiday **(anläßlich der 800-Jahr-Feier** *gen.*)

10 Die Aufnahme gefällt mir am besten. Ich nehme sie.
I like this picture best. I'll take it.

die Aufnahme, die Aufnahmen

Part 2

11 Darf es sonst noch etwas sein?
Will there be anything else?

sonst else; besides; otherwise

12 Wessen Bild ist denn das auf der Titelseite der Illustrierten da?
Whose picture is that on the cover of that illustrated magazine there?

wessen Bild *gen.* · **die Titelseite   der Titel, die Titel** title + **die Seite, die Seiten** page; side; aspect · **illustrieren** illustrate **die Illustrierte** *adjectival noun* **(der Illustrierten** *gen.*)

13 Oh, Sie kennen das reizende Mädchen nicht, den Stern der Sterne am Filmhimmel?
Oh, you don't know the charming girl, the star of stars in filmland?

reizen charm; excite; irritate · **der Stern, die Sterne (der Sterne** *gen. pl.*) · **der Filmhimmel   der Film, die Filme** + **der Himmel**

14 Nein, keine Ahnung. Aber sie sieht gut aus.
No, I've no idea who she is. But she looks good.

die Ahnung, die Ahnungen presentiment **(Ich habe) keine Ahnung** I've no idea

15 Es gibt keine hübschere! Eines Tages wird
sie einen Oscar bekommen.
There's none more beautiful. Some day she'll
receive an Oscar.

es gibt there is · **hübsch, hübscher, am hübschesten** · **eines Tages** *gen.*

16 Meinetwegen. Wie teuer ist die Zeitschrift?
That's all right with me. How expensive is
the magazine?

17 70 Pfennig. Ich hab' noch mehr Bilder
von unserer Schönen, wollen Sie ein paar
davon?
Seventy pfennigs. I have still more pictures
of our beauty. Do you want a couple of
them?

hab' = **habe** · **die Schöne** *adjectival noun*

18 Um Himmels willen, nein; ich bin glücklich
verheiratet! Das hier genügt mir.
For heaven's sake, no! I'm happily married.
This is enough for me.

um Himmels willen *gen.* · **genügen** suffice *(governs the dative)*

19 Dann macht es zusammen 1 Mark 30.
Then it comes to 1 mark 30 altogether.

20 Das ist billiger, als ich gedacht habe.
That's cheaper than I thought.

billig, billiger, am billigsten · **als** *is a subordinating conjunction*

Supplement

Prepositions that govern the genitive

1 Er kommt wegen jeder Feier nach Hause.
He comes home for (because of) every
celebration.

wegen jeder Feier *gen.*

2 Ich fahre wegen der kommenden Feste
wahrscheinlich nach München.
I'll probably go to Munich because of the
coming celebrations.

wegen der Feste *gen. pl.*

3 Er wird während des ganzen Spätherbstes
zu Hause sein.
He'll be at home during the entire late fall.

der Spätherbst **spät** + **der Herbst** **(während des Spätherbstes** *gen.*)

4 Er muß sogar während der Feiertage
studieren.
He even has to study during the holidays.

der Feiertag **die Feier** + **der Tag** **(während der Feiertage** *gen. pl.*)

5 Trotz des Osterfestes will er arbeiten.
He wants to work in spite of the Easter
holiday.

das Osterfest **(das) Ostern** Easter + **das Fest (trotz des Osterfestes** *gen.*)

6 Trotz der Festtage will er wegfahren.
In spite of the holidays he wants to leave.

**der Festtag   das Fest + der Tag
(trotz der Festtage** *gen. pl.*)

7 Trotz des Weihnachtsfestes kann er nicht
zu Hause bleiben.
In spite of the Christmas festivity he can't
stay home.

das Weihnachtsfest   (das) Weihnachten
Christmas + **das Fest (trotz des
Weihnachtsfestes** *gen.*)

8 Statt des großen Filmsterns haben wir einen
schlimmen Unfall gesehen.
Instead of the big film star we saw a bad
accident.

**der Filmstern   der Film + der Stern (statt
des großen Filmsterns** *gen.*)

9 Statt der Fotos haben wir eine Zeitschrift
gekauft.
We bought a magazine instead of the
photographs.

statt der Fotos *gen. pl.*

10 Die Kirche steht dort unten jenseits des
Flusses.
The church is down there on the other
side of the river.

**die Kirche, die Kirchen · der Fluß, die
Flüsse (jenseits des Flusses** *gen.*)

11 Die Kaufhäuser stehen diesseits des Domes.
The department stores are on this side of the
cathedral.

das Kaufhaus   der Kauf, die Käufe
purchase + **das Haus · diesseits des
Domes** *gen.*

12 Die Kirche steht oberhalb des Waldes.
The church is up above the forest.

der Wald, die Wälder (oberhalb des Waldes
gen.)

13 Innerhalb dieser Wälder da oben steht eine
Kirche.
There's a church up there in these woods.

innerhalb dieser Wälder *gen. pl.*

14 Die Kirchen stehen hier außerhalb der
Dörfer.
The churches here are outside of the villages.

das Dorf, die Dörfer (außerhalb der Dörfer
gen. pl.)

15 Unsre Kirche liegt unterhalb des Dorfes.
Our church is below the village.

unterhalb des Dorfes *gen.*

16 Der Unfall ist innerhalb des Kaufhauses
passiert.
The accident happened in the department
store.

innerhalb des Kaufhauses *gen.*

Appositives

17 Susi trinkt ein Glas warme Milch.
Susi drinks a glass of warm milk.

das Glas, die Gläser

18 Onkel Richard bekommt eine Flasche roten
Wein.
Uncle Richard gets a bottle of red wine.

die Flasche, die Flaschen

19 Mutter nimmt eine Tasse starken Kaffee und ein Stück frischen Kuchen.
Mother has a cup of strong coffee and a piece of fresh cake.

die Tasse, die Tassen

20 Vater ißt eine Scheibe schwarzes Brot, eine Portion kaltes Fleisch und dazu grünen Salat.
Father eats a slice of dark bread, a serving of cold meat and with it a green salad.

die Scheibe, die Scheiben · die Portion, die Portionen

B. Word Formation

1 Many feminine nouns in **–ung** (*pl.* **–en**) have been derived from verbs by adding the suffix **–ung** to the verb stem (compare English *feel, feeling*). Familiar verb-noun pairs of this type are:

erzählen	relate, tell	**die Erzählung, die Erzählungen** story
erfahren	find out; experience	**die Erfahrung, die Erfahrungen** experience

Additional nouns related to verbs you know are:

beruhigen	calm	**die Beruhigung** calming
empfinden	feel; perceive	**die Empfindung** feeling; sensation; perception
entschuldigen	excuse	**die Entschuldigung** excuse; apology
halten	hold; keep; stop	**die Haltung** posture; attitude
meinen	think; mean; say	**die Meinung** opinion
sitzen	sit	**die Sitzung** sitting; meeting
stellen	place; put	**die Stellung** position; job
stimmen	be true; tune	**die Stimmung** mood; atmosphere
üben	practice	**die Übung** exercise; practice
versichern	insure	**die Versicherung** insurance
wohnen	live; dwell	**die Wohnung** apartment; dwelling

Some verbs you will recognize because you know the nouns derived from them are:

die Ahnung	hunch, notion	**ahnen** have a hunch; suspect
die Einführung	introduction; importation	**einführen** introduce (to a subject); import
die Herstellung	production	**herstellen** produce
die Kreuzung	crossing	**kreuzen** cross
die Richtung	direction; way; line (of policy)	**richten** direct, turn; set right
die Vorlesung	lecture	**vorlesen** lecture

2 Many weak verbs ending in **–ieren** (like **studieren**, **passieren** and **illustrieren**) can be recognized because their stems, which are usually of foreign origin, occur in both English and German. Remember that the past participle does not have a **ge–** prefix (**hat studiert**, **ist passiert**, **hat illustriert**), and that the main stress is on the first syllable of the ending [ˈiːʀən].

abstrahieren   abstract
sich amüsieren   have a good time
analysieren   analyze
debattieren   debate
definieren   define
deklamieren   declaim
deklinieren   decline
dekorieren   decorate
delegieren   delegate
demolieren   demolish
denunzieren   denounce
desertieren   desert
detonieren   detonate
dezimieren   decimate
diagnostizieren   diagnose
diktieren   dictate
formulieren   formulate
fotografieren   photograph
funktionieren   function
sich interessieren (für) be interested (in)

kombinieren   combine
kommandieren   command
komplizieren   complicate
komponieren   compose
kondensieren   condense
konferieren   confer
konfrontieren   confront
konstruieren   construct
korrigieren   correct
marschieren   march
notieren   take a note of
numerieren   number
operieren   operate
polieren   polish
präparieren   prepare
probieren   try
reservieren   reserve
respektieren   respect
synchronisieren   synchronize
telefonieren   telephone
telegrafieren   telegraph

C. Singular and Plural of Nouns

Change the noun subject to the plural:

Die Karte hat mir gar nicht gefallen.
Die Karten haben mir gar nicht gefallen.

Die Kirche steht außerhalb des Dorfes.
Die Kirchen stehen außerhalb des Dorfes.

Die Meinung dieser Leute ist sicher falsch.
Die Meinungen dieser Leute sind sicher falsch.

Die Übung war gar nicht so leicht.
Die Übungen waren gar nicht so leicht.

Der Preis kann nicht allzu hoch sein.
Die Preise können nicht allzu hoch sein.

Der Verkaufstand steht hinter der Kirche.
Die Verkaufsstände stehen hinter der Kirche.

Die Ansicht dort ist eigentlich prima.
Die Ansichten dort sind eigentlich prima.

Der alte Dom gefällt mir am besten.
Die alten Dome gefallen mir am besten.

Das Bild ist während des Festes aufgenommen.
Die Bilder sind während des Festes aufgenommen.

Die Aufnahme vom Dom sieht wirklich gut aus.
Die Aufnahmen vom Dom sehen wirklich gut aus.

Die Feier in eurem Dorf ist immer schön.
Die Feiern in eurem Dorf sind immer schön.

Das Fest wird jedes Jahr besser.
Die Feste werden jedes Jahr besser.

Der Film ist wirklich nett.
Die Filme sind wirklich nett.

Der Stern dieses Filmes kommt aus der Schweiz.
Die Sterne dieses Filmes kommen aus der Schweiz.

Die Farbe dieses Fotos gefällt mir sehr.
Die Farben dieses Fotos gefallen mir sehr.

Das Foto ist billiger, als ich gedacht habe.
Die Fotos sind billiger, als ich gedacht habe.

Die erste Seite des Buches ist langweilig.
Die ersten Seiten des Buches sind langweilig.

Der Titel ist doch viel zu lang.
Die Titel sind doch viel zu lang.

Das Stück Kuchen liegt noch auf dem Teller.
Die Stücke Kuchen liegen noch auf dem Teller.

Dieser frische Kuchen ist sogar noch warm.
Diese frischen Kuchen sind sogar noch warm.

Die Tasse darf nicht kaputtgehen.
Die Tassen dürfen nicht kaputtgehen.

Das Glas ist leider nicht mehr voll.
Die Gläser sind leider nicht mehr voll.

Die Flasche Wein ist noch ganz voll.
Die Flaschen Wein sind noch ganz voll.

Der Wein wird dieses Jahr sehr gut werden.
Die Weine werden dieses Jahr sehr gut werden.

Diese Scheibe Brot ist mir zu groß.
Diese Scheiben Brot sind mir zu groß.

Die Portion Fleisch ist aber sehr klein.
Die Portionen Fleisch sind aber sehr klein.

Der Fluß entspringt im Süden des Landes.
Die Flüsse entspringen im Süden des Landes.

Der Wald dort oben ist ziemlich dunkel.
Die Wälder dort oben sind ziemlich dunkel.

Das Dorf liegt jenseits des Waldes.
Die Dörfer liegen jenseits des Waldes.

Unsre Wohnung ist leider nicht modern.
Unsre Wohnungen sind leider nicht modern.

VI. Grammar

A. The Genitive Case

The genitive case is used to show possession and to show various other relationships between nouns. It is used to denote indefinite time and it is also used after certain prepositions.

B. Summary of Limiting Words and Personal Pronouns in the Nominative, Accusative, Dative and Genitive Cases

Definite articles

Nom.	der	die	das	die
Acc.	den	die	das	die
Dat.	dem	der	dem	den
Gen.	des	der	des	der

Der—words

Nom.	dieser	diese	dieses	diese
Acc.	diesen	diese	dieses	diese
Dat.	diesem	dieser	diesem	diesen
Gen.	dieses	dieser	dieses	dieser

Indefinite articles

Nom.	ein	eine	ein	*no plural*
Acc.	einen	eine	ein	*no plural*
Dat.	einem	einer	einem	*no plural*
Gen.	eines	einer	eines	*no plural*

Ein—words

Nom.	mein	meine	mein	meine
Acc.	meinen	meine	mein	meine
Dat.	meinem	meiner	meinem	meinen
Gen.	meines	meiner	meines	meiner

Personal pronouns

Nom.	ich	du	er	sie	es	wir	ihr	sie	Sie
Acc.	mich	dich	ihn	sie	es	uns	euch	sie	Sie
Dat.	mir	dir	ihm	ihr	ihm	uns	euch	ihnen	Ihnen
Gen.[1]	(meiner)	(deiner)	(seiner)	(ihrer)	(seiner)	(unser)	(euer)	(ihrer)	(Ihrer)

[1] The genitive forms of the personal pronouns are given in parentheses because they are rarely used in modern German.

C. Noun Endings in the Genitive Case

No ending is added to feminine nouns in the genitive case; **–(e)s** is added to neuter nouns and to masculine nouns except those in Group V.

1   Die Vorlesungen der Professorin sind langweilig.
The professor's lectures are boring.

2   Dort liegt die Post meines Vaters.
There's my father's mail.

3   Der Junge ist wegen des Sparbuchs gekommen.
The boy came because of the savings account book.

4   Ist auch ein Bild des Domes dabei?
Is there also a picture of the cathedral among them?

5   Der Junge ist wegen seines Buches gekommen.
The boy came because of his book.

6   Er ist wegen des Gedichtes gekommen.
He came because of the poem.

7   Hier ist ein Farbfoto unsres Wohnhauses.
Here is a color photo of our (apartment) house.

8   Vater hat Susi wegen des Mittagstisches gefragt.
Father asked Susi about the dinner table.

9   Wir haben eine nette Aufnahme ihres Weihnachtsfestes.
We have a nice picture of their Christmas celebration.

10   Es ist die Geschichte eines Helden.
It's the story of a hero.

11   Ist dies Fräulein Schneiders erste Vorlesung?
Is this Miss Schneider's first lecture?

▶ No ending is added to feminine nouns in the genitive case: **der Professorin** (1).

▶ An **–s** is added to most masculine and neuter nouns in the genitive case if they have more than one syllable: **meines Vaters; des Sparbuchs** (2 and 3).

▶ An **–es** is usually added to masculine and neuter nouns in the genitive case if:

a.   They are monosyllabic: **des Domes; des Buches** (4 and 5).
b.   The last of two or more syllables is stressed: **des Gedichtes** (6).
c.   They end in the sound [s], [ʃ] or [st]: **des Wohnhauses; des Mittagstisches; des Weihnachtsfestes** (7, 8, 9).

▶ Since only an **–s** is added to nouns of more than one syllable, the **e** is normally dropped from the **–es** ending of a monosyllabic when it is the last element of a compound noun: **des Buches, des Sparbuchs.**

► An **–en** is added to Group V nouns in the genitive case as in the other cases: **eines Helden** (10).

► An **–s** is added to proper names in the genitive case: **Fräulein Schneiders** (11).

The above guidelines for use of the genitive **–s** or **–es** are not always followed. For example, some speakers use **–s** even with monosyllabic nouns: **des Buchs**, **des Doms**. Much depends upon the speaker, the situation and the rhythm. But the student who follows the guidelines offered here will never be wrong.

D. Uses of the Genitive Case

Possession

The genitive may be used to show possession.

1 Der Wagen meines Freundes ist neu.
   My friend's car is new.

2 Wie findest du den Hut dieser Frau?
   How do you like this woman's hat?

Other relationships

The genitive may be used to show various other relationships between two nouns. Most of these correspond to the English possessive or to *of* with a noun.

1 Wer ist die Mutter dieses Kindes?
   Who is the mother of this child?

2 Die Vorlesung des Professors ist langweilig.
   The professor's lecture is tiresome.

3 Die Form jenes Hutes finde ich scheußlich.
   I think the shape of that hat is horrible.

4 Das Bild dieses Mannes ist wirklich gut.
   The picture of this man is really good.

5 Es ist die Geschichte eines Helden.
   It's the story of a hero.

6 Februar ist der zweite Monat des Jahres.
   February is the second month of the year.

Indefinite time

The genitive case is used to denote indefinite time.

1 Die Schöne wird eines Tages einen Oscar bekommen.
   The beauty will get an Oscar some day.

2 Hier ist eines Nachts ein Unfall passiert.
   An accident took place here one night.

3 Wir haben ihn eines Sonntags im Stadtpark getroffen.
We met him one Sunday in the city park.

4 Mein Bruder ist morgens nie zu Hause.
My brother is never at home mornings.

5 Er kommt nur dienstags.
He comes only on Tuesdays.

► Although **Nacht** is a feminine noun, it assumes **–s** in the genitive in expressions of indefinite time by way of analogy with the masculine nouns (2).

► Such genitive forms as **abends, morgens, nachts, nachmittags, vormittags** and **dienstags** are not written with a capital letter when they are used adverbially (4 and 5).

With certain prepositions

A number of prepositions govern the genitive case. Some of the most common are listed below. Note that all of them may be translated into an English expression with *of.*

außerhalb outside of; out of; beyond

Die Kirche steht **außerhalb** dieser Stadt.   The church is located *outside of* this city.

innerhalb on the inside of; in, inside, within

Die Kirche steht **innerhalb** des Waldes.   The church is *within* the forest.

oberhalb on the upper side of; above

Die Kirche steht **oberhalb** des Platzes.   The church is located *on the upper side of* the square.

unterhalb at the lower side of; below

Die Kirche steht **unterhalb** jener Wälder.   The church is *below* those woods.

diesseits on this side of

Die Kirche steht **diesseits** des Flusses.   The church is located *on this side of* the river.

jenseits on the other side of; beyond

Die Kirche steht **jenseits** jenes Dorfes.   The church is *on the other side of* that village.

(an)statt instead of

    Statt eures Onkels ist Günther
      gekommen.

Günther came *instead of* your uncle.

trotz in spite of

    Er ist **trotz** seines Unfalls gekommen.

He came *in spite of* his accident.

während in (the time of); during

    Er ist **während** der Feiertage abgefahren.

He left *during* the holidays.

wegen because of, on account of

    Er ist **wegen** des Festzugs gekommen.

He came *because of* the festival
    procession.

anläßlich on the occasion of

    Er ist **anläßlich** der Feiertage gekommen.

He came *on the occasion of* the holidays.

um . . . willen for the sake of

    Er hat es **um** des Kindes **willen** getan.

He did it *for the sake of* the child.

E. The **von**-Construction instead of the Genitive Case

The preposition **von** with the dative case is commonly used in everyday speech instead of the genitive.

1   Hier ist ein Foto von meiner Freundin.
    Here is a photo of my girl friend.

2   Ich fahre den Wagen von meinem Onkel.
    I am driving my uncle's car.

3   Ich habe noch mehr Bilder von der Schönen.
    I have more pictures of the beauty.

F. Descriptive Adjectives

Predicate adjectives

A predicate adjective has no declensional ending.

1   Der Platz hier ist noch frei.
    The seat here is still free.

2   Es wird heute heiß.
    It's getting hot today.

Attributive adjectives

An attributive adjective precedes the noun it modifies and always has a declensional ending.

It has a *weak* ending if it is preceded by a limiting word which has a strong ending, that is, by a **der**–word or an inflected **ein**–word.

It has a *strong* ending if it is preceded by no limiting word or by an uninflected **ein**–word, that is, an **ein**–word which has no case ending.

Weak adjective declension

The weak adjective declension is used after **der**–words. The ending on the **der**–word shows the case. (See also the mixed adjective declension.)

	Masculine	Feminine	Neuter	Plural (all genders)
Nom.	dieser gute Salat	diese gute Milch	dieses gute Eis	diese guten Bücher
Acc.	diesen guten Salat	diese gute Milch	dieses gute Eis	diese guten Bücher
Dat.	diesem guten Salat	dieser guten Milch	diesem guten Eis	diesen guten Büchern
Gen.	dieses guten Salates	dieser guten Milch	dieses guten Eises	dieser guten Bücher

▶ The adjective endings inside the chopper are **–e**; those outside are **–en**.

Remember: The **der**–words are **der**, **dieser** *this*, **jener** *that*, **jeder** *each, every*, **mancher** *many (a)*, **solcher** *such (a)* and **welcher** *which, what*.

Strong adjective declension

The strong adjective declension is used when the adjective is not preceded by a limiting word. The adjective ending shows the case. (See also the mixed adjective declension.)

	Masculine	Feminine	Neuter	Plural (all genders)
Nom.	guter Salat	gute Milch	gutes Eis	gute Bücher
Acc.	guten Salat	gute Milch	gutes Eis	gute Bücher
Dat.	gutem Salat	guter Milch	gutem Eis	guten Büchern
Gen.	guten Salates	guter Milch	guten Eises	guter Bücher

▶ The endings correspond to the **der**–word endings except in the masculine and neuter genitive singular. Here the strong ending **–es** has been replaced by the weak **–en** in modern German; the case is indicated by the noun ending.

Mixed adjective declension

The mixed adjective declension is used after **ein**–words:

A weak ending is used if the **ein**–word has a case ending.
A strong ending is used if the **ein**–word has no case ending.

	Masculine	Feminine	Neuter	Plural (all genders)
Nom.	kein guter Salat	keine gute Milch	kein gutes Eis	keine guten Bücher
Acc.	keinen guten Salat	keine gute Milch	kein gutes Eis	keine guten Bücher
Dat.	keinem guten Salat	keiner guten Milch	keinem guten Eis	keinen guten Büchern
Gen.	keines guten Salates	keiner guten Milch	keines guten Eises	keiner guten Bücher

Remember: The **ein**–words are **ein**, **kein** and the possessive adjectives: **mein**, **dein**, **sein**, **ihr**; **unser**, **euer**, **ihr** and **Ihr**.

If there are two or more attributive adjectives in succession, both have the same ending and are usually separated by a comma.

1 Hans hat den netten, jungen Leuten ein Bild geschickt.
Hans sent the nice young people a picture.

2 Ihr kleiner, grüner Hut ist schon ein Jahr alt.
Her small, green hat is already a year old.

3 Guter, alter Wein ist dieses Jahr sehr teuer.
Good, old wine is very expensive this year.

G. Adjectival Nouns

In German, adjectives may be used as nouns. Like nouns, they are written with a capital letter but, like adjectives, they keep their declensional endings. Only a few very common adjectives are used as nouns. If the writer feels that the noun is clearly implied and need therefore not be expressed, he thinks of the adjective as an adjective and does not capitalize it (1–3 below). If he feels that the adjective stands for the noun referred to, he thinks of it as a noun and writes it with a capital letter (4 and 5 below). Some of these adjectival nouns, such as **der** or **die Bekannte** and **die Illustrierte**, are so commonly used as nouns that they are no longer felt to be adjectives and are always written with a capital unless they are actually followed by a noun. The adjectival noun is usually more indefinite than an adjective modifying an unexpressed noun.

1 Das ist genau der richtige Schraubenzieher.
Das ist genau der richtige.

That's just the right screwdriver.
That's just the right one.

2 Die kleineren Farbfotos kosten 30 Pfennig.
Die kleineren kosten 30 Pfennig.

The smaller color photos cost 30 pfennigs.
The smaller ones cost 30 pfennigs.

3 Es gibt kein hübscheres Mädchen.
Es gibt kein hübscheres.

There is no more beautiful girl.
There is none more beautiful.

4 Ich habe noch mehr Bilder von der schönen Frau.
Ich habe noch mehr Bilder von der Schönen.

I have still more pictures of the beautiful woman.
I have still more pictures of the beauty.

5 Wessen Bild ist denn das auf der Titelseite der illustrierten Zeitschrift da?
Wessen Bild ist denn das auf der Titelseite der Illustrierten da?

Whose picture is that on the cover of that illustrated magazine there?
Whose picture is that on the cover of that illustrated there?

H. Comparison of Adjectives and Adverbs

In German the basic form of almost any adjective can be used as an adverb.

1 Seine Arbeit ist gut.
Sie arbeitet gut.

His work is good.
She works well.

2 Das Mädchen ist schön.
Die Sonne scheint so schön.

The girl is beautiful.
The sun is shining so beautifully.

Adjectives and adverbs in German, as in English, have three degrees of comparison: positive, comparative and superlative. To form the comparative and superlative in English, $-(e)r$ and $-(e)st$ are added to the positive of some adjectives and adverbs and *more, most* are used with the positive of others: *fast, faster, (the) fastest; beautiful, more beautiful, (the) most beautiful.* To form the comparative and superlative in German, **—er** and **—(e)st** are added to the stem of the positive of all but a few irregular adjectives and adverbs.

schnell, schneller, der (die, das) schnellste, am schnellsten

fast, faster, the fastest, fastest

teuer, teurer, der teuerste, am teuersten

expensive, more expensive, the most expensive, most expensive

ernst, ernster, der ernsteste, am ernstesten

serious, more serious, the most serious, most serious

blaß, blasser, der blasseste, am blassesten

pale, paler, the palest, palest

reizend, reizender, der reizendste, am reizendsten

charming, more charming, the most charming, most charming

► If the positive form ends in **—er**, the **e** of the stem is dropped before the **—er** ending of the comparative: **teuer, teurer**.

► If the positive form ends in **—d**, **—t** or an **s**—sound, an **e** is inserted before the **—st** ending of the superlative to make it clearly audible: **ernst, der ernsteste; blaß, der blasseste**. An **e** is not inserted before the **—st** ending of the superlative of a present participle used as an adjective: **reizend, der reizendste**.

The stem vowel of the following common monosyllabic adjectives and adverbs is umlauted in the comparative and superlative. Some of these have not yet been used. Note that adverbs have only the **am** form of the superlative.

alt	old	älter	der älteste	am ältesten
arm	poor	ärmer	der ärmste	am ärmsten
hart	hard	härter	der härteste	am härtesten
jung	young	jünger	der jüngste	am jüngsten
kalt	cold	kälter	der kälteste	am kältesten
klug	clever	klüger	der klügste	am klügsten
krank	sick	kränker	der kränkste	am kränksten
kurz	short	kürzer	der kürzeste	am kürzesten
lang	long	länger	der längste	am längsten
oft	often	öfter		
scharf	sharp	schärfer	der schärfste	am schärfsten
schwach	weak	schwächer	der schwächste	am schwächsten
schwarz	black	schwärzer	der schwärzeste	am schwärzesten
stark	strong	stärker	der stärkste	am stärksten
warm	warm	wärmer	der wärmste	am wärmsten

The following adjectives and adverbs are irregular in their comparison:

bald	soon	eher		am ehesten
gern	willingly, gladly	lieber		am liebsten
groß	tall	größer	der größte	am größten
gut	good, well	besser	der beste	am besten
hoch	high, tall	höher	der höchste	am höchsten
nah	near	näher	der nächste	am nächsten
viel	much	mehr	der meiste	am meisten

The strong and weak adjective endings are added to the comparative and superlative forms when they are used attributively:

1 Es gibt keine hübschere Frau.
There is no more beautiful woman.

2 Der Gast fragt nach frischerem Brot.
The guest is asking about fresher bread.

3 Die schönsten Farbfotos sind selbstverständlich die teuersten.
The most beautiful color photographs are naturally the most expensive.

I. Uses of the Positive, Comparative and Superlative Degrees of Adjectives and Adverbs in Comparisons

The positive degree

1 Günther ist so groß wie Richard.
Günther is as tall as Richard.

2 Günther läuft so schnell wie Richard.
Günther runs as fast as Richard.

➤ **So . . . wie,** *as . . . as,* is used with the positive degree of both adjectives and adverbs.

303

The comparative degree

3 Jürgen ist groß, aber Günther ist größer.
Jürgen is tall but Günther is taller.

4 Günther ist größer als Jürgen.
Günther is taller than Jürgen.

5 Jürgen läuft schneller als Günther.
Jürgen runs faster than Günther.

6 Ein älterer Herr ist heute hier gewesen.
An elderly gentleman was here today.

▶ **Als**, *than*, is used with the comparative degree of both adjectives and adverbs (4 and 5).

▶ The comparative degree may be used absolutely without the idea of comparison (6).

The superlative degree

7 Der größte Junge ist nicht immer der stärkste.
The tallest boy is not always the strongest.

8 Günther ist der größte Junge im Zimmer.
Günther is the tallest boy in the room.

9 Günther ist der größte im Zimmer.
Günther is the tallest in the room.

10 Günther ist am größten.
Günther is tallest.

11 Richard läuft am schnellsten.
Richard runs fastest.

▶ **Der**, **die** or **das** is used with the superlative degree of an adjective when a noun is expressed or understood (7–9).

▶ **Am** may be used with the superlative degree of a predicate adjective (10) and must be used with the superlative degree of an adverb (11).

Idiomatic uses of **gern**

Gern used with a finite verb is expressed in English by *like to* plus the infinitive.

1 Er arbeitet gern.
He likes to work. (He works gladly.)

2 Er ißt lieber.
He prefers to eat.

3 Er schläft am liebsten.
Most of all he likes to sleep.

Gern used with a form of **haben** and a direct object is expressed in English by *like*.

1 Ich habe Brot gern.
I like bread.

2 Ich habe Kuchen lieber.
I like cake better.

3 Ich habe Nuß-Eis am liebsten.
I like walnut ice cream best.

J. Apposition

An appositive rather than the genitive is used in some situations in which *of* and a noun are used in English. A noun in apposition must be in the same case as the noun preceding it.

An appositive is used after a noun denoting quantity, extent or kind:

1 Sie stellt eine Schüssel Suppe auf den Tisch.
She is putting a bowl of soup on the table.

2 Ich nehme ein Glas Bier.
I'll have a glass of beer.

3 Er will ein Viertel roten Wein.
He wants a glass (quarter of a liter) of red wine.

4 Susi trinkt ein Glas frische Milch.
Susi is drinking a glass of fresh milk.

5 Der Vater bekommt eine Portion kaltes Fleisch.
The father gets a serving of cold meat.

► An adjective which modifies an appositive has a strong ending.

A proper name following another noun is in apposition with that noun.

6 Er wohnt in der Stadt Kiel.
He lives in the city of Kiel.

Names of the months of the year are in apposition with **Monat**.

7 Er kommt im Monat Januar an.
He is arriving in the month of January.

Unit 11

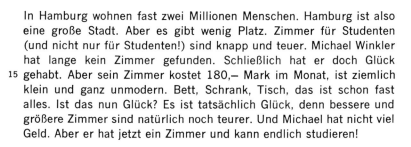

I. Recombination Reading

Ein Student hat es gut

Ein Student hat es gut, sagt man. Aber was sagt man nicht alles!

Unser Student, Michael Winkler, ist zweiundzwanzig Jahre alt und studiert – sagen wir: Philosophie. Warum Philosophie? Nun, unsere
5 Auswahl ist noch nicht groß. Er kann natürlich noch Jurisprudenz studieren und sogar Medizin[g],* aber ist da Philosophie nicht am besten? Dies ist ja auch nur eine kleine Geschichte. Die erste Geschichte in diesem Buch hier sogar, und da kann unser Student eben noch nicht viel studieren. So studiert denn unser guter Michael
10 Winkler Philosophie, und er tut das in Hamburg.

In Hamburg wohnen fast zwei Millionen Menschen. Hamburg ist also eine große Stadt. Aber es gibt wenig Platz. Zimmer für Studenten (und nicht nur für Studenten!) sind knapp und teuer. Michael Winkler hat lange kein Zimmer gefunden. Schließlich hat er doch Glück
15 gehabt. Aber sein Zimmer kostet 180,– Mark im Monat, ist ziemlich klein und ganz unmodern. Bett, Schrank, Tisch, das ist schon fast alles. Ist das nun Glück? Es ist tatsächlich Glück, denn bessere und größere Zimmer sind natürlich noch teurer. Und Michael hat nicht viel Geld. Aber er hat jetzt ein Zimmer und kann endlich studieren!

20 Frau Schmidt ist sehr nett. Frau Schmidt ist Michael Winklers Wirtin. Eine gute Wirtin ist fast wie eine Mutter für einen Studenten – oder sagen wir: wie eine Tante. Frau Schmidt ist so eine gute Wirtin. Sie macht jeden Tag Michaels Zimmer und sein Bett. Sie deckt ihm auch jeden Morgen den Tisch und kauft sogar mal für ihn ein, wenn er
25 schnell in Vorlesungen gehen muß. Aber jeden Monat 180,– Mark auf den Tisch des Hauses zu legen, ist nicht so leicht für einen Studenten. Das ist viel Geld. Man muß ja daran denken, daß Michael seiner Wirtin natürlich auch häufig genug hilft.

Michael hat drei Brüder. Sie gehen alle noch zur Schule.[g] Dieter ist
30 sogar noch ein kleiner Junge, er geht erst in die Volksschule[1]. Andreas und Christoph aber gehen schon auf die Oberschule[1] oder aufs Gymnasium[1], wie man auch dazu sagt. Sie wollen studieren, aber Vater

---

* The superscript letter *g* stands for "guess!" It suggests that you can and should guess the meaning of the word from its appearance and from clues in the surrounding context. If the word could cause pronunciation problems, it is given among the glosses with its phonetic transcription. If the word is a noun, it is also given among the glosses so that gender and plural can be clearly indicated.

Michael ['mɪçαεl]

die Medizin [medi'tsi:n]

1 Was sagt man?

Man sagt, ein Student hat es gut.

2 Was studiert unser guter Michael Winkler?

Unser guter Michael Winkler studiert Philosophie.

3 Wo studiert Michael?

Er studiert in Hamburg.

4 Was steht alles in Michaels Zimmer?

Bett, Schrank, Tisch, das ist schon fast alles.

5 Was macht Frau Schmidt jeden Tag?

Sie macht jeden Tag Michaels Zimmer und sein Bett.

die Schule, die Schulen
Andreas [an'dʀe:as] **Christoph** ['kʀɪstɔf] · 1. *All children enter* **die Volksschule** *at age six. After four years about 30% transfer to a secondary school, of which* **das Gymnasium** [gʏm'nɑ:zɪʊm], *or* **die Oberschule**, *is the main broad type.* **das Gymnasium, die Gymnasien**

6 Studieren Andreas und Christoph auch?

Nein, sie gehen auf die Oberschule oder aufs Gymnasium, wie man auch dazu sagt.

Winkler hat nicht viel Geld. Er ist Postbote in München. So muß denn Mutter Winkler als Verkäuferin in einem großen Kaufhaus mithelfen.
35 Es ist ja nicht schwer, heute in Deutschland eine Stelle zu finden, wenn man etwas kann; es gibt viele freien Stellen. Es geht den Winklers also nicht schlecht. Im Gegenteil, sie haben sogar ein kleines Haus und noch ein Sparbuch — wenn auch nicht allzu viel darauf ist.

Aber es ist heute auch alles sehr teuer in Deutschland, und es wird
40 noch laufend teurer! Michael kann jedenfalls nicht viel Geld von Vater und Mutter bekommen. Natürlich hat er, wie sehr viele Studenten in Deutschland, ein Stipendium*g*. Aber das ist nicht genug. Wenn er Geld braucht — und natürlich braucht er eigentlich immer Geld — muß er einen Job*g* finden. Das tun fast alle Studenten, und in einer großen
45 Stadt ist es auch leicht, einen guten Job zu finden. Doch das ist Gift für das Studium*g*. Wenn man studieren will, braucht man Geld, das ist richtig. Aber wenn man jobbt*g*, kann man nicht studieren — oder doch lange nicht so gut studieren, das ist auch richtig. Da liegt das Problem*g* für Michael Winkler — und nicht nur für ihn!

50 Natürlich hat Michael Winkler viele Freunde. Die Freunde kommen mal hier, mal dort zusammen, dann und wann auch auf Michaels Zimmer. Man erzählt dann, lacht und liest, oder man geht mal zum Baden, in einen Film, ins Theater*g* oder in ein Konzert*g*. Und natürlich trinkt man auch mal ein Bier — oder zwei. Das ist alles kein Problem.

55 Aber Michael hat auch eine Freundin. Und mit Monika hat er es nicht immer so leicht. Sie ist eigentlich sehr nett, aber ihr Vater hat viel Geld, er ist ein Geldmann. Das macht natürlich nichts, ist eigentlich gar nicht so schlecht. Aber Monika denkt zu wenig daran, daß das Geld bei Michael knapp ist. Sie sind schon seit August gute Freunde,
60 aber nichts genügt ihr. Was ihr gefällt, möchte sie haben. Sie hat nur drei Interessen, so sieht es aus: kaufen, kaufen, kaufen. Und sie nimmt nur gute, teure Sachen. Natürlich muß ihr Vater das Geld geben, aber für Michael bleiben doch noch viele „kleine" Sachen, die für ihn schon groß genug sind. Nein wirklich, Michael hat es nicht
65 leicht mit Monika. Wenn sie ein Rendezvous*g* haben, muß Michael fast immer warten. Schließlich kommt sie lachend an, ohne ein Wort der Entschuldigung. Michael findet auch, daß sie zu viele (und zu gute!) Bekannte hat. Sie ist also bestimmt nicht langweilig, die gute Monika, sie ist im Gegenteil ein bißchen zu flott. Für Michael jeden-
70 falls. Aber was soll man machen: Monika ist eigentlich ein nettes Mädchen, Michael hat sie wirklich gern. Außerdem sieht sie nicht nur gut aus, sie sieht sogar sehr gut aus. Das finden Michaels Freunde auch, und so . . .

das Stipendium [ʃti'pɛndiʊm], **die Stipendien**

der Job [dʒɔp], **die Jobs** ([ʒ] = sound of *s* as in *pleasure*)

das Studium ['ʃtuːdiʊm], **die Studien**
jobben ['dʒɔbən]

das Problem [pʀo'bleːm], **die Probleme**

das Theater [te'ɑːtɔʀ], **die Theater**
das Konzert [kɔn'tsɛʀt], **die Konzerte**

Monika ['moːnikɑ]

das Rendezvous [ʀãde'vuː], **die Rendezvous** [ʀãde'vuːs]

7 Geht es Winklers schlecht?
Im Gegenteil, sie haben sogar ein kleines Haus.

8 Was muß Michael tun, wenn er Geld braucht?
Wenn Michael Geld braucht, muß er einen Job finden.

9 Was tun Michael und seine Freunde?
Sie kommen mal hier, mal dort zusammen.

10 Wie heißt Michaels Freundin?
Michaels Freundin heißt Monika.

11 Hat Monika viele Interessen?
Nein, nur drei: kaufen, kaufen, kaufen.

12 Was findet Michael auch?
Er findet auch, daß Monika zu viele und zu gute Bekannte hat.

309

Ein Student hat viel zu tun. Dreizehn lange Jahre ist er zur Schule
75 gegangen, und das Endexamen⁹, das Abitur², war keine leichte Sache.
Jetzt hat er vielleicht drei oder vier Stunden Vorlesungen und Übungen
am Tag. Und fast alle Vorlesungen sind voll. Es kann sogar sein, daß
man gar keinen Platz findet, und es ist kein Spaß, im Stehen zu
studieren. Wenigstens so lange muß ein guter Student bestimmt auch
80 lesen und ausarbeiten, was er notiert hat. Wenn er das dann zehn
Semester⁹ schön brav getan hat, dann kann er schon mal an das
Staats⁹— oder sogar an das Doktorexamen denken, ohne daß ihm der
Angstschweiß kommen muß. Viele Menschen haben keine Ahnung,
was ein Student alles zu tun hat. Er hat es bestimmt nicht immer gut!

85 Aber natürlich studiert ein Student nicht immer. Ganz so ernst ist
die Sache denn doch nicht. Da ist bestimmt auch sehr viel Spaß.
Junge Menschen haben immer Spaß. Das Geld ist knapp, gut – aber
was macht das eigentlich? Sind die teuren Stunden die besten? Doch
ganz bestimmt nicht. Es ist ein Glück, daß Glück fast nichts mit Geld
90 zu tun hat. Man lernt während des Studiums viele interessante Menschen und Sachen kennen. Da sind die Freunde (und da ist die Freundin!) und man ist jung. Was will man eigentlich noch mehr? Außerdem
macht eine jede Arbeit Spaß, es muß nur die richtige sein. Es ist
schon so: Ein Student hat es gut!

das Endexamen [ˈɛntɛksɑːmən], **die Endexamen** · 2. **das Abitur** [abiˈtuːʁ] *the final examination in the Gymnasium which a student must pass in order to enter a University.*

das Semester [zeˈmɛstəʁ], **die Semester**
der Staat, **die Staaten**
der Doktor [ˈdɔktəʁ], **die Doktoren** [dɔkˈtoːʁən]

13 Wie lange ist ein Student zur Schule gegangen?

Er ist dreizehn Jahre zur Schule gegangen.

14 Wann kann ein Student schon mal an das Staatsexamen denken?

Wenn er zehn Semester schön brav studiert hat.

15 Sind die teuren Stunden die besten?

Nein, ganz bestimmt nicht.

16 Macht eine jede Arbeit Spaß?

Ja, es muß nur die richtige sein.

II. Phonology

A. Practice the Following Words

1   Make the [ɑ:] especially long:

> sagt, sogar, aber, ja, da, tatsächlich, Tag, mal, haben, Sparbuch, baden, Vater, Examen, Spaß, brav, getan, Staatsexamen, Ahnung

2   Make the [a] especially short:

> man, alt, kann, Hamburg, also, knapp, lange, Mark, ganz, Schrank, das, alles, fast, Tante, macht, dann, wann, Geldmann, was, hat, Sachen, warten, lachend, jedenfalls, gegangen, Platz, an, daß

3   Make the [e:] especially long and be sure not to diphthongize it:

> er, erste, eben, wenig, sehr, jeden, legen, gehen, erst, schwer, Problem, geben, jeden-falls, außerdem, dreizehn, stehen, wenigstens, mehr

4   Make the [ɛ] especially short:

> Student, besten, Menschen, Bett, es, denn, bessere, Geld, jetzt, endlich, nett, deckt, wenn, schnell, mithelfen, Stelle, etwas, schlecht, Stipendium, Konzert, Entschuldigung, gern, denken, ernst, lernt, kennen

5   Make the [i:] especially long and be sure not to diphthongize it:

> wir, Philosophie, studieren, Medizin, hier, viel, gibt, ziemlich, ihm, ihn, Dieter, wie, sie, liegt, liest, Bier, ihr, sieht, notiert, schließlich

6   Make the [ɪ] especially short:

> nicht, Michael, Winkler, ist, Geschichte, in, Zimmer, Tisch, sind, Schmidt, Wirtin, hilft, Christoph, mithelfen, finden, wird, Gift, richtig, natürlich, Film, trinkt, mit, nichts, nimmt, wirklich, bestimmt, immer, will

7   Make the [o:] especially long and be sure not to diphthongize it:

> groß, sogar, so, wohnen, Millionen, Monat, Vorlesung, Oberschule, Postbote, also, Problem, schon, Monika, ohne, notiert, oder

8 Make the [ɔ] especially short:

noch, doch, kostet, Morgen, Volksschule, Christoph, wollen, Postbote, bekommen, Konzert, kommt, flott, soll, voll, Doktor

9 Make the [u:] especially long and be sure not to diphthongize it:

gut, nun, nur, studieren, tut, zu, genug, Schule, Volksschule, Oberschule, Sparbuch, Abitur, dazu, tun

10 Make the [ʊ] especially short:

warum, unsere, Hamburg, gefunden, unmodern, Mutter, muß, Junge, und, August, Entschuldigung, Stunden

11 Practice pronouncing the following words, making the long accented vowels especially long and the short ones especially short:

gut, man, was, sagt, alt, nun, noch, groß, kann, studieren, Buch, nicht, das, gibt, Zimmer, lange, Stück, Monat, natürlich, viel, nett, fast, Tante, Tag, Bett, Tisch, wenn, er, muß, für, genug, Schule, Junge, schon, aber, Post, Bote, schlecht, und, bekommen, immer, doch, gibt, da, Problem, mal, dort, zusammen, Konzert, Monika, sehr, August, Interesse, Sache, warten, Wort, bestimmt, Gegenteil, flott, machen, Mädchen, gern, sogar, Abitur, Stunden, voll, finden, Spaß, notiert, dann, zehn, Semester, brav, Staatsexamen, der, den, dem, des, Studium, jung, Arbeit, hat

III. Writing Practice

A. Completion

Copy and supply the missing endings:

1 Susi ist ein klein_____ Mädchen, aber sie will d_____ Tisch decken.

2 Susi legt d_____ neu_____ Decke auf d_____ groß_____ Tisch.

3 Dann stellt sie d_____ schön_____ Teller (*pl.*) auf d_____ neu_____, weiß_____ Decke.

4 Sie legt ein_____ klein_____ Löffel hinter jed_____ Suppenteller und ein_____ größer_____ Löffel neben jed_____ Teller.

5 Sie fragt ihr_____ Mutter, ob sie die neu_____ oder die alt_____ Gabeln aus d_____ klein_____ Schrank holen soll.

6 Susi schaut durch ein groß_____ Fenster und sieht ihr_____ Vater schon diesseits d_____ Platz_____.

7 Sie geht ihr_____ Vater entgegen und erzählt ihm von ihr_____ viel_____ Arbeit für ihr_____ Mutter.

8 In wenig_____ Minuten sind beide innerhalb d_____ Haus_____ und sitzen an ihr_____ Mittagstisch.

9 Der Vater spricht über d_____ gut_____ Arbeit d_____ tüchtig_____ Mädchen_____, bis d_____ Mutter d_____ heiß_____ Suppe in d_____ schön_____ Suppenteller (*pl.*) füllt.

10 Nach d_____ Essen geht Susi zu ihr_____ nett_____ Onkel hinüber und erzählt ihm von ihr_____ schwer_____ Arbeit für ihr_____ Mutter und ihr_____ Vater.

B. Structure Retention

Substitute the new words for those directly above them and make all the necessary changes.

Example: Model sentence:
Die Mutter des kleinen Mädchens bleibt am Morgen zu Hause.

Substitutions:
Vater   nett   Junge   kommt   Abend

New sentence:
Der Vater des netten Jungen kommt am Abend nach Hause.

1 Seine alte Tante hat einen schlimmen Unfall   gehabt.
     nett Onkel   schlecht   Erfahrung machen

2 Susi   stellt das frische Brot,   die Butter und die Marmelade auf den Tisch.
Mutter   warm Kuchen   Wein   Kaffee

3 Ihr großer Junge   ist gestern bei mir gewesen.
Euer klein   Mädchen   zu wir kommen

4 Ilse hat ihre alte Freundin Lilo im Zug   gesehen.
Rolf   Freund Hans   Vorlesung treffen

5 Der schnelle Zug nach Berlin fährt   am Mittag   von Hamburg ab.
Ein   aus   ankommen   Mitternacht   München

6 Seine junge Frau   möchte jeden Monat einen neuen Hut   kaufen.
Ihr   nett Mann   Jahr   Wagen

7 Dein Bruder hat gefragt, ob er mitkommen darf.
Sein Frau   sagen daß   wollen

8 Diese freundliche Kundin meint,   daß der Hut   zu teuer für sie ist.
            Kunde antworten   Geige

9 Der junge Student   hat sein Buch   im Vorlesungsraum gelassen.
            Studentinnen   Bücher   Wagen   legen

10 Wenn der neue Schrank uns nicht gefällt, schicken wir ihn den Leuten   zurück.
            Hüte   ihr   geben   ihr   Verkäufer

IV. Word Study

A. Inference

There are a great many words that look very much alike in English and German and it is extremely important to get into the habit of guessing their meanings. It is true that you can sometimes be misled by graphic similarity when the meanings are actually quite different. However, if the meaning you guess fits the context, you can be quite sure that your guess is valid. Meanings guessed are remembered far better than those looked up in a glossary or dictionary. After you have had some practice in guessing the meanings of German words that resemble English words, such as the ones below, you will be ready for the next step, that is, guessing with the help of context the meanings of new words that do not resemble their English equivalents.

Read the following sentences and guess the meanings of the words in boldface:

1. Er hat sein ganzes Geld auf der Deutschen **Bank**.   **die Bank, die Banken**
2. Hamburg hat auch viel **Metallindustrie** [me'talɪndu͵stʀi:].   **die Industrie, die Industrien**
3. Mußt du denn zu dieser **Konferenz** [kɔnfe'ʀɛnts] nach Hannover fahren?   **die Konferenz, die Konferenzen**
4. Wenn Sie einen **Moment** [mo'mɛnt] warten wollen, kann ich Ihnen helfen.   **der Moment, die Momente**
5. Seit seinem Herzanfall muß er täglich **Tabletten** [ta'blɛtən] nehmen.   **die Tablette, die Tabletten**
6. Freitags ißt man in Deutschland viel **Fisch**.   **der Fisch, die Fische**
7. Der **Hammer** liegt im Werkzeugkasten.   **der Hammer, die Hammer**
8. Die **Hand** hat fünf **Finger**.   **die Hand, die Hände   der Finger, die Finger**
9. A. Ich war gestern in der **Oper** ['o:pəʀ].   **die Oper, die Opern**
    B. Was gab es denn?
    A. ,,Der Rosenkavalier'' von Richard Strauß, das ist meine liebste **Oper**.
10. Michael hat seiner Freundin Monika sechs rote **Rosen** geschickt.   **die Rose, die Rosen**
11. Monikas Vater hat ein neues Haus mit einem schönen **Garten** gekauft.   **der Garten, die Gärten**
12. A. Ist sie nicht eine kopflose **Person** [pɛʀ'zo:n]?   **die Person, die Personen**
    B. Ja, manchmal kann man denken, sie ist nicht ganz **normal** [nɔʀ'mɑ:l].
13. A. Kommst du heute mit ins Theater?
    B. Nein, **Dramen** von Schiller sind mir nicht interessant genug.   **das Drama, die Dramen**
    A. Du mußt dich wirklich mehr für **Kultur** [kʊl'tu:ʀ] interessieren.   **die Kultur**
    B. Aber ich habe nun mal kein Interesse für **Tragödien** [tʀɑ'gø:diən].   **die Tragödie, die Tragödien**
14. A. Hast du **Musik** [mu'zi:k] gern?   **die Musik**
    B. Ja sehr, aber ich habe leider kein **Instrument** [ɪnstʀu'mɛnt].   **das Instrument, die Instrumente**

There are a number of German words which a speaker of English can understand more readily if he knows that German **pf** frequently corresponds to English *p*. We have already had **Pfennig**, which is the equivalent of English *penny*. Additional words of this kind are in the sentences below. With the help of the context provided, try to guess what the meaning is:

1   Ich möchte nur ein halbes **Pfund** Fleisch kaufen.   **das Pfund**
2   Die Mutter brät das Fleisch in der **Pfanne**.   **die Pfanne, die Pfannen**
3   Mögen Sie gern **Pfannkuchen?**
4   Es muß noch etwas **Pfeffer** ans Essen!   **der Pfeffer**
5   Nach dem Essen raucht Vater gern eine **Pfeife**.   **die Pfeife, die Pfeifen**
6   Möchten Sie einen **Apfel?**   **der Apfel, die Äpfel**
7   Meine Tante hat viele grüne **Pflanzen**.   **die Pflanze, die Pflanzen**
8   Im Winter kann man natürlich keine Rosen **pflanzen**.
9   Mögen Sie lieber Äpfel oder **Pflaumen?**   **die Pflaume, die Pflaumen**
10 Er ist gegen einen **Laternenpfahl** gelaufen.   **der Pfahl, die Pfähle**
11 Ein Pfahl und ein **Pfosten** sind fast dasselbe.   **der Pfosten, die Pfosten**
12 Wollen Sie eine Pfanne aus **Kupfer** oder aus einem anderen Metall?   **das Kupfer**

B. Singular and Plural of Nouns

Change the noun subject to the plural:

Die Schule ist wirklich viel zu klein.
Die Schulen sind wirklich viel zu klein.

Das Stipendium kommt vom Staat.
Die Stipendien kommen vom Staat.

Das Volk wird immer unruhiger.
Die Völker werden immer unruhiger.

Das Problem ist sicher nicht so schwer.
Die Probleme sind sicher nicht so schwer.

Das Theater wird jedes Jahr besser.
Die Theater werden jedes Jahr besser.

Das Konzert war besonders gut.
Die Konzerte waren besonders gut.

Das Examen war gar nicht so leicht.
Die Examen waren gar nicht so leicht.

Das Semester geht immer schnell zu Ende.
Die Semester gehen immer schnell zu Ende.

Der Staat sagt immer, er hat kein Geld.
Die Staaten sagen immer, sie haben kein Geld.

Der Doktor lebt nicht schlecht.
Die Doktoren leben nicht schlecht.

Die Konferenz ist mir zu langweilig.
Die Konferenzen sind mir zu langweilig.

Die Tablette schmeckt scheußlich.
Die Tabletten schmecken scheußlich.

Die Bank muß doch versichert sein.
Die Banken müssen doch versichert sein.

Der Fisch ist schon in der Pfanne.
Die Fische sind schon in der Pfanne.

Der Hammer liegt im Werkzeugkasten.
Die Hammer liegen im Werkzeugkasten.

Der Finger ist lang.
Die Finger sind lang.

Das Instrument klingt wirklich gut.
Die Instrumente klingen wirklich gut.

Die Oper von Strauß gefällt mir am besten.
Die Opern von Strauß gefallen mir am besten.

Die Rose kommt aus unserem Garten.
Die Rosen kommen aus unserem Garten.

Der Garten ist diesen Sommer sehr schön.
Die Gärten sind diesen Sommer sehr schön.

Die Person da war unfreundlich.
Die Personen da waren unfreundlich.

Das Drama von Schiller ist sehr interessant.
Die Dramen von Schiller sind sehr interessant.

Die Tragödie gefällt ihm nicht.
Die Tragödien gefallen ihm nicht.

Die Pfanne ist aus Kupfer.
Die Pfannen sind aus Kupfer.

Die Pfeife liegt unter der Zeitung.
Die Pfeifen liegen unter der Zeitung.

Der Apfel ist rot und süß.
Die Äpfel sind rot und süß.

Die Pflanze dort kommt aus dem Süden.
Die Pflanzen dort kommen aus dem Süden.

Die Pflaume schmeckt besonders süß.
Die Pflaumen schmecken besonders süß.

Der Pfosten ist aus Metall.
Die Pfosten sind aus Metall.

Die Hand hat fünf Finger.
Die Hände haben fünf Finger.

Unit 12

I. Dialog

Ein unverhofftes Wiedersehen

Part 1

1	Heinrich:	Hallo Werner, wir haben einander ja eine halbe Ewigkeit nicht gesehen!
2	Werner:	Mensch, Heinrich, welcher gute Wind hat dich denn direkt in meine Arme geweht!
3	Heinrich:	Na, man muß ja auch mal umziehen. Ich wohne jetzt hier.
4	Werner:	Ich hatte schon von Helmut erfahren, daß du wieder in Kiel lebst, aber Näheres wußte er selber nicht.
5	Heinrich:	Und ich hab' noch heute morgen zu meiner Frau gesagt: „Früher wohnte jahrelang ein Schulfreund von mir in dieser Gegend."
6	Werner:	Was, eine Frau hast du auch? Du warst doch damals noch nicht einmal verlobt!
7	Heinrich:	Das hat sich kurz darauf geändert. Jetzt habe ich jedenfalls eine Frau, einen Sohn und zwei Töchter.
8	Werner:	Donnerwetter, Heinrich, wie das klingt! Davon kann ich mir eine Scheibe abschneiden!
9	Heinrich:	Da kommt mein Bus um die Ecke. Fährst du auch mit in die Stadt?
10	Werner:	Ja, jeden Morgen um diese Zeit, jahraus, jahrein.

Part 2

11	Heinrich:	Der ist ja nicht gerade leer! Aber setz dich ans Fenster dort, da ist noch Platz für uns beide!
12	Werner:	Gut, aber dann gib mir erst mal eine Zigarette! Ich habe vergessen, mir meine Zigaretten einzustecken.
13	Heinrich:	Tut mir leid, mein Lieber, aber sieh dorthin! Auf dem Schild steht: NICHT RAUCHEN.
14	Werner:	Wieso, hat der Bus neuerdings kein Raucherabteil mehr! Na, vielleicht ist das gar kein schlechter Gedanke.
15	Heinrich:	Nun mußt du aber berichten! Hattest du nicht bereits dein Examen bestanden, als ich nach München zog?
16	Werner:	Allerdings! Und danach hatte mich mein Vater zur weiteren Ausbildung in eine seiner ausländischen Fabriken gesteckt.
17	Heinrich:	Ja, richtig, davon hatte ich noch gehört. Du warst ja zu deinem Vater ins Geschäft gegangen.
18	Werner:	Oh, ich muß schon gleich aussteigen! Treffen wir uns heute noch irgendwo?
19	Heinrich:	Natürlich, ruf mich doch einfach im Büro an. Ich schreib' dir meine Telefonnummer auf.
20	Werner:	Gut, hier sind Papier und Bleistift. Du weißt, ich war schon immer vergeßlich.

II. Supplement

1 Meine Eltern ziehen nächsten Monat nach Bayern.
2 Großmutter und Großvater zogen neulich um.
3 Seine Großeltern sind voriges Jahr in ein anderes Gebiet umgezogen.

4 Dieser kleine Traktor zieht ganz besonders gut.

5 Ein Polizeiwagen zog das kaputte Auto aus dem Weg.

6 Wer hat den alten Handwagen aus der Garage gezogen?

7 Meine Schwester zieht Filme dem Theater gewöhnlich vor.

8 Ich halte es für Unsinn, daß meine Nichte das Fernsehen dem Rundfunk vorzieht.

9 Was hältst du davon, daß mein Neffe das Schiff dem Flugzeug vorzieht?

10 Ich ziehe mich noch schnell für das Konzert um.

11 Warum zogst du dir bei der Hitze nicht die Jacke aus?

12 Warum hast du dir denn den alten Anzug angezogen?

III. Audiolingual Drills

A. Directed Dialog

Part 1

Sagen Sie, daß Heinrich und Werner einander eine halbe Ewigkeit nicht gesehen haben!
Heinrich und Werner haben einander eine halbe Ewigkeit nicht gesehen.

Fragen Sie, welcher gute Wind Heinrich direkt in Werners Arme geweht hat!
Welcher gute Wind hat Heinrich direkt in Werners Arme geweht?

Antworten Sie, daß man ja auch mal umziehen muß!
Man muß ja auch mal umziehen.

Sagen Sie, Werner hatte schon von Helmut erfahren, daß Heinrich wieder in Kiel lebt!
Werner hatte schon von Helmut erfahren, daß Heinrich wieder in Kiel lebt.

Sagen Sie, daß Helmut Näheres selber nicht wußte!
Helmut wußte Näheres selber nicht.

Fragen Sie, was Heinrich noch heute morgen zu seiner Frau gesagt hat!
Was hat Heinrich noch heute morgen zu seiner Frau gesagt?

Antworten Sie, er hat gesagt, daß früher jahrelang ein Schulfreund von ihm in dieser Gegend wohnte!
Er hat gesagt, daß früher jahrelang ein Schulfreund von ihm in dieser Gegend wohnte.

Sagen Sie, daß Heinrich doch damals noch nicht einmal verlobt war!
Heinrich war doch damals noch nicht einmal verlobt.

Sagen Sie, daß das sich kurz darauf geändert hat!
Das hat sich kurz darauf geändert.

Sagen Sie, daß Heinrich jetzt jedenfalls eine Frau, einen Sohn und zwei Töchter hat!
Heinrich hat jetzt jedenfalls eine Frau, einen Sohn und zwei Töchter.

Sagen Sie, daß Werner sich davon eine Scheibe abschneiden kann!
Werner kann sich davon eine Scheibe abschneiden.

Sagen Sie, daß da Heinrichs Bus um die Ecke kommt!
Da kommt Heinrichs Bus um die Ecke.

Fragen Sie, ob Werner auch mit in die Stadt fährt!
Fährt Werner auch mit in die Stadt?

Antworten Sie, daß er jeden Morgen um diese Zeit in die Stadt fährt!
Er fährt jeden Morgen um diese Zeit in die Stadt.

Part 2

Sagen Sie, daß der Bus ja nicht gerade leer ist!
Der Bus ist ja nicht gerade leer.

Sagen Sie, daß Werner sich ans Fenster dort setzen soll!
Werner soll sich ans Fenster dort setzen.

Sagen Sie, daß da noch Platz für sie beide ist!
Da ist noch Platz für sie beide.

Sagen Sie, daß Heinrich Werner erst mal eine Zigarette geben soll!
Heinrich soll Werner erst mal eine Zigarette geben.

Sagen Sie, daß Werner vergessen hat, sich seine Zigaretten einzustecken!
Werner hat vergessen, sich seine Zigaretten einzustecken.

Sagen Sie, daß auf dem Schild NICHT RAUCHEN steht!
Auf dem Schild steht NICHT RAUCHEN.

Sagen Sie, daß der Bus neuerdings kein Raucherabteil mehr hat!
Der Bus hat neuerdings kein Raucherabteil mehr.

Sagen Sie, daß Werner also nicht rauchen soll!
Werner soll also nicht rauchen.

Sagen Sie, daß das vielleicht gar kein schlechter Gedanke ist!
Das ist vielleicht gar kein schlechter Gedanke.

Sagen Sie, daß Werner nun berichten muß!
Werner muß nun berichten.

Sagen Sie, daß er gerade sein Examen bestanden hatte, als Heinrich nach München zog!
Er hatte gerade sein Examen bestanden, als Heinrich nach München zog.

Sagen Sie, daß sein Vater ihn danach zur weiteren Ausbildung in eine seiner ausländischen Fabriken gesteckt hatte!
Sein Vater hatte ihn danach zur weiteren Ausbildung in eine seiner ausländischen Fabriken gesteckt.

Sagen Sie, daß Heinrich davon noch gehört hatte!
Heinrich hatte davon noch gehört.

Sagen Sie, daß Werner zu seinem Vater ins Geschäft gegangen war!
Werner war zu seinem Vater ins Geschäft gegangen.

Fragen Sie, ob Heinrich und Werner sich heute noch irgendwo treffen!
Treffen Heinrich und Werner sich heute noch irgendwo?

Sagen Sie, daß Heinrich seine Telefonnummer aufschreibt!
Heinrich schreibt seine Telefonnummer auf.

B. Past Tense (Narrative Past)

Weak verbs

1 Repeat:

Ich sagte es ihm noch gestern abend.   Wir sagten es ihm noch gestern abend.
Du sagtest es ihm noch gestern abend.   Ihr sagtet es ihm noch gestern abend.
Er sagte es ihm noch gestern abend.   Sie sagten es ihm noch gestern abend.

2 All the verbs in this drill follow the narrative past tense pattern of **sagen**. Substitute the new subject or the new verb in the narrative past:

Er sagte es gestern morgen.   **du**
Du sagtest es gestern morgen.   **kaufen**
Du kauftest es gestern morgen.   **wir**
Wir kauften es gestern morgen.   **brauchen**
Wir brauchten es gestern morgen.   **ich**
Ich brauchte es gestern morgen.   **machen**
Ich machte es gestern morgen.   **ihr**
Ihr machtet es gestern morgen.   **erklären**
Ihr erklärtet es gestern morgen.   **Rolf und Günther**
Rolf und Günther erklärten es gestern morgen.   **studieren**
Rolf und Günther studierten es gestern morgen.   **Fräulein Schneider**
Fräulein Schneider studierte es gestern morgen.

3 The verbs that require a connecting –e– in some forms of the present tense and in the past participle also require this –e– between the stem and the narrative past tense sign –t–. Substitute the new subject, or the new verb in the narrative past:

Er wartete eigentlich gar nicht.   **du**
Du wartetest eigentlich gar nicht.   **arbeiten**
Du arbeitetest eigentlich gar nicht.   **wir**
Wir arbeiteten eigentlich gar nicht.   **spotten**
Wir spotteten eigentlich gar nicht.   **ich**
Ich spottete eigentlich gar nicht.   **antworten**
Ich antwortete eigentlich gar nicht.   **ihr**
Ihr antwortetet eigentlich gar nicht.   **warten**
Ihr wartetet eigentlich gar nicht.   **die Kinder**
Die Kinder warteten eigentlich gar nicht.

4   The irregular weak verb **haben**. Substitute the new subject:

        Er hatte doch damals kein Geld.   **du**
        Du hattest doch damals kein Geld.   **wir**
        Wir hatten doch damals kein Geld.   **ihr**
        Ihr hattet doch damals kein Geld.   **ich**
        Ich hatte doch damals kein Geld.   **die Freunde**
        Die Freunde hatten doch damals kein Geld.

5   The irregular weak verb **kennen**. The narrative past has the same vowel as the past participle. Substitute the new pronoun subject or noun object:

        Kannten sie den Herrn damals schon gut?   **ich**
        Kannte ich den Herrn damals schon gut?   **Stadt**
        Kannte ich die Stadt damals schon gut?   **wir**
        Kannten wir die Stadt damals schon gut?   **Frau**
        Kannten wir die Frau damals schon gut?   **ihr**
        Kanntet ihr die Frau damals schon gut?   **Junge**
        Kanntet ihr den Jungen damals schon gut?   **du**
        Kanntest du den Jungen damals schon gut?   **Land**
        Kanntest du das Land damals schon gut?   **er**
        Kannte er das Land damals schon gut?   **Buch**
        Kannte er das Buch damals schon gut?

6   The irregular weak verb **denken**. The narrative past has the same irregularity as the past participle. Substitute the new subject in the main clause:

        Sie dachten nicht daran, daß er kommen sollte.   **er**
        Er dachte nicht daran, daß er kommen sollte.   **wir**
        Wir dachten nicht daran, daß er kommen sollte.   **du**
        Du dachtest nicht daran, daß er kommen sollte.   **ich**
        Ich dachte nicht daran, daß er kommen sollte.   **Heike**
        Heike dachte nicht daran, daß er kommen sollte.

7   The irregular weak verb **bringen**. The narrative past has the same irregularity as the past participle. Substitute the new pronoun subject, or the new noun object in the plural:

        Sie brachten ihr teure Weine.   **du**
        Du brachtest ihr teure Weine.   **Kuchen**
        Du brachtest ihr teure Kuchen.   **ihr**
        Ihr brachtet ihr teure Kuchen.   **Messer**
        Ihr brachtet ihr teure Messer.   **er**
        Er brachte ihr teure Messer.   **Schüssel**
        Er brachte ihr teure Schüsseln.   **wir**
        Wir brachten ihr teure Schüsseln.   **Buch**
        Wir brachten ihr teure Bücher.   **ich**
        Ich brachte ihr teure Bücher.

8 The modal auxiliaries. The narrative past tense follows the pattern of other weak verbs except for the same irregularities that the past participles have: all umlauts are dropped and **mögen** becomes **ich mochte**, etc. Substitute the new subject, or the new modal auxiliary in the narrative past:

> Ich mochte es einfach nicht tun. **du**
> Du mochtest es einfach nicht tun. **können**
> Du konntest es einfach nicht tun. **wir**
> Wir konnten es einfach nicht tun. **wollen**
> Wir wollten es einfach nicht tun. **ihr**
> Ihr wolltet es einfach nicht tun. **dürfen**
> Ihr durftet es einfach nicht tun. **er**
> Er durfte es einfach nicht tun. **sollen**
> Er sollte es einfach nicht tun. **die Verkäuferin**
> Die Verkäuferin sollte es einfach nicht tun. **mögen**
> Die Verkäuferin mochte es einfach nicht tun.

9 The irregular weak verb **wissen**. The narrative past has the same vowel as the past participle. Substitute the new subject in the first clause or the new verb in the second:

> Sie wußten nicht, was Heinrich sagte. **Uwe**
> Uwe wußte nicht, was Heinrich sagte. **wollen**
> Uwe wußte nicht, was Heinrich wollte. **Ilse**
> Ilse wußte nicht, was Heinrich wollte. **studieren**
> Ilse wußte nicht, was Heinrich studierte. **du**
> Du wußtest nicht, was Heinrich studierte. **sollen**
> Du wußtest nicht, was Heinrich sollte. **ich**
> Ich wußte nicht, was Heinrich sollte. **bringen**
> Ich wußte nicht, was Heinrich brachte. **ihr**
> Ihr wußtet nicht, was Heinrich brachte. **denken**
> Ihr wußtet nicht, was Heinrich dachte. **wir**
> Wir wußten nicht, was Heinrich dachte. **kennen**
> Wir wußten nicht, was Heinrich kannte. **die Männer**
> Die Männer wußten nicht, was Heinrich kannte. **können**
> Die Männer wußten nicht, was Heinrich konnte. **du**
> Du wußtest nicht, was Heinrich konnte. **mögen**
> Du wußtest nicht, was Heinrich mochte.

Strong verbs

The strong verbs **fahren** and **erfahren**.

10 Repeat:

> Ich fuhr jahrelang einen kleinen Volkswagen.
> Du fuhrst jahrelang einen kleinen Volkswagen.
> Er fuhr jahrelang einen kleinen Volkswagen.

Wir fuhren jahrelang einen kleinen Volkswagen.
Ihr fuhrt jahrelang einen kleinen Volkswagen.
Sie fuhren jahrelang einen kleinen Volkswagen.

11 Change from the present to the narrative past:

Ich fahre immer mit dem kleinen Volkswagen.
Ich fuhr immer mit dem kleinen Volkswagen.

Wir fahren mit dem Wagen statt mit der Bahn.
Wir fuhren mit dem Wagen statt mit der Bahn.

Werner erfährt nichts Näheres von Helmut.
Werner erfuhr nichts Näheres von Helmut.

Hoffentlich erfährst du etwas über dieses Problem.
Hoffentlich erfuhrst du etwas über dieses Problem.

Die Jungen fahren den Wagen ziemlich rücksichtslos.
Die Jungen fuhren den Wagen ziemlich rücksichtslos.

Hoffentlich erfahrt ihr dort etwas Neues.
Hoffentlich erfuhrt ihr dort etwas Neues.

The strong verbs **geben**, **essen**, **sehen**, **vergessen**, **liegen**, **lesen**, **bitten**, **sitzen**.

12 The stem vowel sound of the narrative past of the verbs in this drill is [ɑ:] as in **gab**. Change from the present to the narrative past:

Ich gebe dem Mann einen Job.
Ich gab dem Mann einen Job.

Wir essen oft bei diesem Wirt.
Wir aßen oft bei diesem Wirt.

Du siehst aber noch ziemlich blaß aus.
Du sahst aber noch ziemlich blaß aus.

Sie vergessen immer ihre Bücher.
Sie vergaßen immer ihre Bücher.

Der Onkel liegt den ganzen Tag im Bett.
Der Onkel lag den ganzen Tag im Bett.

Ihr lest die Zeitschrift ja gar nicht.
Ihr last die Zeitschrift ja gar nicht.

Er bittet um einen kleineren Hut.
Er bat um einen kleineren Hut.

Ich sitze auf einer Kiste.
Ich saß auf einer Kiste.

13 The connecting **–e–** is used in the narrative past to separate successive **s**–sounds of stem and ending in the **du** form. The stem of **sitzen** loses its **t**–sound in the narrative past, just as it does in the participle. Change from the present to the narrative past:

Warum sitzt du nicht neben uns?
Warum saßest du nicht neben uns?

Warum ißt du kein frisches Brot?
Warum aßest du kein frisches Brot?

Warum vergißt du immer deine Bücher?
Warum vergaßest du immer deine Bücher?

Warum liest du die neue Zeitschrift nicht?
Warum lasest du die neue Zeitschrift nicht?

The strong verbs **schlafen, anrufen, laufen, lassen, halten, heißen, rufen, raten, braten, gefallen.**

14 The stem vowel sound of the narrative past of the verbs in this drill is [i:] as in **schlief.** Change from the present to the narrative past:

Ich schlafe dort immer sehr gut.
Ich schlief dort immer sehr gut.

Wir rufen Werner im Büro an.
Wir riefen Werner im Büro an.

Warum läufst du so plötzlich?
Warum liefst du so plötzlich?

Die Mutter brät das Fleisch in der Pfanne.
Die Mutter briet das Fleisch in der Pfanne.

Warum läßt du nicht den Doktor kommen?
Warum ließest du nicht den Doktor kommen?

Was halten Sie von diesem Job?
Was hielten Sie von diesem Job?

Sein bester Freund heißt auch Michael.
Sein bester Freund hieß auch Michael.

Sie rufen die Kinder immer um fünf ins Haus.
Sie riefen die Kinder immer um fünf ins haus.

Monika rät die Antwort einfach nicht.
Monika riet die Antwort einfach nicht.

Die neue Jacke gefällt mir sehr gut.
Die neue Jacke gefiel mir sehr gut.

Er hält das Studium für Unsinn.
Er hielt das Studium für Unsinn.

The strong verbs **bleiben**, **scheinen**, **steigen**, **leiden**, **einsteigen**, **übertreiben**, **aufschreiben**, **schreiben**, **abschneiden**, **schneiden**.

15   The stem vowel sound of the narrative past of the verbs in this drill is [i:] as in **blieb**, except for **leiden** and **schneiden** where it is [ɪ] as in **litt** and **schnitt**. Change from the present to the narrative past:

> Wir bleiben nur einen Tag in Berlin.
> Wir blieben nur einen Tag in Berlin.
>
> Die Sonne scheint dort immer so schön.
> Die Sonne schien dort immer so schön.
>
> Steigst du dann in München aus?
> Stiegst du dann in München aus?
>
> Die Kranken leiden unter dieser Hitze.
> Die Kranken litten unter dieser Hitze.
>
> Ihr übertreibt die ganze Sache ein bißchen.
> Ihr übertriebt die ganze Sache ein bißchen.
>
> Davon schneide ich mir eine Scheibe ab.
> Davon schnitt ich mir eine Scheibe ab.
>
> Er schreibt mir die Telefonnummer auf.
> Er schrieb mir die Telefonnummer auf.

The strong verbs **ziehen**, **umziehen**, **herumziehen**, **vorziehen**.

16   The narrative past stem of **ziehen** is **zog**, spelled with a final **g**. Change from the present to the narrative past:

> Ich ziehe ziemlich häufig um.
> Ich zog ziemlich häufig um.
>
> Wann ziehst du eigentlich nach Kiel?
> Wann zogst du eigentlich nach Kiel?
>
> Warum zieht ihr nach Hamburg um?
> Warum zogt ihr nach Hamburg um?
>
> Wir ziehen das kaputte Auto in die Garage.
> Wir zogen das kaputte Auto in die Garage.
>
> Die Kinder ziehen den Handwagen um den Platz herum.
> Die Kinder zogen den Handwagen um den Platz herum.
>
> Meine Nichte zieht das Fernsehen dem Rundfunk vor.
> Meine Nichte zog das Fernsehen dem Rundfunk vor.

The strong verbs **kommen**, **sprechen**, **treffen**, **nehmen**, **bekommen**.

17 The stem vowel sound of the narrative past tense of the verbs in this drill is [ɑ:] as in **kam**. Change from the present to the narrative past tense:

Ich komme immer mit dem spätesten Bus.
Ich kam immer mit dem spätesten Bus.

Die beiden sprechen über ihr Rendezvous.
Die beiden sprachen über ihr Rendezvous.

Jürgen trifft den Onkel lesend an.
Jürgen traf den Onkel lesend an.

Wir treffen seine beiden Töchter am Schillerplatz.
Wir trafen seine beiden Töchter am Schillerplatz.

Warum nehmt ihr meistens den letzten Bus?
Warum nahmt ihr meistens den letzten Bus?

Bekommen Margrit und Gerhard eine Kiste mit der Post?
Bekamen Margrit und Gerhard eine Kiste mit der Post?

The strong verbs **helfen**, **springen**, **finden**, **empfinden**, **beginnen**, **klingen**, **gelingen**.

18 The stem vowel sound of the narrative past in this drill is [a] as in **fand** or **half**. Change from the present to the narrative past:

Ich finde meinen alten Hut nicht.
Ich fand meinen alten Hut nicht.

Warum hilfst du deinem kleinen Schulfreund nicht?
Warum halfst du deinem kleinen Schulfreund nicht?

Es gelingt ihm, endlich sein Abitur zu machen.
Es gelang ihm, endlich sein Abitur zu machen.

Warum springt ihr nicht über die Kiste?
Warum sprangt ihr nicht über die Kiste?

Wir beginnen um zehn mit dem Festzug.
Wir begannen um zehn mit dem Festzug.

Ihre Geige klingt heute besonders gut.
Ihre Geige klang heute besonders gut.

Empfinden Sie das Unglück als so ernst?
Empfanden Sie das Unglück als so ernst?

19 Strong verbs that require a connecting **–e–**. If the narrative past tense stem of a strong verb ends in **d** or **t**, a connecting **–e–** is used in the **du** and **ihr** forms. Change from the present to the narrative past:

Findest du den Anfang leicht oder schwer?
Fandest du den Anfang leicht oder schwer?

Warum bittet ihr ihn nicht um etwas Geld?
Warum batet ihr ihn nicht um etwas Geld?

Empfindest du es tatsächlich als so schlimm?
Empfandest du es tatsächlich als so schlimm?

Warum rätst du deiner Nichte, in der Stadt zu arbeiten?
Warum rietest du deiner Nichte, in der Stadt zu arbeiten?

Ihr leidet sicher viel unter dem Unfall.
Ihr littet sicher viel unter dem Unfall.

Hältst du ihn für einen tüchtigen Studenten?
Hieltest du ihn für einen tüchtigen Studenten?

20 The irregular strong verb **tun**. The narrative past tense stem is **tat**. Change from the present to the narrative past:

Ich tue es trotz des schlechten Wetters.
Ich tat es trotz des schlechten Wetters.

Was tust du denn immer am Abend?
Was tatest du denn immer am Abend?

Wir tun die Arbeit nach dem Baden.
Wir taten die Arbeit nach dem Baden.

Was tut deine ältere Schwester im Geschäft?
Was tat deine ältere Schwester im Geschäft?

Was tut ihr eigentlich am Sonntag?
Was tatet ihr eigentlich am Sonntag?

Die beiden Söhne tun meistens gar nichts.
Die beiden Söhne taten meistens gar nichts.

21 The irregular strong verb **werden**. The narrative past tense stem is **wurde**. Change from the present to the narrative past:

Ich werde im März zwanzig Jahre alt.
Ich wurde im März zwanzig Jahre alt.

Warum wirst du dabei so ernst?
Warum wurdest du dabei so ernst?

Bei solchem Wetter werden die Straßen rutschig.
Bei solchem Wetter wurden die Straßen rutschig.

Wann werdet ihr mit der Arbeit fertig?
Wann wurdet ihr mit der Arbeit fertig?

Mein Großvater wird bald wieder besser.
Mein Großvater wurde bald wieder besser.

Wir werden immer schon lange vor dem Essen hungrig.
Wir wurden immer schon lange vor dem Essen hungrig.

22 The irregular strong verb **sein**. The narrative past tense stem is **war**. Change from the present to the narrative past:

Ich bin noch nicht mit dem Buch fertig.
Ich war noch nicht mit dem Buch fertig.

Dieses Semester ist ziemlich anstrengend.
Dieses Semester war ziemlich anstrengend.

Die Kinder sind heute bei ihrer Großmutter.
Die Kinder waren heute bei ihrer Großmutter.

Wann seid ihr mal wieder in Belgien?
Wann wart ihr mal wieder in Belgien?

Bist du Weihnachten wieder zu Hause?
Warst du Weihnachten wieder zu Hause?

Wir sind am Ende des Monats immer ohne Geld.
Wir waren am Ende des Monats immer ohne Geld.

23 The irregular strong verb **gehen**. The narrative past tense stem is **ging**. Change from the present to the narrative past:

Ich gehe mit einer Freundin ins Theater.
Ich ging mit einer Freundin ins Theater.

Endlich geht das Konzert los.
Endlich ging das Konzert los.

Geht ihr nicht mit zum großen Festzug?
Gingt ihr nicht mit zum großen Festzug?

Wir gehen dem neuen Postboten entgegen.
Wir gingen dem neuen Postboten entgegen.

Warum gehst du so schnell wieder weg?
Warum gingst du so schnell wieder weg?

Die schönen Teller gehen alle kaputt.
Die schönen Teller gingen alle kaputt.

24 The irregular strong verb **stehen**. The narrative past tense stem is **stand**. Change from the present to the narrative past:

> Ich stehe nicht gern während der Vorlesung.
> Ich stand nicht gern während der Vorlesung.
>
> Die alte Kirche steht diesseits des Flusses.
> Die alte Kirche stand diesseits des Flusses.
>
> Bestehst du das Endexamen ohne Angstschweiß?
> Bestandest du das Endexamen ohne Angstschweiß?
>
> Versteht ihr die ausländischen Bekannten?
> Verstandet ihr die ausländischen Bekannten?
>
> Wir verstehen seine Interessen einfach nicht.
> Wir verstanden seine Interesssen einfach nicht.
>
> Im ganzen Haus stehen alte Tische herum.
> Im ganzen Haus standen alte Tische herum.

C. Past Perfect Tense

25 Repeat:

> Ich hatte bereits das Examen bestanden.
> Du hattest bereits das Examen bestan-
>   den.
> Er hatte bereits das Examen bestanden.

> Wir hatten bereits das Examen bestan-
>   den.
> Ihr hattet bereits das Examen bestanden.
> Sie hatten bereits das Examen bestan-
>   den.

26 Change from the conversational past to the past perfect tense:

> Ich habe gerade das Abitur bestanden.
> Ich hatte gerade das Abitur bestanden.
>
> Hast du damals Herrn Schneider schon gekannt?
> Hattest du damals Herrn Schneider schon gekannt?
>
> Er hat in der Klasse tatsächlich geschlafen.
> Er hatte in der Klasse tatsächlich geschlafen.
>
> Hast du die Post nicht mitgebracht?
> Hattest du die Post nicht mitgebracht?
>
> Habt ihr so etwas schon gekonnt?
> Hattet ihr so etwas schon gekonnt?
>
> Das Fräulein hat Philosophie studiert.
> Das Fräulein hatte Philosophie studiert.

Ich habe eine Stunde auf ihn gewartet.
Ich hatte eine Stunde auf ihn gewartet.

Habt ihr nicht eure Bücher vergessen?
Hattet ihr nicht eure Bücher vergessen?

Er hat seinen Neffen im Büro angerufen.
Er hatte seinen Neffen im Büro angerufen.

Die eine Aufnahme hat ihm genügt.
Die eine Aufnahme hatte ihm genügt.

Warum hast du denn nie geschrieben?
Warum hattest du denn nie geschrieben?

Die Geige hat sehr schön geklungen.
Die Geige hatte sehr schön geklungen.

Was hast du von deiner Großmutter erfahren?
Was hattest du von deiner Großmutter erfahren?

Mutter hat das Brot in Scheiben geschnitten.
Mutter hatte das Brot in Scheiben geschnitten.

27 Repeat:

Ich war danach nach München gezogen.
Du warst danach nach München gezogen.
Er war danach nach München gezogen.

Wir waren danach nach München gezogen.
Ihr wart danach nach München gezogen.
Sie waren danach nach München gezogen.

28 Change from the conversational past to the past perfect:

Ich bin damals in dieses Gebiet gezogen.
Ich war damals in dieses Gebiet gezogen.

Wir sind zu ihm in die Garage gegangen.
Wir waren zu ihm in die Garage gegangen.

Bist du lange in der Fabrik gewesen?
Warst du lange in der Fabrik gewesen?

Der Onkel ist plötzlich krank geworden.
Der Onkel war plötzlich krank geworden.

Sie sind einen ganzen Monat dort geblieben.
Sie waren einen ganzen Monat dort geblieben.

Wann ist der neue Kunde wieder zurückgekommen?
Wann war der neue Kunde wieder zurückgekommen?

Warum ist die Kiste aus dem Wagen gerutscht?
Warum war die Kiste aus dem Wagen gerutscht?

Die Sache ist ihm wahrscheinlich nicht gelungen.
Die Sache war ihm wahrscheinlich nicht gelungen.

Um wieviel Uhr seid ihr dort abgefahren?
Um wieviel Uhr wart ihr dort abgefahren?

29 Change from the narrative past tense to the past perfect:

Das dachte ich zuerst auch.
Das hatte ich zuerst auch gedacht.

Unser Zug lief eine Stunde später ein.
Unser Zug war eine Stunde später eingelaufen.

Mein Neffe wollte die kleinen Fotos nicht.
Mein Neffe hatte die kleinen Fotos nicht gewollt.

Trafst du ihn in der Stadt?
Hattest du ihn in der Stadt getroffen?

Der Staat hatte leider kein Geld mehr.
Der Staat hatte leider kein Geld mehr gehabt.

Sie begann, mir etwas zu erzählen.
Sie hatte begonnen, mir etwas zu erzählen.

Wir zogen von Köln nach Bonn.
Wir waren von Köln nach Bonn gezogen.

Man gab mir ein gutes Stipendium.
Man hatte mir ein gutes Stipendium gegeben.

Rauchtest du früher auch schon so viel?
Hattest du früher auch schon so viel geraucht?

Mutter briet das Fleisch in der neuen Pfanne.
Mutter hatte das Fleisch in der neuen Pfanne gebraten.

Zogst du das Auto mit deinem alten Traktor?
Hattest du das Auto mit deinem alten Traktor gezogen?

Er wußte nicht, wo du wohnst.
Er hatte nicht gewußt, wo du wohnst.

Unser Wagen ging fast täglich kaputt.
Unser Wagen war fast täglich kaputtgegangen.

Ein schlimmer Wind wehte die ganze Zeit.
Ein schlimmer Wind hatte die ganze Zeit geweht.

D. Reflexive Verbs

A reflexive verb is one with a pronoun object that represents the same person as its subject. Reflexive pronouns are identical with personal pronouns except that **sich** is used for all third person forms and for the standard form of address.

Accusative reflexives

30 Repeat:

Ich setze mich ans Fenster dort.
Du setzt dich ans Fenster dort.
Er setzt sich ans Fenster dort.
Sie setzt sich ans Fenster dort.
Es setzt sich ans Fenster dort.

Wir setzen uns ans Fenster dort.
Ihr setzt euch ans Fenster dort.
Sie setzen sich ans Fenster dort.
Setzen Sie sich ans Fenster dort,
    Herr Wegner?

31 Substitute the new subject and make the accusative reflexive pronoun agree with it in person and number:

Ich täusche mich bestimmt nicht. **du**
Du täuschst dich bestimmt nicht. **wir**
Wir täuschen uns bestimmt nicht. **Ilse**
Ilse täuscht sich bestimmt nicht. **ihr**
Ihr täuscht euch bestimmt nicht. **die Jungen**
Die Jungen täuschen sich bestimmt nicht. **Rolf**
Rolf täuscht sich bestimmt nicht. **das Mädchen**
Das Mädchen täuscht sich bestimmt nicht.

Ich habe mich schon bei den Leuten entschuldigt. **er**
Er hat sich schon bei den Leuten entschuldigt. **wir**
Wir haben uns schon bei den Leuten entschuldigt. **du**
Du hast dich schon bei den Leuten entschuldigt. **Rolf und Hans**
Rolf und Hans haben sich schon bei den Leuten entschuldigt. **ihr**
Ihr habt euch schon bei den Leuten entschuldigt.

Ich werde mich jetzt für die Vorlesung umziehen. **wir**
Wir werden uns jetzt für die Vorlesung umziehen. **er**
Er wird sich jetzt für die Vorlesung umziehen. **die Studenten**
Die Studenten werden sich jetzt für die Vorlesung umziehen. **ihr**
Ihr werdet euch jetzt für die Vorlesung umziehen. **du**
Du wirst dich jetzt für die Vorlesung umziehen.

Ich hatte mich damals schon vollkommen geändert. **wir**
Wir hatten uns damals schon vollkommen geändert. **die Sache**
Die Sache hatte sich damals schon vollkommen geändert. **du**
Du hattest dich damals schon vollkommen geändert. **ihr**
Ihr hattet euch damals schon vollkommen geändert. **seine Gedanken**
Seine Gedanken hatten sich damals schon vollkommen geändert.

Ich zog mich schnell für das Theater an.   **die Studenten**
Die Studenten zogen sich schnell für das Theater an.   **er**
Er zog sich schnell für das Theater an.   **ihr**
Ihr zogt euch schnell für das Theater an.   **wir**
Wir zogen uns schnell für das Theater an.   **du**
Du zogst dich schnell für das Theater an.

Dative reflexives

The reflexive pronoun is in the dative case when a matter of interest to the subject is expressed or when the verb requires a dative object.

32   Repeat:

Ich stecke mir noch schnell meine Zigaretten ein.
Du steckst dir noch schnell deine Zigaretten ein.
Er steckt sich noch schnell seine Zigaretten ein.
Wir stecken uns noch schnell unsre Zigaretten ein.
Ihr steckt euch noch schnell eure Zigaretten ein.
Sie stecken sich noch schnell ihre Zigaretten ein.

33   Substitute the new subject and make the dative reflexive pronoun agree with it in person and number:

Ich schneide mir eine Scheibe Brot ab.   **du**
Du schneidest dir eine Scheibe Brot ab.   **wir**
Wir schneiden uns eine Scheibe Brot ab.   **er**
Er schneidet sich eine Scheibe Brot ab.   **ihr**
Ihr schneidet euch eine Scheibe Brot ab.   **die Freunde**
Die Freunde schneiden sich eine Scheibe Brot ab.

So etwas hatte ich mir schon lange gewünscht.   **du**
So etwas hattest du dir schon lange gewünscht.   **wir**
So etwas hatten wir uns schon lange gewünscht.   **er**
So etwas hatte er sich schon lange gewünscht.   **ihr**
So etwas hattet ihr euch schon lange gewünscht.   **die Kinder**
So etwas hatten die Kinder sich schon lange gewünscht.

Ich kann mir das wirklich nicht denken.   **ihr**
Ihr könnt euch das wirklich nicht denken.   **du**
Du kannst dir das wirklich nicht denken.   **er**
Er kann sich das wirklich nicht denken.   **wir**
Wir können uns das wirklich nicht denken.   **unsre Eltern**
Unsre Eltern können sich das wirklich nicht denken.

Ich holte mir noch schnell eine Zeitung.   **du**
Du holtest dir noch schnell eine Zeitung.   **meine Eltern**
Meine Eltern holen sich noch schnell eine Zeitung.   **ihr**

Ihr holtet euch noch schnell eine Zeitung.   **wir**
Wir holten uns noch schnell eine Zeitung.   **Lilo**
Lilo holte sich noch schnell eine Zeitung.

34 Substitute the new subject and make everything agree with it, including the possessive adjective:

Ich habe vergessen, mir meine Zigaretten einzustecken.   **wir**
Wir haben vergessen, uns unsre Zigaretten einzustecken.   **du**
Du hast vergessen, dir deine Zigaretten einzustecken.   **ihr**
Ihr habt vergessen, euch eure Zigaretten einzustecken.   **er**
Er hat vergessen, sich seine Zigaretten einzustecken.   **die Leute**
Die Leute haben vergessen, sich ihre Zigaretten einzustecken.

The reciprocal pronoun **einander**

35 Repeat:

Wir haben uns eine halbe Ewigkeit nicht gesehen.
Wir haben einander eine halbe Ewigkeit nicht gesehen.

Ihr werdet euch heute abend treffen.
Ihr werdet einander heute abend treffen.

Sie kennen sich schon zehn Jahre.
Sie kennen einander schon zehn Jahre.

36 The invariable **einander** is frequently used instead of the dative or accusative plural of the reflexive pronoun when the meaning is *each other*. Substitute **einander** for the reflexive pronoun:

Wir kennen uns schon zehn Jahre.
Wir kennen einander schon zehn Jahre.

Ihr werdet euch heute abend noch treffen.
Ihr werdet einander heute abend noch treffen.

Sie haben sich doch immer gern gehabt.
Sie haben einander doch immer gern gehabt.

Wir riefen uns jeden Tag an.
Wir riefen einander jeden Tag an.

37 Substitute the reflexive pronoun for **einander**:

Wir sehen einander gewiß heute abend.
Wir sehen uns gewiß heute abend.

Habt ihr einander in der Vorlesung getroffen?
Habt ihr euch in der Vorlesung getroffen?

Wann haben die beiden einander kennengelernt?
Wann haben die beiden sich kennengelernt?

Warum sollen wir einander nicht häufig anrufen?
Warum sollen wir uns nicht häufig anrufen?

E. Irregular Imperatives

Strong verbs like **essen** and **sehen** which have the stem vowel change to [ɪ] and [iː] in the **du** and **er** forms of the present indicative also have this vowel change in the **du** form of the imperative but not in the **ihr** form. Remember that these singular forms never have a personal ending.

38 Change the following indirect commands to direct commands.

> *Examples*: Du sollst ihm eine Zigarette geben.
> Gib ihm eine Zigarette!
>
> Ihr sollt ihm die Bücher geben.
> Gebt ihm die Bücher!

Du sollst ihm etwas Geld geben.
Gib ihm etwas Geld!

Ihr sollt uns den Wagen geben.
Gebt uns den Wagen!

Du sollst uns am Schillerplatz treffen.
Triff uns am Schillerplatz!

Ihr sollt nicht so viel essen.
Eßt nicht so viel!

Du sollst mir heute helfen.
Hilf mir heute!

Du sollst deinen Mantel mitnehmen.
Nimm deinen Mantel mit!

Ihr sollt nicht immer sprechen.
Sprecht nicht immer!

Du sollst diese Geschichte lesen.
Lies diese Geschichte!

Du sollst deine Jacke nicht vergessen.
Vergiß deine Jacke nicht!

Du sollst mal dorthin auf das Schild sehen.
Sieh mal dorthin auf das Schild!

F. Questions and Answers

Part 1

Wie heißt der neue Dialog?
Er heißt „Ein unverhofftes Wiedersehen".

Wie lange haben Heinrich und Werner sich nicht gesehen?
Sie haben sich eine halbe Ewigkeit nicht gesehen.

Was hatte Werner von Helmut gehört?
Er hatte gehört, daß Heinrich wieder in Kiel wohnt.

Was sagte Heinrich noch am selben Morgen zu seiner Frau?
Er sagte, daß früher jahrelang ein Schulfreund von ihm in derselben Gegend wohnte.

Was hatte Werner von Heinrich nicht gewußt?
Er hatte nicht gewußt, daß Heinrich eine Frau hat.

Hat Heinrich auch Kinder?
Ja, er hat einen Sohn und zwei Töchter.

Was wollen die zwei Freunde jetzt tun?
Sie wollen jetzt mit dem Bus in die Stadt fahren.

Fährt Werner oft mit dem Bus in die Stadt?
Ja, er tut es jeden Morgen um diese Zeit, jahraus, jahrein.

Part 2

Wohin setzen sich die Freunde?
Sie setzen sich an ein Fenster im Bus.

Warum bittet Werner seinen Freund um eine Zigarette?
Werner vergaß, sich seine Zigaretten einzustecken.

Warum raucht Werner nicht?
Es steht auf einem Schild, daß man im Bus nicht rauchen soll.

Meint Werner, daß das so schlimm ist?
Nein, denn er sagt, daß das vielleicht gar kein schlechter Gedanke ist.

Was hatte Werner gerade gemacht, als Heinrich von Kiel nach München zog?
Werner hatte gerade sein Examen bestanden.

Wo war Werner danach gewesen?
Er hatte für seinen Vater in einer ausländischen Fabrik gearbeitet.

Was wollen die Freunde heute noch tun?
Sie wollen sich noch irgendwo treffen, so daß sie noch mehr sprechen können.

Wo soll Werner Heinrich anrufen?
Werner soll Heinrich im Büro anrufen.

IV. Writing Practice

A. Completion

Copy and supply the missing endings:

Ein jung_____ Mann steht an ein_____ klein_____ Verkaufsstand und will einig_____ Ansichtskarten haben.
D_____ billig_____ Schwarzweißbilder gefallen ihm nicht. Er fragt nach besser_____ Schwarzweißbilder_____
und gut_____ Farbfotos. D_____ nett_____, alt_____Verkäufer sagt, daß d_____ Farbfotos wegen d_____
höher_____ Herstellungskosten wesentlich teur_____ als die Schwarzweißbilder sind. D_____ kleiner_____

kosten 30, d_____ größer_____ 50 und 60 Pfennig. D_____ jung_____ Mann will ein großes_____ Farbfoto d_____ Dom_____ kaufen. Unser gut_____ Verkäufer hat auch ein schön_____ Bild d_____ Dom_____. Es ist während d_____ Festzug_____ anläßlich d_____ 800-Jahr-Feier aufgenommen. Dies_____ Aufnahme gefällt unser_____ jung_____ Mann am best_____, und er nimmt sie.

Dann fragt d_____ tüchtig_____, alt_____ Verkäufer, ob es sonst noch etwas sein darf. Unser jung_____ Mann will wissen, wessen Bild das auf d_____ Titelseite ein_____ illustriert_____ Zeitschrift ist. Es ist ein groß_____ Stern am Filmhimmel, aber d_____ jung_____ Mann kennt d_____ reizend_____ Mädchen nicht. Doch er sagt, daß sie gut aussieht. D_____ Verkäufer meint, daß es kein hübscher_____ Mädchen gibt. Er sagt, daß sie ein_____ Tag_____ ein_____ Oscar bekommen wird. Er hat noch mehr Bilder von d_____ Schön_____, aber er kann sie d_____ jung_____ Mann nicht verkaufen, denn er ist glücklich verheiratet. D_____ neu_____ Zeitschrift und d_____ groß_____ Farbfoto d_____ hoh_____, alt_____ Dom_____ kosten zusammen ein_____ Mark dreißig, und unser jung_____, verheiratet_____ Mann sagt: ,,Das ist billig_____, als ich gedacht habe.''

B. Structure Retention

Substitute the new words for those directly above them and make all the necessary changes:

1 Wir haben uns eine halbe Ewigkeit nicht gesehen.
   Ihr   ganz Jahr   treffen

2 Ein guter Wind wehte   mich direkt in seine Arme.
      schnell Zug bringen er   unser Stadt

3 Ich hatte das schon von meinem Bruder   erfahren.
   Du   Freundin hören

4 Früher wohnte ein guter Schulfreund von mir in dieser Gegend.
   Damals leben zwei alt Tante   er   Dorf

5 Der   frühere Schulfreund war damals noch nicht verlobt.
   Mein   heute

6 Er hat jetzt   einen kleinen Sohn   und zwei größere Töchter.
         damals   Tochter   Söhne

7 Davon kann   er sich eine Scheibe abschneiden.
         werden ich

8 Ich fahre jeden Tag   um diese Zeit in das kleine Dorf.
   Er   Woche an   Tag   nah Stadt

9 Sie setzen sich ans große Fenster.
   Wir   in alt Wagen

10 Vergaß Werner, sich seine Zigaretten einzustecken?
          ihr,   Geld

V. Word Study

A. Translation of Dialog

Ein unverhofftes Wiedersehen
An Unexpected Reunion

unverhofft unexpected, unhoped for · **hoffen** hope · **wiedersehen*: er sieht wieder, er sah wieder, er hat wiedergesehen** see again **wieder** again + **sehen   das Wiedersehen** reunion

(Heinrich und Werner)
(Heinrich and Werner)

Part 1

1   Hallo Werner, wir haben einander ja eine halbe Ewigkeit nicht gesehen!
Hello, Werner! We haven't seen each other for ages.

die Ewigkeit eternity   **ewig** eternal

2   Mensch, Heinrich, welcher gute Wind hat dich denn direkt in meine Arme geweht!
Man alive, Heinrich! What good wind has blown you straight into my arms, anyway?

der Wind, die Winde · der Arm, die Arme

3   Na, man muß ja auch mal umziehen. Ich wohne jetzt hier.
Well, after all, one has to move once in a while. I live here now.

umziehen: er zieht um, er zog um, er ist umgezogen move

4   Ich hatte schon von Helmut erfahren, daß du wieder in Kiel lebst, aber Näheres wußte er selber nicht.
I'd already found out from Helmut that you are living in Kiel again, but he didn't know anything further himself.

erfahren: er erfährt, er erfuhr, er hat erfahren find out; experience
nah near   **das Nähere** *adjectival noun, comparative degree* details; further information

5   Und ich hab' noch heute morgen zu meiner Frau gesagt: „Früher wohnte jahrelang ein Schulfreund von mir in dieser Gegend."
And only this morning I said to my wife, "Formerly a school friend of mine lived in this area for years."

früh early   **früher** formerly; earlier · **jahrelang** for years · **der Schulfreund die Schule + der Freund · die Gegend, die Gegenden** area; region

---

* Beginning with Unit 12, the **er** forms of the present, narrative past and conversational past are given for new strong verbs.

6 Was, eine Frau hast du auch? Du warst doch damals noch nicht einmal verlobt!
What, you have a wife, too? But at that time you weren't even engaged yet!

damals at that time • **nicht einmal** not even • **verlobt** engaged   **sich verloben** acc. refl. become engaged

7 Das hat sich kurz darauf geändert. Jetzt habe ich jedenfalls eine Frau, einen Sohn und zwei Töchter.
That changed shortly afterwards. At any rate, now I have a wife, a son and two daughters.

ändern change   **sich ändern** acc. refl. • **der Sohn, die Söhne** • **die Tochter, die Töchter**

8 Donnerwetter, Heinrich, wie das klingt! Davon kann ich mir eine Scheibe abschneiden!
I'll be darned, Heinrich! That sounds great. I can take a lesson from you!

das Donnerwetter thunderstorm   **der Donner** thunder + **das Wetter** weather   **donnern** thunder • **klingen: er klingt, er klang, er hat geklungen** • **abschneiden: er schneidet ab, er schnitt ab, er hat abgeschnitten   ab** off; down + **schneiden** cut   **sich etwas abschneiden** dat. refl. cut off something for oneself

9 Da kommt mein Bus um die Ecke. Fährst du auch mit in die Stadt?
There comes my bus around the corner. Are you going along to the city, too?

der Bus, die Busse

10 Ja, jeden Morgen um diese Zeit, jahraus, jahrein.
Yes, every morning at this time, year in, year out.

der Morgen, die Morgen

Part 2

11 Der ist ja nicht gerade leer! Aber setz dich ans Fenster dort, da ist noch Platz für uns beide!
This one isn't exactly empty! But sit down at the window there. There's still room for both of us.

setzen set   **sich setzen** acc. refl.

12 Gut, aber dann gib mir erst mal eine Zigarette! Ich habe vergessen, mir meine Zigaretten einzustecken.
O.K. But then first give me a cigarette. I forgot to put my cigarettes in my pocket.

die Zigarette, die Zigaretten • **vergessen: er vergißt, er vergaß, er hat vergessen** • **einstecken** stick into, put into   **ein** in + **stecken** stick, put   **sich etwas einstecken** dat. refl. put something into one's pocket

13 Tut mir leid, mein Lieber, aber sieh dorthin!
Auf dem Schild steht: NICHT RAUCHEN.
Sorry, pal, but look over there. On the sign
it says: NO SMOKING.

leid painful; disagreeable   **es tut mir leid** I'm
sorry, I regret   **das Leid** sorrow; harm; wrong
· **lieb** dear   **der, die Liebe** *adjectival noun* ·
das Schild, die Schilder

14 Wieso, hat der Bus neuerdings kein
Raucherabteil mehr! Na, vielleicht ist das
gar kein schlechter Gedanke.
How come? Since when doesn't this bus
have a smoking section? Well, maybe that's
not such a bad idea.

neuerdings lately, recently · **das
Raucherabteil**   **der Raucher, die Raucher**
smoker + **das Abteil, die Abteile** section;
compartment · **der Gedanke, die Gedanken**
idea

15 Nun mußt du aber berichten. Hattest du
nicht bereits dein Examen bestanden,
als ich nach München zog?
But now let's hear from you. Hadn't you
already passed your exam when I moved
to Munich?

berichten report · **das Examen, die Examen**
· **bestehen: er besteht, er bestand, er hat
bestanden** pass; exist · **ziehen: er zieht, er
zog, er ist gezogen** move; (*with* **haben**)
pull

16 Allerdings! Und danach hatte mich mein
Vater zur weiteren Ausbildung in eine seiner
ausländischen Fabriken gesteckt.
Right. And after that my father had stuck me
in one of his foreign factories for further
training.

allerdings to be sure; nevertheless · **die
Ausbildung** training, education   **die Bildung,
die Bildungen** formation; creation; education
· **ausländisch**   **das Ausland, die Ausländer**
foreign country   **der Ausländer, die
Ausländer** foreigner · **die Fabrik, die Fabriken**

17 Ja, richtig, davon hatte ich noch gehört.
Du warst ja zu deinem Vater ins Geschäft
gegangen.
Yes, right. I had also heard about that.
You had, of course, gone into your father's
business.

18 Oh, ich muß schon gleich aussteigen.
Treffen wir uns heute noch irgendwo?
Oh, I have to get off right away now.
Can we meet some place later on today?

**treffen: er trifft, er traf, er hat getroffen
sich treffen** *refl.* meet each other ·
irgendwo some place, somewhere; anywhere

19 Natürlich, ruf mich doch einfach im Büro an.
Ich schreib' dir meine Telefonnummer auf.
Of course. Why don't you just call me in the
office. I'll write down my telephone number
for you.

**anrufen: er ruft an, er rief an, er hat
angerufen** call up   **rufen** call; shout · **das
Büro, die Büros** · **aufschreiben: er schreibt
auf, er schrieb auf, er hat aufgeschrieben
schreiben** write · **die Telefonnummer**   **das
Telefon, die Telefone** + **die Nummer, die
Nummern**

20 Gut, hier sind Papier und Bleistift. Du
weißt, ich war schon immer vergeßlich.
Good. Here's paper and pencil. You know,
I always was forgetful.

**das Papier, die Papiere · der Bleistift   das
Blei** lead + **der Stift, die Stifte** pencil; crayon;
spike; peg

Supplement

1 Meine Eltern ziehen nächsten Monat nach
Bayern.
My parents are going to move to Bavaria
next month.

die Eltern *pl.*

2 Großmutter und Großvater zogen neulich um.
Grandmother and Grandfather moved
recently.

die Großmutter   groß + **die Mutter
der Großvater   groß** + **der Vater**

3 Seine Großeltern sind voriges Jahr in ein
anderes Gebiet umgezogen.
His grandparents moved to another region
last year.

die Großeltern   groß + **die Eltern**

4 Dieser kleine Traktor zieht ganz besonders
gut.
This small tractor pulls especially well.

der Traktor, die Traktoren

5 Ein Polizeiwagen zog das kaputte Auto aus
dem Weg.
A police car pulled the stalled (broken)
car out of the way.

der Polizeiwagen   die Polizei the police +
**der Wagen · das Auto, die Autos · der Weg,
die Wege**

6 Wer hat den alten Handwagen aus der
Garage gezogen?
Who pulled the old handcart out of the
garage?

der Handwagen   die Hand + **der Wagen**

7 Meine Schwester zieht Filme dem Theater
gewöhnlich vor.
My sister usually prefers movies to the
theater.

**die Schwester, die Schwestern · vorziehen:
er zieht vor, er zog vor, er hat vorgezogen**
prefer

8 Ich halte es für Unsinn, daß meine Nichte
das Fernsehen dem Rundfunk vorzieht.
I think it's nonsense that my niece prefers
television to radio.

halten für consider to be · **der Unsinn   un**
+ **der Sinn** sense · **die Nichte, die Nichten ·
fernsehen: er sieht fern, er sah fern, er hat
ferngesehen** watch television   **fern** far +
sehen   das Fernsehen television · **der
Rundfunk   rund** round + **der Funke(n),
die Funken** spark

9 Was hältst du davon, daß mein Neffe das Schiff dem Flugzeug vorzieht?
What do you think of the fact that my nephew prefers the ship to the airplane?

der Neffe, die Neffen (Group V) · **das Schiff, die Schiffe** · **das Flugzeug, die Flugzeuge   der Flug, die Flüge** flight + **das Zeug** thing; equipment · **halten von** think of

10 Ich ziehe mich noch schnell für das Konzert um.
I'll change quickly for the concert.

sich umziehen *acc. refl.* change (one's clothes)

11 Warum zogst du dir bei der Hitze nicht die Jacke aus?
Why didn't you take off your jacket in this heat?

sich ausziehen *dat. refl.* take off (articles of clothing) · **die Hitze** · **die Jacke, die Jacken**

12 Warum hast du dir denn den alten Anzug angezogen?
Why did you put on the old suit, anyway?

der Anzug, die Anzüge

B. Word Formation

Verb-noun pairs

As in English, there are a great many verb-noun pairs in German. Many of these relationships are immediately obvious: **fragen** *ask*, **die Frage** *the question*; **verkaufen** *sell*, **der Verkauf** *the sale*. Sometimes the related noun looks like the stem of the past or the past participle of the verb: **tun** *do*, **die Tat** *the deed*; **gehen** *walk, go*, **der Gang** *the walk*; **springen** *jump*, **der Sprung** *the jump*; **stehen** *stand*, **der Stand** *the stand*. Occasionally the stem vowel of the noun is unlike any of the vowels in the principal parts: **sprechen** *speak*, **der Spruch** *saying*; **fließen** *flow*, **der Fluß** *the river*. Other differences will be apparent in the lists below, but the relationship is often still clear enough, so that guessing the meanings of new words from derivational clues, with the help of context, is relatively easy. The practice of guessing can result in an enormous increase in your vocabulary, and words that are guessed are remembered best. The following list presents a number of nouns, mostly new ones, that are related to verbs you already know:

anfangen begin	der Anfang, ̈-e* beginning
antworten answer	die Antwort, —en answer
bauen build	der Bau, die Bauten building
berichten report	der Bericht, —e report
bitten ask, beg	die Bitte, —n request
decken cover; set (table)	die Decke, —n cover; cloth; blanket; ceiling
fahren drive; ride	die Fahrt, —en drive; ride
sich freuen be glad	die Freude, —n joy
gefallen please	der Gefallen, — favor
glauben believe	der Glaube belief
grenzen border	die Grenze, —n border

* From now on the regular plural endings of nouns will be indicated as follows: — (no ending), —e, —er, —n, —en. If the stem vowel umlauts, this will also be shown: ̈-, ̈-e, ̈-er.

345

helfen help	die Hilfe help
kaufen buy	der Kauf, ⁻̈e purchase
klingen sound; ring	der Klang, ⁻̈e sound; ring
laufen run	der Lauf, ⁻̈e current; track; career
leiden suffer	das Leid harm; wrong; sorrow
liegen lie	die Lage, —n situation; position
raten guess	der Rat counsel, advice
rauchen smoke	der Rauch smoke
regnen rain	der Regen rain
rufen call; shout	der Ruf, —e call; reputation
sagen say	die Sage, —n legend; fable
scheinen shine	der Schein, —e shine; light
schlafen sleep	der Schlaf sleep
schmecken taste	der Geschmack taste
sitzen sit	der Sitz, —e seat
sprechen speak	die Sprache, —n language
	der Spruch, ⁻̈e saying; verdict
	das Gespräch, —e conversation
spotten ridicule, mock	der Spott mockery, ridicule
studieren study	das Studium, —ien study
verstehen understand	der Verstand understanding; reason; intelligence
wünschen wish	der Wunsch, ⁻̈e wish

The following list presents new verbs that are related to nouns you already know:

das Abteil, —e section; compartment	abteilen separate
der Anzug, ⁻̈e suit (of clothes)	anziehen put on
die Bahn, —en road; course; railway	bahnen make passable; pave
der Besuch, —e visit	besuchen visit
das Buch, ⁻̈er book	buchen book; record
der Dank thanks; gratitude	danken thank
der Fall, ⁻̈e fall; case (grammar; law)	fallen fall
die Farbe, —n color	färben dye; paint
die Feier, —n celebration	feiern celebrate
der Film —e film	filmen film
der Flug, ⁻̈e flight	fliegen fly
das Geld, —er money	gelten be worth
das Glück happiness; luck	glücken succeed; turn out well
das Haus, ⁻̈er house	hausen house
der Hut, ⁻̈e hat	hüten protect; watch over
die Hitze heat	heizen heat
der Zug, ⁻̈e train; procession; pull(ing)	ziehen pull; move
der Klatsch splash	klatschen splash; clap (hands); gossip
der Preis, —e price; prize	preisen praise

der Quatsch nonsense	quatschen talk nonsense
die Ruhe rest	ruhen rest
die Schule, —n school	schulen teach, train
der Schweiß sweat	schwitzen sweat
die Sonne sun	sonnen expose to the sun
der Tag, —e day	tagen dawn; meet
der Teil, —e part	teilen share; divide
der Unterschied, —e difference	unterscheiden differentiate

C. Singular and Plural of Nouns

Change the noun subject to the plural:

Die Frage war wirklich ziemlich schwer.
Die Fragen waren wirklich ziemlich schwer.

Die Antwort ist ihm nicht gut genug.
Die Antworten sind ihm nicht gut genug.

Soll der Bau diesen Sommer noch fertig werden?
Sollen die Bauten diesen Sommer noch fertig werden?

Der Bericht war mir viel zu lang.
Die Berichte waren mir viel zu lang.

Der Klang einer billigen Geige kam aus dem nächsten Raum.
Die Klänge einer billigen Geige kamen aus dem nächsten Raum.

Die Fahrt mit dem Schiff war besonders schön.
Die Fahrten mit dem Schiff waren besonders schön.

Die Freude der Kinder hatte keine Grenzen.
Die Freuden der Kinder hatten keine Grenzen.

Die Sprache ändert sich ziemlich schnell.
Die Sprachen ändern sich ziemlich schnell.

Das Gespräch war mir etwas zu förmlich.
Die Gespräche waren mir etwas zu förmlich.

Der Spruch kommt aus dem achtzehnten Jahrhundert.
Die Sprüche kommen aus dem achtzehnten Jahrhundert.

Der große Sprung will ihm nicht gelingen.
Die großen Sprünge wollen ihm nicht gelingen.

Die Sage kommt aus sehr alten Zeiten.
Die Sagen kommen aus sehr alten Zeiten.

Der Sitz neben dem Fenster ist am besten.
Die Sitze neben dem Fenster sind am besten.

Die Tat war gewiß nicht gerade menschlich.
Die Taten waren gewiß nicht gerade menschlich.

Der Wunsch hat ja nichts gekostet.
Die Wünsche haben ja nichts gekostet.

Der Gang im Wohnhaus ist wirklich recht dunkel.
Die Gänge im Wohnhaus sind wirklich recht dunkel.

Der Verkauf hat nicht besonders gut geklappt.
Die Verkäufe haben nicht besonders gut geklappt.

Die Grenze ist nicht weit von hier.
Die Grenzen sind nicht weit von hier.

Der warme Wind kommt immer aus dem Süden.
Die warmen Winde kommen immer aus dem Süden.

Die Gegend dort ist wirklich schön und freundlich.
Die Gegenden dort sind wirklich schön und freundlich.

Die ausländische Fabrik war ganz modern.
Die ausländischen Fabriken waren ganz modern.

Das Gebiet hat viele große Fabriken.
Die Gebiete haben viele große Fabriken.

Der Nebenarm dieses Flusses entspringt im Schwarzwald.
Die Nebenarme dieses Flusses entspringen im Schwarzwald.

Das Schiff wird morgen früh ankommen.
Die Schiffe werden morgen früh ankommen.

Der Sohn dieser Frau geht schon aufs Gymnasium.
Die Söhne dieser Frau gehen schon aufs Gymnasium.

Der Neffe ist noch in der Volksschule.
Die Neffen sind noch in der Volksschule.

Die Tochter jenes Mannes geht in die Oberschule.
Die Töchter jenes Mannes gehen in die Oberschule.

Die Nichte hat in Hamburg studiert.
Die Nichten haben in Hamburg studiert.

Die Schwester wohnt in Köln.
Die Schwestern wohnen in Köln.

Das Papier lag unter der Tischdecke.
Die Papiere lagen unter der Tischdecke.

Der Bleistift lag unter der Zeitung von gestern.
Die Bleistifte lagen unter der Zeitung von gestern.

Der Bus kam heute morgen ziemlich spät an.
Die Busse kamen heute morgen ziemlich spät an.

Das Schild ist ja viel zu klein.
Die Schilder sind ja viel zu klein.

Der Raucher sitzt im Raucherabteil.
Die Raucher sitzen im Raucherabteil.

Das kleine Abteil ist für Raucher gemeint.
Die kleinen Abteile sind für Raucher gemeint.

Die Zigarette schmeckt scheußlich.
Die Zigaretten schmecken scheußlich.

Der Gedanke ist wirklich nicht so schlecht.
Die Gedanken sind wirklich nicht so schlecht.

Das neue Büro ist neben dem großen Kaufhaus.
Die neuen Büros sind neben dem großen Kaufhaus.

Das Telefon hier funktioniert häufig nicht.
Die Telefone hier funktionieren häufig nicht.

Die Nummer ist leider schwer zu lesen.
Die Nummern sind leider schwer zu lesen.

Der kleine Traktor dort zieht ganz besonders gut.
Die kleinen Traktoren dort ziehen ganz besonders gut.

Das kaputte Auto ist jetzt in der Garage.
Die kaputten Autos sind jetzt in der Garage.

Die Garage ist jenseits des Platzes.
Die Garagen sind jenseits des Platzes.

Der alte Anzug ist noch beim Schneider.
Die alten Anzüge sind noch beim Schneider.

Die Jacke sieht noch ganz neu aus.
Die Jacken sehen noch ganz neu aus.

Der Flug geht über Frankfurt nach München.
Die Flüge gehen über Frankfurt nach München.

Das Flugzeug wird immer schneller.
Die Flugzeuge werden immer schneller.

D. Principal Parts of Verbs

The principal parts of German verbs, like English verbs, are: *infinitive, past tense, past participle.* As in English, there are a number of vowel changes which occur in strong verbs and they follow regular patterns, with only slight variations.

It is impossible for the beginner to determine from the infinitive whether a verb is weak or strong. For this reason it is important to *memorize* the principal parts of strong verbs. Begin now by learning the principal parts of the strong verbs which have been used in the drills of Unit 12. Then learn the principal parts of all new verbs as they appear.

The verbs in the following table are classified according to the vowel changes which occur in the past tense and the past participle. The irregular verbs are those which do not fit into any of the regular classifications. The present tense is included for the verbs that have a vowel change in the present tense (which is never the same change as in the past tense!), and it should be learned along with the principal parts. The auxiliary should be learned with the past participle. Remember that some verbs of motion may take an object, and when they do, the auxiliary is **haben: ist (hat) gefahren; ist (hat) geritten; ist (hat) gezogen.**

In order to provide a convenient reference list, all of the strong and irregular verbs mentioned in this book are included.

Principal Parts of Strong and Irregular Verbs

Strong Verbs

Class	Infinitive	Present tense Change in **du** and **er** forms	Past tense	Present perfect	English
I*a*	**ei** [aɪ]		**i** [ɪ]	**i** [ɪ]	
	beißen		biß	hat gebissen	bite
	greifen		griff	hat gegriffen	grasp
	kneifen		kniff	hat gekniffen	pinch
	leiden		litt	hat gelitten	suffer
	pfeifen		pfiff	hat gepfiffen	whistle
	reißen		riß	hat gerissen	tear
	reiten		ritt	ist (hat) geritten	ride
	schneiden		schnitt	hat geschnitten	cut
	schreiten		schritt	ist geschritten	stride
	streichen		strich	hat gestrichen	stroke
	streiten		stritt	hat gestritten	quarrel

▶ When the vowel sound changes from long to short, it must be followed by a double consonant: **reiten, ritt; d** becomes **tt: leiden, litt;** the rules for the use of **ß** or **ss** (grammar section of Unit 4) apply: **beißen, biß, gebissen**

Class	Infinitive	Present tense Change in **du** and **er** forms	Past tense	Present perfect	English
I*b*	**ei** [aɪ]		**ie** [iː]	**ie** [iː]	
	beweisen		bewies	hat bewiesen	prove
	bleiben		blieb	ist geblieben	remain
	leihen		lieh	hat geliehen	borrow, lend
	preisen		pries	hat gepriesen	praise
	scheiden		schied	hat geschieden	separate
	scheinen		schien	hat geschienen	shine
	schreiben		schrieb	hat geschrieben	write
	schreien		schrie	hat geschrie(e)n	cry
	schweigen		schwieg	hat geschwiegen	be silent
	steigen		stieg	ist gestiegen	climb
	treiben		trieb	hat getrieben	drive
II*a*	**ie** [iː] **e** [ɛ]	**i** [ɪ]	**o** [ɔ]	**o** [ɔ]	
	fließen		floß	ist geflossen	flow
	genießen		genoß	hat genossen	enjoy
	gießen		goß	hat gegossen	pour
	kriechen		kroch	ist gekrochen	creep, crawl
	riechen		roch	hat gerochen	smell
	schießen		schoß	hat geschossen	shoot
	schließen		schloß	hat geschlossen	close
	schwellen	du schwillst, er schwillt	schwoll	ist geschwollen	swell
II*b*	**ie** [iː] **e** [eː] **ü** [yː]		**o** [oː]	**o** [oː]	
	biegen		bog	hat gebogen	bend
	bieten		bot	hat geboten	offer
	fliegen		flog	ist geflogen	fly
	fliehen		floh	ist geflohen	flee
	frieren		fror	hat gefroren	freeze
	heben		hob	hat gehoben	lift
	lügen		log	hat gelogen	lie, tell a lie
	schieben		schob	hat geschoben	shove
	verlieren		verlor	hat verloren	lose
	wiegen		wog	hat gewogen	weigh
	ziehen		zog	ist (hat) gezogen	move; pull

Class	Infinitive	Present tense Change in **du** and **er** forms	Past tense	Present perfect	English
III*a*	**i** [ɪ]		**a** [a]	**u** [ʊ]	
	binden		band	hat gebunden	tie, bind
	dringen		drang	ist gedrungen	penetrate
	finden		fand	hat gefunden	find
	gelingen		gelang	ist gelungen	succeed
	klingen		klang	hat geklungen	sound; ring
	singen		sang	hat gesungen	sing
	sinken		sank	ist gesunken	sink
	springen		sprang	ist gesprungen	spring
	trinken		trank	hat getrunken	drink
	verschwinden		verschwand	ist verschwunden	disappear
	zwingen		zwang	hat gezwungen	force
III*b*	**i** [ɪ]		**a** [a]	**o** [ɔ]	
	beginnen		begann	hat begonnen	begin
	sich entsinnen		entsann sich	hat sich entsonnen	remember
	gewinnen		gewann	hat gewonnen	win
	schwimmen		schwamm	hat geschwommen	swim
III*c*	**e** [ɛ]	**i** [ɪ]	**a** [a]	**o** [ɔ]	
	gelten	du giltst, er gilt	galt	hat gegolten	be worth
	helfen	du hilfst, er hilft	half	hat geholfen	help
	sterben	du stirbst, er stirbt	starb	ist gestorben	die
	verbergen	du verbirgst, er verbirgt	verbarg	hat verborgen	hide
	werfen	du wirfst, er wirft	warf	hat geworfen	throw
IV*a*	**e** [ɛ] or [e:] **o** [ɔ]	**i** [ɪ]	**a** [ɑ:]	**o** [ɔ]	
	brechen	du brichst, er bricht	brach	hat gebrochen	break
	kommen		kam	ist gekommen	come
	nehmen	du nimmst, er nimmt	nahm	hat genommen	take
	sprechen	du sprichst, er spricht	sprach	hat gesprochen	speak
	stechen	du stichst, er sticht	stach	hat gestochen	sting; stab
	treffen	du triffst, er trifft	traf	hat getroffen	meet

Class	Infinitive	Present tense Change in **du** and **er** forms	Past tense	Present perfect	English
IV*b*	**e** [e:]	**ie** [i:]	**a** [ɑ:]	**o** [o:]	
	befehlen	du befiehlst, er befiehlt	befahl	hat befohlen	command
	empfehlen	du empfiehlst, er empfiehlt	empfahl	hat empfohlen	recommend
	stehlen	du stiehlst, er stiehlt	stahl	hat gestohlen	steal
V*a*	**e** [ɛ] **i** [ɪ]	**i** [ɪ]	**a** [ɑ:]	**e** [ɛ]	
	essen	du ißt, er ißt	aß	hat gegessen	eat
	fressen	du frißt, er frißt	fraß	hat gefressen	eat
	messen	du mißt, er mißt	maß	hat gemessen	measure
	sitzen		saß	hat gesessen	sit
	vergessen	du vergißt, er vergißt	vergaß	hat vergessen	forget
V*b*	**e** [e:] **i** [ɪ] **ie** [i:]	**i, ie** [i:] **i** [ɪ]	**a** [ɑ:]	**e** [e:]	
	bitten		bat	hat gebeten	ask; beg
	geben	du gibst, er gibt	gab	hat gegeben	give
	geschehen	es geschieht	geschah	ist geschehen	happen
	lesen	du liest, er liest	las	hat gelesen	read
	liegen		lag	hat gelegen	lie
	sehen	du siehst, er sieht	sah	hat gesehen	see
	treten	du trittst, er tritt	trat	ist (hat) getreten	step; kick
VI*a*	**a** [a]	**ä** [ɛ]	**u** [u:]	**a** [a]	
	backen	du bäckst, er bäckt	backte[1]	hat gebacken	bake
	wachsen	du wächst, er wächst	wuchs	ist gewachsen	grow
	waschen	du wäschst, er wäscht	wusch	hat gewaschen	wash
VI*b*	**a** [ɑ:]	**ä** [ɛ:]	**u** [u:]	**a** [ɑ:]	
	fahren	du fährst, er fährt	fuhr	ist (hat) gefahren	travel; drive
	graben	du gräbst, er gräbt	grub	hat gegraben	dig
	schlagen	du schlägst, er schlägt	schlug	hat geschlagen	strike
	tragen	du trägst, er trägt	trug	hat getragen	carry; wear

[1] The older strong form **buk** has been replaced with the weak **backte**.

Class	Infinitive	Present tense Change in **du** and **er** forms	Past tense	Present perfect	English
VII*a*[2]	**a** [ɑː] [a]	**ä** [ɛː] [ɛ]	**ie** [iː]	**a** [ɑː] [a]	
	braten	du brätst, er brät	briet	hat gebraten	roast
	fallen	du fällst, er fällt	fiel	ist gefallen	fall
	gefallen	du gefällst, er gefällt	gefiel	hat gefallen	please
	halten	du hältst, er hält	hielt	hat gehalten	hold
	lassen	du läßt, er läßt	ließ	hat gelassen	let
	raten	du rätst, er rät	riet	hat geraten	advise; guess
	schlafen	du schläfst, er schläft	schlief	hat geschlafen	sleep
VII*b*	**ei** [aɪ] **au** [aʊ] **o** [oː] **u** [uː]	 **äu** [ɔɪ] **ö** [øː]	**ie** [iː]	**ei** [aɪ] **au** [aʊ] **o** [oː] **u** [uː]	
	heißen		hieß	hat geheißen	be called; order
	laufen	du läufst, er läuft	lief	ist gelaufen	run
	rufen		rief	hat gerufen	call
	stoßen	du stößt, er stößt	stieß	hat gestoßen	push
VII*c*	**a** [a]	**ä** [ɛ]	**i** [ɪ]	**a** [a]	
	fangen	du fängst, er fängt	fing	hat gefangen	catch
	hängen[3]		hing	hat gehangen	hang

[2] The past participle has the same stem vowel sound and spelling as the infinitive throughout Class VII (but see footnote 3 on **hängen**).

[3] The older intransitive **hangen** now has umlaut throughout the present. There is also a transitive weak verb **hängen: Ich hängte die Jacke in den Schrank**.

Irregular Verbs

Infinitive	Present tense irregularities	Past tense	Present perfect	English
		Irregular strong verbs		
sein	ich bin, du bist, er ist, wir sind, ihr seid, sie sind	war	ist gewesen	be
gehen		ging	ist gegangen	go
stehen		stand	hat gestanden	stand
tun		tat	hat getan	do
werden	du wirst, er wird	wurde	ist geworden	become, get
		Irregular weak verbs		
haben	Ich habe, du hast, er hat	hatte	hat gehabt	have
dürfen	ich darf, du darfst, er darf	durfte	hat gedurft	be allowed to, may
können	ich kann, du kannst, er kann	konnte	hat gekonnt	be able to, can
mögen	ich mag, du magst, er mag	mochte	hat gemocht	want to; like to, like
müssen	ich muß, du mußt, er muß	mußte	hat gemußt	be obliged to, must
sollen	ich soll, du sollst, er soll	sollte	hat gesollt	be to, be supposed to; be said to
wollen	ich will, du willst, er will	wollte	hat gewollt	want to; be about to; intend to; claim to
wissen	ich weiß, du weißt, er weiß	wußte	hat gewußt	know (a fact)
bringen		brachte	hat gebracht	bring
denken		dachte	hat gedacht	think
brennen		brannte	hat gebrannt	burn
kennen		kannte	hat gekannt	know (be acquainted or familiar with)
nennen		nannte	hat genannt	name
rennen		rannte	ist gerannt	run
senden		sandte	hat gesandt	send
wenden		wandte	hat gewandt	turn

V. Grammar

A. Past Tense (Narrative Past)

The narrative past is formed in the following manner:

Strong verbs

fahren

ich fuhr
du fuhr st
er, sie, es fuhr

wir fuhr en
ihr fuhr t
sie, Sie fuhr en

Weak verbs

sagen

ich sag te
du sag te st
er, sie, es sag te

wir sag te n
ihr sag te t
sie, Sie sag te n

arbeiten

ich arbeit e te
du arbeit e te st
er, sie, es arbeit e te

wir arbeit e te n
ihr arbeit e te t
sie, Sie arbeit e te n

► Strong verbs have a vowel change in the past tense. Weak verbs have the tense sign **–(e)te–** added to the stem.

► The personal endings of the past tense are the same as those of the present tense except that the **ich** and **er** forms have no ending and the **e** of the **–en** ending is not needed for weak verbs.

B. Use of the Past Tenses

The modern uses of the various verb forms that refer to past time in English and German differ sharply in some respects. There are no forms in German which correspond to the English past progressive or past emphatic or to *used to* plus an infinitive. *I saw, I was seeing, I did see* and *I used to see* are expressed by **ich habe gesehen** (conversational past) or **ich sah** (narrative past), which are interchangeable under many conditions. Both are used in speaking of past events, actions or conditions:

Das habe ich noch heute morgen zu meiner Frau gesagt.
Das sagte ich noch heute morgen zu meiner Frau.
Only this morning I was telling (told) my wife that.

Ja, wir haben ihn wirklich in Hamburg gesehen.
Ja, wir sahen ihn wirklich in Hamburg.
Yes, we really did see him in Hamburg.

Das hat mein Großvater auch immer getan.
Das tat mein Großvater auch immer.
My grandfather always used to do that, too.

Present perfect (conversational past) tense

The present perfect is the usual past tense of conversation, although its use is not limited to conversation. It may be employed wherever the present perfect is used in English, except in speaking of an action that began in the past and is still going on in the present: *He has lived here for a month*—**Er wohnt schon seit einem Monat hier.**

Past (narrative past) tense

The narrative past is used in speaking of an act being performed or a condition existing at the same time as, or in connection with, some other act or condition. For this reason it is the usual past tense of the narrative, of history and of newspaper reporting. It is also often used in conversation to report a chain of events or the simultaneous occurrence of two or more past acts or conditions, although the conversational past may also be used. Much depends on the speaker and the situation.

If some specific time or place is mentioned or if the event is felt to be absolutely past, the past tense is also used in English. However, in speaking of two or more different past events, there are times when the past progressive (was reading), the past perfect (had read) or the past perfect progressive (had been reading) must be used in English. The choice depends upon the relationship of the past events to each other.

The following examples illustrate some of the situations in which the narrative past is preferred to the conversational past in German:

1 A chain of past events:

> Der Milchwagen kam um die Ecke, rutschte plötzlich an dieser Stelle und kippte dann sogar um.

A speaker may begin telling about an event in the conversational past, but after the first sentence or two he is almost certain to change over to the narrative past:

> Heute Morgen sind Rolf und ich zum Schillerplatz gegangen, und dort haben wir einen schlimmen Unfall gesehen. Der Milchwagen kam um die Ecke und rutschte an der Kreuzung. Dann kippte er plötzlich sogar noch um. Als wir an der Stelle ankamen, lag eine alte Frau bei der Laterne. Sie hatte eine Platzwunde am Kopf und . . .

2 Simultaneous past events:

1 Er schlief, während ich arbeitete.
   He slept (was sleeping) while I worked (was working).

2 Uwe las die Zeitung, Heike übte Geige, und ich deckte den Mittagstisch.
   Uwe was reading the newspaper, Heike was practicing the violin and I was setting the dinner table.

3 One past event begun after another:

1 Ich las gerade eine Erzählung, als er plötzlich ins Zimmer kam.
   I was just reading a story when he suddenly came into the room.

2 Günther ging noch aufs Gymnasium, als Rolf mit seinem Studium begann.
   Günther was still going to the *Gymnasium* when Rolf began his studies.

4 One past event begun after another which had lasted for a specified time and was still continuing at the time mentioned:

> Ich wohnte schon zehn Jahre in Berlin, als er nach Freiburg zog.
> I had lived (had been living) in Berlin for ten years when he moved to Fribourg.

▶ The past perfect or the past perfect progressive is used in the English for the first clause above. This parallels the English use of the present perfect or the present perfect progressive where the present is used in German (see Unit 9):

> Ich wohne schon zehn Jahre hier.
> I have lived (have been living) here for ten years.

5 One past event completed before the beginning of another. As in English, the past perfect is used for the earlier event:

> Als Heinrich nach Kiel zurückkam, war Werner schon zu seinem Vater ins Geschäft gegangen.
> When Heinrich returned to Kiel, Werner had already gone into his father's business.

Although the conversational past is the preferred tense for dialog, there is a tendency to use the narrative past of certain verbs even when speaking of single past events. This is true especially of **sein, haben, werden, wissen** and all the modals:

1 Warum hast du denn gestern nicht gearbeitet?
Na, ich war doch noch in München.

2 Rolf hat die Arbeit noch nicht gemacht.
Das stimmt, er hatte leider keine Zeit.

3 Weißt du, warum Lilo nach Hause gegangen ist?
Ja, sie wurde doch plötzlich krank.

4 Hat Helmut dir nicht alles erzählt?
Nein, denn er wußte Näheres selber nicht.

5 Warum ist Heike nicht mitgekommen?
Sie mußte Geige üben.

C. Past Perfect Tense

1 Hattest du nicht bereits dein Examen bestanden, als ich nach München zog?
Hadn't you already passed your examination when I moved to Munich?

2 Ja, richtig, davon hatte ich noch gehört.
Yes, that's right. I had even heard about that. (*Implied*: before I lost track of you.)

3 Du warst ja zu deinem Vater ins Geschäft gegangen.
You had, of course, gone into your father's business. (*Implied*: before I stopped getting news about you.)

The past perfect tense is made up of the past tense of the auxiliary **haben** or **sein** and the past participle of the verb.

The use of the past perfect is similar in German and English. It is used to tell of a past event that was completed at or before a specific point in the past, even though this specific point of time may not be expressed.

D. Reflexive Verbs

Accusative reflexives

1 Ich setze die Schüssel auf den Tisch.
   I set (am setting) the tureen on the table.

2 Ich setze mich.
   I sit down (I seat myself).

➤ In sentence 1 the subject and the direct object are not the same thing. **Setzen** is used non-reflexively.

➤ In sentence 2 the direct object of the verb represents the same person as the subject. **Setzen** is used reflexively.

The accusative reflexive pronouns are identical with the accusative personal pronouns (see grammar section of Unit 7) except that all third-person forms, including those for the standard forms of address, are **sich**.

Some examples of accusative reflexives follow:

1 Ich täusche mich bestimmt nicht.
   I am definitely not mistaken (deceiving myself).

2 Warum setztest du dich ans Fenster?
   Why did you sit down (seat yourself) at the window?

3 Sie hat sich schon für das Konzert angezogen.
   She has already dressed (herself) for the concert.

4 Wir hatten uns doch bei den Leuten entschuldigt.
   After all, we had apologized (excused ourselves) to the people.

5 Wann werdet ihr beiden euch verloben?
   When are you two going to get engaged?

6 Kinder können sich schnell ändern.
   Children can change fast.

7 Wollen Sie sich nicht setzen?
   Don't you want to sit down?

➤ Reflexive verbs are conjugated with **haben** in the perfect tenses.

Dative reflexives

1 Ich schneide dem Kind eine Scheibe Brot ab.
I am cutting a slice of bread for the child.

2 Ich schneide mir eine Scheibe Brot ab.
I am cutting myself a slice of bread. (I am cutting a slice of bread for myself.)

▶ Some reflexive verbs require a reflexive pronoun in the dative case. Such a construction often expresses possession or something which is a matter of interest to the subject.

The dative reflexive pronouns are identical with the dative personal pronouns except that all third person forms, including those for the standard forms of address, are **sich**.

Some examples of dative reflexives follow:

1 Ich stecke mir noch schnell die Zigaretten ein.
I'll just quickly put my cigarettes in my pocket.

2 Schnittest du dir eine Scheibe Brot ab?
Did you cut off a slice of bread for yourself?

3 Er hat sich schnell den neuen Anzug angezogen.
He quickly put on his new suit.

4 Wir hatten uns oft einen neuen Wagen gewünscht.
We had often wished for a new car.

5 Werdet ihr euch nächstes Jahr ein besseres Auto kaufen?
Are you going to buy a better car next year?

6 Die meisten Menschen können sich so etwas nicht denken.
Most people can't imagine anything like that.

7 Wann haben Sie sich die Post geholt?
When did you pick up your mail?

Remember: Reflexive verbs are conjugated with **haben** in the perfect tenses.

Einander

The reciprocal pronoun **einander** may be used for the plural accusative or dative reflexive pronoun when the meaning is *each other*:

1 Treffen wir uns heute noch irgendwo?
Treffen wir einander heute noch irgendwo?
Shall we meet some place later on today?

2 Warum halft ihr euch nicht mit der Arbeit?
Warum halft ihr einander nicht mit der Arbeit?
Why didn't you help each other with the work?

3 Sie haben sich eine halbe Ewigkeit nicht gesehen.
Sie haben einander eine halbe Ewigkeit nicht gesehen.
They haven't seen each other in ages.

Unit 13

I. Programmed Reading

Kleine Einführung in das „Sie"-Problem

Jedes Land hat seine Sitten. Das weiß jeder. Einige solcher Sitten kann man gleich verstehen, sie sind auch dem Ausländer ganz natürlich. Andere aber kann man nicht oder doch nur schwer verstehen.
5 Sie sind dem Ausländer fremd, und sie bleiben es ihm vielleicht für immer.

Man kann viel tun (und man muß viel tun!), um fremde Sitten verstehen zu lernen. Zuerst muß man sie richtig kennen. Eine Sache richtig kennen, bedeutet ja fast immer, sie bald zu verstehen. Fremde
10 Sitten verstehen, bedeutet nun natürlich noch nicht, sie auch gern zu haben. Das ist eine ganz andere Frage. Aber wenn ein Ausländer eine fremde Sitte erst einmal wirklich kennt, wird er sie wahrscheinlich sehr bald nicht mehr lächerlich finden. Und das ist ein guter Anfang.

Natürlich sind auch viele deutsche Sitten dem Ausländer fremd. Eine
15 bestimmte von ihnen findet der Amerikaner besonders eigenartig, fremd eben. Über diese wollen wir hier sprechen. Das ist die Sitte, zu fast allen Menschen „Sie" zu sagen. Für Amerikaner sieht das leicht nach alten Unterschieden aus, und die finden sie unmodern.

Tatsächlich werden mit „Sie" und „du" Unterschiede zwischen den
20 Menschen gemacht, aber bestimmt keine Klassen- oder Rangunterschiede. Ein „Sie" meint auch nicht zuerst, daß man diesen Menschen noch zu fremd findet, um „du" zu ihm zu sagen. Es meint zuerst, daß man diesen Menschen als Menschen voll achtet. Dabei macht es gar keinen Unterschied, ob man mit ihm schon bekannt ist oder nicht.
25 Natürlich wird man auch einen Menschen voll achten können, zu dem man „du" sagt, aber „du" meint eben nicht zuerst, daß man diesen Menschen besonders achtet. „Du" ist das Zeichen dafür, daß man ihn schon gut kennt, daß man vertraut mit ihm ist.

Mit Kindern ist man immer vertraut, man duzt sie also. Und kleinere
30 Kinder sind noch mit allen Menschen vertraut, sie duzen also alle. Sie tun das sogar noch, wenn sie in die Schule kommen. Sie werden zu ihrem Lehrer oder zu ihrer Lehrerin „Herr Meyer" oder „Fräulein (oder Frau) Schmidt" sagen, aber sie werden sie duzen. Das mag so vielleicht ein ganzes Jahr gehen, nicht viel länger. Dann tun die

die Sitte, −n   Was die Leute eines Landes gewöhnlich tun, wie sie ihr Leben leben, gehört zur Sitte des Volkes. · die Sitte ↔ die Unsitte = die schlechte Sitte

fremd   unbekannt, ausländisch · Unbekannte Menschen und Dinge sind fremd. Menschen aus anderen Ländern, Ausländer also, heißen Fremde oder Fremdlinge. · der Fremde *(adj. noun)* = der Fremdling, −e

bedeuten   A. Wissen Sie was DM bedeutet? B. Ja, DM bedeutet Deutsche Mark. · bedeuten → die Bedeutung, −en

lächerlich   komisch, zum Lachen · Eine Komödie [koˈmøːdiə] ist ein komisches Theaterstück, sie ist zum Lachen. · die Komödie, −n

eigenartig   ungewöhnlich · Fremde Sitten findet man fast immer eigenartig, manchmal sogar lächerlich. Fremde Völker haben natürlich ihre eigene Art zu leben, nicht unsere Art.

der Rang, −e   Leute in der gleichen Position [pozitsiˈoːn] haben gleichen Rang. Sie gehören auch meistens zur gleichen sozialen [zotsiˈɑːlən] Klasse. · die Klasse, −n

achten   respektieren · Man achtet einen Menschen, wenn man ihn respektiert. Wenn man keinen Respekt vor einem Menschen hat, verachtet man ihn. Vor alten Leuten sollte man Achtung (Respekt) haben. · der Respekt = die Achtung ↔ die Verachtung

vertraut   Wenn man einen wirklich guten, alten Freund hat, ist man mit ihm vertraut. · vertrauen ↔ mißˈtrauen · das Vertrauen ↔ das ˈMißtrauen

der Lehrer, −   der Pädagoge, −n, −n* [pɛdaˈgoːgə] · Hat Ihr kleiner Bruder mehr Lehrer oder Lehrerinnen in der Schule? · Lehrer lehren, Kinder lernen. · lehren ↔ lernen

* Whenever two endings are given, the first one applies to the other three cases of the singular and the second to the plural: **der Pädagoge, den (dem, des) Pädagogen; die (die, den, der) Pädagogen.** All nouns of this type are masculines in Group V.

1   Was weiß jeder?
    Jeder weiß, jedes Land hat seine Sitten.

2   Was bedeutet eine Sache richtig kennen?
    Eine Sache richtig kennen, bedeutet fast immer, sie auch zu verstehen.

3   Finden auch viele Amerikaner deutsche Sitten lächerlich?
    Vielleicht nicht lächerlich, aber doch eigenartig, fremd eben.

4   Was bedeutet ,,Sie" zuerst?
    ,,Sie" bedeutet zuerst, daß man diesen Menschen voll achtet.

5   Was sagen kleinere Kinder zu ihrem Lehrer oder ihrer Lehrerin?
    Sie sagen ,,Herr" Meier oder ,,Fräulein" Schmidt, aber sie duzen sie.

35 Kinder, wie sie es von den Erwachsenen gehört haben, sie siezen die
„Großen", also auch ihre Lehrer.

Mit vierzehn oder fünfzehn Jahren sind Kinder keine richtigen Kinder
mehr, man fängt an, sie zu siezen. Jetzt kommen auch viele von ihnen
aus der Schule und gehen in die Lehre, sie werden Lehrlinge. Man
40 wird noch Hans und Erika zu ihnen sagen, aber eben: „Hans, tun Sie
doch mal dies!" oder „Erika, tun Sie doch mal das!"

Viele gehen natürlich auch noch weiter zur Schule. Für sie ist die
Konfirmation^g der Stichtag. Von nun an werden fast alle Erwachsenen
sie ganz so wie die Lehrlinge siezen. Nur die Lehrer werden sie immer
45 noch duzen. In der Oberschule müssen die Schüler nämlich noch zwei
Jahre warten, bis zu guter Letzt auch ihre Lehrer „Sie" zu ihnen
sagen. Das ist dann natürlich ein großer Tag für die Schüler! Jetzt
heißt es nicht mehr: „Hans, du mußt besser aufpassen!", sondern:
„Schulze, Sie müssen besser aufpassen!". Wenn das kein Ereignis
50 ist! Aber es ist jetzt tatsächlich nicht mehr alles wie immer, wenn es
auch so aussieht. Die Schüler sind nun auch für die Schule keine
Kinder mehr, sie sind offiziell^g erwachsen geworden und ihre Lehrer
müssen darauf Rücksicht nehmen, sie müssen das respektieren.

Die normale Form des „Sie" ist nicht so kompliziert^g. Man sagt zu
55 jedem fremden Erwachsenen „Sie", ganz gleich, ob es der Milchmann
ist oder ein Professor. Und man muß natürlich gleichzeitig „Herr"
Schulze oder „Frau" Hartmann dabei sagen. „Du" ist immer nur
dann richtig, wenn man mit der Person wirklich gut vertraut ist. Dann,
und nur dann, ist auch der Vorname am Platze. Nur für Kinder, die
60 gerade erwachsen werden, gibt es Ausnahmen. Wenn sie gerade erwachsen werden, sagt man nämlich „Sie" oder „du" mit dem Vornamen oder — wenigstens in der Schule — auch mit dem Nachnamen.

Aber man muß noch etwas wissen, wenn man nun alles verstehen und
richtig machen will, das Wichtigste vielleicht. Natürlich gibt es auch
65 in Deutschland viele vertraute Freunde, alte und junge. Häufig kennen
sie sich schon lange, vielleicht noch aus der Schule. Vielleicht haben
sie sich aber auch erst neu kennengelernt. Jedenfalls duzen sich vertraute Freunde, und sie nennen sich gleichzitig bei ihren Vornamen.
Aber in Amerika nennt man sich sehr viel häufiger beim Vornamen als
70 in Deutschland. Und es geht auch sehr viel schneller. In Deutschland
sagen sogar einige gute, alte Freunde „Sie" zu einander, und das,
obwohl sie sich vielleicht seit vielen Jahren kennen. Vielleicht nennen
sie sich dabei noch nicht einmal bei ihren Vornamen. Sicher, das ist
auch in Deutschland eine Ausnahme, aber es gibt doch so etwas.

der Erwachsene (*adj. noun*)   Wenn ein Mensch kein Kind mehr ist, ist er ein Erwachsener. · wachsen = größer werden

der Lehrling, —e   der Anfänger in einer Arbeit · Dieser Lehrling will ein Schneider werden. Die Lehre, —n   ist die Stelle, wo er seine Arbeit lernt.

die Konfirmation [kɔnfɪʀmatsiˈoːn] · **der Stichtag**   ein ganz bestimmter, besonderer Tag für eine Sache

zu guter Letzt   schließlich, endlich

das Ereignis, —se   Wenn etwas Besonderes passiert, so ist das ein Ereignis. Lindberghs Transatlantikflug war 1927 ein großes Ereignis. · sich ereignen = passieren
offiziell [ɔfitsiˈɛl]
Rücksicht nehmen auf   respektieren, achten · Man nimmt Rücksicht auf etwas, wenn man es achtet, respektiert. · Du mußt berücksichtigen, daß er noch sehr jung ist. · die Rücksicht → berücksichtigen · rücksichtsvoll ↔ rücksichtslos
gleichzeitig   zur selben Zeit · Kein Mensch kann gleichzeitig an zwei Stellen sein.

die Ausnahme, —n   nicht das Gewöhnliche, etwas Besonderes · Er ist eine Ausnahme, weil er zwei Meter groß ist. Er ist ausnahmsweise groß. · ausnahmsweise ↔ ausnahmslos

wichtig   von großer Bedeutung · Der Präsident, —en, —en [pʀɛziˈdɛnt] eines großen Landes ist ein wichtiger (bedeutender) Mann. · Geld ist nicht das Wichtigste im Leben. · wichtig ↔ unwichtig · die Wichtigkeit ↔ die Unwichtigkeit

sich nennen   Er nennt sich einen armen Menschen = Er sagt, daß er ein armer Mensch ist.

obwohl   Er hat die Adresse, —n [aˈdʀɛsə] vergessen, obwohl ich sie ihm aufgeschrieben habe. · Obwohl es stark regnet, werde ich ausgehen.

6   Was tun viele Kinder mit vierzehn oder fünfzehn Jahren?

Viele gehen in eine Lehre, sie werden Lehrlinge.

7   Siezen auch die Lehrer ihre Schüler nach der Konfirmation?

Nein, die Schüler müssen noch zwei Jahre warten, bis auch die Lehrer zu guter Letzt „Sie" zu ihnen sagen.

8   Worauf müssen die Lehrer schließlich Rücksicht nehmen?

Sie müssen darauf Rücksicht nehmen, daß ihre Schüler nun keine Kinder mehr sind.

9   Gibt es keine Ausnahme davon, daß der Vorname nur zusammen mit „du" am Platze ist?

Doch, wenn Kinder gerade erwachsen werden, kann man zu ihnen „Sie" zusammen mit dem Vornamen sagen.

10   Duzen sich alte Schulfreunde auch später noch?

Ja, sie duzen sich und nennen sich bei ihren Vornamen.

75 Jedenfalls werden sich deutsche Erwachsene keinesfalls bei ihren Vornamen nennen, wenn sie sich erst seit ein paar Tagen kennen. So schnell geht das in Deutschland nun einmal nicht.

Und **es** geht auch nicht so leicht. Fast immer bietet der Ältere dem Jüngeren Duz–Freundschaft an. Häufig genug trinkt man ein Glas
80 Wein bei dieser Zeremonie⁹. „Du" sagen und einander bei den Vornamen nennen, ist — bis auf Ausnahmen wenigstens — für Deutsche **eine** Sache und zusammen ein Zeichen für vertraute Freundschaft. Andererseits bedeutet „Sie" sagen aber keinesfalls das Gegenteil! Und gerade das ist für Amerikaner nicht einfach zu verstehen.

85 Die Frau eines meiner guten Bekannten ist Amerikanerin. Sie spricht schon recht gut Deutsch, aber sie hat noch immer Schwierigkeiten mit „du" und „Sie", wie sie lachend erzählt. Vor einigen Wochen ist es ihr wieder passiert, daß sie an einem Tage einen fremden Postboten geduzt hat, ihren Mann aber, als er später nach Hause kam,
90 hat sie mit „Sie" begrüßt. So ist es mit fremden Sitten!

keinesfalls ganz bestimmt nicht, auf keinen Fall · Obwohl ich ihn sehr gern habe, werde ich ihm das Geld keinesfalls geben. · keinesfalls ↔ jedenfalls · auf keinen Fall ↔ auf jeden Fall

anbieten fragen, ob man etwas geben darf · Er bot mir ein Glas Wein an.

die Duz-Freundschaft, —en die vertraute Freundschaft · Wenn zwei Freunde ,,du'' zu einander sagen, halten sie eine Duz-Freundschaft.

die Zeremonie, —n [tseʀemo'niː]

andererseits im Gegenteil · Einerseits hat Michael Monika sehr gern, andererseits findet er sie etwas zu flott.

die Schwierigkeit, —en die Mühe · Hast du noch Schwierigkeiten mit deinem Deutsch? · schwierig = schwer ↔ leicht

begrüßen ,,Guten Tag!'' sagen · Man kann einen guten Freund mit ,,Hallo!'' begrüßen. · ,,Guten Tag!'' und ,,Hallo!'' sind Grußformen. · begrüßen → der Gruß, ̈e

11 Wann werden deutsche Erwachsene sich keinesfalls bei ihren Vornamen nennen?

Sie werden sich keinesfalls bei ihren Vornamen nennen, wenn sie sich erst einige Tage kennen.

12 Ist ,,du'' sagen und einander bei den Vornamen nennen ein Zeichen für vertraute Freundschaft?

Ja, andererseits bedeutet ,,Sie'' sagen aber nicht das Gegenteil.

13 Wer duzte in unserer Geschichte einen fremden Postboten?

Das war eine nette Amerikanerin.

II. Phonology

A. Umlaut Sounds

Practice pronouncing the following words.

Make the [ø:] especially long and keep it pure:

> hören, mögen, schön, größere, gehört

Make the [œ] especially short:

> möchte, können, zwölf, plötzlich

Make the [y:] especially long and keep it pure:

> natürlich, üben, Schüler, für, Brüder, genügt, Einführung, Übungen, Mühe

Make the [ʏ] especially short:

> Glück, zurück, hübsch, dürfen, wünschen, müssen, Jüngeren, berücksichtigen, München, fünfzehn

B. Long and Short Vowels

Make the long accented vowels especially long and the short ones especially short:

> Sitten, ganz, natürlich, verstehen, immer, lernen, zuerst, Sache, fast, bald, noch, gern, wer, finden, Anfang, fremd, gemacht, um, bekannt, besonders, mit, gut, alle, Schule, oder, länger, gehört, Lehrer, Hans, doch, das, Stichtag, nämlich, warten, dann, Tag, offiziell, normal, Herr, Person, man, machen, alte, gibt, Erwachsene, der, dem, Glas, bis, zusammen, andererseits, Gegenteil, lachend, Wochen

C. Diphthongs

Pronounce all the diphthongs more crisply than in English. Remember that the second vowel element should sound softer and even shorter than the first.

The first vowel element is [a]:

> zweiundzwanzig, kein, sein, leicht, kleiner, freie, eigentlich, einer, zwei, ein, seit, drei, bleiben, nein, dreizehn, vielleicht, schreiben, Einführung, weiß, einige, gleich, eigenartig, meint, Zeichen, Meyer, weiter, heißt, Ereignis, dabei, keinesfalls, Wein, einfach, einigen

The first vowel element is [a]:

> auch, kauft, auf, Hauses, Kaufhaus, laufend, darauf, braucht, Ausländer, vertraut, aus, aufpassen, aussieht, Ausnahme, Frau

The first vowel element is [ɔ]:

teuer, h**äu**fig, h**eu**te, Verk**äu**ferin, D**eu**tschland, Fr**eu**nde, bed**eu**tet, Fr**äu**lein, n**eu**, Fr**eu**ndschaft

III. Writing Practice

A. Structure Retention and Variation

Substitute the new words for those directly above them and make all the necessary changes. A line indicates that the word above it is to be omitted. Such omissions and some of the substitutions will require changes in structure.

> *Example*:   *Model sentence*: Er sagt, daß sein Vater ihn in ein ausländisches Geschäft gesteckt hat.
> ____   Eltern   Fabrik   schicken
>
> *New sentence*:   Er sagt, seine Eltern haben ihn in eine ausländische Fabrik geschickt.

1 Werner blieb in Kiel, und Heinrich zog nach München um.
                als

2 Auf dem Schild steht, daß du in diesem Abteil nicht rauchen darfst.
                ____   wir   Bus   sollen

3 Er erzählt   gerade, wo er die ganze Zeit gewesen ist.
   berichten gestern, was   Jahr tun

4 Er hat   ein halbes Jahr in einer ausländischen Fabrik   gearbeitet.
   werden   ganz   Monat   Geschäft

5 Ich glaube nun,   daß mein alter Freund sein Examen bestanden hat.
   Wir wissen gestern ____   klein Freundin

6 Sie sind gestern wegen des schlechten Wetters nicht angekommen.
   Ich   trotz   schön   mitgehen

7 Hast du gestern gesagt, daß ich dich im Büro anrufen soll?
      ihr nun   ____   wir   Stadt   können

8 Mein Bruder   kommt   heute   nicht mit, weil er krank ist.
      Schwester mitfahren gestern   denn

9 Ich stecke   mir die Nummer ein, denn ich bin so vergeßlich.
   Er aufschreiben   weil

10 Werner wohnt jetzt   mit seiner Frau   und seinen Kindern in Kiel.
        damals   Großeltern   Brüder

B. Rewrite the Following Sentences in the Past Perfect Tense

1 Rolf und Günther gingen zum Schillerplatz.
2 Dort sahen sie einen schlimmen Unfall.
3 Der Milchwagen kam zu schnell um die Ecke.
4 Er rutschte plötzlich an der Kreuzung.
5 Dann kippte er sogar noch um.
6 Die ganze Milch schwappte über die Straße.
7 Die Jungen liefen schnell zu der Stelle.
8 Dort lag eine alte Frau bei der Laterne.
9 Sie hatte eine Platzwunde am Kopf.
10 Bald kam der Peterwagen um die Ecke.

C. Dehydrated Sentences

Modify the basic forms of the provided words as needed and construct sentences in the narrative past tense. Most of the **der–** and **ein–**words are missing and you will have to supply them.

> *Example*:   *Dehydrated sentence*: Heike / sollen / Geige / üben / aber / sie / gehen / mit / Freund / zu / Baden
>
>   *Complete sentence*:   Heike sollte Geige üben, aber sie ging mit einem Freund zum Baden.

1 Hans / und / Tante Inge / gehen / Tag / in / Stadt
2 Sonne / scheinen / und / es / sein / heiß / Tag
3 Hans / wollen / Eis / kaufen / aber / er / haben / kein / Geld
4 nett / Tante / geben / er / ein / Mark
5 er / sehen / Eismann / und / laufen / zu / er
6 Hans / bitten / um / Nuß-Eis / und / bekommen / Portion / für / fünfundzwanzig / Pfennig
7 klein / Freund / von / er / stehen / an / Eiswagen
8 gut / klein / Freund / haben / kein / Pfennig / aber / er / wollen / auch / Eis
9 dann / kaufen / Hans / Portion / Eis / für / Freund
10 Tante Inge / nehmen / kein / Eis / und / Hans / zurückgeben / sie / halb / Mark

IV. Word Study

A. Inference

With the help of the clues provided, guess the meanings of the words in boldface.

Words similar to English:

1 Sind sie der **Kapitän** [kapi'tɛ:n] dieses Schiffes?   **der Kapitän, –e**
2 Ich brauche eine neue **Maschine** [ma'ʃi:nə] für meine Fabrik.   **die Maschine, –n**
3 Tausend Meter sind ein **Kilometer** [kilo'me:təʁ].   **der Kilometer, –**
4 A. In Deutschland gibt es **praktisch** nur drei **Parteien** [paʁ'taɪ̯ən].   **die Partei, –en**
    B. Wieso **praktisch**?
    C. Nun, die anderen **Parteien** haben keine große **politische** [po'li:tɪʃə] Bedeutung.

B. Welche **Partei** hast du denn am liebsten?

A. Ach, ich interessiere mich nicht sehr für **Politik** [poli'ti:k], ich bin ein **unpolitischer** ['ʊnpoˌli:tɪʃəʁ] Mensch. **die Politik**

5 Ein amerikanisches Pfund hat 450 **Gramm**, aber ein deutsches Pfund hat 500 **Gramm**.

6 Tausend Gramm (oder zwei Pfund) sind ein **Kilogramm** ['ki:logʁam].

7 A. Die Mutter kauft ein Viertelpfund **Schokolade** [ʃoko'la:də]. **die Schokolade**
   Wieviel Gramm kauft sie also?

   B. Sie kauft 125 Gramm **Schokolade**.

8 A. Sie kauft die Schokolade nicht im Geschäft, sondern auf dem **Markt**. **der Markt, ⸚e**

   B. Kann man denn Schokolade auf dem **Markt** kaufen?

   A. Auf einem deutschen **Markt** kann man fast alles kaufen.

9 A. Peter muß jetzt erst einmal zwei Jahre zum **Militär** [mili'tɛ:ʁ]. **das Militär**

   B. Er wird bestimmt ein guter **Soldat** [zɔl'da:t] sein. **der Soldat, —en, —en**

   A. Ja, und später will er zur Polizei gehen und **Polizist** [poli'tsɪst] werden. **der Polizist, —en, —en**

10 Möchten Sie noch eine Tasse **Tee** zu Ihrem Kuchen? **der Tee**

11 A. Ist dieser **Ring** aus **Gold**? **der Ring, —e; das Gold**

    B. Ja. Ich habe **Gold** viel lieber als **Silber**. **das Silber**

12 Mein Haus ist mein **Heim**. **das Heim, —e**

13 Mach doch bitte die **Lampe** im Nebenzimmer aus! **die Lampe, —n**

14 Susi, hier ist noch kein Pfeffer und noch kein **Zucker** auf dem Tisch! **der Zucker**

A number of words of foreign origin which are spelled with **z**, pronounced [ts], in German, are spelled with *c* in English. Known examples are: **die Medizin** *medicine*, **die Zeremonie** *ceremony*, **die Konferenz** *conference*. Below are some new ones:

1 Zwischen Kultur und **Zivilisation** [tsivilizatsi'o:n] soll kein Unterschied sein? **die Zivilisation**

2 Ich möchte mal wieder in einen **Zirkus** ['tsɪrkʊs] gehen. **der Zirkus**

3 Rauchen Sie auch **Zigarren** [tsi'gaʁən]? **die Zigarre, —n**

4 Die Bahn fuhr bis ins **Zentrum** ['tsɛntʁʊm]. **das Zentrum**

5 Schon der kleinste Organismus [ɔʁga'nɪsmʊs] hat sehr viele **Zellen**. **die Zelle, —n**

The sound [k] is usually written **k** or **ck** in German and not *c* as in English. Known examples are: **die Konfirmation** *confirmation*, **der Onkel** *uncle*, **die Musik** *music*. Below are some new ones:

1 Hast du schon einen **Kalender** [ka'lɛndəʁ] für das neue Jahr? **der Kalender, —**

2 Später kam er sogar mit seinem Vater in **Konflikt** [kɔn'flɪkt]. **der Konflikt, —e**

3 Wie lange hatte er **Kontakt** [kɔn'takt] mit diesen Menschen? **der Kontakt, —e**

4 Sei doch nicht immer so **konservativ** [kɔnzɛʁva'ti:f]!

5 Teller haben natürlich **konkave** [kɔn'ka:və] Form.

6 Ist dieses Bild tatsächlich eine **Kopie** [ko'pi:]? **die Kopie, —n**

7 Früher war er nicht so **kritisch** ['kʁi:tɪʃ].

8 Professor Müller ist ein guter **Kollege** [kɔ'le:gə] von mir. **'der Kollege, —n, —n**

9 Über die Politik von heute habe ich keinen **Kommentar** [kɔmɛn'ta:ʁ]. **der Kommentar, —e**

10 Wieviel **Kalorien** [kalo'ʁi:ən] darf deine Frau täglich essen? **die Kalorie, —n**

11 Susi kann noch kein Mittagessen **kochen**. **der Koch, ⸚ë**

12 Kochen Sie mit **Kohle** oder mit Gas? **die Kohle, —n**

Many German words which are spelled with **z** or **tz**, pronounced [ts], are spelled with **t** in English. Known examples are: **zwanzig** *twenty*, **die Pflanze** *plant*, **die Hitze** *heat*, **das Herz** *heart*. Below are some new ones:

1 Wie hoch war der **Zoll** für die Zigaretten? **der Zoll, ⸚e**
2 Unsre **Angorakatze** trinkt gern Milch. **die Katze, —e**
3 Diese Katze ist ganz **zahm**. **zahm ↔ wild**
4 Dieser Busch hat schon einen grünen **Zweig**. **der Zweig, —e**
5 Die **Zunge** ist das wichtigste Artikulationsorgan [ˌaʀtikulatsiˈoːnsɔʀɡɑːn]. **die Zunge, —n**
6 Über diesen **Witz** kann ich nicht lachen. **der Witz, —e**
7 Heute ist es sehr warm. Bei dieser Hitze brauchen wir nicht zu **heizen**.
8 Der Fischer reparierte sein **Netz**. **das Netz, —e**
9 Ich möchte gern das **Salz** und den Pfeffer. **das Salz**

B. Singular and Plural of Nouns

Change the noun subject to the plural:

Die Sitte gehört zur Kultur eines Landes.
Die Sitten gehören zur Kultur eines Landes.

Der Lehrer duzt die älteren Oberschüler nicht.
Die Lehrer duzen die älteren Oberschüler nicht.

Der Lehrling lernt bei einem Bäcker.
Die Lehrlinge lernen bei einem Bäcker.

Das Ereignis ist schon vor langer Zeit passiert.
Die Ereignisse sind schon vor langer Zeit passiert.

Der Name klang mir ganz fremd.
Die Namen klangen mir ganz fremd.

Die Freundschaft begann schon in der Schule.
Die Freundschaften begannen schon in der Schule.

Die Schwierigkeit nahm kein Ende.
Die Schwierigkeiten nahmen kein Ende.

Der Fremdling lernte die neue Sitte kennen.
Die Fremdlinge lernten die neue Sitte kennen.

Die Komödie ist wirklich großartig.
Die Komödien sind wirklich großartig.

Der Pädagoge muß lange studieren.
Die Pädagogen müssen lange studieren.

Die Maschine wird schnell unmodern.
Die Maschinen werden schnell unmodern.

Die Partei ist nicht besonders groß.
Die Parteien sind nicht besonders groß.

Der Polizist hat keine leichte Arbeit.
Die Polizisten haben keine leichte Arbeit.

Der Soldat ist noch in der Ausbildung.
Die Soldaten sind noch in der Ausbildung.

Der Ring ist wahrscheinlich aus Gold.
Die Ringe sind wahrscheinlich aus Gold.

Die Lampe ist zum Teil aus Silber.
Die Lampen sind zum Teil aus Silber.

Die Katze sprang in den Busch.
Die Katzen sprangen in den Busch.

Der Zweig wird schon grün.
Die Zweige werden schon grün.

Der Fischer verkauft hier frische Fische.
Die Fischer verkaufen hier frische Fische.

Der Witz hat mir viel Spaß gemacht.
Die Witze haben mir viel Spaß gemacht.

Das Netz ist voll von Fischen.
Die Netze sind voll von Fischen.

Die Zigarre hat mich fast krank gemacht.
Die Zigarren haben mich fast krank gemacht.

Der Kollege möchte auch mitkommen.
Die Kollegen möchten auch mitkommen.

Der Konflikt innerhalb der Partei ist ernst.
Die Konflikte innerhalb der Partei sind ernst.

Die Kopie war schwer zu lesen.
Die Kopien waren schwer zu lesen.

Unit 14

I. Dialog

Das Treffen bei Familie Kellner

Part 1

1	Heinrich:	Stell dir vor, Renate, ich habe den Klassenkameraden getroffen, von dem ich dir erzählte!
2	Renate:	Na, so etwas! Meinst du den Werner Bäcker, der früher in dieser Gegend wohnte?
3	Heinrich:	Ja, er stand einfach an der Haltestelle, an der ich meistens meinen Bus gerade noch erwische.
4	Renate:	Na, das ist wirklich ein unerwarteter Zufall! Hast du ihn gleich wiedererkannt?
5	Heinrich:	Sofort! Er ist noch derselbe feine Kerl, der er immer war.
6	Renate:	Warum hast du ihn jetzt nicht gleich mitgebracht?
7	Heinrich:	Das habe ich tun wollen, aber er hat erst heute abend Zeit.
8	Renate:	Aber für eine Abendgesellschaft habe ich überhaupt nichts anzuziehen!
9	Heinrich:	In dem Kleid, das du jetzt trägst, kannst du dich überall sehen lassen.
10	Renate:	Das habe ich mir denken können. Es sieht dir ähnlich, Sparsamkeit in die Form eines Kompliments zu kleiden.

Part 2

11	Heinrich:	Schön, Werner, daß du da bist. Dies hier ist meine Frau.
12	Werner:	Guten Abend, Frau Kellner, ich freue mich, Sie kennenzulernen.
13	Renate:	Ich auch, Heinrich hat mir schon viel von Ihnen erzählt.
14	Werner:	Na, das wird wohl nicht so toll gewesen sein. Ich war nicht gerade ein Musterschüler.
15	Renate:	Die Berichte, deren ich mich entsinne, waren sogar ausgesprochen nett. Wann haben Sie Heinrich denn aus den Augen verloren?
16	Werner:	Nun, ich denke, es wird wohl bald sechs Jahre her sein.
17	Renate:	Sechs Jahre! Warum hast du nie etwas von dir hören lassen, Heinrich?
18	Werner:	Ja, darauf hab' ich leider vergeblich warten müssen. Ich hab' ja nicht wissen können, wo er steckt.
19	Renate:	Aber nun kommen Sie herein! Wir wollen uns einen gemütlichen Abend machen.
20	Werner:	Darauf freue ich mich schon! Es wird eine Menge zu erzählen geben.

II. Supplement

1. Flicke mir bitte den Mantel, der da auf dem Sessel liegt!
2. Der gelbe Wollpullover, den ich reinigen lassen möchte, hängt am Stuhl.
3. Das ist der neue Stoff, aus dem ich einen Rock machen will.
4. Hast du den Strumpf gesehen, dessen Hacke ich stopfen wollte?

5. Die schwarze Mütze, die auf dem Fußboden liegt, gehört dem Künstler.
6. Ist das die seidene Bluse, die du mit der neuen Seife gewaschen hast?

7 Die Taschentücher sind in der trockenen Wäsche, mit der ich noch beschäftigt bin.

8 Hier ist die alte Hose, deren rechte Tasche ein Loch hat.

9 Bügelst du mir das graue Sporthemd, das hinter der Tür hängt?

10 Das Haarnetz, das ich neulich gekauft habe, ist schon zerrissen.

11 Das Handtuch hier, mit dem ich mir gerade die Hände abtrockne, ist nicht besonders sauber.

12 Ich nähe dir eben das Halstuch, dessen Saum neulich aufgegangen ist.

13 Wo finde ich die Schuhe, die neulich beim Schuhmacher waren?

14 Sind das die wollenen Strümpfe, die Lilo dir gestrickt hat?

15 Hast du die Stricknadeln gesehen, mit denen Hans vorhin spielte?

16 Ich suche die Hemden, deren Knöpfe zum Teil fehlen.

III. Audiolingual Drills

A. Directed Dialog

Part 1

Fragen Sie, was Renate sich vorstellen soll!
Was soll Renate sich vorstellen?

Antworten Sie, daß Heinrich den Klassenkameraden getroffen hat, von dem er Renate erzählte!
Heinrich hat den Klassenkameraden getroffen, von dem er Renate erzählte.

Sagen Sie, daß er den Werner Bäcker meint, der früher in dieser Gegend wohnte!
Er meint den Werner Bäcker, der früher in dieser Gegend wohnte.

Sagen Sie, daß er einfach an der Haltestelle stand, an der Heinrich meistens seinen Bus gerade noch erwischt!
Er stand einfach an der Haltestelle, an der Heinrich meistens seinen Bus gerade noch erwischt!

Sagen Sie, daß das wirklich ein unerwarteter Zufall ist!
Das ist wirklich ein unerwarteter Zufall.

Fragen Sie, ob Heinrich ihn gleich wiedererkannt hat!
Hat Heinrich ihn gleich wiedererkannt?

Antworten Sie, daß er ihn sofort wiedererkannt hat!
Er hat ihn sofort wiedererkannt.

Sagen Sie, daß er noch derselbe feine Kerl ist, der er immer war!
Er ist noch derselbe feine Kerl, der er immer war.

Fragen Sie, warum er ihn jetzt nicht gleich mitgebracht hat!
Warum hat er ihn jetzt nicht gleich mitgebracht?

Antworten Sie, daß Heinrich das hat tun wollen!
Heinrich hat das tun wollen.

Sagen Sie, daß Werner aber erst heute abend Zeit hat!
Werner hat aber erst heute abend Zeit.

Sagen Sie, daß Renate für eine Abendgesellschaft überhaupt nichts anzuziehen hat!
Renate hat für eine Abendgesellschaft überhaupt nichts anzuziehen.

Sagen Sie, daß sie sich in dem Kleid, das sie jetzt trägt, überall sehen lassen kann!
Sie kann sich in dem Kleid, das sie jetzt trägt, überall sehen lassen.

Sagen Sie, daß Renate sich das hat denken können!
Renate hat sich das denken können.

Sagen Sie, daß es ihrem Mann ähnlich sieht, Sparsamkeit in die Form eines Kompliments zu kleiden!
Es sieht ihrem Mann ähnlich, Sparsamkeit in die Form eines Kompliments zu kleiden.

Part 2

Sagen Sie, es ist schön, daß Werner da ist!
Es ist schön, daß Werner da ist.

Sagen Sie, daß Werner sich freut, Frau Kellner kennenzulernen!
Werner freut sich, Frau Kellner kennenzulernen.

Sagen Sie, daß Heinrich Renate schon viel von Werner erzählt hat!
Heinrich hat Renate schon viel von Werner erzählt.

Sagen Sie, daß das wohl nicht so toll gewesen sein wird!
Das wird wohl nicht so toll gewesen sein.

Sagen Sie, daß Werner nicht gerade ein Musterschüler war!
Werner war nicht gerade ein Musterschüler.

Sagen Sie, daß die Berichte, deren Renate sich entsinnt, sogar ausgesprochen nett waren!
Die Berichte, deren Renate sich entsinnt, waren sogar ausgesprochen nett.

Fragen Sie, wann Werner Heinrich denn aus den Augen verloren hat!
Wann hat Werner Heinrich denn aus den Augen verloren?

Antworten Sie, daß es wohl bald sechs Jahre her sein wird!
Es wird wohl bald sechs Jahre her sein.

Fragen Sie, warum Heinrich nie etwas von sich hat hören lassen!
Warum hat Heinrich nie etwas von sich hören lassen?

Antworten Sie, daß Werner darauf leider vergeblich hat warten müssen!
Werner hat darauf leider vergeblich warten müssen.

Sagen Sie, daß er ja nicht hat wissen können, wo Heinrich steckt!
Er hat ja nicht wissen können, wo Heinrich steckt.

Sagen Sie, daß Werner aber nun hereinkommen soll!
Werner soll aber nun hereinkommen.

Sagen Sie, daß sie sich einen gemütlichen Abend machen wollen!
Sie wollen sich einen gemütlichen Abend machen.

Sagen Sie, daß Werner sich darauf schon freut!
Werner freut sich darauf schon.

Sagen Sie, daß es eine Menge zu erzählen geben wird!
Es wird eine Menge zu erzählen geben.

B. "Double Infinitives"

When a modal auxiliary in the present perfect (conversational past) or the past perfect tense has a dependent infinitive, the past participle of the modal is identical in form with its infinitive. This is called the "double infinitive" construction.

1 Repeat:

Darauf habe ich leider vergeblich warten müssen.
Darauf hast du leider vergeblich warten müssen.
Darauf hat er leider vergeblich warten müssen.
Darauf haben wir leider vergeblich warten müssen.
Darauf habt ihr leider vergeblich warten müssen.
Darauf haben sie leider vergeblich warten müssen.

2 Substitute the new subject:

Das habe ich ja nicht wissen können. **er**
Das hat er ja nicht wissen können. **wir**
Das haben wir ja nicht wissen können. **du**
Das hast du ja nicht wissen können. **die Kameraden**
Das haben die Kameraden ja nicht wissen können. **ihr**
Das habt ihr ja nicht wissen können.

3 Substitute the new subject or modal auxiliary:

Ich habe das nicht tun wollen. **ihr**
Ihr habt das nicht tun wollen. **müssen**
Ihr habt das nicht tun müssen. **er**
Er hat das nicht tun müssen. **können**
Er hat das nicht tun können. **wir**
Wir haben das nicht tun können. **mögen**
Wir haben das nicht tun mögen. **du**
Du hast das nicht tun mögen. **dürfen**
Du hast das nicht tun dürfen. **die Schüler**
Die Schüler haben das nicht tun dürfen. **sollen**
Die Schüler haben das nicht tun sollen. **ich**
Ich habe das nicht tun sollen.

4 Repeat:

> Das hatte ich mir natürlich denken können.
> Das hattest du dir natürlich denken können.
> Das hatte sie sich natürlich denken können.
> Das hatten wir uns natürlich denken können.
> Das hattet ihr euch natürlich denken können.
> Das hatten die Freunde sich natürlich denken können.

5 Substitute the new subject:

> Ich hatte mir einen Wagen kaufen wollen. **meine Eltern**
> Meine Eltern hatten sich einen Wagen kaufen wollen. **du**
> Du hattest dir einen Wagen kaufen wollen. **sein Großvater**
> Sein Großvater hatte sich einen Wagen kaufen wollen. **ihr**
> Ihr hattet euch einen Wagen kaufen wollen. **wir**
> Wir hatten uns einen Wagen kaufen wollen.

6 Substitute the new subject or modal auxiliary:

> Ich hatte mich noch für das Konzert umziehen müssen. **du**
> Du hattest dich noch für das Konzert umziehen müssen. **wollen**
> Du hattest dich noch für das Konzert umziehen wollen. **ihr**
> Ihr hattet euch noch für das Konzert umziehen wollen. **dürfen**
> Ihr hattet euch noch für das Konzert umziehen dürfen. **wir**
> Wir hatten uns noch für das Konzert umziehen dürfen. **müssen**
> Wir hatten uns noch für das Konzert umziehen müssen. **meine Großmutter**
> Meine Großmutter hatte sich noch für das Konzert umziehen müssen. **können**
> Meine Großmutter hatte sich noch für das Konzert umziehen können. **seine Großeltern**
> Seine Großeltern hatten sich noch für das Konzert umziehen können.

7 Expand by adding the indicated modal auxiliary.

> *Examples:* Er hat so etwas noch nie getan. **können**
> Er hat so etwas noch nie tun können.
>
> Wir sind heute morgen zu Hause geblieben. **müssen**
> Wir haben heute morgen zu Hause bleiben müssen.

Ich habe es einfach nicht gewußt. **können**
Ich habe es einfach nicht wissen können.

Wir haben eine neue Uhr gekauft. **wollen**
Wir haben eine neue Uhr kaufen wollen.

Ihr seid doch in die Stadt gegangen. **sollen**
Ihr habt doch in die Stadt gehen sollen.

Die Kinder sind heute zu Hause geblieben.   **müssen**
Die Kinder haben heute zu Hause bleiben müssen.

Hast du deine Arbeit nicht getan?   **mögen**
Hast du deine Arbeit nicht tun mögen?

Er hat den neuen Wagen noch nicht gefahren.   **dürfen**
Er hat den neuen Wagen noch nicht fahren dürfen.

8 Expand and transform the following sentences by adding the indicated dependent infinitive.

Example: So etwas hat der Schlaukopf noch nie gekonnt.   **tun**
So etwas hat der Schlaukopf noch nie tun können.

Der Schlaukopf hat es allein nicht gekonnt.   **tun**
Der Schlaukopf hat es allein nicht tun können.

Warum hattest du dieses Halstuch gewollt?   **kaufen**
Warum hattest du dieses Halstuch kaufen wollen?

Ich habe diesen Mantel nie gemocht.   **leiden**
Ich habe diesen Mantel nie leiden mögen.

Wir hatten nicht ins Theater gedurft.   **gehen**
Wir hatten nicht ins Theater gehen dürfen.

Haben die Schüler es wirklich gemußt?   **schreiben**
Haben die Schüler es wirklich schreiben müssen?

Ihr habt doch in die Stadt gesollt.   **fahren**
Ihr habt doch in die Stadt fahren sollen.

Ich habe damals noch kein Deutsch gekonnt.   **sprechen**
Ich habe damals noch kein Deutsch sprechen können.

9 Contract and transform the following sentences by omitting the dependent infinitive.

Example: So eilig habe ich es nicht zusammenbauen können.
So eilig habe ich es nicht gekonnt.

Er hat solche Arbeit noch nie machen können.
Er hat solche Arbeit noch nie gekonnt.

Warum habt ihr in die Schweiz fahren wollen?
Warum habt ihr in die Schweiz gewollt?

Hast du wieder in die Stadt gehen müssen?
Hast du wieder in die Stadt gemußt?

Jedenfalls habt ihr es nicht lesen mögen.
Jedenfalls habt ihr es nicht gemocht.

Tagsüber haben die Schüler es nicht tun dürfen.
Tagsüber haben die Schüler es nicht gedurft.

Ich habe damals schon ebensogut Deutsch verstehen können.
Ich habe damals schon ebensogut Deutsch gekonnt.

Hören, **lassen** and **sehen** follow the pattern of the modals in the perfect tenses.

10   Repeat:

Ich habe gestern den Doktor kommen lassen.
Du hast gestern den Doktor kommen lassen.
Er hat gestern den Doktor kommen lassen.
Wir haben gestern den Doktor kommen lassen.
Ihr habt gestern den Doktor kommen lassen.
Sie haben gestern den Doktor kommen lassen.

11   Substitute the new subject:

Ich habe ihn sofort wieder weggehen hören.   **wir**
Wir haben ihn sofort wieder weggehen hören.   **er**
Er hat ihn sofort wieder weggehen hören.   **die Freunde**
Die Freunde haben ihn sofort wieder weggehen hören.   **ihr**
Ihr habt ihn sofort wieder weggehen hören.   **du**
Du hast ihn sofort wieder weggehen hören.

12   Expand and transform the following sentences by adding the indicated dependent infinitive.

Example: Mein Klassenkamerad hatte mich nicht gesehen.   **kommen**
Mein Klassenkamerad hatte mich nicht kommen sehen.

Ich hatte Werner an der Haltestelle gesehen.   **stehen**
Ich hatte Werner an der Haltestelle stehen sehen.

Wir hatten euch hinter dem Haus gehört.   **sprechen**
Wir hatten euch hinter dem Haus sprechen hören.

Warum habt ihr das Zeug nicht da gelassen?   **liegen**
Warum habt ihr das Zeug nicht da liegen lassen?

Hattest du deinen Freund nicht gehört?   **kommen**
Hattest du deinen Freund nicht kommen hören?

Sie hatte die Kinder im Haus gelassen.   **spielen**
Sie hatte die Kinder im Haus spielen lassen.

Ich habe dich leider nicht gehört. **abfahren**
Ich habe dich leider nicht abfahren hören.

Habt ihr den Milchwagen nicht gesehen? **rutschen**
Habt ihr den Milchwagen nicht rutschen sehen?

13 Contract and transform the following sentences by omitting the dependent infinitive.

Example: Hast du deine Schulfreunde nicht lachen hören?
Hast du deine Schulfreunde nicht gehört?

Hast du die Studenten nicht lachen hören?
Hast du die Studenten nicht gehört?

Warum habt ihr die Sachen nicht dort liegen lassen?
Warum habt ihr die Sachen nicht dort gelassen?

Wir haben ihn natürlich ankommen sehen.
Wir haben ihn natürlich gesehen.

Haben Sie den Wagen nicht losfahren hören?
Haben Sie den Wagen nicht gehört?

14 Change the following sentences to the present perfect tense. Note that the "double infinitive" construction does not occur when the dependent infinitive is preceded by **zu**.

Examples: Ich höre ihn im nächsten Zimmer sprechen.
Ich habe ihn im nächsten Zimmer sprechen hören.

Die Mutter hat noch viel zu kaufen.
Die Mutter hat noch viel zu kaufen gehabt.

Der Klassenkamerad kann erst heute abend kommen.
Der Klassenkamerad hat erst heute abend kommen können.

Wir sehen Heike schon auf dem Podium stehen.
Wir haben Heike schon auf dem Podium stehen sehen.

Ihr habt noch viel zu üben.
Ihr habt noch viel zu üben gehabt.

Mußt du tatsächlich das ganze Buch lesen?
Hast du tatsächlich das ganze Buch lesen müssen?

Ich habe leider noch viel zu tun.
Ich habe leider noch viel zu tun gehabt.

Mein Neffe will in einer Fabrik arbeiten.
Mein Neffe hat in einer Fabrik arbeiten wollen.

Warum lassen sie denn den Doktor nicht kommen?
Warum haben sie denn den Doktor nicht kommen lassen?

In a subordinate clause the tense auxiliary precedes the "double infinitive."

15 Repeat:

>Er sagt, daß er vergeblich hat warten müssen.
>Sie sagt, daß sie sich das hatte denken können.
>Sie fragt, warum wir nie etwas von uns haben hören lassen.
>Er fragt, ob du die Leute nicht hattest kommen sehen.

16 Begin the following sentences with „**Er sagt, daß** . . .":

>Er hat vergeblich warten müssen.
>Er sagt, daß er vergeblich hat warten müssen.

>Sie hatte sich das denken können.
>Er sagt, daß sie sich das hatte denken können.

>Du hast in die Stadt gehen wollen.
>Er sagt, daß du in die Stadt hast gehen wollen.

>Sie haben den Doktor kommen lassen.
>Er sagt, daß sie den Doktor haben kommen lassen.

>Ihr hattet ihn nicht weggehen hören.
>Er sagt, daß ihr ihn nicht hattet weggehen hören.

>Du hattest den Wagen doch ankommen sehen.
>Er sagt, daß du den Wagen doch hattest ankommen sehen.

When a modal auxiliary or a verb like **hören**, **lassen** or **sehen** with a dependent infinitive occurs in a future construction, it is a real infinitive and comes at the end.

17 Change the following sentences to the future.

>*Example*: Ich muß nächsten Monat in die Schweiz fahren.
>Ich werde nächsten Monat in die Schweiz fahren müssen.

>Sie wollen sich bald einen Wagen kaufen.
>Sie werden sich bald einen Wagen kaufen wollen.

>Er darf bestimmt nicht zum Baden gehen.
>Er wird bestimmt nicht zum Baden gehen dürfen.

>Wir sehen ihn im Garten arbeiten.
>Wir werden ihn im Garten arbeiten sehen.

>Warum kannst du denn nicht mitfahren?
>Warum wirst du denn nicht mitfahren können?

>Wie oft laßt ihr die Kinder in einen Film gehen?
>Wie oft werdet ihr die Kinder in einen Film gehen lassen?

Die Kundin mag dieses Kleid sicher nicht leiden.
Die Kundin wird dieses Kleid sicher nicht leiden mögen.

Ich höre ihn im Rundfunk Geige spielen.
Ich werde ihn im Rundfunk Geige spielen hören.

Er soll nächstes Jahr in ein ausländisches Geschäft gehen.
Er wird nächstes Jahr in ein ausländisches Geschäft gehen sollen.

C. Demonstrative Adjectives and Pronouns

Forms of **der**, **die** and **das** may be used as demonstrative adjectives or demonstrative pronouns. As such they are stressed and have the meanings *this*, *that*, *this one*, *that one*, *these* or *those*.

18   Nominative case. Repeat:

Der Schraubenzieher ist genau der richtige.
Der ist genau der richtige.

Die Aufnahme gefällt mir am besten.
Die gefällt mir am besten.

Das Hemd ist aber besonders schön.
Das ist aber besonders schön.

Die Hosen sind mir zu teuer.
Die sind mir zu teuer.

19   Accusative case. Repeat:

Den Wagen möchte ich kaufen.
Den möchte ich kaufen.

Die Seife nehme ich mit.
Die nehme ich mit.

Das Haarnetz finde ich scheußlich.
Das finde ich scheußlich.

Die Stricknadeln brauche ich nicht.
Die brauche ich nicht.

20   Dative case. The demonstrative pronoun is **denen** in the dative plural. Repeat:

Dem Schlaukopf helfe ich am liebsten nicht.
Dem helfe ich am liebsten nicht.

Bei der Wirtin wohne ich lieber nicht.
Bei der wohne ich lieber nicht.

In dem Kleid kannst du dich überall sehen lassen.
In dem kannst du dich überall sehen lassen.

Den Leuten gebe ich keinen Pfennig.
Denen gebe ich keinen Pfennig.

21 Genitive case. The demonstrative pronoun has an extra syllable in all genitive forms. The masculine and neuter are **dessen**; the feminine and the plural are **deren**. Repeat:

Die Fotos des Verkäufers sind nicht gut genug.
Dessen Fotos sind nicht gut genug.

Den Hut der Studentin mag ich nicht leiden.
Deren Hut mag ich nicht leiden.

Die Mütze des Kindes gefällt mir nicht.
Dessen Mütze gefällt mir nicht.

Die Preise der Geschäfte steigen immer höher.
Deren Preise steigen immer höher.

22 Substitute the demonstrative pronoun for the demonstrative adjective plus noun.

Examples: Der Wollpullover gefällt mir am besten.
Der gefällt mir am besten.

Das Kind der Frau ist aber schlau.
Deren Kind ist aber schlau.

Bei den Leuten kaufe ich nichts.
Bei denen kaufe ich nichts.

Der Stoff ist genau der richtige.
Der ist genau der richtige.

Das Flugzeug da ist das modernste.
Das da ist das modernste.

Die Männer da hinten sind arbeitslos.
Die da hinten sind arbeitslos.

Die Bluse dort ist nicht gerade die beste.
Die dort ist nicht gerade die beste.

Ich habe mal bei den Leuten da gewohnt.
Ich habe mal bei denen da gewohnt.

Den Rock möchte ich gern haben.
Den möchte ich gern haben.

Das Kleid des Kindes dort ist wirklich hübsch.
Dessen Kleid dort ist wirklich hübsch.

Mit dem Fahrer fahre ich lieber nicht.
Mit dem fahre ich lieber nicht.

Der Studentin da wird die Sache nie gelingen.
Der da wird die Sache nie gelingen.

Das Brot des Bäckers dort ist immer frisch.
Dessen Brot dort ist immer frisch.

Die Medizin nehme ich doch lieber nicht.
Die nehme ich doch lieber nicht.

Die Preise der Schuhe hier sind viel zu hoch.
Deren Preise hier sind viel zu hoch.

Ich möchte dem Kind ein neues Sporthemd kaufen.
Ich möchte dem ein neues Sporthemd kaufen.

Für den Jungen stricke ich gern eine Mütze.
Für den stricke ich gern eine Mütze.

Ich meine die Strümpfe da auf dem Stuhl.
Ich meine die da auf dem Stuhl.

Die Handtücher der Wirtin sind immer sauber.
Deren Handtücher sind immer sauber.

D. Relative Pronouns

The relative pronouns most frequently used, especially in conversation, have the same forms as the demonstrative pronoun forms of **der**, **die** and **das**.

23 Nominative case. Repeat:

Er ist noch derselbe feine Kerl, der er immer war.
Sie ist noch dieselbe feine Frau, die sie immer war.
Es ist noch dasselbe feine Kind, das es immer war.
Sie sind noch dieselben feinen Menschen, die sie immer waren.

24 Accusative case. Repeat:

In dem Anzug, den du jetzt trägst, kannst du dich überall sehen lassen.
In der Bluse, die du jetzt trägst, kannst du dich überall sehen lassen.
In dem Kleid, das du jetzt trägst, kannst du dich überall sehen lassen.
In den Schuhen, die du jetzt trägst, kannst du dich überall sehen lassen.

25 Dative case. Repeat:

Ich habe den Freund getroffen, von dem ich dir erzählte.
Ich habe die Freundin getroffen, von der ich dir erzählte.
Ich habe das Kind getroffen, von dem ich dir erzählte.
Ich habe die Schüler getroffen, von denen ich dir erzählte.

26   Genitive case. Repeat:

>   Der Bericht, dessen ich mich entsinne, war sehr nett.
>   Die Geschichte, deren ich mich entsinne, war sehr nett.
>   Das Konzert, dessen ich mich entsinne, war sehr nett.
>   Die Gedichte, deren ich mich entsinne, waren sehr nett.

27   Combine the following pairs of sentences by making the second one a relative clause.

>   *Example*:   Ich meine den alten Freund. Er war gerade hier.
>   Ich meine den alten Freund, der gerade hier war.

>   Ich meine den Klassenkameraden. Er wohnte früher hier.
>   Ich meine den Klassenkameraden, der früher hier wohnte.

>   Meinst du seine kleine Freundin? Sie steht da an der Haltestelle.
>   Meinst du seine kleine Freundin, die da an der Haltestelle steht?

>   Er meint das nette Kind. Es läuft eben über die Straße.
>   Er meint das nette Kind, das eben über die Straße läuft.

>   Wollt ihr die neuen Bücher? Sie liegen auf dem Tisch.
>   Wollt ihr die neuen Bücher, die auf dem Tisch liegen?

>   Wir haben den Wagen gesehen. Du wolltest ihn kaufen.
>   Wir haben den Wagen gesehen, den du kaufen wolltest.

>   Heute abend kommt die Kundin. Ich erzählte dir von ihr.
>   Heute abend kommt die Kundin, von der ich dir erzählte.

>   Da steht mein alter Freund. Mit ihm bin ich in die Schule gegangen.
>   Da steht mein alter Freund, mit dem ich in die Schule gegangen bin.

>   Dort ist der freundliche Kellner. Sein Sohn ist in meiner Klasse.
>   Dort ist der freundliche Kellner, dessen Sohn in meiner Klasse ist.

>   Hier sind die neuen Gabeln. Ich habe sie dir gekauft.
>   Hier sind die neuen Gabeln, die ich dir gekauft habe.

>   Heute kam die alte Frau. Ihr Mann hat sein Geschäft verloren.
>   Heute kam die alte Frau, deren Mann sein Geschäft verloren hat.

>   Das Halstuch ist sehr schön. Sie trägt es jetzt.
>   Das Halstuch, das sie jetzt trägt, ist sehr schön.

>   Die Leute stehen da hinten. Ich habe ihnen geholfen.
>   Die Leute, denen ich geholfen habe, stehen da hinten.

>   Das Kind sitzt im Wagen. Seine Mutter verkauft Milch.
>   Das Kind, dessen Mutter Milch verkauft, sitzt im Wagen.

>   Die Professorin ist sehr gut. Ich habe sie jetzt.
>   Die Professorin, die ich jetzt habe, ist sehr gut.

Das kleine Kind läuft um das Haus. Du gabst ihm den Kuchen.
Das kleine Kind, dem du den Kuchen gabst, läuft um das Haus.

Die Eltern haben eben angerufen. Ihre Kinder sind hier.
Die Eltern, deren Kinder hier sind, haben eben angrufen.

The forms of **welcher** are also employed as relative pronouns, but far less frequently than the forms of **der**. There is no genitive form of **welcher** as a relative pronoun.

28   Nominative case. Repeat:

Dort steht der Wagen, welcher so teuer sein soll.
Die Freundin, welche noch mitgehen möchte, kommt erst in zehn Minuten.
Siehst du das Dorf dort, welches jenseits des Flusses liegt?
Dort liegen die alten Schriften, welche so interessant sind.

29   Accusative case. Repeat:

Kennst du den Schlaukopf, welchen ich getroffen habe?
Hier genau ist die Stelle, welche du für so rutschig hältst.
Wo ist das Brett, welches ich heute morgen hatte?
Wir sprachen über Tagesfragen, welche wir heute schon vergessen haben.

30   Dative case. Repeat:

Jener Bäcker ist der Mann, welchem ich meinen Wagen verkauft habe.
Da hinten kommt seine neue Freundin, von welcher er so viel hält.
Wo ist das Hemd, an welchem ein Knopf fehlt?
Hast du die Schrauben gesehen, mit welchen ich den Schrank zusammenbauen will?

31   Combine the following sentences by making the second one a relative clause with a form of **welcher**.

Examples: Wo sind die Zeitungen? Ich habe sie gestern gehabt.
Wo sind die Zeitungen, welche ich gestern gehabt habe?

Der Bus kommt aus dem nördlichen Stadtteil. Ich nehme ihn immer.
Der Bus, welchen ich immer nehme, kommt aus dem nördlichen Stadtteil.

Er sprach mit dem Schüler. Du sahst ihn gestern.
Er sprach mit dem Schüler, welchen du gestern sahst.

Dort ist die große Kiste. Mit ihr hat er so viel Mühe gehabt.
Dort ist die große Kiste, mit welcher er so viel Mühe gehabt hat.

Ich kenne den Fahrer. Er fährt immer so rücksichtslos.
Ich kenne den Fahrer, welcher immer so rücksichtslos fährt.

Ich spreche vom Nachbardorf. Es liegt nordöstlich von hier.
Ich spreche vom Nachbardorf, welches nordöstlich von hier liegt.

Die Geschichte ist endlos. Ich lese sie jetzt.
Die Geschichte, welche ich jetzt lese, ist endlos.

Hier kommen die Leute. Ich muß mit ihnen gehen.
Hier kommen die Leute, mit welchen ich gehen muß.

Der Junge steht vor dem Haus. Du gabst ihm das Werkzeug.
Der Junge, welchem du das Werkzeug gabst, steht vor dem Haus.

Die Freunde sind weggefahren. Sie waren heute hier.
Die Freunde, welche heute hier waren, sind weggefahren.

Die Wunde ist nicht allzu schlimm. Er hat sie am Kopf.
Die Wunde, welche er am Kopf hat, ist nicht allzu schlimm.

Fast alle Dinge sind sehr interessant. Sie stehen in der Zeitschrift.
Fast alle Dinge, welche in der Zeitschrift stehen, sind sehr interessant.

Kennt ihr das Versandgeschäft? Von dem haben wir den Schrank gekauft.
Kennt ihr das Versandgeschäft, von welchem wir den Schrank gekauft haben?

Dort steht das Häuschen. Meine Eltern haben es gebaut.
Dort steht das Häuschen, welches meine Eltern gebaut haben.

32 If the relative pronoun refers to a thing and is the object of a dative or accusative preposition, the invariable **wo** may replace the relative pronoun. Change the preposition and following relative pronoun to a **wo**–compound.

> *Example*: Hier liegt das Buch, über welches er neulich sprach.
> Hier liegt das Buch, worüber er neulich sprach.

Dort steht das Haus, in welchem ich früher wohnte.
Dort steht das Haus, worin ich früher wohnte.

Kennst du das Geschäft, für das ich arbeite?
Kennst du das Geschäft, wofür ich arbeite?

Er wohnt in demselben Haus, in dem ich auch wohne.
Er wohnt in demselben Haus, worin ich auch wohne.

Der Tisch, auf dem die Zeitung liegt, steht in der Ecke.
Der Tisch, worauf die Zeitung liegt, steht in der Ecke.

Die Kiste, unter der das Werkzeug liegt, ist da hinten.
Die Kiste, worunter das Werkzeug liegt, ist da hinten.

Ist das das Paket, aus welchem der Schrank kommen soll?
Ist das das Paket, woraus der Schrank kommen soll?

The relative pronoun **was** must be used instead of **das** or **welches** if the antecedent is an indefinite neuter element such as **alles, etwas, manches, nichts, vieles** and **das Beste**, or if the reference is to an entire clause.

33 Repeat:

Ich gab dir alles. Ich hatte es im Hause.
Ich gab dir alles, was ich im Hause hatte.

Er kauft immer das Beste. Er kann es im Geschäft finden.
Er kauft immer das Beste, was er im Geschäft finden kann.

Unsre Nichte blieb den ganzen Sommer bei uns. Das freute uns natürlich sehr.
Unsre Nichte blieb den ganzen Sommer bei uns, was uns natürlich sehr freute.

34 Combine the following pairs of sentences by making the second one a relative clause. Use a form of the relative **der** or the invariable **was**, as may be required:

Er kommt heute abend zu uns. Das freut mich sehr.
Er kommt heute abend zu uns, was mich sehr freut.

Ich sah heute den Klassenkameraden. Er wohnte früher hier.
Ich sah heute den Klassenkameraden, der früher hier wohnte.

Kennst du den Schüler da? Er ist in Günthers Klasse.
Kennst du den Schüler da, der in Günthers Klasse ist?

Ich erzähle dir etwas. Du weißt es noch nicht.
Ich erzähle dir etwas, was du noch nicht weißt.

Der Bericht war ausgesprochen nett. Das machte ihn sehr glücklich.
Der Bericht war ausgesprochen nett, was ihn sehr glücklich machte.

Es war ein gemütlicher Abend. Ich werde ihn nie vergessen.
Es war ein gemütlicher Abend, den ich nie vergessen werde.

Mein Freund hatte vieles zu erzählen. Ich fand es interessant.
Mein Freund hatte vieles zu erzählen, was ich interessant fand.

Er kaufte immer nur das Beste. Man konnte es bekommen.
Er kaufte immer nur das Beste, was man bekommen konnte.

Kennen Sie die Schöne nicht? Ihr Bild ist in der Illustrierten.
Kennen Sie die Schöne nicht, deren Bild in der Illustrierten ist?

Wir haben hier manches. Es wird euch sicher gefallen.
Wir haben hier manches, was euch sicher gefallen wird.

Er tat alles. Man sagte es ihm.
Er tat alles, was man ihm sagte.

Wer and **was** are used in a general sense as relative pronouns that have no antecedent.

35   Repeat:

> Wer viel Geld hat, kann sich natürlich so etwas kaufen.
> Was man nicht im Kopfe hat, muß man in den Beinen haben.
> Wer tüchtig studiert, wird das Examen bestehen.
> Was ihm nicht gefällt, läßt er einfach bleiben.

E. Future of Probability

36   The future tense, usually with the adverb **wohl**, is used to indicate present probability. Repeat:

> Es ist bald sechs Jahre her.
> Es wird wohl bald sechs Jahre her sein.
>
> Er ist schon in Amerika.
> Er wird wohl schon in Amerika sein.
>
> Die Unfälle passieren immer wieder an dieser Stelle.
> Die Unfälle werden wohl immer wieder an dieser Stelle passieren.
>
> Es gibt eine Menge zu erzählen.
> Es wird wohl eine Menge zu erzählen geben.
>
> Ich muß vergeblich darauf warten.
> Ich werde wohl vergeblich darauf warten müssen.
>
> Ilse weiß, wo Peter steckt.
> Ilse wird wohl wissen, wo Peter steckt.

37   The future perfect tense is used to indicate past probability. Otherwise the future perfect is rare in modern German. Repeat:

> Das war nicht so toll.
> Das wird wohl nicht so toll gewesen sein.
>
> Er war kein Musterschüler.
> Er wird wohl kein Musterschüler gewesen sein.
>
> Er ist vorige Woche dort angekommen.
> Er wird wohl vorige Woche dort angekommen sein.
>
> Sie haben den Schrank schon geschickt.
> Sie werden den Schrank wohl schon geschickt haben.
>
> Du hattest viel Mühe damit.
> Du wirst wohl viel Mühe damit gehabt haben.
>
> Ihr seid ziemlich schnell gefahren.
> Ihr werdet wohl ziemlich schnell gefahren sein.

F. New Strong Verbs

38 The principal parts of the Class I strong verb **reißen** *tear* follow the pattern of **schneiden — reißen**: **er reißt, er riß, er hat gerissen**. Change to the new subject:

Ich riß gestern ein Loch in die neue Hose.   **wir**
Wir rissen gestern ein Loch in die neue Hose.   **du**
Du rissest gestern ein Loch in die neue Hose.   **ihr**
Ihr rißt gestern ein Loch in die neue Hose.   **das Kind**
Das Kind riß gestern ein Loch in die neue Hose.   **die Jungen**
Die Jungen rissen gestern ein Loch in die neue Hose.

Ich habe das alte Tuch zerrissen.   **Mutter**
Mutter hat das alte Tuch zerrissen.   **die Kinder**
Die Kinder haben das alte Tuch zerrissen.   **wir**
Wir haben das alte Tuch zerrissen.   **ihr**
Ihr habt das alte Tuch zerrissen.   **du**
Du hast das alte Tuch zerrissen.

39 The principal parts of the Class VI strong verb **tragen** *wear; carry* follow the pattern of **fahren — tragen**: **er trägt, er trug, er hat getragen**. Change to the new subject:

Ich trug gestern die neuen Schuhe.   **ihr**
Ihr trugt gestern die neuen Schuhe.   **der Schüler**
Der Schüler trug gestern die neuen Schuhe.   **wir**
Wir trugen gestern die neuen Schuhe.   **du**
Du trugst gestern die neuen Schuhe.   **die Mädchen**
Die Mädchen trugen gestern die neuen Schuhe.

Ich habe den Sessel ins andere Zimmer getragen.   **meine Eltern**
Meine Eltern haben den Sessel ins andere Zimmer getragen.   **ihr**
Ihr habt den Sessel ins andere Zimmer getragen.   **du**
Du hast den Sessel ins andere Zimmer getragen.   **mein Neffe**
Mein Neffe hat den Sessel ins andere Zimmer getragen.   **wir**
Wir haben den Sessel ins andere Zimmer getragen.

40 The principal parts of the Class VI strong verb **waschen** *wash* follow the pattern of **fahren**, except that the stem vowel in the present and in the participle is short — **waschen**: **er wäscht, er wusch, er hat gewaschen**. Change to the new subject:

Ich wusch die Hemden und Blusen mit der neuen Seife.   **wir**
Wir wuschen die Hemden und Blusen mit der neuen Seife.   **Ilse**
Ilse wusch die Hemden und Blusen mit der neuen Seife.   **ihr**
Ihr wuscht die Hemden und Blusen mit der neuen Seife.   **du**
Du wuschst die Hemden und Blusen mit der neuen Seife.   **die Frauen**
Die Frauen wuschen die Hemden und Blusen mit der neuen Seife.

Ich habe die Röcke doch neulich erst gewaschen. **die Frauen**
Die Frauen haben die Röcke doch neulich erst gewaschen. **ihr**
Ihr habt die Röcke doch neulich erst gewaschen. **du**
Du hast die Röcke doch neulich erst gewaschen. **meine Nichte**
Meine Nichte hat die Röcke doch neulich erst gewaschen. **wir**
Wir haben die Röcke doch neulich erst gewaschen.

41 The principal parts of the Class VII strong verb **hängen** *hang* are **hängen: er hängt, er hing, er hat gehangen**. Change to the new subject:

Der Wollmantel hing gestern noch hinter der Tür. **der Pullover**
Der Pullover hing gestern noch hinter der Tür. **das Sporthemd**
Das Sporthemd hing gestern noch hinter der Tür. **die Handtücher**
Die Handtücher hingen gestern noch hinter der Tür. **die Mäntel**
Die Mäntel hingen gestern noch hinter der Tür. **der Rock**
Der Rock hing gestern noch hinter der Tür.

Die Jacken haben vorhin noch über diesem Stuhl gehangen. **das Haarnetz**
Das Haarnetz hat vorhin noch über diesem Stuhl gehangen. **die Socken**
Die Socken haben vorhin noch über diesem Stuhl gehangen. **das Halstuch**
Das Halstuch hat vorhin noch über diesem Stuhl gehangen. **die Strümpfe**
Die Strümpfe haben vorhin noch über diesem Stuhl gehangen. **die Blusen**
Die Blusen haben vorhin noch über diesem Stuhl gehangen.

42 The principal parts of the Class VII strong verbs **fangen** *catch* and **anfangen** *begin* follow the pattern of **hängen — fangen: er fängt, er fing, er hat gefangen**. Change to the new subject:

Der Fischer fing gestern einen großen Fisch. **wir**
Wir fingen gestern einen großen Fisch. **ich**
Ich fing gestern einen großen Fisch. **ihr**
Ihr fingt gestern einen großen Fisch. **die Jungen**
Die Jungen fingen gestern einen großen Fisch. **du**
Du fingst gestern einen großen Fisch.

Wir haben mit der Arbeit schon angefangen. **du**
Du hast mit der Arbeit schon angefangen. **der Schuhmacher**
Der Schuhmacher hat mit der Arbeit schon angefangen. **ich**
Ich habe mit der Arbeit schon angefangen. **die Neffen**
Die Neffen haben mit der Arbeit schon angefangen. **ihr**
Ihr habt mit der Arbeit schon angefangen.

G. Questions and Answers

Part 1

Wen hat Heinrich getroffen?
Er hat den Klassenkameraden getroffen, von dem er Renate erzählte.

Wer ist dieser Klassenkamerad?
Er ist der Werner Bäcker, der früher in derselben Gegend wohnte, wo Heinrich und Renate auch wohnen.

Wo hat Heinrich ihn getroffen?
Es war an der Haltestelle, an der Heinrich meistens gerade noch seinen Bus erwischt.

Hatte Heinrich so etwas erwartet?
Nein, es war ein Zufall, den er nicht erwartet hatte.

Wie kam es, daß Heinrich seinen alten Freund sofort hat wiedererkennen können?
Es war nicht schwer, weil Werner noch ganz derselbe ist, der er immer war.

Warum hat Heinrich seinen alten Freund nicht gleich mitgebracht?
Das hat er tun wollen, aber Werner hatte erst am Abend Zeit.

Was sagt Renate über die kommende Abendgesellschaft?
Sie sagt, sie hat dafür überhaupt nichts anzuziehen.

Ist Heinrich derselben Meinung?
Nein, denn er sagt, daß sie sich in dem Kleid, das sie jetzt trägt, überall sehen lassen kann.

Hat Renate sich so etwas denken können?
Ja, denn sie sagt, daß das ihm ähnlich sieht.

Part 2

Worüber freut Werner sich?
Er freut sich, Frau Kellner kennenzulernen.

Woher weiß Renate so viel über Werner?
Heinrich hatte ihr viel von ihm erzählt.

Was sagt Werner dazu?
Er sagt, daß es wohl nicht so toll gewesen sein wird.

Warum sagt er so etwas?
Er meint, daß er nicht gerade ein Musterschüler war.

Wie waren Heinrichs Berichte, deren Renate sich entsinnt?
Renate sagt, daß sie ausgesprochen nett waren.

Wann hatte Werner Heinrich aus den Augen verloren?
Werner meint, daß es wohl bald sechs Jahre her sein wird.

Warum hatte Werner nicht an Heinrich geschrieben?
Er hatte nicht wissen können, wo Heinrich steckt.

Was wollen die Freunde tun?
Sie wollen sich einen gemütlichen Abend machen.

IV. Writing Practice

A. Completion

Copy and complete the following with appropriate verbs in the narrative past. Choose all verbs from the list provided: aufstehen, aufstellen, (sich) einstecken, (sich) legen, liegen, (sich) setzen, sitzen, stecken, stehen, (sich) stellen

Herr Held _____ auf einem Stuhl im Vorlesungsraum. Neben ihm _____ noch ein Stuhl, der frei war. Plötzlich _____ Fräulein Schneider vor ihm und fragte etwas. Herr Held _____ schnell auf und bot ihr den freien Stuhl an. Fräulein Schneider zog ihren Mantel aus und _____ ihn über den Stuhl. Dann _____ sie ihr Halstuch in die Tasche des Mantels. Sie _____ sich auf den Stuhl neben Herrn Held. Ein Mann holte das Podium aus der Ecke und _____ es auf. Dann _____ er eine Lampe auf das Podium. Nun kam der Professor in den Raum. Er _____ seinen Mantel auf den Tisch in der Ecke. Neben dem Podium _____ ein Stuhl für ihn, aber er _____ sich nicht darauf. Er ging direkt an das Podium. Diesmal hatte er sich sein Manuskript _____. Er _____ sich vor das Podium und _____ das Manuskript darauf. Nun _____ es also vor ihm, und die Vorlesung konnte beginnen.

B. Dehydrated Clauses

Complete and combine as directed.

1 Combine into one sentence, making the dehydrated clause the subordinate clause in the narrative past. Some words will have to be supplied.

> *Example*: Ich hatte schon fertig studiert. als / er / kommen / Stuttgart
>
> *Complete sentence*: Ich hatte schon fertig studiert, als er nach Stuttgart kam.

    1 Wir waren schon ins Ausland gegangen. als / du / ziehen / Hannover
    2 Sie hatten uns nichts darüber gesagt. daß / Lilo / sein / so / krank
    3 Wart ihr schon abgefahren? als / Ilse / ankommen
    4 Er hatte nicht schreiben können. weil / er / wissen / Adresse / nicht
    5 Hattest du es nicht erfahren? daß / er / sein / verlobt

2 Combine into one sentence, making the dehydrated clause the main clause in the past perfect.

> *Example*: Als ich auf das Gymnasium kam, machen / er / Abitur / schon
>
> *Complete sentence*: Als ich auf das Gymnasium kam, hatte er das Abitur schon gemacht.

    1 Als ich das Geschäft in Worms kaufte, umziehen / er / schon
    2 Daß ihr in Belgien wart, erzählen / Hans / wir / nicht

3 Weil er Amerika mal sehen wollte,   leben / Jahr / dort

4 Damit der Besuch nicht anstrengend wurde,   weggehen / Jürgen / bald / wieder

5 In welcher Stadt er damals war,   können / ich / doch / nicht / wissen

C. Dehydrated Sentences

Modify the basic forms of the provided words as needed and construct sentences using the narrative past in one clause and the past perfect in the other.

Example: *Dehydrated sentence*: als / du / München / ziehen / bestehen / ich / Examen / schon

Complete sentence: Als du nach München zogst, hatte ich mein Examen schon bestanden.

1 als / Werner / Freund / Bus / treffen / sehen / er / halb / Ewigkeit / nicht

2 Werner / wollen / wissen / welcher / gut / Wind / Heinrich / Arm / wehen

3 Werner / erfahren / schon / von / Helmut / daß / Heinrich / wieder / Kiel / leben

4 als / Werner / Helmut / sprechen / wissen / Helmut / nichts / Näheres

5 ich / bestehen / mein / Examen / schon / als / ihr / Hamburg / umziehen

6 als / er / Amerika / fahren / ich / bauen / mein / neu / Fabrik / schon

7 wir / wohnen / zehn / Jahr / Berlin / als / wir / Bonn / ziehen / müssen

8 wie / ich / damals / wissen / können / in / welcher / Geschäft / er / arbeiten ?

9 als / wir / dort / ankommen / wegfahren / du / schon / wieder

10 Heinrich / sagen / sein / Frau / schon / daß / Werner / früher / hier / wohnen

V. Word Study

A. Translation of Dialog

Das Treffen bei Familie Kellner
The Meeting at Kellners'

(Heinrich, Renate und Werner)
(Heinrich, Renate and Werner)

das Treffen *infinitive used as a noun* · **die Familie, —n** · **der Kellner, —** *waiter*

Part 1

1 Stell dir vor, Renate, ich habe den Klassenkameraden getroffen, von dem ich dir erzählte!
Imagine, Renate, I met the classmate I was telling you about.

sich vorstellen *dat. refl.* **die Vorstellung, —en** presentation (*a play*) · **der Klassenkamerad die Klasse, —n** class + **der Kamerad, —en, —en** companion, comrade, pal

2 Na, so etwas! Meinst du den Werner Bäcker, der früher in dieser Gegend wohnte?
Well, isn't that something! Do you mean Werner Bäcker, who used to live in this neighborhood?

der Bäcker, — baker

3 Ja, er stand einfach an der Haltestelle, an der ich meistens meinen Bus gerade noch erwische.
Yes. He was simply standing at the bus stop where I usually barely catch my bus.

die Haltestelle   halte *from* **halten + die Stelle, —n** place; position · **erwischen** catch; get hold of

4 Na, das ist wirklich ein unerwarteter Zufall! Hast du ihn gleich wiedererkannt?
Well, that is really an unexpected coincidence. Did you recognize him right away?

unerwartet unexpected   **erwartet** *pp. of* **erwarten** expect · **der Zufall, ⏜e** coincidence; chance; accident · **wiedererkennen   wieder + erkennen** recognize

5 Sofort! Er ist noch derselbe feine Kerl, der er immer war.
Immediately. He's still the same fine fellow that he always was.

sofort immediately, right away

6 Warum hast du ihn jetzt nicht gleich mitgebracht?
Why didn't you bring him along right away?

7 Das habe ich tun wollen, aber er hat erst heute abend Zeit.
That's what I wanted to do, but he doesn't have time until this evening.

erst not until; first

8 Aber für eine Abendgesellschaft habe ich überhaupt nichts anzuziehen!
But I don't have a thing to put on for an evening party.

die Abendgesellschaft   der Abend + die Gesellschaft, —en party; society · **überhaupt** actually; generally; altogether   **überhaupt nichts** nothing at all

9 In dem Kleid, das du jetzt trägst, kannst du dich überall sehen lassen.
In the dress you have on now you can let yourself be seen anywhere.

das Kleid *dress*   **die Kleider** dresses; clothes · **tragen: er trägt, trug, hat getragen** wear; carry · **überall** anywhere, everywhere · **sehen lassen** *The dependent infinitive used with* **lassen** *has passive force.*

10 Das habe ich mir denken können. Es sieht dir ähnlich, Sparsamkeit in die Form eines Kompliments zu kleiden.
I could have guessed that. It's just like you to disguise frugality in the form of a compliment.

sich denken *dat. refl.* imagine · **ähnlich** like; similar   **es sieht dir ähnlich** it's just like you · **die Sparsamkeit** · **das Kompliment, —e**

Part 2

11 Schön, Werner, daß du da bist. Dies hier ist meine Frau.

Nice that you're here, Werner. This is my wife.

12 Guten Abend, Frau Kellner, ich freue mich, Sie kennenzulernen.

Good evening, Mrs. Kellner. I'm happy to make your acquaintance.

sich freuen *acc. refl.* be glad, happy

13 Ich auch, Heinrich hat mir schon viel von Ihnen erzählt.

Me too. Heinrich has already told me a lot about you.

14 Na, das wird wohl nicht so toll gewesen sein. Ich war nicht gerade ein Musterschüler.

Well, that probably wasn't so great. I wasn't exactly a model student.

toll great; furious; funny · **der Musterschüler   das Muster,** — model; pattern + **der Schüler,** — pupil, student

15 Die Berichte, deren ich mich entsinne, waren sogar ausgesprochen nett. Wann haben Sie Heinrich denn aus den Augen verloren?

The reports I remember were even very nice. When did you lose sight of Heinrich, anyway?

sich entsinnen *acc. refl.*   **er entsinnt sich, entsann sich, hat sich entsonnen** *requires a genitive object* · **sogar** even · **ausgesprochen** pronounced; distinct *pp. of* **aussprechen** pronounce · **das Auge, —n** eye · **verlieren: er verliert, verlor, hat verloren** lose

16 Nun, ich denke, es wird wohl bald sechs Jahre her sein.

Well, I think it must be almost six years ago.

her ago

17 Sechs Jahre! Warum hast du nie etwas von dir hören lassen, Heinrich?

Six years! Why didn't you ever let yourself be heard from, Heinrich?

hören lassen   *Note the passive force.*

18 Ja, darauf hab' ich leider vergeblich warten müssen. Ich hab' ja nicht wissen können, wo er steckt.

Yes. Unfortunately I had to wait in vain for that. After all, I couldn't know where he was.

19 Aber nun kommen Sie herein! Wir wollen uns einen gemütlichen Abend machen.

But now come on in! Let's have a nice evening.

hereinkommen   herein *separable prefix* in [**her** hither + **ein—** (*from* **in**) in] + **kommen** · **gemütlich** genial; comfortable, cozy · **sich machen** *dat. refl.* make for oneself

20 Darauf freue ich mich schon! Es wird eine
Menge zu erzählen geben.
I'm already looking forward to it. There'll
be a lot to tell.

sich freuen auf look forward to · **die Menge,
—n** quantity; crowd **eine Menge** a lot

Supplement

1 Flicke mir bitte den Mantel, der da auf dem
Sessel liegt.
Please mend my coat that's lying there on the
easy chair.

der Mantel, ⁓ · der Sessel, —

2 Der gelbe Wollpullover, den ich reinigen
lassen möchte, hängt am Stuhl.
The yellow wool sweater that I would like to
have cleaned is hanging on the chair.

der Wollpullover die Wolle wool + **der
Pullover, —** sweater · **hängen: er hängt, er
hing, er hat gehangen** · **der Stuhl, ⁓e**

3 Das ist der neue Stoff, aus dem ich einen
Rock machen will.
That's the new material I want to make a
skirt out of.

der Stoff, —e · der Rock, ⁓e

4 Hast du den Strumpf gesehen, dessen Hacke
ich stopfen wollte?
Have you seen the stocking whose heel I
wanted to darn?

der Strumpf, ⁓e · die Hacke, —n · stopfen
darn; stuff; fill

5 Die schwarze Mütze, die auf dem Fußboden
liegt, gehört dem Künstler.
The black cap that's lying on the floor belongs
to the artist.

**die Mütze, —n · der Fußboden der Fuß,
⁓e + der Boden, ⁓ · der Künstler, — die
Kunst, ⁓e** art **künstlerisch** artistic

6 Ist das die seidene Bluse, die du mit der
neuen Seife gewaschen hast?
Is that the silk blouse that you washed with
the new soap?

**die Bluse, —n · die Seife · waschen: er
wäscht, er wusch, er hat gewaschen**

7 Die Taschentücher sind in der trockenen
Wäsche, mit der ich noch beschäftigt bin.
The handkerchiefs are in the dry wash that
I'm still busy with.

das Taschentuch die Tasche, —n pocket +
das Tuch, ⁓er cloth · **trocken** *from* **trocknen**
(to) dry · **die Wäsche · beschäftigt** *pp. of*
beschäftigen occupy, engage, employ
sich beschäftigen be busy

8 Hier ist die alte Hose, deren rechte Tasche
ein Loch hat.
Here is the old pair of pants whose right
pocket has a hole.

**die Hose, —n · die Tasche, —n · das Loch,
⁓er**

9	Bügelst du mir das graue Sporthemd, das hinter der Tür hängt?	**das Sporthemd** **der Sport** sport + **das Hemd**, **–en** shirt · **die Tür**, **–en**
	Will you iron my gray sport shirt that's hanging behind the door?	
10	Das Haarnetz, das ich neulich gekauft habe, ist schon zerrissen.	**das Haarnetz** **das Haar** hair + **das Netz**, **–e** net · **zerrissen** *pp. of* **zerreißen** **zer** + **reißen**: **er reißt, er riß, er hat gerissen**
	The hairnet that I recently bought is already torn to pieces.	
11	Das Handtuch hier, mit dem ich mir gerade die Hände abtrockne, ist nicht besonders sauber.	**das Handtuch** **die Hand** + **das Tuch**
	This towel that I'm drying my hands with just now isn't especially clean.	
12	Ich nähe dir eben das Halstuch, dessen Saum neulich aufgegangen ist.	**das Halstuch** **der Hals** neck + **das Tuch** · **der Saum**, **–̈e** · **aufgehen** **auf** + **gehen** open; give way; rise (*of the sun, moon*)
	I am just sewing the scarf for you whose seam came apart recently.	
13	Wo finde ich die Schuhe, die neulich beim Schuhmacher waren?	**der Schuh**, **–e** · **der Schuhmacher** **der Schuh** + **der Macher**, **–** producer, maker (*from* **machen**)
	Where do I find the shoes that were recently at the shoemaker?	
14	Sind das die wollenen Strümpfe, die Lilo dir gestrickt hat?	
	Are those the wool socks that Lilo knitted for you?	
15	Hast du die Stricknadeln gesehen, mit denen Hans vorhin spielte?	**die Stricknadel** **strick** *from* **stricken** knit + **die Nadel**, **–n** needle
	Have you seen the knitting needles that Hans was playing with a while ago?	
16	Ich suche die Hemden, deren Knöpfe zum Teil fehlen.	**der Knopf**, **–̈e** · **zum Teil** partly; in part; to some extent
	I'm looking for the shirts that have some buttons missing.	

B. Word Formation

Infinitive as noun

Many German infinitives are frequently used as singular neuter nouns. Some known examples are: **das Baden** *swimming, bathing*; **das Studieren** *studying*; **das Stehen** *standing*; **das Wiedersehen** *seeing again, reunion*; **das Treffen** *meeting*. The best English equivalent of an infinitive-noun is usually in the form of the gerund, but sometimes other forms equate just as well with the German. Thus, **das Essen** may mean *eating* in one context, *food* in another and *meal* in still another. Some additional infinitives you know which frequently occur as nouns are:

denken	think	das Denken	thinking
einsteigen	get on, in	das Einsteigen	getting on, boarding
erzählen	relate	das Erzählen	relating
fahren	drive; ride	das Fahren	driving; riding
gehen	go	das Gehen	walking
helfen	help	das Helfen	helping
kennen	know	das Kennen	knowing
können	be able	das Können	being able; ability
lachen	laugh	das Lachen	laughing; laughter
laufen	run; walk	das Laufen	running; walking
rauchen	smoke	das Rauchen	smoking
sitzen	sit	das Sitzen	sitting
sprechen	speak	das Sprechen	speaking
verstehen	understand	das Verstehen	understanding
wissen	know	das Wissen	knowing; knowledge
wohnen	live, reside	das Wohnen	living, residing

Separable prefixes of verbs

The separable prefixes of verbs usually have rather concrete, specific meanings which can be recognized without too much difficulty. Many of them are prepositions which, when used with basic infinitives, usually have the force of adverbs: **ausgehen** *go out*; **aufstehen** *get up*; **mitkommen** *come along*. The meaning of the prefix is not necessarily literal: **aufschreiben** *write down*; **aufmachen** *open (a door)*. The preposition **in** becomes **ein** as a verbal prefix: **einlaufen** *run in; arrive at the station (train)*; **einkaufen** *shop (buy in)*; **einschlafen** *fall asleep*. Some of the separable prefixes are adverbs in their own right and can readily be understood when they are used as prefixes: **los** *loose* → **loslassen** *release*; **heim** *home* → **heimkommen** *come home*; **zusammen** *together* → **zusammenbauen** *build together (assemble)*; **her** *hither* → **herkommen** *come (toward the speaker)*; **hin**, *thither* → **hingehen** *go there (away from the speaker)*; **herauskommen** *come out (toward the speaker)*; **hinaufsteigen** *climb up (away from the speaker)*; **herunterrutschen** *slide down (toward the speaker)*.

In order to illustrate how only one prefix can affect the meaning of many basic verbs, let us examine the effect of the preposition **an** as a prefix of some basic verbs you know. **An** has the English equivalents *at*, *on*, *onto*, *in*, *into*, *to*, depending on the context. In other words, the notion of approaching or being nearby is suggested. As a verbal prefix **an–** usually has this meaning, but it may also have the meaning of *begin to*.

Some examples of the prefix **an–** expressing the notion of approaching or being nearby are:

bauen	build	anbauen	build onto (a building)
flicken	patch	anflicken	put a patch on
grenzen	border	angrenzen	be adjacent to

haben	have	anhaben	have on (a coat)
hören	hear	anhören	listen to
kommen	come	ankommen	arrive
laufen	run	anlaufen	come running along; run toward
nehmen	take	annehmen	accept; take on (a job)
rufen	call	anrufen	call to; call up (phone)
schauen	look	anschauen	look at
sehen	see	ansehen	look at
sprechen	speak	ansprechen	address (a person)
ziehen	pull	anziehen	put (pull) on (clothes)

Some examples of **an–** expressing the notion of *begin to* are:

braten	roast	anbraten	(begin to) roast
fangen	catch	anfangen	begin
heizen	heat	anheizen	(begin to) heat
kochen	cook	ankochen	boil partially, parboil
lernen	learn	anlernen	give initial training to (a person)
rauchen	smoke	anrauchen	begin to smoke (a cigar)
schneiden	cut	anschneiden	begin to cut (a loaf)

C. Singular and Plural of Nouns

Change the noun subject to the plural:

Die Familie ist abends immer zusammen.
Die Familien sind abends immer zusammen.

Der Klassenkamerad stand an der Haltestelle.
Die Klassenkameraden standen an der Haltestelle.

Der Kellner ist ausnahmsweise mal nett.
Die Kellner sind ausnahmsweise mal nett.

Der Bäcker ist immer sehr beschäftigt.
Die Bäcker sind immer sehr beschäftigt.

Der Kerl ist überall bekannt.
Die Kerle sind überall bekannt.

Der Künstler will die Bilder verkaufen.
Die Künstler wollen die Bilder verkaufen.

Der Schüler ist ausgesprochen tüchtig.
Die Schüler sind ausgesprochen tüchtig.

Der Schuhmacher arbeitet heute nicht.
Die Schuhmacher arbeiten heute nicht.

Der Schuh steht unter dem Bett.
Die Schuhe stehen unter dem Bett.

Der Strumpf ist schon gestopft.
Die Strümpfe sind schon gestopft.

Die Hacke ist kaputtgegangen.
Die Hacken sind kaputtgegangen.

Das Loch ist schon geflickt.
Die Löcher sind schon geflickt.

Der Saum des Mantels ist aufgegangen.
Die Säume des Mantels sind aufgegangen.

Der Mantel ist schon gereinigt.
Die Mäntel sind schon gereinigt.

Der Pullover ist fast fertig gestrickt.
Die Pullover sind fast fertig gestrickt.

Der Rock ist sicher aus Wolle.
Die Röcke sind sicher aus Wolle.

Die seidene Bluse ist in der Wäsche.
Die seidenen Blusen sind in der Wäsche.

Das Tuch ist noch nicht trocken.
Die Tücher sind noch nicht trocken.

Die Handtasche ist mir zu teuer.
Die Handtaschen sind mir zu teuer.

Die Mütze hing vorhin noch hinter der Tür.
Die Mützen hingen vorhin noch hinter der Tür.

Die Hose ist doch beim Schneider.
Die Hosen sind doch beim Schneider.

Das Kleid ist noch nicht gewaschen.
Die Kleider sind noch nicht gewaschen.

Das Hemd lag über dem Stuhl.
Die Hemden lagen über dem Stuhl.

Das Netz ist leider zerrissen.
Die Netze sind leider zerrissen.

Der Knopf ist noch nicht angenäht.
Die Knöpfe sind noch nicht angenäht.

Die Nadel ist viel zu dick.
Die Nadeln sind viel zu dick.

Der Boden ist jetzt wieder sauber.
Die Böden sind jetzt wieder sauber.

Die Tür ist aus Metall.
Die Türen sind aus Metall.

Der Stuhl steht in der Ecke.
Die Stühle stehen in der Ecke.

Der Sessel soll ins Nebenzimmer kommen.
Die Sessel sollen ins Nebenzimmer kommen.

Die Klasse beginnt um Viertel nach neun.
Die Klassen beginnen um Viertel nach neun.

Der Bus hatte früher ein Raucherabteil.
Die Busse hatten früher ein Raucherabteil.

Das Auge ist schneller als die Hand.
Die Augen sind schneller als die Hand.

Der Bericht war ausgesprochen nett.
Die Berichte waren ausgesprochen nett.

Der Fuß ist einfach zu groß.
Die Füße sind einfach zu groß.

D. Some Notes on Nouns

Group I

A few masculine nouns of Group I ending in **–en** lack the ending **–n** in the nominative singular: **der Name, der Funke, der Gedanke.** Except for this they are regular in Group I: **der Name, den Namen, dem Namen, des Namens,** *pl.* **die Namen,** etc.

The neuter noun **das Herz** is inflected like Group I nouns except that it lacks the ending **–en** in the nominative and accusative singular: **das Herz, das Herz, dem Herzen, des Herzens,** *pl.* **die Herzen,** etc.

Group II

The **–s** of Group II nouns ending in **–nis** is doubled when the noun is inflected: **das Ereignis, des Ereignisses,** *pl.* **die Ereignisse.** *Note also:* **der Bus, des Busses, die Busse.**

Group IV

The **–n** of Group IV feminine nouns in **–in** is doubled in the plural: **die Freundin, die Freundinnen.**

Masculine and neuter nouns of Group IV must not be confused with the nouns of Group V. The **–(e)n** ending in Group IV is added only for the plural. The genitive singular ending is **–(e)s,** just as it is for masculine and neuter nouns of Groups I, II and III:

	Singular	Plural
Nom.	der Staat	die Staaten
Acc.	den Staat	die Staaten
Dat.	dem Staat	den Staaten
Gen.	des Staates	der Staaten

Other nouns which follow this pattern are: **das Auge, das Bett, der Doktor, das Ende, das Hemd, der Nachbar, der Professor, der Traktor, der Vetter.**

Group V

All nouns of Group V are masculine. The ending **–(e)n** is added in the accusative, dative and genitive singular as well as in the plural:

	Singular	Plural
Nom.	der Kunde	die Kunden
Acc.	den Kunden	die Kunden
Dat.	dem Kunden	den Kunden
Gen.	des Kunden	der Kunden

Other nouns which follow this pattern are: **der Bote, der Held, der Junge, der Kamerad, der Kollege, der Kunde, der Mensch, der Neffe, der Pädagoge, der Polizist, der Präsident, der Soldat.**

New nouns that follow this pattern will hereafter be indicated as follows: **der Kunde, –en, –en.**

Group VI (irregulars)

A number of nouns of recent foreign origin have **–s** in all plural cases. Those you know are: **der Job, die Jobs; das Auto, die Autos; das Büro, die Büros; das Foto, die Fotos; das Hotel, die Hotels; der Tee, die Tees.**

A few nouns of classical origin ending in **–ium** have plurals in **–ien.** Those you know are **das Gymnasium, die Gymnasien; das Podium, die Podien; das Stipendium, die Stipendien; das Studium, die Studien.**

Other types of irregularities occur occasionally: **das Drama, die Dramen; das Zentrum, die Zentren.**

VI. Grammar

A. The Dependent Infinitive with **zu**

1 Er hatte gehofft zu bestehen.
  He had hoped to pass.

2 Er hatte gehofft, die Prüfung zu bestehen.
  He had hoped to pass the examination.

3 Er hat uns verboten, hier zu spielen.
  He forbade us to play here.

4 Er hatte zu bestehen gehofft.
  He had hoped to pass.

5 Er hatte die Prüfung zu bestehen gehofft.
He had hoped to pass the examination.

6 Er hat uns hier zu spielen verboten.
He forbade us to play here.

► In the conversational past and in the past perfect, a dependent infinitive preceded by **zu** may either follow the past participle of the main verb as it does in English (1, 2, 3) or precede it (4, 5, 6). The former is the preferred word order and the one that must be used in the present and narrative past: **Er hofft zu bestehen. Er hoffte zu bestehen.**

► When the dependent **zu**-infinitive is expanded to include another element, such as an object or an adverb, this element precedes the infinitive (2, 3, 5, 6).

► If the expanded infinitive phrase follows the main verb, it is set off by a comma (2, 3).

B. The Dependent Infinitive without **zu**: the "Double Infinitive"

When the modal auxiliaries and certain other verbs have a dependent infinitive in the present perfect (conversational past) or past perfect, the "double infinitive" construction occurs.

Modal auxiliaries

1 Er hat in die Stadt gemußt.
He had to go to the city.

2 Er hat in die Stadt gehen müssen.
He had to go to the city.

► There are two forms of the past participle of the modals. In a sentence in which the dependent infinitive is not expressed the forms **gekonnt, gedurft**, etc., are used (1). In a sentence in which the dependent infinitive is expressed, the older forms, which are the same as the infinitives, are used: **können, dürfen**, etc. (2). This results in the "double infinitive" construction, which is really an infinitive followed by a past participle. In the second example the dependent infinitive is **gehen**; **müssen** is the past participle.

Haben *as tense auxiliary*

3 Er ist in die Stadt gegangen.
He went to the city.

4 Er hat in die Stadt gehen müssen.
He had to go to the city.

► **Haben** is the tense auxiliary of the modals. Thus, when a modal is added to the sentence **Er ist in die Stadt gegangen**, the tense auxiliary becomes **haben**: **Er hat in die Stadt gehen müssen.**

Word order

1 Du hast es nicht tun dürfen.
2 Hast du es nicht tun dürfen?
3 Er sagt, daß du es nicht hast tun dürfen.

► A dependent infinitive precedes the past participle of the modal.

► In a dependent clause the finite form of **haben** precedes the "double infinitive" (3).

Other verbs

1a	Ich höre ihn.	1b	Ich habe ihn gehört.
2a	Ich höre ihn singen.	2b	Ich habe ihn singen hören.

▶ The "double infinitive" construction also occurs with some other verbs, especially with **hören**, **lassen** and **sehen**.

C. The Demonstrative Adjective **der** (this, that; these, those)

1 Der Wollpullover gefällt mir am besten.
I like this (that) wool sweater the best.

2 Die Medizin nehme ich doch lieber nicht.
I'd rather not take this (that) medicine.

3 In dem Kleid kannst du dich überall sehen lassen.
In that (this) dress you can be seen anywhere.

▶ The forms of the definite article may be used as demonstrative adjectives with the meaning of *this* or *that*. As such they are stressed and tend to be placed at the beginning of a sentence.

D. The Demonstrative Pronoun **der** (this one, that one; these, those)

Der ist genau der richtige.
That one is just the right one.

Den möchte ich kaufen.
I'd like to buy that one.

Dem helfe ich am liebsten.
I'd like best to help that one.

Dessen Fotos sind nicht gut genug.
That one's photos aren't good enough.

Deren Hut mag ich nicht leiden.
I don't like that one's hat.

Denen gebe ich keinen Pfennig.
I'll not give a pfennig to those.

	Singular			Plural
Nom.	der	die	das	die
Acc.	den	die	das	die
Dat.	dem	der	dem	**denen**
Gen.	**dessen**	**deren**	**dessen**	**deren**

▶ The declension of the demonstrative pronoun **der** is the same as that of the definite article except for the forms in boldface.

E. Relative Pronouns

Der *and* welcher *(who; that; which)*

	Singular			Plural
Nom.	der (welcher)	die (welche)	das (welches)	die (welche)
Acc.	den (welchen)	die (welche)	das (welches)	die (welche)
Dat.	dem (welchem)	der (welcher)	dem (welchem)	**denen** (welchen)
Gen.	**dessen**	**deren**	**dessen**	**deren**

▶ The declension of the relative pronoun **der** is identical with that of the demonstrative pronoun **der** and both are the same as that of the definite article, except for the forms in boldface.

▶ The declension of the relative pronoun **welcher** is the same as that of the **der**–word **welcher**, but it has no genitive.

The relative pronouns **der** and **welcher** are interchangeable, but the forms of **der** are much preferred, especially in conversation:

1 Ich meine den Klassenkameraden, der (welcher) früher hier wohnte.
   I mean the classmate who used to live here.

2 In dem Anzug, den (welchen) du jetzt trägst, kannst du dich überall sehen lassen.
   In the suit you have on now you can be seen anywhere.

3 Ich habe die Freundin getroffen, von der (welcher) ich dir erzählte.
   I met the girl friend that I told you about.

4 Ist das das Paket, aus dem (welchem) der Schrank kommen soll?
   Ist das das Paket, woraus der Schrank kommen soll?
   Is that the package that the cabinet is supposed to come out of?

5 Heute kam die alte Frau, deren Mann sein Geschäft verloren hat.
   The old woman whose husband lost his business came today.

6 Hier kommen die Leute, mit denen (welchen) ich gehen soll.
   Here come the people I'm supposed to go with (with whom I'm supposed to go).

7 Die Berichte, deren ich mich entsinne, waren ausgesprochen nett.
   The reports which (that) I recall were very nice.

8 Da hinten steht der, welcher der alten Frau geholfen hat.
   The one who helped the old woman is standing over there.

▶ The relative pronoun agrees in gender and number with its antecedent; its case is determined by its use in the relative clause. In the first example above, the antecedent, **den Klassenkameraden** (accusative case) is masculine singular; the relative pronoun, **der**, is therefore masculine singular, but it is in the nominative case because it is the subject of the relative clause. The case of the relative pronoun *who, whom, whose* in English is also determined by its use in the relative clause, but there is a strong tendency to avoid *whom* by substituting *that* or, if it comes before the verb, by substituting *who*.

▶ Care must be taken to make the genitive form agree in person and number with its antecedent and not with the noun which follows it (5). In 7, **deren** is genitive because **sich entsinnen** requires a genitive object.

▶ Unlike English, the relative pronoun must always be expressed in German (2).

▶ When the antecedent is a thing, a **wo**–compound may be substituted for a preposition and a relative pronoun (4).

▶ Although **der** is much more common than **welcher**, the latter is preferred in a sentence such as 8 to avoid **der** three times in succession.

► Relative clauses are dependent clauses and the verb comes at the end.

► Relative clauses, like all other dependent clauses, are set off by commas.

The indefinite relative **was** (which, that)

1 Ich gab dir alles, was ich im Hause hatte.
I gave you everything that I had in the house.

► **Was** must be used if the antecedent is an indefinite neuter element such as **alles**, **etwas**, **manches**, **nichts**, **vieles**.

2 Er kaufte immer nur das Beste, was man bekommen konnte.
He always bought only the best that one could get.

► **Was** must be used if the antecedent is a neuter superlative such as **das Beste**.

3 Er kommt heute abend zu uns, was mich sehr freut.
He's coming to our house tonight, which pleases me very much.

► **Was** must be used if the reference is to an entire clause.

The general relatives **wer** and **was**

1 Wer viel Geld hat, kann sich natürlich so etwas kaufen.
Someone (one) who has a lot of money can naturally buy such a thing for himself.

2 Was ihm nicht gefällt, läßt er einfach bleiben.
Anything (what) he doesn't like he simply leaves alone.

► **Wer** and **was** are used as general relative pronouns when there is no antecedent.

► The general relative pronouns **wer** and **was** should not be confused with the interrogative **wer?** and **was?**.

F. Future to Denote Present and Past Probability

1 Es wird wohl bald sechs Jahre her sein.
It must be almost six years ago.

2 Na, das wird wohl nicht so toll gewesen sein.
Well, that must not have been so great.

► The future tense, usually with **wohl**, may be used to indicate present probability (1).

► The future perfect tense, usually with **wohl**, may be used to indicate past probability (2). This is the chief use of the future perfect tense. It is rarely used to express futurity.

Unit 15

I. Programmed Reading

Von deutschen Schulen

Schulen haben in Deutschland eine Tradition^g von fast zwölfhundert
Jahren. Das muß man wissen, wenn man das eigenartige und kom-
plizierte^g deutsche Schulwesen verstehen will. Zwölfhundert Jahre
5 sind eine lange Zeit. Menschen kommen und gehen, Neues wird alt,
und Altes kann wieder neu werden. Jedenfalls steckt in diesen zwölfhundert Jahren eine Menge Erfahrung.

Seit zweihundertfünfzig Jahren besteht eine allgemeine Schulpflicht
in Deutschland (in Weimar sogar schon seit 1619). Heute müssen
10 alle Kinder von ihrem 6. bis zum 18. Lebensjahr zur Schule gehen,
davon neun Jahre auf eine „Ganzzeitschule", das heißt auf eine
Schule, in der man sechs Tage in der Woche Unterricht hat. Danach
genügt es, wenn man sechs bis acht Stunden in der Woche eine
Spezialschule^g besucht. Viele Kinder — eigentlich sind sie nun ja gar
15 keine Kinder mehr — sind dann nämlich schon als Lehrlinge in einer
dreijährigen Berufsausbildung, und in dieser Zeit brauchen sie dann
eben nur noch sechs bis acht Stunden in der Woche zur Schule zu
gehen.

Der Schulbesuch ist heute bis auf Ausnahmen frei. Man braucht für
20 seine Kinder kein Schulgeld zu bezahlen, auch nicht, wenn man sie
auf eine Höhere Schule schicken will.

Mit sechs Jahren beginnt also für die deutschen Kinder der Ernst des
Lebens. Vielleicht sind sie früher schon im Kindergarten gewesen,
doch das war ja freiwillig^g und hauptsächlich Spiel. Jetzt aber wird es
25 ernst, sie müssen nämlich, wenn sie nicht krank sind, in die Schule.
Viele Kinder freuen sich natürlich darüber, aber doch nicht alle.

Die Volksschule

Zuerst müssen sie eine bestimmte, allgemeine Schule besuchen, die
Volksschule. Der Name „Volksschule" ist ungefähr zweihundert Jahre
30 alt und bedeutet: Schule für alle, Schule für das ganze Volk und nicht
nur für die Kinder von Leuten, die Geld genug haben, um ihre Kinder
auf teuren Privatschulen^g erziehen zu lassen.

Aber eben auch für diese Kinder. Wenigstens vier Jahre nämlich
müssen auch sie auf der Volksschule bleiben. Erst dann kann man,
35 nach einem Examen, auf die Mittelschule oder auf die Oberschule

410

die Tradition, **—en** [tʀɑditsiˈoːn]

das Schulwesen   alles, was zur Schule gehört, besonders Schulsysteme und Schulorganisationen

allgemein   für alle, ohne Ausnahme · **die Pflicht**, **—en**   etwas, was man tun muß

der Unterricht   Mußt du heute zum Geigenunterricht? · unterrichten = (be)lehren = orientieren · Unterricht geben = unterrichten = lehren · Unterricht nehmen = lernen
spezial [ʃpetsiˈɑːl]
der Beruf, **—e**   Arbeit, für die man ausgebildet ist · Sein Vater ist Schneider von Beruf. · die Ausbildung = systematischer Unterricht, Training, Lehre

bezahlen   A. Wieviel kostet dieses Buch?   B. 89,— Mark.   A. Soviel kann ich nicht bezahlen. · bezahlen → die Bezahlung

hauptsächlich   zuerst, vor allem · die Hauptsache = die wichtigste Sache · die Nebensache = eine unwichtige Sache · hauptsächlich ↔ nebensächlich

das Volk, **⸚er**   alle Menschen einer Nation [nɑtsiˈoːn]

privat [pʀiˈvɑːt] · **erziehen**   lehren; zu einem tüchtigen, erwachsenen Menschen machen · Sie sollten ihre Kinder wirklich besser erziehen! · erziehen → die Erziehung

1   Was muß man wissen, wenn man das deutsche Schulwesen verstehen will?

Man muß wissen, daß das deutsche Schulwesen eine alte Tradition hat.

2   Wie heißt die Schule, in der man jeden Tag Unterricht hat?

Wenn man jeden Tag Unterricht hat, geht man auf eine Ganzzeitschule.

3   Muß man für seine Kinder Schulgeld bezahlen?

Nein, auch für das Gymnasium braucht man nichts zu bezahlen.

4   Wie heißt die allgemeine Schule, die alle zuerst besuchen müssen?

Das ist die Volksschule.

überwechseln. Dorthin geht man dann noch einmal sechs (Mittel-schule) oder neun Jahre (Oberschule). Natürlich kann man auch noch später überwechseln, aber das gibt meistens einige Schwierig-keiten, denn das Programm^g der einzelnen Schulen ist sehr ver-
40 schieden.

Die meisten Kinder (tatsächlich sind es ungefähr 70%) bleiben auf der Volksschule. Und warum auch nicht? Sie haben hier einen guten allgemeinen Unterricht und können, wenn sie wollen, auch eine fremde Sprache lernen, zumeist Englisch^g. Und es gibt nach einer
45 solchen Schulausbildung auch genug Berufe für sie. Am häufigsten werden sie Spezialarbeiter und –arbeiterinnen (in Deutschland ist ja sehr viel Industrie), oder sie gehen in einen der vielen Handwerker-berufe, in denen sie heute häufig mehr Geld bekommen als manche Akademiker^g.

50 Die Mittelschule

Die Mittelschule ist schwerer. Sie ist in ihrem Plan wohl immer noch recht allgemein, aber doch nicht mehr so sehr wie die Volksschule. Ihre Ziele liegen höher. So werden in der Mittelschule auch schon zwei Fremdsprachen unterrichtet. Das sind meistens Englisch und
55 Französisch^g, vielleicht auch einmal Spanisch^g.

Wenn die Kinder diese Schule durchlaufen haben, bekommen sie, was man in Deutschland ,,Mittlere Reife‘‘ nennt. Das ist, nach voll-kommener Berufsausbildung natürlich, eine Qualifikation^g für gute Positionen^g in vielen Berufen, vor allem in der Industrie und in der
60 Technik^g, aber auch bei der Post, bei der Bahn und in der freien Wirtschaft. Manche Berufe kann man ohne Mittlere Reife überhaupt nicht erlernen, Ingenieur^g etwa. Für andere genügt auch die Mittlere Reife noch nicht. Man muß auf eine Oberschule gehen, sie ganz durchlaufen und unbedingt sein Abitur machen.

65 Die Oberschule

Oberschulen heißen auch Höhere Schulen oder Gymnasien. Hier sollen nur die wirklich intelligenten^g Kinder neun Jahre lang speziell^g geschult werden. Aber Kinder sind ja nicht nur mehr oder weniger intelligent, sie sind auch ganz verschieden begabt. So gibt es denn
70 verschiedene Oberschultypen^g.

Natürlich kann es nun nicht so viele Schultypen wie Begabungen geben, aber es existieren^g doch wenigstens vier. Auf der einen Ober-schule hat man etwa mehr Fremdsprachen, auf einer anderen dafür

überwechseln   von einer Stelle zu einer anderen gehen

5   Wann können die Kinder von der Volksschule auf andere Schulen überwechseln?

Nach vier Jahren können die Kinder auf die Mittelschule oder auf die Oberschule überwechseln.

das Program, —e [pʀo'gʀam]
verschieden   unterschiedlich · Die beiden Schwestern sind sehr verschieden. · verschieden ↔ gleich ·· verschiedenartig = von verschiedener Art · gleichartig = von gleicher Art = ähnlich

zumeist   meistens, fast immer, gewöhnlich

6   Können die Kinder auf der Volksschule auch eine fremde Sprache lernen?

Ja, zumeist Englisch.

der Handwerker, —   ein Mann, der hauptsächlich mit der Hand arbeitet · Ein Schneider, Bäcker oder Mechaniker ist ein Handwerker. · der Handwerker → das Handwerk
der Akademiker, — [aka'de:mikəʀ]

das Ziel, —e   A. Was möchtest du denn später einmal werden, mein Junge?   B. Mein Ziel ist, Lehrer zu sein. · das Ziel → zielen
Französisch [fʀan'tsø:zɪʃ]

7   Was ist der Unterschied zwischen den Zielen der Volksschule und den Zielen der Mittelschule?

Die Ziele der Mittelschule liegen höher.

die Mittlere Reife   Mitternacht ist die Mitte der Nacht. · **die Reife** Der Herbst ist die Zeit der Reife. · die Reife → reifen → reif · Sind die Äpfel auch wirklich reif?
die Qualifikation, —en [kvalifikatsi'o:n]
die Position, —en [pozitsi'o:n]
die Technik ['tɛçnɪk]
die Wirtschaft   die Ökonomie · wirtschaftlich = öko'nomisch
der Ingenieur, —e [ɪnʒeni'ø:ʀ]   ([ʒ] = sound of **s** in *pleasure*)
durch'laufen
unbedingt   ein starkes „muß" · Ich muß jetzt unbedingt gehen.

8   Bekommt man nach der Mittleren Reife bessere Positionen?

Ja, vor allem in der Industrie und in der freien Wirtschaft.

intelligent [ɪntɛli'gɛnt]
speziell [ʃpetsi'ɛl]
begabt   Das Kind ist für Musik begabt. · begabt → die Begabung
der Typ, —en [ty:p]

9   Kinder sind verschieden intelligent, und was sind sie noch?

Sie sind auch verschieden begabt.

mehr mathematisch-naturwissenschaftlichen Unterricht, wie Mathe-
75 matik, Physik, Chemie und Biologie. In dem einen fremdsprachlichen
Gymnasium kann man mehr moderne (Englisch, Französisch), in
einem anderen mehr alte Fremdsprachen (Latein^g, Griechisch^g) nehmen. Natürlich hat man nun nie nur das eine oder das andere, es
liegt nur hier oder dort ein Schwergewicht des Unterrichts, und auch
80 das vor allem nur in den höheren Klassen. Fremdsprachen und Natur-
wissenschaften werden auf jeder Höheren Schule täglich von der
ersten bis zur letzten Klasse gegeben. Und sie sind auch immer alle
Hauptfächer, sogar in jenen (wenigen) Oberschulen, in denen daneben
auch musische Fächer Hauptfächer sind.

85 So haben wir jetzt diese Oberschultypen:

1   Altsprachliches (humanistisches) Gymnasium (18%)
2   Neusprachliches Gymnasium (50% aller Oberschulen)
3   Mathematisch-naturwissenschaftliches Gymnasium (30%)
4   Musisches Gymnasium (2%)

90 Nun gibt es auch Mischungen unter den Oberschultypen. Da wird
dann vielleicht Englisch als erste, Latein als zweite, Französisch als
dritte und Griechisch als vierte (freie) Fremdsprache unterrichtet,
oder auch Latein und Griechisch zuerst und dann Französisch und
Englisch. Es sind viele verschiedene Reihenfolgen und Zusammenset-
95 zungen^g möglich.

Das Schuljahr beginnt in Deutschland in allen Ländern außer Bayern
zu Ostern. Das ist für alle Schüler die wichtigste Zeit des Jahres. Da
bleibt man nämlich ,,sitzen'', oder man wird in die neue, höhere
Klasse ,,versetzt''. Es kommt darauf an, ob man zu schlecht oder
100 noch gut genug für das Klassenziel war. War man zu schlecht, so
muß man das ganze Schuljahr noch einmal machen. Wer aber zum
dritten Mal ,,sitzenbleibt'', muß das Gymnasium verlassen. Jüngere
Schüler wechseln dann fast immer auf die Mittelschule über, ältere
aber gehen in einen Beruf.

105 Man kann, wenn man will, auch auf der Oberschule seine Mittlere
Reife machen. So spart man sich die Oberstufe des Gymnasiums,
aber man muß natürlich genau so lange zur Schule gehen wie die
Mittelschüler.

Besonders die Oberstufe der Höheren Schule ist wirklich schwer.
110 Die Statistik^g sagt, daß nur ungefähr 20% der Oberschüler das Abitur erreichen. Das ist schon für die, die es nicht erreichen, schlimm,
denn die meisten Oberschüler wollen natürlich gern studieren.

mathematisch [mate'ma:tɪʃ] → **die Mathematik** [matema'ti:k] ·
wissenschaftlich → die Wissenschaft, —en → wissen   Eine
Doktorarbeit soll demonstrieren, daß der Kandidat [kandi'da:t]
wissenschaftlich arbeiten kann. · **die Physik** [fy'zi:k] · **die
Chemie** [çe'mi:] · **die Biologie** [biolo'gi:] · **die Natur** [na'tu:ʀ] ·
Latein [la'taɪn]

das Schwergewicht   die Hauptsache · das Gewicht, —e · Das
Gewicht dieses Paketes ist genau zehn Pfund.

das Fach, ⸚er   Ein Fach in der Schule ist ein Teil des ganzen
Unterrichts, wie Deutsch oder Chemie [çe'mi:]. · das Hauptfach =
das wichtigste Fach · das Hauptfach ↔ das Nebenfach
musisch   künstlerisch · musisch → die (sieben) Musen

% = Prozent [pʀo'tsɛnt]

10   Bei welchen Fächern liegt das
Schwergewicht Ihres Inte-
resses?

Das Schwergewicht meines
Interesses liegt bei den
Sprachen.

die Mischung, —en   Eine Mischung besteht aus verschiedenen Teilen.
· die Mischung → mischen · Nimmst du Nuß-Eis, Vanille-Eis oder
gemischtes Eis?

die Reihe, —n   die Linie, die Serie · Die Leute warteten in einer
Reihe. · **die Folge**, —n   Was du getan hast, wird noch seine Folgen
(Effekt) haben. · die Folge → folgen · die Reihenfolge = die
Sequenz

11   Gibt es in Deutschland nur
altsprachliche, neusprach-
liche, mathematisch-natur-
wissenschaftliche und musische Gymnasien?

Nein, es gibt auch Mischungen unter diesen Typen.

versetzen   von einer Stelle an eine andere Stelle setzen

verlassen   weggehen von

12   Warum ist Ostern für deutsche Schüler so wichtig?

Zu Ostern wird man versetzt
oder man bleibt sitzen.

die Oberstufe   die letzten drei Klassen (Jahre) des Gymnasiums

13   Wann spart man sich die
Oberstufe des Gymnasiums?

Man spart sich die Oberstufe,
wenn man das Gymnasium
nach der Mittleren Reife ver-
läßt.

erreichen   Er hat sein Ziel schließlich doch erreicht.

Studieren kann aber nur, wer sein Abitur gemacht hat. Das Abitur (oder die Reifeprüfung, wie man auch häufig sagt) ist nun einmal
115 Bedingung für jeden, der auf die Universität^g (Hochschule) will.

Natürlich kann man seine Reifeprüfung auch nachmachen. Es gibt Extraschulen dafür, auf die auch frühere Volks— oder Mittelschüler gehen können. Aber das ist ein „böses Geschäft" und nur für sehr gut begabte Leute mit viel Energie^g.

120 Zu den wichtigsten Unterschieden zwischen amerikanischen und deutschen Schulen gehört es, daß in Deutschland jedes einmal begonnene Fach im Lehrplan bleibt. Das ist ein Grundsatz, von dem es fast keine Ausnahme gibt. Wer also auf einem Gymnasium etwa Englisch als erste, Latein als zweite, Französisch als dritte und
125 Griechisch als vierte Fremdsprache nimmt, der wird die frühere Fremdsprache immer behalten, wenn die neue beginnt und eines Tages also vier Fremdsprachen in seinem Stundenplan haben, — neben all den anderen Fächern natürlich.

Genug Information^g für den Anfang? Es läßt sich noch eine Menge
130 von deutschen Schulen sagen, aber für einen ersten Überblick mag dies hier genügen.

die Bedingung, **—en**   was unbedingt sein muß · Wer ein Auto kaufen will, muß Geld haben. Das ist die Bedingung.

böse   schlecht, schlimm   *here*: anstrengend

der Grundsatz, **–̈e**   das Prinzip [pʀɪnˈtsiːp], die Basis für alles weitere, das Axiom [aksiˈoːm] · der Grundsatz → grundsätzlich

behalten   A. Willst du dein altes Auto nicht verkaufen?   B. Nein, ich möchte es behalten. · behalten → der Behälter, — · Diese Kiste ist der Behälter für einen Schrank.

die Information [ɪnfɔʀmatsiˈoːn]
der Überblick, **—e**   Er erklärte es nicht besonders genau, sondern gab nur einen allgemeinen Überblick. · überblicken = das Ganze sehen, nicht so sehr seine einzelnen Teile · sehen = blicken → der Blick

14   Was ist die Bedingung für jeden, der auf die Universität will?

Das Abitur ist die Bedingung für jeden, der studieren will.

15   Was ist ein Grundsatz an deutschen Schulen?

Es ist ein Grundsatz, daß jedes einmal begonnene Fach im Lehrplan bleibt.

16   Ist dies genug Information für den Anfang?

Ja, es genügt für einen ersten Überblick.

II. Phonology

A. Long Vowels, Short Vowels, Diphthongs

Make the long accented vowels especially long, the short ones especially short and the diphthongs crisp:

Schule, Tradition, man, kompliziert, lange, kommen, gehen, alt, Menge, Wesen, Pflicht, müssen, alle, Tag, Unterricht, acht, Stunden, Woche, besuchen, Kinder, schon, nur, noch, Ausnahme, frei, brauchen, auf, heute, auch, Deutschland, Land, Leben, Spiel, leicht, sich freuen, ganz, Leute, haben, privat, Examen, Programm, sehr, warum, Sprache, Beruf, Industrie, Handwerker, häufig, können, Akademiker, Plan, Ziel, Mittelschule, Französisch, Spanisch, das, nach, Qualifikation, Position, Post, Ingenieur, muß, Abitur, machen, Gymnasium, naturwissenschaftlich, Unterricht, Englisch, Schwergewicht, Klassen, höhere, Oberschule, Mischung, gibt, vierte, Viertel, zuerst, Ostern, aber, verlassen, will, mittlere, Schüler, studieren, gemacht, nachmachen, frühere, können, böse, Prüfung, amerikanisch, Fach, Plan, hat, behalten, haben, anderen, Anfang, sagen, mag, Überblick, genügen

B. Fricatives

Make the [j] with more friction than in English *yes*:

jeder, ja, Jahr, jetzt, jedenfalls, Lebensjahr, dreijährig, jenen, jüngere, Schuljahr

In pronouncing [ç] be careful not to approach [ʃ]. The German [ç] is a whispered [j]:

Unterricht, eigentlich, nämlich, nicht, vielleicht, freiwillig, sich, wenigstens, natürlich, tatsächlich, am häufigsten, manche, recht, unterrichtet, durchlaufen, Technik, wirklich, naturwissenschaftlich, fremdsprachlich, Schwergewicht, Fächer, täglich, altsprachlich, neusprachlich, Griechisch, möglich, schlecht, erreichen, häufig

Make the [ʃ] with exaggerated lip rounding:

deutsch, Schule, Deutschland, Menschen, steckt, besteht, Stunden, Spezialschule, schon, Spiel, bestimmte, Volksschule, Mittelschule, Oberschule, später, Schwierigkeiten, verschieden, Sprache, schwerer, Englisch, Französisch, Spanisch, Wirtschaft, naturwissenschaftlich, Schwergewicht, musisch, altsprachlich, neusprachlich, Mischung, Griechisch, schlecht, Volksschüler, studieren, Geschäft, Unterschied, amerikanisch

Be sure to pronounce [x] with friction and not as [k]:

danach, acht, Woche, besucht, brauchen, noch, auch, doch, Sprache, nach, machen, altsprachlich, neusprachlich, Fach, Hochschule

III. Writing Practice

A. Dehydrated Sentences

Modify the basic forms of the provided words as needed and construct sentences, making relative clauses with the words between the double diagonal lines.

> *Example*: *Dehydrated sentence*: Wo / sein / seiden / Bluse // ich / waschen / gestern // ?
>
> *Complete sentence*: Wo ist die seidene Bluse, die ich gestern gewaschen habe?

1 Wer / gehören / Sporthemd // vorhin / liegen / auf / Boden // ?
2 Hier / hängen / alt / Hose // Tasche / sein / zerrissen //
3 Wollpullover // mein / Schwester / stricken / neulich // hängen / hinter / Tür
4 Dort / stehen / Schuhe // Hacken / sein / neu //
5 Wo / kaufen / du / gestern / Stoff // aus / du / machen / Rock / wollen // ?
6 Da / liegen / Stricknadeln // mit / spielen / Susi / gestern //
7 Handtasche // ich / kaufen / vorig / Woche // können / ich / nicht / finden
8 Mantel // Knöpfe / fehlen // liegen / vor / Stunde / auf / Stuhl
9 Strümpfe // du / gestern / tragen // aussehen / gut
10 Das / sein / Anzug // ich / mögen / reinigen / lassen //

B. Completion

Write the following sentences and complete them by choosing for each blank a single appropriate word from the list provided:

> aber, als, aus, damit, dann, daß, denn, nach, ob, obwohl, oder, um, wann, warum, weil, wenn, wie, wohin, um, zu

1 Hans läuft schneller _____ Susi.
2 Vater kommt heute genau _____ vier Uhr _____ Hause.
3 Weißt du, _____ ich morgen _____ Amerika fliege?
4 Die Schuhe sind teuer, _____ sie sehen gut _____.
5 Können Sie mir sagen, _____ der Bus hier hält?
6 Weißt du nicht, _____ der Zug ankommen soll?
7 Ich glaube, _____ der Zug _____ zehn Uhr einlaufen soll.
8 Günther läuft so schnell _____ Rolf.
9 Er kann nicht mitkommen, _____ er ist krank.
10 Er mußte _____ Hause bleiben, _____ er krank ist.
11 _____ er krank ist, will er doch mitfahren.
12 Hoffentlich gefällt mir der Pullover, _____ er fertig ist.
13 Ich ging gleich wieder weg, _____ er schlafen konnte.
14 Zuerst kommt die Decke auf den Tisch, und _____ das Essen.

15 Ich möchte wissen, _____ er nicht gekommen ist.
16 Er tat nur so, _____ dich _____ beruhigen.
17 Jetzt fährt er los, _____ ich weiß nicht, _____ er fahren will.
18 Der eine Junge kommt bestimmt, _____ ich bin nicht sicher, _____ es Rolf _____ Günther sein wird.

IV. Word Study

A. Inference

With the help of the clues provided, guess the meanings of the words in boldface.

Words similar to English:

1 Ich habe mir einen besseren **Fotoapparat** ['fo:toapaʀɑ:t] für Farbfotos gekauft.   **der Apparat, —e**
2 Möchten Sie eine **Banane** [baˈnɑ:nɔ] oder einen Apfel?   **die Banane, —n**
3 Willst du mit dem großen **Ball** spielen, Susi?   **der Ball, ⁼e**
4 Der Apfel schmeckt noch **bitter**, er ist noch nicht reif.
5 Mein Großvater kann sehr schlecht sehen, er ist fast **blind**.
6 Kochen Sie **elektrisch** [eˈlɛktʀɪʃ] oder mit Gas?
7 Oh, es regnet. Das ist gut für das junge **Gras**.   **das Gras**
8 Das Brot ist schon trocken und **hart**. Ich kann es nicht essen.
9 Haben Sie eine **Landkarte** von Europa?   **die Karte, —n**
10 Heizen Sie mit **Öl** oder mit Gas?   **das Öl**
11 Wenn Susi ,,Gute Nacht'' sagt, **küßt** sie ihre Mutter immer.
12 Darf ich Ihnen **Likör** [liˈkø:ʀ] oder Wein anbieten?   **der Likör, —e**
13 Ist dieses **Material** [mateʀiˈɑ:l] aus Metall?   **das Material, —ien**
14 Er ist ein guter **Mechaniker** [meˈçɑ:nɪkɔʀ], besonders für Volkswagen.   **der Mechaniker, —**
15 Sein Sportwagen hat einen starken **Motor** [moˈto:ʀ].   **der Motor, —en**

Many words spelled with *th* in English are spelled with **d** in German. Some known examples are *thank* **Dank**; *thing* **Ding**; *thunder* **donnern**. An awareness of this principle makes it possible to recognize many new words:

1 Diese Scheibe Brot ist ziemlich **dick**.
2 Du bist aber **dünn** geworden, warst du krank?
3 Er hatte einen langen **Dorn** im Finger.   **der Dorn, —en**
4 Wo ist mein Geld? Hier ist doch wohl kein **Dieb** im Haus.   **der Dieb, —e**
5 A. Es war heiß heute, bist du auch so **durstig**?
   B. Jetzt nicht mehr, aber ich hatte auch großen **Durst**.   **der Durst**
6 Unser Garten ist voller **Disteln**.   **die Distel, —n**
7 Auch der **Daumen** ist ein Finger.   **der Daumen, —n**
8 Plato war ein großer **Denker**.   **der Denker, —**
9 Geh jetzt, Susi, und nimm dein **Bad**.   **das Bad, ⁼er**

10   Zwischen den Häusern war nur ein kleiner **Pfad**.   **der Pfad, —e**
11   Er war zu lange und zu schwer krank, der **Tod** war für ihn kein Unglück.   **der Tod**
12   Diese Schuhe sind nicht aus **Leder**.   **das Leder**
13   Es ist so leicht wie eine **Feder**.   **die Feder, —n**

In English and German there are numerous words of foreign origin which are spelled with *th*. A known example is **das Theater** *the theater*. These are pronounced with [t] in German:

1   Ich glaube, er studiert **Theologie** [teolo'gi:].   **die Theologie**
2   Wie heißt doch das **Thema** ['te:mɑ] seiner Doktorarbeit?   **das Thema, die Themen**
3   Seine Vorlesungen sind mir zu **theoretisch** [teo'ʀeːtɪʃ].
4   Kennst du schon seine neueste **Theorie** [teo'ʀi:]?   **die Theorie, —n**
5   Seine **These** ['te:zə] ist sicher falsch.   **die These, —n**
6   Man sagt, er ist ein guter **Therapeut** [teʀɑ'pɔɪt], seine **Therapie** [teʀɑ'pi:] hat mir jedenfalls gut geholfen.   **der Therapeut, —en; die Therapie**
7   **Das Thermometer** [teʀmo'meːtɔʀ] ist heute nacht stark gefallen.   **das Thermometer, —**
8   Ich glaube, der **Thermostat** [teʀmo'stɑ:t] ist kaputt.   **der Thermostat, —en**

C. Singular and Plural of Nouns

Change the noun subject to the plural:

Dieser Beruf ist wirklich sehr interessant.
Diese Berufe sind wirklich sehr interessant.

Das Programm ist nicht überall gleich.
Die Programme sind nicht überall gleich.

Der Handwerker geht drei Jahre in die Lehre.
Die Handwerker gehen drei Jahre in die Lehre.

Das Ziel des Gymnasiums liegt sehr hoch.
Die Ziele des Gymnasiums liegen sehr hoch.

Hat der Akademiker ein schönes Leben?
Haben die Akademiker ein schönes Leben?

Der Ingenieur muß auf einer Spezialschule
studieren.
Die Ingenieure müssen auf einer Spezialschule studieren.

Das Fach ist naturwissenschaftlich.
Die Fächer sind naturwissenschaftlich.

Die Reihe wird immer länger.
Die Reihen werden immer länger.

Der Grundsatz ist wirklich gut.
Die Grundsätze sind wirklich gut.

Der Überblick war wenigstens ein Anfang.
Die Überblicke waren wenigstens ein Anfang.

Der Apparat hat nicht so viel gekostet.
Die Apparate haben nicht so viel gekostet.

Die Banane ist noch nicht reif.
Die Bananen sind noch nicht reif.

Der Ball ist in den Fluß gefallen.
Die Bälle sind in den Fluß gefallen.

Das Hotel steht am Schillerplatz.
Die Hotels stehen am Schillerplatz.

Der Likör schmeckt dort am besten.
Die Liköre schmecken dort am besten.

Der Mechaniker repariert den Wagen morgen.
Die Mechaniker reparieren den Wagen
morgen.

Der Motor läuft heute besser als gewöhnlich.
Die Motoren laufen heute besser als gewöhnlich.

Der Dorn hat mir den Strumpf zerrissen.
Die Dornen haben mir den Strumpf zerrissen.

Der Dieb hat mein ganzes Geld mitgenommen.
Die Diebe haben mein ganzes Geld mitgenommen.

Die Distel ist eigentlich sehr schön.
Die Disteln sind eigentlich sehr schön.

Der Daumen ist dicker als die anderen Finger.
Die Daumen sind dicker als die anderen Finger.

Der Denker hat immer neue Theorien.
Die Denker haben immer neue Theorien.

Das Bad darf nicht zu heiß sein.
Die Bäder dürfen nicht zu heiß sein.

Der Pfad durch den Wald ist dunkel.
Die Pfade durch den Wald sind dunkel.

Die Feder flog durch das Zimmer.
Die Federn flogen durch das Zimmer.

Das Thema gefällt mir sehr.
Die Themen gefallen mir sehr.

Die Theorie ist gar nicht neu.
Die Theorien sind gar nicht neu.

Die These ist sicher falsch.
Die Thesen sind sicher falsch.

I. Dialog

Die Schloßbesichtigung

Part 1

1	Frau Meier:	Mein Gott, hier ist aber seit dem Kriege mächtig gebaut worden, Heinz!
2	Herr Meier:	Ja, Gertrud, und mit Erfolg! Es sieht nett aus. Aber bald wird noch viel mehr gebaut werden!
3	Frau Meier:	Woher kommen denn bloß all die Menschen heutzutage?
4	Herr Meier:	Nun, ich denke, sie werden immer noch vom Klapperstorch gebracht!
5	Frau Meier:	Je älter du wirst, desto zynischer wirst du, Heinz. Du weißt, ich mag das nicht!
6	Herr Meier:	Schon gut, meine Liebe, ich werde mich bessern.
7	Frau Meier:	Ob wohl das alte Schloß erhalten geblieben ist?
8	Herr Meier:	Wir können ja mal hingehen.
9	Frau Meier:	Ich muß aber gefahren werden. In diesen Schuhen kann ich keinen Schritt mehr laufen.
10	Herr Meier:	Auch gut! Hallo, Taxi, sind Sie nicht gerade frei geworden?

Part 2

11	Fremdenführer:	Meine Damen und Herren! Dieses Schloß wurde im Jahre 1782 erbaut.
12	Frau Meier:	Ist im Kriege nicht ein Teil durch Brand zerstört worden?
13	Fremdenführer:	Ja, aber es wurde alles wieder im alten Stile errichtet.
14	Frau Meier:	Auch dieser große Empfangssaal?
15	Fremdenführer:	Auch er. – Hier wurde damals getanzt, gelacht und gesungen.
16	Frau Meier:	Nicht empfangen? – Wann ist der König eigentlich gestorben?
17	Fremdenführer:	Nun, meine Dame, richtig genommen ist er „gestorben worden".
18	Frau Meier:	Ach, er wurde ermordet?
19	Fremdenführer:	Ich fahre in meinen Ausführungen fort. Wo war ich doch unterbrochen worden?
20	Herr Meier:	Im Jahre 1782, denke ich.

II. Supplement

Part 1

1 Gestohlener Reichtum wird fast nie von einem Dieb genossen.
2 Von seinem Kassierer wurde eine ungeheure Summe Geld unterschlagen.
3 Der Verbrecher ist nachher von einem kühnen Kassierer angeschossen und verletzt worden.
4 Das Geld war vorher von dem Bankräuber unter einen Teppich geschoben worden.
5 Die Beute wird von dem Verbrecher heimlich verborgen werden.

Part 2

Häufige Abkürzungen

der Zentimeter	cm	das Gramm	g	beziehungsweise	bzw.
der (das) Meter	m	das Kilogramm	kg	das heißt	d.h.
der Kilometer	km	der (das) Liter	l	und so weiter	usw.
der Quadratkilometer	km²			zum Beispiel	z.B.

III. Audiolingual Drills

A. Directed Dialog

Part 1

Fragen Sie, wie der neue Dialog heißt!
Wie heißt der neue Dialog?

Antworten Sie, daß er ,,Die Schloßbesichtigung'' heißt!
Er heißt ,,Die Schloßbesichtigung''.

Sagen Sie, daß hier aber seit dem Kriege mächtig gebaut worden ist!
Hier ist aber seit dem Kriege mächtig gebaut worden.

Sagen Sie, daß bald noch viel mehr gebaut werden wird!
Bald wird noch viel mehr gebaut werden.

Fragen Sie, woher denn bloß all die Menschen heutzutage kommen!
Woher kommen denn bloß all die Menschen heutzutage?

Antworten Sie, daß Sie immer noch vom Klapperstorch gebracht werden!
Sie werden immer noch vom Klapperstorch gebracht.

Sagen Sie, je älter Heinz wird, desto zynischer wird er!
Je älter Heinz wird, desto zynischer wird er.

Sagen Sie, daß Gertrud das nicht mag!
Gertrud mag das nicht.

Sagen Sie, daß Heinz sich bessern wird!
Heinz wird sich bessern.

Fragen Sie, ob wohl das alte Schloß erhalten geblieben ist!
Ist wohl das alte Schloß erhalten geblieben?

Antworten Sie, daß Heinz und Gertrud ja mal hingehen können!
Heinz und Gertrud können ja mal hingehen.

Sagen Sie, daß Gertrud aber gefahren werden muß!
Gertrud muß aber gefahren werden.

Sagen Sie, daß sie in diesen Schuhen keinen Schritt mehr laufen kann!
Sie kann in diesen Schuhen keinen Schritt mehr laufen.

Fragen Sie, ob das Taxi nicht gerade frei geworden ist!
Ist das Taxi nicht gerade frei geworden?

Antworten Sie, daß das Taxi gerade frei geworden ist!
Das Taxi ist gerade frei geworden.

Part 2

Sagen Sie, daß dieses Schloß im Jahre 1782 erbaut wurde!
Dieses Schloß wurde im Jahre 1782 erbaut.

Fragen Sie, ob im Kriege nicht ein Teil durch Brand zerstört worden ist!
Ist im Kriege nicht ein Teil durch Brand zerstört worden?

Antworten Sie, daß ein Teil durch Brand zerstört worden ist!
Ein Teil ist durch Brand zerstört worden.

Sagen Sie, daß aber alles wieder im alten Stile errichtet wurde!
Aber alles wurde wieder im alten Stile errichtet.

Fragen Sie, ob auch dieser große Empfangssaal wieder im alten Stile errichtet wurde!
Wurde auch dieser große Empfangssaal wieder im alten Stile errichtet?

Antworten Sie, daß auch er im alten Stile neu errichtet wurde!
Auch er wurde im alten Stile neu errichtet.

Sagen Sie, daß hier damals getanzt, gelacht und gesungen wurde!
Hier wurde damals getanzt, gelacht und gesungen.

Fragen Sie, ob hier damals nicht empfangen wurde!
Wurde hier damals nicht empfangen?

Antworten Sie, daß hier damals auch empfangen wurde!
Hier wurde damals auch empfangen.

Fragen Sie, wann der König eigentlich gestorben ist!
Wann ist der König eigentlich gestorben?

Antworten Sie, daß er richtig genommen ,,gestorben worden'' ist!
Er ist richtig genommen ,,gestorben worden''.

Sagen Sie, daß er ermordet wurde!
Er wurde ermordet.

Sagen Sie, daß der Fremdenführer in seinen Ausführungen fortfährt!
Der Fremdenführer fährt in seinen Ausführungen fort.

Fragen Sie, wo er doch unterbrochen worden war!
Wo war er doch unterbrochen worden?

Antworten Sie, daß er im Jahre 1782 unterbrochen worden war!
Er war im Jahre 1782 unterbrochen worden.

B. Irregular Weak Verbs

1 The principal parts of the irregular weak verbs **brennen** *burn*, **verbrennen** *burn up* and **(sich) nennen** *name, call (oneself)* follow the pattern of **kennen** *know* — **brennen: er brennt, er brannte, er hat gebrannt**. Change to the new tense or the new subject as indicated:

> Ich verbrenne die alten Zeitungen immer. *narrative past*
> Ich verbrannte die alten Zeitungen immer. **wir**
> Wir verbrannten die alten Zeitungen immer. *conversational past*
> Wir haben die alten Zeitungen immer verbrannt. **meine Eltern**
> Meine Eltern haben die alten Zeitungen immer verbrannt. *past perfect*
> Meine Eltern hatten die alten Zeitungen immer verbrannt.
>
> Wir haben ihn nie beim Vornamen genannt. *present*
> Wir nennen ihn nie beim Vornamen. **der Lehrling**
> Der Lehrling nennt ihn nie beim Vornamen. *future*
> Der Lehrling wird ihn nie beim Vornamen nennen. **ihr**
> Ihr werdet ihn nie beim Vornamen nennen. *narrative past*
> Ihr nanntet ihn nie beim Vornamen.

C. Strong Verbs

2 The principal parts of the Class I strong verb **schreiten** *stride* follow the pattern of **leiden** — **schreiten: er schreitet, er schritt, er ist geschritten**. Change to the new subject:

> Ich schritt vorher den ganzen Kilometer ab. **wir**
> Wir schritten vorher den ganzen Kilometer ab. **du**
> Du schrittest vorher den ganzen Kilometer ab. **die Soldaten**
> Die Soldaten schritten vorher den ganzen Kilometer ab. **der Polizist**
> Der Polizist schritt vorher den ganzen Kilometer ab. **ihr**
> Ihr schrittet vorher den ganzen Kilometer ab.
>
> Wir sind nachher um den Platz herumgeschritten. **ihr**
> Ihr seid nachher um den Platz herumgeschritten. **du**
> Du bist nachher um den Platz herumgeschritten. **die Klasse**
> Die Klasse ist nachher um den Platz herumgeschritten. **ich**
> Ich bin nachher um den Platz herumgeschritten. **die Studenten**
> Die Studenten sind nachher um den Platz herumgeschritten.

3 The principal parts of the Class II strong verbs **schieben** *push, shove*, **wiegen** *weigh* and **verlieren** *lose* follow the pattern of **ziehen** *pull* — **schieben: er schiebt, er schob, er hat geschoben**. Change to the new tense or the new subject as indicated:

> Wir schieben den Schrank in die Ecke. *narrative past*
> Wir schoben den Schrank in die Ecke. **ich**
> Ich schob den Schrank in die Ecke. *conversational past*
> Ich habe den Schrank in die Ecke geschoben. **du**
> Du hast den Schrank in die Ecke geschoben. *future*
> Du wirst den Schrank in die Ecke schieben.

Ich wiege ein Kilogramm mehr als gewöhnlich.   *conversational past*
Ich habe ein Kilogramm mehr als gewöhnlich gewogen.   **die Frau**
Die Frau hat ein Kilogramm mehr als gewöhnlich gewogen.   *narrative past*
Die Frau wog ein Kilogramm mehr als gewöhnlich.   **meine Nichte**
Meine Nichte wog ein Kilogramm mehr als gewöhnlich.   *present*
Meine Nichte wiegt ein Kilogramm mehr als gewöhnlich.

Der Kapitän verliert im Zug einen Fotoapparat.   *past perfect*
Der Kapitän hatte im Zug einen Fotoapparat verloren.   **ihr**
Ihr hattet im Zug einen Fotoapparat verloren.   *conversational past*
Ihr habt im Zug einen Fotoapparat verloren.   **die Freunde**
Die Freunde haben im Zug einen Fotoapparat verloren.   *narrative past*
Die Freunde verloren im Zug einen Fotoapparat.

The principal parts of the Class II strong verbs **schließen** *close; lock,* **schießen** *shoot* and **genießen** *enjoy* follow the pattern of **ziehen** *pull,* except that the vowel of the past and past participle is short [ɔ] — **schließen: er schließt, er schloß, er hat geschlossen**. Change to the new tense or the new subject as indicated:

Der Bäcker schließt das Geschäft um sechs.   *conversational past*
Der Bäcker hat das Geschäft um sechs geschlossen.   **die Lehrlinge**
Die Lehrlinge haben das Geschäft um sechs geschlossen.   *future*
Die Lehrlinge werden das Geschäft um sechs schließen.   **der Schuhmacher**
Der Schuhmacher wird das Geschäft um sechs schließen.   *narrative past*
Der Schuhmacher schloß das Geschäft um sechs.

Ich schieße direkt auf das Ziel.   *narrative past*
Ich schoß direkt auf das Ziel.   **der Polizist**
Der Polizist schoß direkt auf das Ziel.   *future*
Der Polizist wird direkt auf das Ziel schießen.   **die Soldaten**
Die Soldaten werden direkt auf das Ziel schießen.   *conversational past*
Die Soldaten haben direkt auf das Ziel geschossen.

Wir genießen eine gute Flasche Wein.   *past perfect*
Wir hatten eine gute Flasche Wein genossen.   **ich**
Ich hatte eine gute Flasche Wein genossen.   *narrative past*
Ich genoß eine gute Flasche Wein.   **die Gäste**
Die Gäste genossen eine gute Flasche Wein.   *conversational past*
Die Gäste haben eine gute Flasche Wein genossen.

The principal parts of the Class III strong verb **singen** *sing* follow the pattern of **finden** *find* — **singen: er singt, er sang, er hat gesungen**. Change to the new subject:

Der Lehrer sang ein schönes Lied von Schubert.   **ihr**
Ihr sangt ein schönes Lied von Schubert.   **du**
Du sangst ein schönes Lied von Schubert.   **die Schüler**
Die Schüler sangen ein schönes Lied von Schubert.   **wir**
Wir sangen ein schönes Lied von Schubert.   **ich**
Ich sang ein schönes Lied von Schubert.

Wir haben alte Volkslieder gesungen.   **die Gesellschaft**
Die Gesellschaft hat alte Volkslieder gesungen.   **ich**
Ich habe alte Volkslieder gesungen.   **ihr**
Ihr habt alte Volkslieder gesungen.   **die Schwestern**
Die Schwestern haben alte Volkslieder gesungen.   **du**
Du hast alte Volkslieder gesungen.

6   The principal parts of the Class III strong verb **sich entsinnen** *remember* follow the pattern of **beginnen** *begin* — **sich entsinnen: er entsinnt sich, er entsann sich, er hat sich entsonnen.** This verb requires the genitive case. Change to the new subject:

Ich entsann mich jenes Berichtes noch genau.   **wir**
Wir entsannen uns jenes Berichtes noch genau.   **der Pädagoge**
Der Pädagoge entsann sich jenes Berichtes noch genau.   **ihr**
Ihr entsannt euch jenes Berichtes noch genau.   **die Lehrerinnen**
Die Lehrerinnen entsannen sich jenes Berichtes noch genau.   **du**
Du entsannst dich jenes Berichtes noch genau.

Wir haben uns dessen nicht mehr entsonnen.   **du**
Du hast dich dessen nicht mehr entsonnen.   **ihr**
Ihr habt euch dessen nicht mehr entsonnen.   **die Töchter**
Die Töchter haben sich dessen nicht mehr entsonnen.   **ich**
Ich habe mich dessen nicht mehr entsonnen.   **der Sohn**
Der Sohn hat sich dessen nicht mehr entsonnen.

7   The principal parts of the Class III strong verbs **sterben** *die* and **verbergen** *hide* follow the pattern of **helfen** *help* — **sterben: er stirbt, er starb, er ist gestorben.** Change to the new tense or to the new subject as indicated:

Die Maus stirbt an Gift.   *conversational past*
Die Maus ist an Gift gestorben.   **die Katze**
Die Katze ist an Gift gestorben.   *narrative past*
Die Katze starb an Gift.   **die Fische**
Die Fische starben an Gift.   *future*
Die Fische werden an Gift sterben.   **der Wolf**
Der Wolf wird an Gift sterben.   *past perfect*
Der Wolf war an Gift gestorben.   **die Wölfe**
Die Wölfe waren an Gift gestorben.   *present*
Die Wölfe sterben an Gift.

Der Verbrecher verbirgt die Beute heimlich.   *future*
Der Verbrecher wird die Beute heimlich verbergen.   **die Diebe**
Die Diebe werden die Beute heimlich verbergen.   *narrative past*
Die Diebe verbargen die Beute heimlich.   **der Kassierer**
Der Kassierer verbarg die Beute heimlich.   *conversational past*
Der Kassierer hat die Beute heimlich verborgen.   **die Räuber**

Die Räuber haben die Beute heimlich verborgen.   *past perfect*
Die Räuber hatten die Beute heimlich verborgen.   **du**
Du hattest die Beute heimlich verborgen.   *present*
Du verbirgst die Beute heimlich.

8 The principal parts of the Class IV strong verbs **brechen** *break* and **unterbrechen** *interrupt* follow the pattern of **sprechen** *speak* – **brechen: er bricht, er brach, er hat gebrochen.** Change to the new subject:

Ich brach die Banane in zwei Stücke.   **wir**
Wir brachen die Banane in zwei Stücke.   **der Gast**
Der Gast brach die Banane in zwei Stücke.   **ihr**
Ihr bracht die Banane in zwei Stücke.   **die Kinder**
Die Kinder brachen die Banane in zwei Stücke.   **du**
Du brachst die Banane in zwei Stücke.

Frau Meier hat den Fremdenführer unterbrochen.   **ihr**
Ihr habt den Fremdenführer unterbrochen.   **ich**
Ich habe den Fremdenführer unterbrochen.   **die Besucher**
Die Besucher haben den Fremdenführer unterbrochen.   **wir**
Wir haben den Fremdenführer unterbrochen.   **du**
Du hast den Fremdenführer unterbrochen.

9 The principal parts of the Class IV strong verb **stehlen** *steal* follow the pattern of **sprechen** *speak*, except that all stem vowels are long – **stehlen: er stiehlt, er stahl, er hat gestohlen.** Change to the new tense or the new subject as indicated:

Der Dieb stiehlt eine große Summe Geld.   *future*
Der Dieb wird eine große Summe Geld stehlen.   **der Verbrecher**
Der Verbrecher wird eine große Summe Geld stehlen.   *narrative past*
Der Verbrecher stahl eine große Summe Geld.   **die Räuber**
Die Räuber stahlen eine große Summe Geld.   *conversational past*
Die Räuber haben eine große Summe Geld gestohlen.   **der Kassierer**
Der Kassierer hat eine große Summe Geld gestohlen.   *past perfect*
Der Kassierer hatte eine große Summe Geld gestohlen.   **die Verbrecher**
Die Verbrecher hatten eine große Summe Geld gestohlen.   *present*
Die Verbrecher stehlen eine große Summe Geld.

10 The principal parts of the Class VI strong verb **wachsen** *grow* follow the pattern of **waschen** *wash*, but the tense auxiliary is **sein** – **wachsen: er wächst, er wuchs, er ist gewachsen.** Change to the new subject:

Er wuchs im vorigen Jahr noch drei Zentimeter.   **wir**
Wir wuchsen im vorigen Jahr noch drei Zentimeter.   **ich**
Ich wuchs im vorigen Jahr noch drei Zentimeter.   **die Jungen**
Die Jungen wuchsen im vorigen Jahr noch drei Zentimeter.   **du**
Du wuchst im vorigen Jahr noch drei Zentimeter.   **ihr**
Ihr wuchst im vorigen Jahr noch drei Zentimeter.

Du warst damals plötzlich schnell gewachsen.   **ihr**
Ihr wart damals plötzlich schnell gewachsen.   **die Katze**
Die Katze war damals plötzlich schnell gewachsen.   **ich**
Ich war damals plötzlich schnell gewachsen.   **wir**
Wir waren damals plötzlich schnell gewachsen.   **die Pflanzen**
Die Pflanzen waren damals plötzlich schnell gewachsen.

11   The principal parts of the Class VI strong verb **schlagen** *beat, strike* or **unterschlagen** *embezzle; suppress* follow the pattern of **tragen** *wear; carry* — **schlagen: er schlägt, er schlug, er hat geschlagen.** Change to the new tense or the new subject as indicated:

Die Frau schlägt das Kind eigentlich nie.   *conversational past*
Die Frau hat das Kind eigentlich nie geschlagen.   **die Eltern**
Die Eltern haben das Kind eigentlich nie geschlagen.   *narrative past*
Die Eltern schlugen das Kind eigentlich nie.   **du**
Du schlugst das Kind eigentlich nie.   *present*
Du schlägst das Kind eigentlich nie.

Der Kassierer unterschlägt zehntausend Mark.   *narrative past*
Der Kassierer unterschlug zehntausend Mark.   **die Verbrecher**
Die Verbrecher unterschlugen zehntausend Mark.   *past perfect*
Die Verbrecher hatten zehntausend Mark unterschlagen.   **der Dieb**
Der Dieb hatte zehntausend Mark unterschlagen.   *conversational past*
Der Dieb hat zehntausend Mark unterschlagen.

12   The principal parts of the Class VII strong verb **empfangen** *receive* follow the pattern of **hängen** *hang* — **empfangen: er empfängt, er empfing, er hat empfangen.** Change to the new subject:

Der König empfing die Gäste in jenem Saal.   **wir**
Wir empfingen die Gäste in jenem Saal.   **du**
Du empfingst die Gäste in jenem Saal.   **ihr**
Ihr empfingt die Gäste in jenem Saal.   **die Damen**
Die Damen empfingen die Gäste in jenem Saal.   **ich**
Ich empfing die Gäste in jenem Saal.

Wir haben den jungen Künstler oft empfangen.   **ich**
Ich habe den jungen Künstler oft empfangen.   **die Königin**
Die Königin hat den jungen Künstler oft empfangen.   **wir**
Wir haben den jungen Künstler oft empfangen.   **du**
Du hast den jungen Künstler oft empfangen.   **die Ausländer**
Die Ausländer haben den jungen Künstler oft empfangen.

D. The Passive Voice

The present tense of the passive voice is made up of the present tense of **werden** and the past participle of the main verb. The personal agent is expressed with **von** and the dative.

13   Repeat:

Ich werde von der Mutter gesucht.
Du wirst von der Mutter gesucht.
Der Schüler wird von der Mutter gesucht.
Wir werden von der Mutter gesucht.
Ihr werdet von der Mutter gesucht.
Die Schuhe werden von der Mutter gesucht.

14   Substitute the new subject:

Du wirst von einem alten Mann abgeholt.   **wir**
Wir werden von einem alten Mann abgeholt.   **der Fahrer**
Der Fahrer wird von einem alten Mann abgeholt.   **ihr**
Ihr werdet von einem alten Mann abgeholt.   **ich**
Ich werde von einem alten Mann abgeholt.   **die Damen**
Die Damen werden von einem alten Mann abgeholt.

15   Substitute the new subject or the past participle of the new verb:

Wir werden vom Lehrer geschickt.   **du**
Du wirst vom Lehrer geschickt.   **holen**
Du wirst vom Lehrer geholt.   **der Kellner**
Der Kellner wird vom Lehrer geholt.   **achten**
Der Kellner wird vom Lehrer geachtet.   **ihr**
Ihr werdet vom Lehrer geachtet.   **fahren**
Ihr werdet vom Lehrer gefahren.   **ich**
Ich werde vom Lehrer gefahren.   **erkennen**
Ich werde vom Lehrer erkannt.   **die Herren**
Die Herren werden vom Lehrer erkannt.   **sehen**
Die Herren werden vom Lehrer gesehen.

The narrative past of the passive is made up of the narrative past of **werden** and the past participle of the main verb.

16   Repeat:

Ich wurde vom Klapperstorch gebracht.
Du wurdest vom Klapperstorch gebracht.
Das Kind wurde vom Klapperstorch gebracht.
Wir wurden vom Klapperstorch gebracht.
Ihr wurdet vom Klapperstorch gebracht.
Die Kinder wurden vom Klapperstorch gebracht.

17   Substitute the new subject:

> Der Kapitän wurde von Polizisten mitgenommen. **wir**
> Wir wurden von Polizisten mitgenommen. **ich**
> Ich wurde von Polizisten mitgenommen. **die Handwerker**
> Die Handwerker wurden von Polizisten mitgenommen. **du**
> Du wurdest von Polizisten mitgenommen. **ihr**
> Ihr wurdet von Polizisten mitgenommen.

18   Substitute the new subject or the past participle of the new verb:

> Ich wurde von der Dame unterbrochen. **ihr**
> Ihr wurdet von der Dame unterbrochen. **erwarten**
> Ihr wurdet von der Dame erwartet. **wir**
> Wir wurden von der Dame erwartet. **anrufen**
> Wir wurden von der Dame angerufen. **der Mechaniker**
> Der Mechaniker wurde von der Dame angerufen. **beruhigen**
> Der Mechaniker wurde von der Dame beruhigt. **du**
> Du wurdest von der Dame beruhigt. **entschuldigen**
> Du wurdest von der Dame entschuldigt. **die Handwerker**
> Die Handwerker wurden von der Dame entschuldigt. **bezahlen**
> Die Handwerker wurden von der Dame bezahlt.

The conversational past of the passive voice is made up of the conversational past of **werden** and the past participle of the main verb. **Geworden** is reduced to **worden**.

19   Repeat:

> Ich bin vom Präsidenten empfangen worden.
> Du bist vom Präsidenten empfangen worden.
> Der Fremdling ist vom Präsidenten empfangen worden.
> Wir sind vom Präsidenten empfangen worden.
> Ihr seid vom Präsidenten empfangen worden.
> Die Kollegen sind vom Präsidenten empfangen worden.

20   Substitute the new subject:

> Der Lehrling ist von einem Onkel erzogen worden. **wir**
> Wir sind von einem Onkel erzogen worden. **ich**
> Ich bin von einem Onkel erzogen worden. **du**
> Du bist von einem Onkel erzogen worden. **Hans und Susi**
> Hans und Susi sind von einem Onkel erzogen worden. **ihr**
> Ihr seid von einem Onkel erzogen worden.

21 Substitute the new subject or the past participle of the new verb:

> Der Lehrer ist von den Schülern nicht verstanden worden. **du**
> Du bist von den Schülern nicht verstanden worden. **anrufen**
> Du bist von den Schülern nicht angerufen worden. **die Freunde**
> Die Freunde sind von den Schülern nicht angerufen worden. **besuchen**
> Die Freunde sind von den Schülern nicht besucht worden. **ihr**
> Ihr seid von den Schülern nicht besucht worden. **bezahlen**
> Ihr seid von den Schülern nicht bezahlt worden. **wir**
> Wir sind von den Schülern nicht bezahlt worden. **erwischen**
> Wir sind von den Schülern nicht erwischt worden. **ich**
> Ich bin von den Schülern nicht erwischt worden. **finden**
> Ich bin von den Schülern nicht gefunden worden.

The past perfect of the passive voice is made up of the past perfect of **werden** and the past participle of the main verb. **Geworden** is reduced to **worden**.

22 Repeat:

> Ich war von ihr unterbrochen worden.
> Du warst von ihr unterbrochen worden.
> Der Fremdenführer war von ihr unterbrochen worden.
> Wir waren von ihr unterbrochen worden.
> Ihr wart von ihr unterbrochen worden.
> Die Erwachsenen waren von ihr unterbrochen worden.

23 Substitute the new subject:

> Der Künstler war doch von ihm bezahlt worden. **wir**
> Wir waren doch von ihm bezahlt worden. **ich**
> Ich war doch von ihm bezahlt worden. **ihr**
> Ihr wart doch von ihm bezahlt worden. **du**
> Du warst doch von ihm bezahlt worden. **die Lehrlinge**
> Die Lehrlinge waren doch von ihm bezahlt worden.

24 Substitute the new subject or the past participle of the new verb:

> Das Schloß war von ihnen besichtigt worden. **die Kirchen**
> Die Kirchen waren von ihnen besichtigt worden. **besuchen**
> Die Kirchen waren von ihnen besucht worden. **wir**
> Wir waren von ihnen besucht worden. **unterbrechen**
> Wir waren von ihnen unterbrochen worden. **ihr**
> Ihr wart von ihnen unterbrochen worden. **empfangen**
> Ihr wart von ihnen empfangen worden. **du**

Du warst von ihnen empfangen worden.   **fahren**
Du warst von ihnen gefahren worden.   **ich**
Ich war von ihnen gefahren worden.   **sehen**
Ich war von ihnen gesehen worden.

The future tense of the passive voice is made up of the present tense of the future auxiliary **werden** and the past participle of the main verb, followed by the infinitive of the passive auxiliary **werden**.

25   Repeat:

Ich werde von den Leuten orientiert werden.
Du wirst von den Leuten orientiert werden.
Der Anfänger wird von den Leuten orientiert werden.
Wir werden von den Leuten orientiert werden.
Ihr werdet von den Leuten orientiert werden.
Die Ausländer werden von den Leuten orientiert werden.

26   Substitute the new subject:

Der Schüler wird von den Lehrern unterrichtet werden.   **ihr**
Ihr werdet von den Lehrern unterrichtet werden.   **du**
Du wirst von den Lehrern unterrichtet werden.   **ich**
Ich werde von den Lehrern unterrichtet werden.   **die Lehrlinge**
Die Lehrlinge werden von den Lehrern unterrichtet werden.   **wir**
Wir werden von den Lehrern unterrichtet werden.

27   Substitute the new subject or the past participle of the new verb:

Der Fremdling wird von dem Pädagogen gut informiert werden.   **ich**
Ich werde von dem Pädagogen gut informiert werden.   **orientieren**
Ich werde von dem Pädagogen gut orientiert werden.   **die Ausländer**
Die Ausländer werden von dem Pädagogen gut orientiert werden.   **unterrichten**
Die Ausländer werden von dem Pädagogen gut unterrichtet werden.   **du**
Du wirst von dem Pädagogen gut unterrichtet werden.   **belehren**
Du wirst von dem Pädagogen gut belehrt werden.   **ihr**
Ihr werdet von dem Pädagogen gut belehrt werden.   **ausbilden**
Ihr werdet von dem Pädagogen gut ausgebildet werden.   **wir**
Wir werden von dem Pädagogen gut ausgebildet werden.   **einführen**
Wir werden von dem Pädagogen gut eingeführt werden.

If the agent in a passive construction is not a person but rather a means it is expressed with **durch** and the accusative.

28   Repeat:

Der alte Schrank wird nur noch durch ein paar Schrauben zusammengehalten.
Der Fahrer wurde durch einen Unfall schwer verletzt.

Das Schloß ist durch Brand zerstört worden.
Der König war durch Gift ermordet worden.
Der Kranke wird durch die neue Medizin wieder auf die Beine gebracht werden.

29 Substitute the new subject:

Das Schloß ist durch Brand zerstört worden. **Kirche**
Die Kirche ist durch Brand zerstört worden. **Häuser**
Die Häuser sind durch Brand zerstört worden. **Dom**
Der Dom ist durch Brand zerstört worden. **Geschäft**
Das Geschäft ist durch Brand zerstört worden. **Empfangssaal**
Der Empfangssaal ist durch Brand zerstört worden.

30 As in English, the agent in a passive construction is often not expressed. Substitute the new subject or verb:

Dieses Schloß wurde im Jahre 1782 erbaut. **errichten**
Dieses Schloß wurde im Jahre 1782 errichtet. **Kirche**
Diese Kirche wurde im Jahre 1782 errichtet. **zerstören**
Diese Kirche wurde im Jahre 1782 zerstört. **Saal**
Dieser Saal wurde im Jahre 1782 zerstört.

31 The passive is frequently used in the third person singular without either subject or agent. Substitute the new verb:

Hier wurde damals getanzt. **lachen**
Hier wurde damals gelacht. **empfangen**
Hier wurde damals empfangen. **singen**
Hier wurde damals gesungen. **feiern**
Hier wurde damals gefeiert. **spielen**
Hier wurde damals gespielt.

Heute wird viel gearbeitet. **lernen**
Heute wird viel gelernt. **erzählen**
Heute wird viel erzählt. **kaufen**
Heute wird viel gekauft. **studieren**
Heute wird viel studiert. **üben**
Heute wird viel geübt.

Gestern ist bei uns den ganzen Abend genäht worden. **flicken**
Gestern ist bei uns den ganzen Abend geflickt worden. **bügeln**
Gestern ist bei uns den ganzen Abend gebügelt worden. **stricken**
Gestern ist bei uns den ganzen Abend gestrickt worden. **stopfen**
Gestern ist bei uns den ganzen Abend gestopft worden. **waschen**
Gestern ist bei uns den ganzen Abend gewaschen worden.

The passive construction without a real subject may be introduced with **es**.

32 Repeat:

<table>
<tr><td>Hier wird vermutlich getanzt.</td><td>Dort wurde oft empfangen.</td></tr>
<tr><td>Es wird hier vermutlich getanzt.</td><td>Es wurde dort oft empfangen.</td></tr>
</table>

33 Introduce the following passive sentences with **es**:

Abends wurde hier immer gesungen.
Es wurde abends hier immer gesungen.

Dort ist schwer gearbeitet worden.
Es ist dort schwer gearbeitet worden.

In der Kirche wurde nicht geheizt.
Es wurde in der Kirche nicht geheizt.

Gestern ist tüchtig genäht worden.
Es ist gestern tüchtig genäht worden.

Morgen wird viel gekocht und gebacken.
Es wird morgen viel gekocht und gebacken.

Im Schloß ist abends gefeiert worden.
Es ist abends im Schloß gefeiert worden.

A passive sentence with no agent can be expressed in the active with the impersonal pronoun **man** as the subject.

34 Repeat:

Man schließt die Geschäfte um sechs.
Man tanzte hier fast jeden Abend.
Man hat den Dieb nicht gesehen.
Man hatte hier schon damals viel gebaut.
Man wird diesen Dom im alten Stil wieder errichten.

35 Change the following sentences from the passive to the active with **man** as the subject.

Example: Der Dieb wird zur Polizei gebracht.
Man bringt den Dieb zur Polizei.

Die Geschäfte werden um sieben zugemacht.
Man macht die Geschäfte um sieben zu.

Der König ist in diesem Saal ermordet worden.
Man hat den König in diesem Saal ermordet.

Alle Feste wurden hier gefeiert.
Man feierte alle Feste hier.

Der Saal war einmal zerstört worden.
Man hatte den Saal einmal zerstört.

Das Schloß wird wieder errichtet werden.
Man wird das Schloß wieder errichten.

Die Vorstellung ist unterbrochen worden.
Man hat die Vorstellung unterbrochen.

Die Besichtigung des Saales wird sofort begonnen.
Man beginnt die Besichtigung des Saales sofort.

Er wurde wieder im alten Stil errichtet.
Man errichtete ihn wieder im alten Stil.

36 The dative object remains in the dative when an active construction is transformed to the passive. Change the following sentences from the active voice to the passive, beginning each with the dative object.

Examples: Man dankte dem Künstler für das Bild.
Dem Künstler wurde für das Bild gedankt.

Sein Onkel hat ihnen kein Wort geglaubt.
Ihnen ist kein Wort von seinem Onkel geglaubt worden.

Man dankte dem Lehrer für seine Hilfe.
Dem Lehrer wurde für seine Hilfe gedankt.

Mein Bruder hilft mir oft.
Mir wird oft von meinem Bruder geholfen.

Man hat dir doch neulich darüber geschrieben.
Dir ist doch neulich darüber geschrieben worden.

Seine Frau hatte ihnen darüber berichtet.
Ihnen war darüber von seiner Frau berichtet worden.

Man wird ihm noch davon erzählen.
Ihm wird noch davon erzählt werden.

Hans hat seinem Vetter nichts geglaubt.
Seinem Vetter ist von Hans nichts geglaubt worden.

Man antwortete den Kindern nicht.
Den Kindern wurde nicht geantwortet.

37 When an active **man**–construction with a dative object is transformed to the passive, the passive may begin with either the dative object or with **es**. Change each **man**–construction to the passive, first beginning with the dative object and then with **es**.

Example: Man dankte dem Fremdenführer.
Dem Fremdenführer wurde gedankt.
Es wurde dem Fremdenführer gedankt.

Man schrieb mir neulich darüber.
Mir wurde neulich darüber geschrieben.
Es wurde mir neulich darüber geschrieben.

Man glaubt den jungen Leuten einfach nicht.
Den jungen Leuten wird einfach nicht geglaubt.
Es wird den jungen Leuten einfach nicht geglaubt.

Man hat der alten Frau häufig geholfen.
Der alten Frau ist häufig geholfen worden.
Es ist der alten Frau häufig geholfen worden.

Man wird ihnen sicher davon erzählen.
Ihnen wird sicher davon erzählt werden.
Es wird ihnen sicher davon erzählt werden.

Man hatte dem Fremdling einfach nicht geantwortet.
Dem Fremdling war einfach nicht geantwortet worden.
Es war dem Fremdling einfach nicht geantwortet worden.

38 If an active sentence has both an accusative and a dative object, the accusative object becomes the subject of the passive sentence. Transform the following to the passive, beginning each sentence with the new noun subject.

> *Examples*: Man gab mir eine schöne Landkarte.
> Eine schöne Landkarte wurde mir gegeben.
>
> Der Wirt bot uns einen wirklich feinen Likör an.
> Ein wirklich feiner Likör wurde uns von dem Wirt angeboten.

Man hat ihm einen Wagen verkauft.
Ein Wagen ist ihm verkauft worden.

Der neue Professor gab mir ein Buch.
Ein Buch wurde mir von dem neuen Professor gegeben.

Man bringt ihnen nur die Einzelteile.
Nur die Einzelteile werden ihnen gebracht.

Die Mutter hatte dem Kind ein Stück Brot abgeschnitten.
Ein Stück Brot war dem Kind von der Mutter abgeschnitten worden.

Die Fabrik wird ihnen die Maschine direkt schicken.
Die Maschine wird ihnen direkt von der Fabrik geschickt werden.

39 The modals have no passive, but they can be used with the passive infinitive, which is the past participle of the main verb plus the infinitive of the passive auxiliary **werden**. Repeat:

Man muß mich fahren.   Man darf hier nicht spielen.
Ich muß gefahren werden.   Hier darf nicht gespielt werden.

Man konnte ihm doch helfen.   Man muß einen Mantel mitbringen.
Ihm konnte doch geholfen werden. Ein Mantel muß mitgebracht werden.

E. Questions and Answers

Part 1

Wie heißt der neue Dialog?
Er heißt ,,Die Schloßbesichtigung''.

Was ist hier seit dem Kriege passiert?
Hier ist mächtig gebaut worden.

Woher kommen all die Menschen heutzutage?
Herr Meier sagt, sie werden vom Klapperstorch gebracht.

Was sagt Frau Meier dazu?
Sie sagt, je älter Herr Meier wird, desto zynischer wird er.

Was wird Herr Meier tun?
Er sagt, er wird sich bessern.

Was möchte Frau Meier wissen?
Sie möchte wissen, ob das alte Schloß erhalten geblieben ist.

Was wollen Meiers tun?
Sie wollen zum Schloß gehen.

Warum muß Frau Meier gefahren werden?
Sie kann in den Schuhen, die sie anhat, keinen Schritt mehr laufen.

Part 2

Wann wurde das Schloß erbaut?
Es wurde im Jahre 1782 erbaut.

Wie ist es durch den Krieg gekommen?
Ein Teil ist durch Brand zerstört worden.

Was hat man nachher getan?
Man hat alles wieder im alten Stile errichtet.

Was wurde damals im großen Empfangssaal gemacht?
Dort wurde getanzt, gelacht, gesungen und empfangen.

Was fragt Frau Meier über den König?
Sie fragt, wann er eigentlich gestorben ist.

Wie antwortet der Fremdenführer?
Er sagt, richtig genommen ist der König ,,gestorben worden''.

Was will der Fremdenführer tun?
Er will in seinen Ausführungen fortfahren.

Warum tut er das nicht gleich?
Er hat vergessen, wo er unterbrochen worden war.

IV. Writing Practice

A. "Double Infinitive"

Rewrite the following sentences in the conversational past tense.

> *Example*: Er kann leider nicht mit uns gehen.
> Er hat leider nicht mit uns gehen können.

1 Ich höre ihn im nächsten Zimmer singen.
2 Der Präsident will das Nachbarland besuchen.
3 Der König läßt alle Feste in diesem Saal feiern.
4 Frau Meier mag keinen Schritt mehr laufen.
5 Die Königin sah den König sterben.

Rewrite the following sentences, putting the subordinate clause in the conversational past tense.

> *Example*: Er sagte, daß er den Künstler noch nie spielen hörte.
> Er sagte, daß er den Künstler noch nie hat spielen hören.

1 Der Taxifahrer sagte, daß er uns zum Schloß fahren will.
2 Der Fremdenführer meinte, Frau Meier soll nicht so viel sprechen.
3 In der Zeitung stand, daß man hier mächtig bauen muß.
4 Die Schüler unterbrachen so oft, der Pädagoge konnte seine Ausführungen nicht zu Ende bringen.
5 Der Fremdenführer erklärte, daß man nicht das ganze Schloß besichtigen darf.

B. Relative Clauses

Combine the following pairs of sentences, making the appropriate one a relative clause with **was** or **wer**.

> *Examples*: Er kommt bald nach Kiel zurück. Das freut mich sehr.
> Er kommt bald nach Kiel zurück, was mich sehr freut.
>
> Er hat genug Geld. Er kann sich einen Wagen kaufen.
> Wer genug Geld hat, kann sich einen Wagen kaufen.

1 Man hat es nicht im Kopf. Man muß es in den Beinen haben.
2 Er studiert tüchtig. Er wird das Examen mit Erfolg bestehen.
3 Seine Vorlesungen sind sehr klar. Das macht das Studium leichter.
4 Er will nicht mehr laufen. Er kann ein Taxi nehmen.
5 Die Geschäfte schließen um sechs. Es gefällt mir gar nicht.
6 Es gehört ihm nicht. Er darf es nicht mitnehmen.
7 Der Storch klappert heute laufend. Es muß schon etwas bedeuten.
8 Er möchte das Schloß sehen. Er kann gleich mitfahren.
9 Das Wetter ist heute sehr schön. Das freut mich sehr.
10 Man tut es nicht gern. Man kann es bleiben lassen.

C. Controlled Composition

Write a report of about 150 words on ,,Ein unverhofftes Wiedersehen" of Unit 12. Do not use dialog but rather report the incident as an outside observer. You might begin as follows:

> Eines Morgens kam Heinrich zu seiner Bushaltestelle. Da sah er plötzlich seinen alten Schulkame-raden Werner stehen. Sie hatten einander eine halbe Ewigkeit nicht gesehen. Natürlich freuten sie sich sehr. Heinrich erklärte seinem Freund, daß er jetzt wieder in Kiel wohnt. Noch am selben Morgen hatte er seiner Frau gesagt, daß . . .

V. Word Study

A. Translation of Dialog

Die Schloßbesichtigung
The Visit to a Castle

die Schloßbesichtigung das Schloß, ⸚er castle; lock + **die Besichtigung, –en** viewing; inspection **schließen: er schließt, er schloß, er hat geschlossen** close; lock **besichtigen** view; inspect

(Frau Meier, Herr Meier und der Fremdenführer)
(Mrs. Meier, Mr. Meier and the Tourist Guide)

der Fremdenführer der Fremde *adj. noun* + **der Führer, –** guide; leader **führen** lead

Part 1

1 Mein Gott, hier ist aber seit dem Kriege mächtig gebaut worden, Heinz!
My goodness, Heinz! What a terrific amount of building has been done here since the war.

der Krieg, –e *Remember that* **–e** *may be added to masculine or neuter monosyllabics in the dative singular.* · **mächtig** huge; powerful **die Macht, ⸚e** power; control · **ist gebaut worden** *conversational past passive*

2 Ja, Gertrud, und mit Erfolg! Es sieht nett aus. Aber bald wird noch viel mehr gebaut werden!
Yes, Gertrud, and successfully. It looks nice, but still a lot more will soon be built.

der Erfolg success **erfolgen** succeed **folgen** follow **erfolgreich** successful · **wird gebaut werden** *future passive*

3 Woher kommen denn bloß all die Menschen heutzutage?
Just where do all the people come from nowadays, anyway?

bloß simple, mere; bare · **heutzutage heute + zu + Tage**

4 Nun, ich denke, sie werden immer noch vom Klapperstorch gebracht!
Well, I think they're still brought by the stork.

werden gebracht *present passive* · **der Klapperstorch die Klapper, –n** rattle + **der Storch, ⸚e** stork **klappern** rattle; clatter

441

5 Je älter du wirst, desto zynischer wirst du, Heinz. Du weißt, ich mag das nicht.
   The older you get, the more cynical you become, Heinz. You know I don't like that.

je . . . desto the . . . the

6 Schon gut, meine Liebe, ich werde mich bessern.
   All right, my dear. I'll do better.

sich bessern better oneself

7 Ob wohl das alte Schloß erhalten geblieben ist?
   I wonder if the old castle has been preserved.

erhalten: er erhält, er erhielt, er hat erhalten preserve; maintain; receive   *Here* **erhalten** *is the pp. used as an adjective.*

8 Wir können ja mal hingehen.
   Well, we can go there and see.

9 Ich muß aber gefahren werden. In diesen Schuhen kann ich keinen Schritt mehr laufen.
   But I have to be driven. I can't walk another step in these shoes.

gefahren werden *passive infinitive* · **der Schritt, —e   schreiten: er schreitet, er schritt, er ist geschritten** step, stride

10 Auch gut! Hallo, Taxi, sind Sie nicht gerade frei geworden?
    That's all right, too. Taxi! You're free now, aren't you?

das Taxi, —s

Part 2

11 Meine Damen und Herren! Dieses Schloß wurde im Jahre 1782 erbaut.
    Ladies and Gentlemen! This castle was built in the year 1782.

die Dame, —n · **erbauen** build (up); construct   **wurde erbaut** *narrative past passive*

12 Ist im Kriege nicht ein Teil durch Brand zerstört worden?
    Wasn't a part destroyed by fire during the war?

der Brand, ⁱⁱe   brennen: er brennt, er brannte, er hat gebrannt burn · **zerstören** destroy   **stören** disturb   **ist zerstört worden** *conversational past passive*

13 Ja, aber es wurde alles wieder im alten Stile errichtet.
    Yes, but everything was built up again in the old style.

der Stil, —e · **errichten** build up; erect; establish   **richten** set right; adjust   **es wurde errichtet** *narrative past passive*

14 Auch dieser große Empfangssaal?
    This large reception hall, too?

der Empfangssaal   der Empfang, ⁱⁱe + der Saal, die Säle hall, large room

15 Auch er. – Hier wurde damals getanzt, gelacht und gesungen.
    It too. Here they used to dance, laugh and sing.

wurde getanzt, gelacht, gesungen *narrative past passive*   **singen: er singt, er sang, er hat gesungen**

16	Nicht empfangen? – Wann ist der König eigentlich gestorben? Didn't they hold receptions? Just when did the king die?	**empfangen**: **er empfängt, er empfing, er hat empfangen** · **der König, —e** · **sterben: er stirbt, er starb, er ist gestorben**
17	Nun, meine Dame, richtig genommen ist er „gestorben worden". Now, Madam, strictly speaking, he "was made to die."	**ist „gestorben worden"** *Conversational past passive, a facetious way of saying* "murdered."
18	Ach, er wurde ermordet? Oh, he was murdered?	**wurde ermordet** *narrative past passive*
19	Ich fahre in meinen Ausführungen fort. Wo war ich doch unterbrochen worden? I'll continue with my comments. Now where was I interrupted?	**die Ausführung, —en ausführlich** detailed · **fortfahren: er fährt fort, er fuhr fort, er ist fortgefahren** continue; drive away **fort + fahren** · **unter'brechen: er unterbricht, er unterbrach, er hat unterbrochen unter** *is unaccented and therefore inseparable* **war unterbrochen worden** *past perfect passive* **brechen** break
20	Im Jahre 1782, denke ich. In the year 1782, I think.	

Supplement

Part 1

1	Gestohlener Reichtum wird fast nie von einem Dieb genossen. Stolen wealth is almost never enjoyed by a thief.	**gestohlen** *part. adj. from* **stehlen: er stiehlt, er stahl, er hat gestohlen** steal · **der Reichtum, —er reich** rich · **genießen: er genießt, er genoß, er hat genossen** enjoy **wird genossen** *present passive*
2	Von seinem Kassierer wurde eine ungeheure Summe Geld unterschlagen. A huge amount of money was embezzled by his cashier.	**der Kassierer, —** · **die Summe, —n** · **ungeheuer** huge; monstrous **das Ungeheuer, —** monster · **unter'schlagen: er unterschlägt, er unterschlug, er hat unterschlagen** embezzle; suppress **wurde unterschlagen** *narrative past passive* **schlagen** hit, strike, beat
3	Der Verbrecher ist nachher von einem kühnen Kassierer angeschossen und verletzt worden. The criminal was later shot at and wounded by a brave cashier.	**der Verbrecher, —** · **anschießen: er schießt an, er schoß an, er hat angeschossen** shoot at **schießen** shoot · **verletzen** wound, hurt **ist verletzt worden** *conversational past passive*

445

4 Das Geld war vorher von dem Bankräuber
unter einen Teppich geschoben worden.
The money had previously been shoved
under a carpet by the bank robber.

der Bankräuber die Bank, —en + der
Räuber, — · **der Teppich, —e** carpet, rug ·
**schieben: er schiebt, er schob, er hat
geschoben** shove, push **war geschoben
worden** *past perfect passive*

5 Die Beute wird von dem Verbrecher heimlich
verborgen werden.
The loot will be hidden secretly by the
criminal.

die Beute loot; prey · **verbergen: er
verbirgt, er verbarg, er hat verborgen** **wird
verborgen werden** *future passive*

Part 2

Häufige Abkürzungen

Frequent abbreviations

der Zentimeter	cm	the centimeter
der (das) Meter	m	the meter
der Kilometer	km	the kilometer
der Quadratkilometer	km²	the square kilometer
das Gramm	g	the gram
das Kilogramm	kg	the kilogram
der (das) Liter	l	the liter
beziehungsweise	bzw.	respectively
das heißt	d.h.	that is
und so weiter	usw.	and so forth
zum Beispiel	z.B.	for example

B. Word Formation

Inseparable prefixes of verbs

The meanings of most of the inseparable prefixes are not always as concrete or specific as those of the separable ones. However, the general meaning can be detected in many verbs with these prefixes:

zer— idea of disintegration, destruction

beißen	bite	zerbeißen	bite to pieces
brechen	break	zerbrechen	break to pieces; smash
legen	lay	zerlegen	take apart
reißen	tear	zerreißen	tear to pieces
stören	disturb	zerstören	destroy

ent— idea of escape, away from, off

decken	cover	entdecken	discover; expose
gehen	go	entgehen	escape

kleiden dress	(sich) entkleiden undress
kommen come	entkommen escape, get away
lassen let	entlassen dismiss, discharge
laufen run	entlaufen run away
reißen tear	entreißen snatch away from
springen jump	entspringen run away, escape; rise (river)
ziehen pull	entziehen take away from; deprive of

er– idea of completion of the activity indicated by the basic verb or transition into the state indicated by the noun or adjective from which the verb with **er–** is derived

a.   Idea of completion of an activity:

arbeiten work	erarbeiten attain by hard work
bitten (um) beg, ask (for)	erbitten beg, ask (for); obtain by begging
blicken look	erblicken catch sight of
fahren drive	erfahren experience; find out
finden find	erfinden invent
freuen make glad	erfreuen bring joy to
füllen fill	erfüllen fulfill
geben give	ergeben yield; produce
halten hold	erhalten maintain; receive
hoffen hope	erhoffen expect
holen get, fetch	(sich) erholen recuperate; rest
kennen know	erkennen recognize
leben live	erleben experience
lernen learn	erlernen acquire through learning
liegen lie	erliegen succumb
nennen name, call	ernennen nominate, appoint
raten guess; advise	erraten guess correctly
scheinen shine; seem	erscheinen make an appearance
setzen place	ersetzen replace
sparen save	(sich) ersparen save up; save (effort)
tragen carry; wear	ertragen endure
trinken drink	ertrinken drown
warten wait	erwarten expect
ziehen pull	erziehen raise; educate

b.   Idea of transition into a state:

frisch fresh	sich erfrischen refresh oneself
ganz whole	ergänzen supplement, complete
die Hitze heat	erhitzen heat
hoch high	erhöhen raise

kalt cold	sich erkälten catch cold
klar clear	erklären explain, clarify
krank ill	erkranken become ill
leicht easy	erleichtern make easy, facilitate
möglich possible	ermöglichen make possible
neu new	erneue(r)n renew
schwer heavy; difficult	erschweren make more difficult
warm warm	erwärmen warm up
das Ziel goal	erzielen accomplish

ver—   idea of intensification or bringing forward to completion the action of the simple verb; transition into the state indicated by the noun or adjective from which the verb with **ver—** is derived; reversal of the meaning of the basic verb, often with the idea of error, injury or disadvantage

a.   Idea of intensification or completion:

arbeiten work	verarbeiten work up into; manufacture
brennen burn	verbrennen burn up
decken cover	verdecken cover (tracks); hide
fallen fall	verfallen decay
geben give	vergeben give away; forgive
hören hear	verhören interrogate
lachen laugh	verlachen laugh at, ridicule
lassen let, leave	verlassen abandon
leben live	verleben spend, pass (time)
nehmen take	vernehmen find out; cross-examine
rauchen smoke	verrauchen go off in smoke; spend on tobacco
schicken send	verschicken send off
sichern secure	versichern insure; assure
sinken sink	versinken sink (out of sight)
spotten mock, scoff	verspotten mock, scoff at
sprechen speak	versprechen promise
stecken stick; put	(sich) verstecken hide; conceal
suchen look for	versuchen try
tragen carry	vertragen tolerate, endure
wehen blow	verwehen blow away

b.   Idea of transition into a state:

alt old	veralten become obsolete
ander other	verändern change, alter
arm poor	verarmen become poor
besser better	verbessern improve

billig cheap	verbilligen lower the price of; cheapen
blaß pale	verblassen fade
das Blut blood	verbluten bleed to death
dunkel dark	verdunkeln make dark
dünn thin	verdünnen thin, dilute
der Durst thirst	verdursten die of thirst
ein one	vereinen unite
das Eis ice	vereisen ice up; freeze (meat)
der Film film	verfilmen film
das Gas gas	vergasen gasify
das Gift poison	vergiften poison
das Glas glass	verglasen glaze
das Gold gold	vergolden gild
größer larger	vergrößern enlarge
der Hunger hunger	verhungern starve
länger longer	verlängern lengthen
mehr more	vermehren increase
nein no	verneinen decry; answer in negative
jung young	verjüngen rejuvenate
kleiner smaller	verkleinern make smaller
die Kohle coal, carbon	verkohlen carbonize; tease
kurz short	verkürzen shorten
das Schiff ship	verschiffen ship
schön beautiful	verschöne(r)n embellish, beautify
das Silber silver	versilbern plate with silver; pawn
spät late	sich verspäten be late; be delayed
stark strong	verstärken strengthen
süß sweet	versüßen sweeten
wirklich real	verwirklichen realize
die Wunde wound	verwunden wound

c. Reversal of meaning; idea of error:

achten respect	verachten despise
bieten offer, bid	verbieten forbid, prohibit
brauchen need; use	verbrauchen use up, consume
bringen bring	verbringen spend (one's time)
hören hear	sich verhören misunderstand
fahren drive	sich verfahren get lost (while driving somewhere)
kaufen buy	verkaufen sell
legen lay, place	verlegen misplace; remove
lernen learn	verlernen forget
raten advise	verraten betray
spielen play	verspielen gamble away
wünschen wish	verwünschen curse; bewitch

be— idea of providing with something—as such the chief effect is often to make an intransitive verb transitive rather than to change its essential meaning

arbeiten work	bearbeiten work up, over
danken thank	sich bedanken thank; decline
decken cover	bedecken cover up
fragen ask	befragen interrogate; consult
grenzen border	begrenzen border
grüßen greet	begrüßen greet
halten hold	behalten keep
kommen come	bekommen get, receive
lachen laugh	belachen laugh at (a joke)
leben live	beleben enliven; resuscitate
lehren teach	belehren teach, inform
pflanzen plant	bepflanzen plant (with)
raten advise; guess	beraten give advice to
schauen look	beschauen look over
schließen close	beschließen conclude; decide
schreiben write	beschreiben describe
sehen see	besehen look over
setzen set, place	besetzen occupy
sitzen sit	besitzen sit upon; possess
sprechen speak	besprechen discuss
stehen stand	bestehen exist; undergo; pass (exam)
suchen look for, hunt	besuchen visit
tragen carry; wear	betragen amount to
tragen carry; wear	sich betragen behave
treffen hit; meet	betreffen concern
treten step	betreten step on

C. Singular and Plural of Nouns

Change the noun subject to the plural:

Der Krieg bringt viel Zerstörung mit sich.
Die Kriege bringen viel Zerstörung mit sich.

Der Storch kam in der Mitte der Nacht.
Die Störche kamen in der Mitte der Nacht.

Das Schloß ist im Krieg zerstört worden.
Die Schlösser sind im Krieg zerstört worden.

Der Schritt war fast einen Meter lang.
Die Schritte waren fast einen Meter lang.

Das Taxi ist immer sehr beschäftigt.
Die Taxis sind immer sehr beschäftigt.

Die Dame läuft keinen Schritt mehr.
Die Damen laufen keinen Schritt mehr.

Der Brand zerstörte das ganze Schloß.
Die Brände zerstörten das ganze Schloß.

Der alte Stil hat uns am besten gefallen.
Die alten Stile haben uns am besten gefallen.

Der Empfang war mir zu feierlich.
Die Empfänge waren mir zu feierlich.

Der Saal ist wieder errichtet worden.
Die Säle sind wieder errichtet worden.

Der König feierte gern große Feste.
Die Könige feierten gern große Feste.

Der Fremdenführer wurde von der Dame unterbrochen.
Die Fremdenführer wurden von der Dame unterbrochen.

Die Ausführung war ziemlich schlecht.
Die Ausführungen waren ziemlich schlecht.

Die Besichtigung war nicht besonders interessant.
Die Besichtigungen waren nicht besonders interessant.

Die Abkürzung ist mir nicht bekannt.
Die Abkürzungen sind mir nicht bekannt.

Das Beispiel soll das Problem erklären helfen.
Die Beispiele sollen das Problem erklären helfen.

Der Kassierer hat das ganze Geld unterschlagen.
Die Kassierer haben das ganze Geld unterschlagen.

Der Verbrecher hat die Beute heimlich verborgen.
Die Verbrecher haben die Beute heimlich verborgen.

Der Räuber ist von der Polizei angeschossen worden.
Die Räuber sind von der Polizei angeschossen worden.

Der Teppich muß bald wieder gereinigt werden.
Die Teppiche müssen bald wieder gereinigt werden.

Das Ungeheuer soll schon lange tot sein.
Die Ungeheuer sollen schon lange tot sein.

VI. Grammar

A. The Passive Voice

Tense formation

The passive voice is formed by the auxiliary **werden** and the past participle of the main verb:

	Werden *become* as independent verb	Passive of **schließen** *close*
Present	Er **wird** alt.	Das Geschäft **wird geschlossen.**
Narrative past	Er **wurde** alt.	Das Geschäft **wurde geschlossen.**
Conversational past	Er **ist** alt **geworden.**	Das Geschäft **ist geschlossen worden.**
Past perfect	Er **war** alt **geworden.**	Das Geschäft **war geschlossen worden.**
Future	Er **wird** alt **werden.**	Das Geschäft **wird geschlossen werden.**
Passive infinitive		Das Geschäft **soll geschlossen werden.**

▶ Remember that **sein**, not **haben**, is used to form the perfect tenses of **werden**.

▶ The **ge–** prefix of **geworden** is dropped when it is used as the auxiliary of the passive voice.

▶ The passive infinitive, **geschlossen werden**, is used to form the future of the passive. It is also used with modals.

Remember: **werden** is also the future tense auxiliary. The future tense of the active is formed with the present tense of **werden** plus the infinitive of the main verb.

> *Compare:*   *Future tense, active voice:* Der Lehrling wird das Geschäft schließen.
>
>   *Present tense, passive voice:* Das Geschäft wird vom Lehrling geschlossen.

The passive voice in German and English

Agent expressed

Active   **1**   Der Lehrling schließt das Geschäft.

Passive   **2**   Das Geschäft wird vom Lehrling geschlossen.
The apprentice closes the shop.

The shop is closed by the apprentice.

Active   **3**   Ein Unfall zerstörte den Wagen vollkommen.

Passive   **4**   Der Wagen wurde durch einen Unfall vollkommen zerstört.
An accident completely destroyed the car.

The car was completely destroyed by an accident.

► *Active voice:* the subject is the performer of the action; the direct object is the person or thing acted upon.

► *Passive voice:* the subject is the person or thing acted upon. The performer of the action, called the agent, is introduced in English with the preposition *by*, in German with **von** followed by the dative. The means by which the action is performed is indicated in German with the preposition **durch** followed by the accusative.

In spoken German a passive construction with an agent expressed is not very common.

Agent not expressed

1	Das Geschäft wird geschlossen.	The shop is closed.
2	Das Geschäft ist geschlossen.	

► The English is ambiguous because *is closed* may express:

the process or action of closing *or*
a state or condition resulting from a previous action.

The meaning is usually clear from the context, but if the utterance is intended as passive, *being* is frequently inserted: *The shop is being closed.*

► In German, the ambiguity which exists in English is avoided by the choice of auxiliary:

wird geschlossen expresses the process or action of closing;
ist geschlossen expresses a state or condition resulting from a previous action.

► As a passive auxiliary, **werden** retains the meaning of *become* and denotes the passing into the state described by the past participle: **Das Geschäft wird geschlossen.** *The store is (being) closed;* that is, the store is becoming closed (going over into the state of being closed). The verb **sein** is then used in describing the state: **Das Geschäft ist geschlossen.** *The store is closed;* that is, it is not open.

Translation equivalents

There are several active constructions in German which are generally translated with passive constructions in English, although sometimes parallel English constructions do exist. In spoken German these are usually preferred to the passive.

The impersonal pronoun **man** one, someone, we, you, they

1 Hier schließt man die Geschäfte um sechs.
The stores are closed at six here. *Or:* Here we close the stores at six.

2 Man gab mir eine Karte von Europa.
I was given a map of Europe. *Or:* Someone gave me a map of Europe.

3 Man hat den Dieb sofort erwischt.
The thief was caught immediately. *Or:* They caught the thief immediately.

4 Das tut man einfach nicht!
You just don't do that!

► The impersonal pronoun **man** can be expressed in English with *one, someone* or with the pronouns *we, you, they* used impersonally, although the meaning may be slightly different than when the passive is used.

Lassen *or* sich lassen *with a dependent infinitive*

5 Er läßt den Anzug reinigen.
He is having the suit cleaned.

6 Ich ließ mir die Haare schneiden.
I had my hair cut.

7 Sie hat sich den ganzen Abend nicht sehen lassen.
She didn't show up all evening. *Or:* She didn't let herself be seen all evening.

► **Lassen** can sometimes be expressed as *have (something done)* (5, 6). **Sich lassen** can sometimes be expressed as *let oneself, himself,* etc. (7), but this usually results in an awkward construction.

Reflexive verbs

8 Der Volkswagen parkt sich ganz leicht.
The Volkswagen is rather easily parked.

9 Die Tür hat sich plötzlich aufgetan.
The door was suddenly opened.

10 Der Ring wird sich schon finden.
The ring will be found, all right.

11 Das versteht sich.
That's self-evident.

► Obviously the **Volkswagen**, for example (8), does not park itself. The reflexive here is just a manner of speaking. An agent is implied.

► Sometimes the reflexive utterance has a good non-passive equivalent in English (11).

Sein *with* zu *and an infinitive*

12 Der Professor war gestern nicht zu erreichen.
The professor could not be reached yesterday. *Or:* The professor was not to be reached yesterday.

13 Die Leute sind heute nicht zu sprechen.
The people can't be consulted today.

14 Der Unfall ist nicht zu erklären.
The accident can't be explained.

Impersonal constructions transformed into the passive

1 Man tanzte vermutlich hier.
2 Hier wurde vermutlich getanzt.
3 Es wurde hier vermutlich getanzt.

They probably danced here.

4 Man arbeitet heutzutage viel.
5 Heutzutage wird viel gearbeitet.
6 Es wird heutzutage viel gearbeitet.

They work a lot nowadays.

► In German an active impersonal sentence which has no object (1, 4) may be transformed into the passive. It then has no subject (2, 5) or the false subject **es** is used as the subject (3, 6). Such constructions are impossible in English because a true subject must be expressed.

Dative object

Active	**1a**	Man erzählte mir neulich darüber.	**1b**	Someone recently told me about it.
Passive	**2a**	Mir wurde neulich darüber erzählt.	**2b**	I was recently told about it.
Active	**3a**	Man gab ihr ein Buch.	**3b**	Someone gave her a book.
Passive	**4a**	Ein Buch wurde ihr gegeben.	**4b**	A book was given to her.
		Ihr wurde ein Buch gegeben.		She was given a book.

► In English, when an active construction containing an indirect object is transformed into a passive construction, the indirect object becomes the subject of the passive sentence (2b). If there is also a direct object; either may become the subject (4b).

► In German the dative object must remain in the dative case (2a, 4a). If there is also a direct object, it becomes the subject of the sentence (4a).

An agent may also be expressed:

Active	Der Professor gab ihm ein Buch.
Passive	Ein Buch wurde ihm vom Professor gegeben.

The passive infinitive

The passive infinitive is made up of the past participle of the main verb followed by the infinitive of **werden**. It is used as follows:

Future tense of the passive

1 Bald wird viel mehr gebaut werden.
Soon much more will be built.

2 Die Schüler werden von ihren Lehrern unterrichtet werden.
The students will be instructed by their teachers.

► The present tense of the future auxiliary of **werden** is used with the passive infinitive to form the future tense of the passive.

After modals

1 Ich muß gefahren werden.
I must be driven.

2 Ihm konnte nicht mehr geholfen werden.
He couldn't be helped any more.

► There is no passive voice of the modals but they may be used with a passive infinitive.

Unit 17

I. Programmed Reading

Der Lehrerberuf in Deutschland

Der Lehrer hat ohne Frage einen der wichtigsten Berufe überhaupt. Von seiner Arbeit hängt es wesentlich ab, welchen Grad^g des Wissens die nächste Generation^g erreichen wird. Und das heißt heute auch,
5 wie gut oder schlecht sie leben wird.

Viel wichtiger als dieses Wissen, das schon wichtig genug ist, ist aber noch sein direkter und indirekter Einfluß auf die jungen Menschen. Nach den Eltern ist er oft die wichtigste Person im Leben der Kinder. Seine Erziehung formt^g sie häufig für ihr ganzes späteres Leben.

10 Es ist daher immer interessant zu wissen, wieviel Bedeutung eine Gesellschaft dem Lehrberuf zuspricht, wie sie ihre Lehrer achtet, wie gut sie sie ausbildet und auch, wie sie sie bezahlt. Schauen wir uns das mal kurz in Deutschland an.

Der Volksschullehrer

15 Wer in Deutschland Lehrer werden will, muß Abitur haben. Zukünftige Volksschullehrer müssen dann sechs Semester auf einer Universität^g oder auf einer Pädagogischen Hochschule studieren. Danach gibt es ein Examen, die sogenannte Erste Lehrerprüfung. Wenn sie bestanden ist, sind die Kandidaten^g Junglehrer.

20 Ihre Berufsausbildung ist nun aber noch nicht beendet. Die Junglehrer müssen nämlich noch ein zweijähriges Schulpraktikum^g und eine ganze Menge Studienseminare^g machen. Am Ende dieser Zeit steht dann die Zweite Lehrerprüfung. Ist auch sie bestanden, so ist aus dem Junglehrer endlich ein echter Lehrer geworden.

25 Es gibt heute lange nicht genug Volksschullehrer in Deutschland. Das ist schon jetzt schlimm genug, aber es sieht so aus, als ob das Problem in einigen Jahren noch sehr viel ernster sein wird. Bedenklich ist auch die Tatsache (jedenfalls finden viele Leute sie bedenklich), daß fast alle zukünftigen Volksschullehrer Frauen, also Volksschul-
30 lehrerinnen sein werden. Was früher ein echter Männerberuf war, wird bald ein typischer Frauenberuf sein.

Der Mittelschullehrer

Mittelschullehrer sind durchweg Volksschullehrer, die noch ein bestimmtes Fach dazu studiert haben; eine Fremdsprache oder Mathe-

abhängen von   Solange die Kinder noch klein sind, hängen sie sehr von der Mutter ab (= sind sie sehr von der Mutter abhängig). · abhängig ↔ unabhängig · die Abhängigkeit ↔ die Unabhängigkeit · **der Grad, –e**
die Generation, –en [generɑtsi'o:n]
der Einfluß, ⁼sse   Wo Geld ist, ist fast immer auch Einfluß.

1   Was hängt von der Arbeit des Lehrers wesentlich mit ab?

Von seiner Arbeit hängt es mit ab, welchen Grad des Wissens die nächste Generation erreichen wird.

Bedeutung zusprechen   sagen, daß etwas Bedeutung hat

2   Woran erkennt man, wieviel Bedeutung eine Gesellschaft dem Lehrberuf zuspricht?

Man erkennt es daran, wie sie ihre Lehrer achtet, ausbildet und bezahlt.

zukünftig   was sein wird · die Zukunft = die Zeit, die kommen wird · die Gegenwart = die Zeit, die jetzt ist · die Vergangenheit = die Zeit, die früher war
die Universität, –en [univɛrzi'tɛ:t]
der Kandidat, –en, –en [kandi'dɑ:t]

beenden   zu Ende bringen, zu Ende machen
das Praktikum ['prɑktikʊm]
das Seminar, –e [zemi'nɑ:r]

3   Ist die Berufsausbildung nach der Ersten Lehrerprüfung beendet?

Nein, Junglehrer müssen neben Studienseminaren noch ein zweijähriges Schulpraktikum machen.

echt   wirklich, natürlich, richtig · Der Ring war aus echtem Gold. · echt ↔ unecht

bedenklich   etwas, an das man mit Skepsis denkt · Die Situation war sehr bedenklich (ernst). · Ich habe keine Bedenken gegen ihn. · das Bedenken → bedenklich ↔ unbedenklich

4   Welche Tatsache finden viele Leute bedenklich?

Viele finden bedenklich, daß fast alle zukünftigen Volksschullehrer Frauen sein werden.

durchweg   fast immer, meistens

35 matik vielleicht, denn in der Mittelschule ist der Unterricht ja schon
spezialisierter⁹. In der Volksschule haben die Kinder, die kleineren
jedenfalls, keine Fachlehrer, sondern sie haben alle Unterrichtsfächer
meistens nur bei einem einzigen Lehrer. In der Mittelschule werden
sie wenigstens drei Fachlehrer haben. Gymnasiasten⁹ aber werden in
40 fast jedem Fach von einem anderen Lehrer unterrichtet. Spezialisten⁹
bekommen überall auf der Welt mehr Geld, natürlich auch in Deutschland. Es geht dem Mittelschullehrer also finanziell⁹ besser als dem
Volksschullehrer.

Der Oberschullehrer

45 Und dem Oberschullehrer geht es noch besser. Er muß aber auch
länger studieren, und sein Studium wird in der Regel schwerer sein
als das seiner zukünftigen Volks- und Mittelschulkollegen. Er muß
nämlich auf die Universität gehen, ein Studium an einer Pädagogischen Hochschule genügt für seine Berufsausbildung nicht mehr.
50 Sein Universitätsstudium soll wenigstens acht Semester dauern. Doch
das ist Theorie. In der Regel werden es zehn Semester und in manchen Fächern auch noch mehr.

Jeder zukünftige Gymnasiallehrer hat wenigstens zwei Spezialfächer
zu studieren, aber daneben muß er natürlich auch noch viele andere,
55 allgemeinere Vorlesungen besuchen und darin sein Wissen nachweisen.

Am Ende seines Studiums steht dann ein großes Examen, die sogenannte Erste Staatsprüfung. Danach kommt der Kandidat für zwei
Jahre an eine Höhere Schule. Er ist jetzt Studienreferendar und darf
60 auch schon unterrichten. Aber ältere Kollegen passen auf ihn auf,
denn diese zwei Jahre gehören noch zur Berufsausbildung des Gym-
nasiallehrers. Er bekommt auch noch nicht viel Geld für seine Arbeit
und muß noch regelmäßig Studienseminare besuchen.

War er in diesen zwei Jahren gut genug, dann kann er seine Zweite
65 Staatsprüfung machen, und erst wenn er auch sie besteht, ist dann
schließlich aus einem alten Studienreferendar ein junger Studienassessor geworden. Ein richtiger Gymnasiallehrer ist er damit aber
immer noch nicht. Er unterrichtet wohl und bekommt dafür jetzt auch
gutes Geld, aber er muß meistens noch zwei oder drei Jahre warten,
70 bis er endlich Studienrat wird. So heißen die Lehrer an Höheren
Schulen in Deutschland.

Eigentlich ist die Ausbildung eines Lehrers nie wirklich beendet. Es
gibt immer viele Kurse⁹ für Lehrer aller Fächer. Hier hören sie Vorle-

spezialisieren [ʃpetsiɑliˈziːʀən]

einzig   nur einer allein
der Gymnasiast, **—en**, **—en** [gʏmnɑziˈast]
der Spezialist, **—en**, **—en** [ʃpetsiɑˈlɪst]
die Welt   der Planet [plaˈneːt], auf dem wir leben · Man
unterscheidet oft die „Alte Welt" und die „Neue Welt".
finanziell [finantsiˈɛl]

5   Haben die kleineren Kinder in der Volksschule viele verschiedene Lehrer?

Nein, sie haben nicht viele Lehrer, sondern alle Unterrichtsfächer meistens nur bei einem einzigen Lehrer.

in der Regel   fast immer, meistens, durchweg · die Regel, **—n** ↔ die Ausnahme

dauern   Das Konzert dauerte nur eine Stunde.

6   Muß ein Oberschullehrer länger studieren als ein Volks— oder Mittelschullehrer?

Natürlich, und sein Studium wird in der Regel auch schwerer sein.

nachweisen   A. Können Sie nachweisen, daß Sie einundzwanzig Jahre alt sind?   B. Ja, ich habe hier meinen Paß.

7   Muß ein zukünftiger Gymnasiallehrer noch andere Vorlesungen besuchen?

Ja, und er muß auch darin sein Wissen nachweisen.

der Studienreferendar, **—e** [ʀefeʀɛnˈdɑːʀ]   Lehrerkandidat an der Oberschule nach der Ersten Staatsprüfung

regelmäßig   in bestimmter Distanz [dɪsˈtants], immer wieder

8   Was muß der Studienreferendar noch regelmäßig tun?

Er muß noch regelmäßig Studienseminare besuchen.

der Studienassessor, **—en** [aˈsɛsɔʀ]   Lehrerkandidat an der Oberschule nach der Zweiten Staatsprüfung

der Studienrat, **⸚e**   Lehrer an der Oberschule

sungen und diskutieren*g* und empfangen so immer neue Anregungen
75 für ihre wichtige Arbeit.

Man kann natürlich mit dem Ziel studieren, Volks— oder Mittelschullehrer oder auch Studienrat zu werden, aber man kann eigentlich
nicht mit dem Ziel studieren, Lehrer an einer Pädagogischen Hochschule oder womöglich sogar an einer Wissenschaftlichen Hochschule
80 (Universität) zu werden.

Der Lehrer an einer Pädagogischen Hochschule

Lehrer an Pädagogischen Hochschulen sind meistens ausgebildete
Lehrer. Aus ihren Schulen werden sie dann — in der Regel wegen sehr
guter Lehrerqualitäten*g* und großer Erfahrung — an Pädagogische
85 Hochschulen berufen. Sie sind hochqualifizierte*g* Spezialisten und
viele von ihnen haben den Doktorgrad*g* in ihren Fächern.

Der Universitätsprofessor

Lehrer an Wissenschaftlichen Hochschulen (Universitäten) sind dagegen fast nie ausgebildete Lehrer. Sie haben sich meistens schon
90 früh spezialisiert, sich dabei besonders ausgezeichnet und ihr Studium sicher mit einem besonders „guten" Doktorgrad beendet. Den
besten unter ihnen fragt ein Professor dann vielleicht, ob er nicht
bei ihm weiterstudieren will. Der junge Doktor muß dann kleinere
wissenschaftliche Arbeiten machen und heißt offiziell: Wissenschaft-
95 liche Hilfskraft oder Wissenschaftlicher Hilfsarbeiter*g*. Eine Wissenschaftliche Hilfskraft bekommt nur sehr wenig Geld, muß aber noch
sehr viel studieren.

Das mag so ein oder zwei Jahre gehen. Wenn dem Professor dann
die Arbeiten und die Entwicklung seiner Hilfskraft gefallen, fragt er
100 ihn womöglich, ob er sein Assistent*g* werden will. Als Wissenschaftlicher Assistent arbeitet unser Doktor nun mit seinem Professor zusammen, lernt die besonderen wissenschaftlichen Probleme seines
Faches genau kennen und ist seines Professors „rechte Hand". Inzwischen wird er auch anfangen, eine spezielle Frage zu studieren
105 und darüber eine große Arbeit zu schreiben. Nach vier bis sechs
Jahren so spezieller Studien kann er sich dann endlich als Hochschullehrer qualifizieren, er kann sich „habilitieren". Die Habilitation ist
ein Examen, das aus drei Teilen besteht: (1) Eine schriftliche*g*, wissenschaftliche Arbeit (die natürlich größer und wichtiger sein muß
110 als die Doktorarbeit), (2) eine Prüfung vor der ganzen Fakultät*g* (in
der jeder Professor Fragen stellen kann) und (3) eine Probevorlesung.

diskutieren [dɪsku'tiːʀən] · **die Anregung, —en** der Impuls, —e [ɪm'pʊls] · anregen = Impulse geben = stimulieren

womöglich vielleicht

die Qualität, —en [kvali'tɛːt]
berufen einem Professor eine neue Stellung als Hochschullehrer anbieten · die Berufung
qualifizieren [kvalifi'tsiːʀən]

sich auszeichnen ganz besonders gut sein · ausgezeichnet = sehr, sehr gut

die Hilfskraft, ⸚e jemand, der einem Spezialisten hilft

die Entwicklung, —en der Reifungsprozeß · der Prozeß, —e [pʀo'tsɛs] · sich entwickeln
der Assistent, —en, —en [asɪs'tɛnt]

inzwischen in der gleichen Zeit, während dieser Zeit

habilitieren [habili'tiːʀən] die Qualifikation als Hochschullehrer bekommen · die Habilitation

die Fakultät, —en [fakʊl'tɛːt]
die Probe, —en der Test · probieren = prüfen = examinieren

9 Wofür sind die späteren Kurse da?

Die späteren Kurse sind vor allem für neue Anregungen da.

10 Wie wird man Lehrer an einer Pädagogischen Hochschule?

Besonders gute Lehrer können an Pädagogische Hochschulen berufen werden.

11 Ist ein junger Doktor in Deutschland schon ein Professor?

Nein, er ist nur Wissenschaftliche Hilfskraft oder Wissenschaftlicher Hilfsarbeiter.

12 Was tut der Assistent neben seiner Arbeit mit dem Professor?

Er fängt inzwischen an, eine spezielle Frage zu studieren und darüber eine große Arbeit zu schreiben.

Geht alles gut und hat der Kandidat schon vorher eine Reihe guter kleinerer wissenschaftlicher Arbeiten publiziert⁹, so wird die Fakultät ihn habilitieren. Jetzt erst darf er Vorlesungen halten, denn jetzt erst
115 ist er Hochschullehrer. Und wenn er recht fleißig bleibt, so wird eine andere Universität ihn schließlich auch einmal als Professor in seinem Fach in ihre Fakultät berufen.

Alle Lehrer werden, wenn sie erst einmal Lehrer sind, in Deutschland recht gut bezahlt. Natürlich verdienen manche Geschäftsleute mehr
120 als sie (einige sogar sehr viel mehr), aber die Lehrer haben es gewiß nicht schlecht. Mit Ausnahme der (relativ⁹ wenigen) Lehrer an privaten Schulen sind sie auch alle Beamte. Dadurch sind sie und ihre Familien sozial und finanziell so gut wie vollkommen gesichert. Und das ist schließlich nicht so unwichtig, wenn der Lehrberuf für gute
125 junge Leute auch heute noch seine Anziehungskraft haben soll.

publizieren [publi'tsi:ʀɔn]

fleißig   Wer gern arbeitet, ist fleißig. · fleißig ↔ faul · der Fleiß ↔ die Faulheit

verdienen   Geld für eine Arbeit bekommen · der Verdienst

relativ [ʀela'ti:f]
der Beamte, **–n** (*adj. noun*)   jemand, der auf Lebenszeit beim Staat beschäftigt ist

die Anziehungskraft, **⸚e**   Ein starker Magnet [mɑg'ne:t] hat große Anziehungskraft.

13   Was ist eine Probevorlesung?

Eine Probevorlesung ist eine Testvorlesung als Teil der Habilitation.

14   Wie verdienen Lehrer in Deutschland, wenn sie erst einmal Lehrer sind?

Fertig ausgebildete Lehrer verdienen in Deutschland gewiß nicht schlecht.

15   Hat der Lehrberuf für gute junge Leute noch Anziehungskraft?

Ja, er hat auch heute noch seine Anziehungskraft.

II. Phonology

A. Fricatives

Practice pronouncing the following at a relatively brisk pace and distinguish clearly between [ç] and [ʃ], and between [j] and [x]:

wichtigsten, welcher, nächste, erreichen, auch, schlecht, noch, schon, jung, Mensch, nach, vielleicht, häufig, späteres, Gesellschaft, zuspricht, achtet, schauen, Deutschland, Volksschullehrer, Hochschule, studieren, danach, Junglehrer, nämlich, zweijährig, machen, steht, bestanden, endlich, echt, nicht, schlimm, jetzt, bedenklich, Tatsache, jedenfalls, typischer, bestimmtes, Fach, Fremdsprache, Unterricht, ja, spezialisierter, Unterrichtsfächer, Fachlehrer, natürlich, schwerer, acht, manchen, Spezialfächer, besuchen, Staatsprüfung, regelmäßig, besteht, schließlich, eigentlich, wissenschaftlich, womöglich, Hochschule, hochqualifiziert, Spezialisten, ausgezeichnet, rechte, inzwischen, schreiben, sich, schriftliche, fleißig, manche, Geschäftsleute, gesichert

B. Long Vowels, Short Vowels, Diphthongs

Practice pronouncing the following at a relatively brisk pace and watch especially all vowel qualities and quantities, and all diphthongs:

Lehrer, ohne, Frage, Beruf, überhaupt, es, wesentlich, Grad, wissen, nächste, erreichen, heute, auch, gut, schlecht, leben, schon, Einfluß, Person, formt, häufig, eine, Bedeutung, ganzes, immer, interessant, achtet, und, bezahlt, uns, das, mal, eben, anschauen, wer, zukünftig, müssen, dann, sechs, gibt, Examen, bestanden, Kandidat, nämlich, machen, zweijähriges, lange, genug, schlimm, so, ob, Problem, noch, Tatsache, fast, werden, früher, echter, typisch, Mittelschullehrer, bestimmtes, Mathematik, vielleicht, Unterricht, oft, nur, in, von, anderen, bekommen, überall, finanziell, Deutschland, deshalb, muß, genügt, Theorie, manchen, zwei, Prüfungen, an, kommt, ältere, gehören, Arbeit, regelmäßig, besuchen, genug, Staatsprüfung, erst, wenn, geworden, warten, bis, Studienrat, Kurse, für, hören, empfangen, Anregung, mit, Ziel, Hochschule, Universität, meistens, dann, Erfahrung, Doktor, Grad, früh, fragt, Hilfskraft, wenn, dem, zusammen, Probleme, kennen, Hand, anfangen, Frage, Fakultät, Probe, vorher, recht, Fach, verdienen, manche, sehr, viel, mehr, gewiß, privat, Beamte, sozial, vollkommen, gesichert, soll

III. Writing Practice

A. Passive Voice

Rewrite the following, putting the bold-faced word groups into the equivalent tense of the passive voice:

Obwohl die Stadt im Kriege fast vollkommen zerstört wurde, **hat man heute nicht nur alles wieder aufgebaut, sondern auch noch neue Stadtteile errichtet.** Natürlich **hat man jetzt modern gebaut, aber man versuchte auch,** einige besonders schöne, alte Häuser oder Straßen im alten Stile wieder herzustellen; den Dom z.B., denn er hat auch stark gelitten. **Aber Staat, Kirche, viele Einwohner und**

Besucher gaben Geld, z.T. größere Summen. Schließlich konnte man mit der Arbeit beginnen. Ganz ist der Dom immer noch nicht fertig, aber an so einer großen Kirche **muß man eigentlich immer bauen. Als man den Dom wieder besuchen konnte, hat die ganze Stadt ein großes Fest gefeiert.** Das war eine große Feier, **die das ganze Land lange nicht vergessen wird.**

B. Dehydrated Sentences

Write the following dehydrated sentences in the passive voice in the tense indicated.

> *Example*: unser / Wirt / abschneiden / jetzt / Brot   (*present*)
> Das Brot wird jetzt von unserem Wirt abgeschnitten.
>
> hier / damals / empfangen / tanzen   (*conversational past*)
> Hier ist damals empfangen und getanzt worden.

1 Kapitän / vergessen / im Zug / Fotoapparat   (*narrative past*)
2 Verkäuferin / abwiegen / vorsichtig / Fleisch   (*present*)
3 Lehrling / schließen / sechs Uhr / Geschäft   (*conversational past*)
4 die Versandkompanie / bauen / nächstes Jahr / Kaufhaus   (*future*)
5 Soldaten / zerstören / im Krieg / Schloß   (*past perfect*)
6 hier / damals / viel / singen / lachen   (*narrative past*)
7 Dame / unterbrechen / oft / Fremdenführer   (*present*)
8 in diesem Saal / ermorden / König   (*past perfect*)
9 die ganze Schule / besichtigen / nächste Woche / Dom   (*future*)
10 Brand / zerstören / zweimal / Kirche   (*conversational past*)

C. Controlled Composition

Write a report of about 150 words on „Die Schloßbesichtigung" of this Unit. Do not use dialog and try a variety of passive constructions. You might begin as follows:

> Nach langer Zeit wird von Meiers eine Stadt besucht, die sie von früher kennen. Sie war im Kriege fast vollkommen zerstört worden. Aber inzwischen ist sehr viel gebaut worden. Herr Meier sagt, daß noch sehr viel mehr gebaut werden wird. Manches wurde wieder im alten Stile errichtet. Ob auch das alte Schloß im Kriege zerstört worden war? . . .

IV. Word Study

A. Inference

With the help of the clues provided, guess the meanings of the words in boldface.

German t → English d

Many words spelled with **t** in German have *d* in English. Known examples are: **tanzen** *dance*, **trinken** *drink*, **das Bett** *bed*, **kalt** *cold*. Below are some new ones:

1 Der Fluß hier ist nicht **tief** genug zum Baden.

2 Durch diesen kleinen Fluß kann man sogar **waten**.
3 Ich habe in der Nacht wieder einen bösen **Traum** gehabt.   **Träumst** du nachts auch so viel?
    der Traum, ⸚e
4 Der Unfall war scheußlich, der Fahrer war sofort **tot**.
5 Der Fahrer hatte aber auch wie der **Teufel** gefahren.   **der Teufel, —**
6 Musik habe ich ja gern, Hans, aber mußt du die **Trommel** so laut schlagen?   **die Trommel, —n**
7 Er wohnt an einem kleinen Fluß in einem hübschen, grünen **Tal** im Schwarzwald.   **das Tal, ⸚er**
8 Dieses Stück Papier ist viel zu groß. Du mußt es wenigstens zweimal **falten**.
9 Jeder Mensch hat ungefähr fünf Liter **Blut**.   **das Blut**
10 Seine Wunde ist schlimm, sie **blutet** immer noch.
11 Der Weihnachtsmann hat einen langen, weißen **Bart**.   **der Bart, ⸚e**
12 Nach dem Krieg gab es wenig zu essen. Es war eine große **Not**.   **die Not**
13 Das Wasser kommt schon. In einer halben Stunde ist die **Flut** da.   **die Flut, —en**

Various cognates

1 Das Konzert hatte nur eine kurze **Pause** von zehn Minuten.   **die Pause, —n**
2 Plötzlich war alles **still**, kein Mensch sagte ein Wort.
3 Ist das Messer auch **scharf** genug, um dieses Fleisch zu schneiden?
4 Hier ist ein **Scheck** über 500.– Mark.   **der Scheck, —s**
5 Hans, deine **Wollsocken** sind schon wieder kaputt!   **die Socke, —n**
6 Fällt hier im Winter viel **Schnee**?   **der Schnee**
7 Das Kind war so böse, daß der Vater es schließlich mit einem **Stock** schlug.   **der Stock, ⸚e**
8 Ich habe großen Durst. Bringen Sie mir doch bitte ein Glas **Wasser**!   **das Wasser**
9 Wenn man nicht **schwimmen** kann, bringt Baden keinen Spaß.   **schwimmen: er schwimmt, er**
    schwamm, er ist (hat) geschwommen
10 Für die Bedeutung eines Wortes ist der **Stamm** am wichtigsten.   **der Stamm, ⸚e**
11 Wie schmeckt dir dieser **Tabak** ['tɑːbak] in der Pfeife?   **der Tabak**
12 Wieviel **Benzin** [bɛn'tsiːn] brauchst du pro 100 Kilometer mit deinem Auto?   **das Benzin, —e**
13 Einige Straßen in dieser alten, kleinen Stadt sind kaum mehr als drei Meter **breit**. Das ist nicht
    breit genug für unseren Bus. Wir müssen aussteigen und ein Stück zu Fuß gehen.

Context and structural clues

Some of the new words in the following do not resemble their best English equivalents, but you should be able to guess their meanings with the help of the context and the structural clues:

1 Frau Meier konnte nicht mehr laufen. Sie mußte gefahren werden, denn ihre Schuhe waren ihr
    zu **eng**.   **eng = klein**
2 Der **Kragen** dieses Hemdes ist mir plötzlich viel zu eng. Ich glaube mein Hals ist dicker geworden.
    der Kragen, —
3 Man darf in der Vorlesung eigentlich gar nicht sprechen, aber wenn es sein muß, spricht man
    ganz leise, d.h. man **flüstert**.
4 Das kleine Kind **plappert** gewiß genug, aber was es sagt, hat noch nicht viel Sinn.

5   Die hohe **Hecke** zwischen den Gärten ist vielleicht schön, aber die vielen, langen Dornen gefallen
    mir nicht. Zwei davon stecken schon in meinem Finger.   **die Hecke, —n**

6   Die Straßen sind heute sehr rutschig. Ich **wage** es nicht, mit dem Wagen in die Stadt zu fahren.
    Ich nehme einfach den nächsten Bus.

7   Das Theaterstück war so tragisch, daß ich immer noch ganz **schwermütig** (melancholisch)
    [melaŋˈkoːlɪʃ] bin.

8   Glaube mir, der Mann ist einfach **riesig**. Er ist nicht nur über zwei Meter groß, sondern auch noch
    dick dabei. Er wiegt sicher 150 kg. Er ist ein **Riese** wie aus alten Zeiten.   **der Riese, —n**

9   Einen guten Freund liebt man, einen Feind **haßt** man. Laufende **Gehässigkeiten** zwischen zwei
    Ländern können zum Krieg führen.   **hassen → häßlich → die Gehässigkeit, —en**

10 Mann kann den Motor fast gar nicht hören, so wenig **Geräusch** macht er.   **das Geräusch, —e**

11 Sagen Sie meinem Mann bitte, daß er mich sofort anrufe möchte, wenn er aus dem Büro kommt.
    Es ist **dringend**, hier ist ein Unglück passiert.   **dringen: er dringt, er drang, er ist gedrungen**

12 Der Künstler fing erst Montag mit diesem Bild an, und am Samstag war er schon fertig.
    Er hat es also in sechs Tagen **gemalt**.

13 Der Fahrer sagt, daß er an dem Unfall keine **Schuld** hatte, aber das sagt fast jeder Fahrer,
    der einen Unfall hat.   **die Schuld, —en**

14 Jeder Fuß hat fünf **Zehen**, einen großen und vier kleinere.   **der Zeh, —en**

15 Die Sonne schien so stark auf den Schnee, daß das viele Licht die Augen fast **blendete**. Man
    mußte **blinzeln**, um noch etwas sehen zu können.

16 Ist schon wieder ein Unfall an derselben Stelle **geschehen** (passiert)?   **geschehen: es geschieht,
    es geschah, es ist geschehen**

17 Ich hatte meinen Mann erst am nächsten Tag erwartet. Als daher jemand um Mitternacht laut
    gegen die Haustür **klopfte**, hatte ich natürlich große Angst.

18 Eine Katze ist ein Haus**tier**. Susie hat alle **Tiere** gern, nicht nur Haus**tiere**.   **das Tier, —e**

19 Das Kind **weint**, weil es vom Stuhl gefallen ist.

20 Wer nicht schwimmen kann, darf auch nicht ins tiefe Wasser gehen oder sogar **tauchen**,
    d.h. mit dem Kopf zuerst ins Wasser springen.

21 Die **Wanderer** trugen früher oft einen Stock in der Hand und einen **Rucksack** auf dem **Rücken**.
    der Rücken, — · der Rucksack, ⸚e · der Wanderer, —

B. Singular and Plural of Nouns

Change the noun subject to the plural:

Der Einfluß der Schule auf die Kinder ist wichtig.
Die Einflüsse der Schule auf die Kinder sind wichtig.

Die alte Generation war noch sehr konservativ.
Die alten Generationen waren noch sehr konservativ.

Die Universität wird immer größer.
Die Universitäten werden immer größer.

Die Prüfung soll das Wissen des Kandidaten nachweisen.
Die Prüfungen sollen das Wissen des Kandidaten nachweisen.

Der Kandidat macht jetzt die Erste Lehrerprüfung.
Die Kandidaten machen jetzt die Erste Lehrerprüfung.

Das Seminar soll sehr interessant sein.
Die Seminare sollen sehr interessant sein.

Der Gymnasiast hat verschiedene Lehrer.
Die Gymnasiasten haben verschiedene Lehrer.

Der Spezialist bekommt überall mehr Geld.
Die Spezialisten bekommen überall mehr Geld.

Die Regel muß befolgt werden.
Die Regeln müssen befolgt werden.

Der Referendar darf auch schon unterrichten.
Die Referendare dürfen auch schon unterrichten.

Der Studienassessor hat die Zweite Staatsprüfung bestanden.
Die Studienassessoren haben die Zweite Staatsprüfung bestanden.

Die alten Studienräte haben viel Erfahrung.
Der alte Studienrat hat viel Erfahrung.

Der Kurs interessiert mich überhaupt nicht.
Die Kurse interessieren mich überhaupt nicht.

Die neue Anregung ist sicher wichtig.
Die neuen Anregungen sind sicher wichtig.

Die Qualität hier ist nicht besonders gut.
Die Qualitäten hier sind nicht besonders gut.

Die Hilfskraft bekommt nur wenig Geld.
Die Hilskräfte bekommen nur wenig Geld.

Die politische Entwicklung ist recht kompliziert.
Die politischen Entwicklungen sind recht kompliziert.

Der Assistent muß gute Arbeiten publizieren.
Die Assistenten müssen gute Arbeiten publizieren.

Der Beamte ist sozial und finanziell gesichert.
Die Beamten sind sozial und finanziell gesichert.

Die Probe ist ihm nicht gelungen.
Die Proben sind ihm nicht gelungen.

Die Katze sprang auf das Sofa.
Die Katzen sprangen auf das Sofa.

Das Tier ist von dem Jungen geschlagen worden.
Die Tiere sind von dem Jungen geschlagen worden.

Der Traum ist von Sigmund Freud erklärt worden.
Die Träume sind von Sigmund Freud erklärt worden.

Die Trommel ist vollkommen zerschlagen worden.
Die Trommeln sind vollkommen zerschlagen worden.

Das Tal in jenem Wald dort ist besonders hübsch.
Die Täler in jenem Wald dort sind besonders hübsch.

Die Flut kommt häufig im Juni.
Die Fluten kommen häufig im Juni.

Die Pause war ziemlich kurz.
Die Pausen waren ziemlich kurz.

Der Scheck ist auf der Post verloren gegangen.
Die Schecks sind auf der Post verloren gegangen.

Die Socke ist schon wieder kaputt.
Die Socken sind schon wieder kaputt.

Der Stock ist dem Wanderer zerbrochen.
Die Stöcke sind dem Wanderer zerbrochen.

Der Stamm ist ähnlich wie im Englischen.
Die Stämme sind ähnlich wie im Englischen.

Der Kragen ist mir viel zu eng.
Die Kragen sind mir viel zu eng.

Die Hecke muß schon wieder geschnitten werden.
Die Hecken müssen schon wieder geschnitten werden.

Der Riese gehört ins Land der Sage.
Die Riesen gehören ins Land der Sage.

Das Geräusch in der Nacht wurde nie geklärt.
Die Geräusche in der Nacht wurden nie geklärt.

Der Zeh mußte ihm abgenommen werden.
Die Zehen mußten ihm abgenommen werden.

Unit 18

I. Dialog

Was wäre, wenn . . .

Part 1

1	Hartmut:	Du, Kurt, hast du schon mal daran gedacht, was wäre, wenn wir im Lotto gewännen?
2	Kurt:	Du meinst, wenn wir beinahe alles kaufen könnten, was wir wollten?
3	Hartmut:	Nicht beinahe alles, sondern alles! Und hätten noch immer Geld zuviel!
4	Kurt:	Ich ginge erst einmal sehr gut und vornehm essen.
5	Hartmut:	Immer essen, du alter Epikureer. Du solltest statt dessen lieber an deine Bildung denken!
6	Kurt:	Gut, was hättest du also vorzuschlagen?
7	Hartmut:	Ich denke, man müßte zuerst eine Bildungsreise machen.
8	Kurt:	Die Venus von Milo und so? Ich fände junge, lebende Damen besser als alte von Stein!
9	Hartmut:	Sei doch vernünftig, das gute Leben könnte danach ja immer noch kommen!
10	Kurt:	Du meinst: Häuser, Sportwagen, Pferde, Feste, Freundinnen usw.?

Part 2

11	Kurt:	Du machst ja plötzlich ein Gesicht, als ob schon sieben Tage Regenwetter wäre.
12	Hartmut:	Die Post ist eben gekommen, und ein Einschreibbrief von Herrn Jäger, unsrem treuen Hauswirt, ist auch dabei.
13	Kurt:	Na, und? Was könnte ein kleiner Hausbesitzer von stolzen Millionären schon Großartiges wollen?
14	Hartmut:	Ich wollte, du hörtest jetzt mit dem Unsinn auf. Hier, lies du!
15	Kurt:	Oh, oh, da steht: Wenn wir nicht wenigstens die Miete des Vormonats bezahlen könnten, . . .
16	Hartmut:	. . . sähe er sich leider gezwungen . . . usw. Den Rest kann ich mir denken.
17	Kurt:	Da hätten wir die Geschichte! Es ist zum Heulen! Was ist nun mit deiner Bildungsreise?
18	Hartmut:	Ach, meinst du wirklich, wir würden als Millionäre zufriedener gewesen sein?
19	Kurt:	Na, unsre Lage wäre im Augenblick dann immerhin nicht so düster.
20	Hartmut:	Da hast du recht! Aber nun sollten wir uns ernsthaft überlegen, wie wir unsren Hausherrn am besten betören.

II. Supplement

Wünsche mit wenn

1 Wenn Susi doch nicht so schluchzen würde!
2 Wenn Tante Inge doch nicht immer so schnell wehklagte!
3 Wenn Günther doch nur nicht so schmatzen würde!
4 Wenn der Junge nur nicht so viele Rahmbonbon lutschen wollte!

5 Wenn Hans nur nicht so wüst trampeln würde!
6 Wenn der Mann nur nicht so geldsüchtig wäre!
7 Wenn der Kerl doch nicht immer so viel fluchte!
8 Wenn der Lehrer sich über seine Schüler nur nicht immer aufregen müßte!
9 Wenn der Student die beiden Probleme doch endlich auseinanderhalten könnte!
10 Wenn der Junge nur nicht stets einen Ansporn nötig hätte, um zu arbeiten!

III. Audiolingual Drills

A. Directed Dialog

Part 1

Fragen Sie, wie der neue Dialog heißt!
Wie heißt der neue Dialog?

Antworten Sie, daß er „Was wäre, wenn . . .‟ heißt!
Er heißt, „Was wäre, wenn . . .‟

Fragen Sie, was wäre, wenn Hartmut und Kurt im Lotto gewännen!
Was wäre, wenn Hartmut und Kurt im Lotto gewännen?

Fragen Sie, ob Hartmut meint, daß sie dann beinahe alles kaufen könnten, was sie wollten?
Meint Hartmut, daß sie dann beinahe alles kaufen könnten, was sie wollten?

Antworten Sie, daß Hartmut nicht beinahe alles, sondern alles meint!
Hartmut meint nicht beinahe alles, sondern alles.

Sagen Sie, daß sie dann noch immer Geld zuviel hätten!
Sie hätten dann noch immer Geld zuviel.

Sagen Sie, daß Kurt erst einmal sehr gut und vornehm essen ginge!
Kurt ginge erst einmal sehr gut und vornehm essen.

Sagen Sie, daß Kurt statt dessen lieber an seine Bildung denken sollte!
Kurt sollte statt dessen lieber an seine Bildung denken.

Fragen Sie, was Hartmut also vorzuschlagen hätte!
Was hätte Hartmut also vorzuschlagen?

Antworten Sie, daß er denkt, man müßte zuerst eine Bildungsreise machen!
Er denkt, man müßte zuerst eine Bildungsreise machen.

Fragen Sie, ob Hartmut z.B. die Venus von Milo meint!
Meint Hartmut z.B. die Venus von Milo?

Antworten Sie, daß Kurt junge, lebende Damen besser als alte von Stein fände!
Kurt fände junge, lebende Damen besser als alte von Stein.

Sagen Sie, daß Kurt doch vernünftig sein sollte!
Kurt sollte doch vernünftig sein.

Sagen Sie, daß das gute Leben danach ja immer noch kommen könnte!
Das gute Leben könnte danach ja immer noch kommen.

Fragen Sie, ob Hartmut Häuser, Sportwagen, Pferde, Feste, Freundinnen usw. meint?
Mein Hartmut Häuser, Sportwagen, Pferde, Feste, Freundinnen usw.?

Part 2

Sagen Sie, Hartmut macht ja plötzlich ein Gesicht, als ob schon sieben Tage Regenwetter wäre!
Hartmut macht ja plötzlich ein Gesicht, als ob schon sieben Tage Regenwetter wäre.

Sagen Sie, daß die Post eben gekommen ist!
Die Post ist eben gekommen.

Sagen Sie, daß ein Einschreibbrief von Herrn Jäger, ihrem „treuen" Hauswirt, auch dabei ist!
Ein Einschreibbrief von Herrn Jäger, ihrem „treuen" Hauswirt, ist auch dabei.

Fragen Sie, was ein kleiner Hausbesitzer von stolzen Millionären denn schon Großartiges wollen könnte!
Was könnte ein kleiner Hausbesitzer von stolzen Millionären denn schon Großartiges wollen?

Antworten Sie, Hartmut wollte, daß Kurt jetzt mit dem Unsinn aufhörte!
Hartmut wollte, daß Kurt jetzt mit dem Unsinn aufhörte.

Fragen Sie, ob Kurt und Hartmut nicht wenigstens die Miete des Vormonats bezahlen könnten!
Könnten Kurt und Hartmut nicht wenigstens die Miete des Vormonats bezahlen?

Fragen Sie, wozu Herr Jäger sich leider gezwungen sähe!
Wozu sähe Herr Jäger sich leider gezwungen?

Antworten Sie, daß Hartmut sich den Rest denken kann!
Hartmut kann sich den Rest denken.

Sagen Sie, daß die Geschichte zum Heulen ist!
Die Geschichte ist zum Heulen.

Fragen Sie, was nun mit Hartmuts Bildungsreise ist!
Was ist nun mit Hartmuts Bildungsreise?

Sagen Sie, daß die Bildungsreise nun leider ins Wasser fallen muß!
Die Bildungsreise muß nun leider ins Wasser fallen.

Fragen Sie, ob die beiden als Millionäre zufriedener gewesen sein würden!
Würden die beiden als Millionäre zufriedener gewesen sein?

Sagen Sie, daß ihre Lage im Augenblick dann immerhin nicht so düster wäre!
Ihre Lage wäre im Augenblick dann immerhin nicht so düster.

Sagen Sie, daß da Kurt recht hat!
Da hat Kurt recht.

Sagen Sie, daß die beiden aber nun ernsthaft überlegen sollten!
Die beiden sollten aber nun ernsthaft überlegen.

Fragen Sie, wie die beiden ihren Hausherrn am besten betören!
Wie betören die beiden ihren Hausherrn am besten?

B. Strong Verbs

1   The principal parts of the Class I strong verb **weisen** *point out, show* or **nachweisen** *point out, prove* or **beweisen** *prove* follow the pattern of **schreiben** *write* — **weisen: er weist, er wies, er hat gewiesen.** Change to the new tense or the new subject as indicated:

   Ich habe dem faulen Kerl die Tür gewiesen.   *past perfect*
   Ich hatte dem faulen Kerl die Tür gewiesen.   **wir**
   Wir hatten dem faulen Kerl die Tür gewiesen.   *narrative past*
   Wir wiesen dem faulen Kerl die Tür.   **der Hauswirt**
   Der Hauswirt wies dem faulen Kerl die Tür.   *present*
   Der Hauswirt weist dem faulen Kerl die Tür.

   Wiesest du ihm die Tatsachen nicht nach?   *conversational past*
   Hast du ihm die Tatsachen nicht nachgewiesen?   **ihr**
   Habt ihr ihm die Tatsachen nicht nachgewiesen?   *future*
   Werdet ihr ihm die Tatsachen nicht nachweisen?   **die Lehrer**
   Werden die Lehrer ihm die Tatsachen nicht nachweisen?   *present*
   Weisen die Lehrer ihm die Tatsachen nicht nach?

   Die Polizei wird alles ganz genau beweisen.   *present*
   Die Polizei beweist alles ganz genau.   **ich**
   Ich beweise alles ganz genau.   *conversational past*
   Ich habe alles ganz genau bewiesen.   **die Polizisten**
   Die Polizisten haben alles ganz genau bewiesen.   *narrative past*
   Die Polizisten bewiesen alles ganz genau.

2   The principal parts of the Class III strong verbs **schwimmen** *swim* and **gewinnen** *win* follow the pattern of **beginnen** *begin* — **schwimmen: er schwimmt, er schwamm, er ist geschwommen.** Change to the new tense or to the new subject as indicated:

   Ist der Jäger zweimal durch den Fluß geschwommen?   *narrative past*
   Schwamm der Jäger zweimal durch den Fluß?   **du**
   Schwammst du zweimal durch den Fluß?   *future*
   Wirst du zweimal durch den Fluß schwimmen?   **wir**
   Werden wir zweimal durch den Fluß schwimmen?   *present*
   Schwimmen wir zweimal durch den Fluß?

Ich gewinne beim Spielen immer Geld.   *conversational past*
Ich habe beim Spielen immer Geld gewonnen.   **ihr**
Ihr habt beim Spielen immer Geld gewonnen.   *narrative past*
Ihr gewannt beim Spielen immer Geld.   **die Millionäre**
Die Millionäre gewannen beim Spielen immer Geld.   *past perfect*
Die Millionäre hatten beim Spielen immer Geld gewonnen.

3   The principal parts of the Class III strong verbs **zwingen** *compel* and **dringen** *come through, penetrate* follow the pattern of **singen** *sing* — **zwingen: er zwingt, er zwang, er hat gezwungen.** Change to the new tense or the new subject as indicated:

Ich zwinge ihn ja nicht mitzukommen.   *conversational past*
Ich habe ihn ja nicht gezwungen mitzukommen.   **du**
Du hast ihn ja nicht gezwungen mitzukommen.   *future*
Du wirst ihn ja nicht zwingen mitzukommen.   **wir**
Wir werden ihn ja nicht zwingen mitzukommen.   *narrative past*
Wir zwangen ihn ja nicht mitzukommen.

Wie ist der Dieb denn ins Haus eingedrungen?   *present*
Wie dringt der Dieb denn ins Haus ein?   **ihr**
Wie dringt ihr denn ins Haus ein?   *narrative past*
Wie drangt ihr denn ins Haus ein?   **die Polizisten**
Wie drangen die Polizisten denn ins Haus ein?   *past perfect*
Wie waren die Polizisten denn ins Haus eingedrungen?

4   The principal parts of the Class V strong verb **geschehen** *happen* follow the pattern of **sehen** *see* — **geschehen: es geschieht, es geschah, es ist geschehen.** Change to the new tense:

Es ist in einem Augenblick geschehen.   *past perfect*
Es war in einem Augenblick geschehen.   *future*
Es wird in einem Augenblick geschehen.   *narrative past*
Es geschah in einem Augenblick.   *present*
Es geschieht in einem Augenblick.   *conversational past*
Es ist in einem Augenblick geschehen.

C. The General Subjunctive in Wishes with **wenn**

The personal endings of the general subjunctive are **–e, –est, ˙–e** in the singular, and **–en, –et, –en** in the plural. These endings are added to the narrative past stem.

5   Repeat the following wishes, which are the equivalent of English "If only I (you, etc.) didn't suffer so from this thing":

Wenn ich nur nicht so unter der Sache litte!
Wenn du nur nicht so unter der Sache littest!
Wenn er nur nicht so unter der Sache litte!

Wenn wir nur nicht so unter der Sache litten!
Wenn ihr nur nicht so unter der Sache littet!
Wenn sie nur nicht so unter der Sache litten!

6 Change to the new subject:

Wenn ich nachts nur besser schliefe! **wir**
Wenn wir nachts nur besser schliefen! **du**
Wenn du nachts nur besser schliefest! **ihr**
Wenn ihr nachts nur besser schliefet! **die Jungen**
Wenn die Jungen nachts nur besser schliefen! **der Kranke**
Wenn der Kranke nachts nur besser schliefe!

The stem vowel of a strong verb in the general subjunctive always has umlaut if umlaut is possible.

7 Repeat:

Wenn ich nur einmal im Lotto gewänne!
Wenn du nur einmal im Lotto gewännest!
Wenn er nur einmal im Lotto gewänne!

Wenn wir nur einmal im Lotto gewännen!
Wenn ihr nur einmal im Lotto gewännet!
Wenn sie nur einmal im Lotto gewännen!

8 Change to the new subject:

Wenn ich nur den Ring bald fände! **ihr**
Wenn ihr nur den Ring bald fändet! **du**
Wenn du nur den Ring bald fändest! **das Mädchen**
Wenn das Mädchen nur den Ring bald fände! **die Leute**
Wenn die Leute nur den Ring bald fänden! **wir**
Wenn wir nur den Ring bald fänden!

9 Since the narrative past stem of **werden** already ends in **–e**, only the consonants of the general subjunctive endings need be added. Change to the new subject:

Wenn ich nur nicht immer so schnell hungrig würde! **die Kinder**
Wenn die Kinder nur nicht immer so schnell hungrig würden! **ihr**
Wenn ihr nur nicht immer so schnell hungrig würdet! **der Kleine**
Wenn der Kleine nur nicht immer so schnell hungrig würde! **du**
Wenn du nur nicht immer so schnell hungrig würdest! **wir**
Wenn wir nur nicht immer so schnell hungrig würden!

D. Conditional Sentences

10 Real conditions are expressed in the indicative mood. Repeat:

Wenn ich im Lotto gewinne, kaufen wir uns einen Sportwagen.
Wenn du das Geld bekommst, willst du doch eine Bildungsreise machen?

Wenn er noch einen Wagen hat, kann er auch die Miete bezahlen.
Wenn wir Millionäre sind, reisen wir um die Welt.
Wenn ihr mitfahren wollt, bleiben die Kinder eben zu Hause.
Wenn sie ihn kennen, geht die Sache schneller.

Unreal conditions have the subjunctive mood in both clauses. The conclusion of a conditional sentence referring to present, future or indefinite time frequently has a future subjunctive construction as in English *would be, would go*, etc.

11 Repeat:

Wenn ich nicht mit ihm ginge, würde er zufriedener sein.
Wenn du nicht mit ihm gingest, würde er zufriedener sein.
Wenn er nicht mit ihm ginge, würde er zufriedener sein.
Wenn wir nicht mit ihm gingen, würde er zufriedener sein.
Wenn ihr nicht mit ihm ginget, würde er zufriedener sein.
Wenn sie nicht mit ihm gingen, würde er zufriedener sein.

12 Change to the new subject in the **wenn**–clause:

Wenn ich ihm schriebe, würde er sich freuen. **wir**
Wenn wir ihm schrieben, würde er sich freuen. **seine Freundin**
Wenn seine Freundin ihm schriebe, würde er sich freuen. **du**
Wenn du ihm schriebest, würde er sich freuen. **die Eltern**
Wenn die Eltern ihm schrieben, würde er sich freuen. **ihr**
Wenn ihr ihm schriebet, würde er sich freuen.

13 Change to the new subject in both clauses:

Wenn die Freunde den Preis bekämen, würden sie eine Reise machen. **ihr**
Wenn ihr den Preis bekämet, würdet ihr eine Reise machen. **er**
Wenn er den Preis bekäme, würde er eine Reise machen. **du**
Wenn du den Preis bekämest, würdest du eine Reise machen. **ich**
Wenn ich den Preis bekäme, würde ich eine Reise machen. **wir**
Wenn wir den Preis bekämen, würden wir eine Reise machen.

The narrative past stem of a weak verb is the stem of the infinitive plus **–t** or **–et**. The general subjunctive of all regular weak verbs is formed by adding the subjunctive endings to this stem, making the forms identical with the narrative past.

14 Repeat:

Wenn ich mehr übte, würde die Geige besser klingen.
Wenn du mehr übtest, würde die Geige besser klingen.

Wenn er mehr übte, würde die Geige besser klingen.
Wenn wir mehr übten, würde die Geige besser klingen.
Wenn ihr mehr übtet, würde die Geige besser klingen.
Wenn sie mehr übten, würde die Geige besser klingen.

15 Change to the new subject in the **wenn**–clause:

Wenn der Vater die Reise machte, würden die Jungen mitfahren. **du**
Wenn du die Reise machtest, würden die Jungen mitfahren. **wir**
Wenn wir die Reise machten, würden die Jungen mitfahren. **ihr**
Wenn ihr die Reise machtet, würden die Jungen mitfahren. **ich**
Wenn ich die Reise machte, würden die Jungen mitfahren. **er**
Wenn er die Reise machte, würden die Jungen mitfahren.

16 Change to the new subject in both clauses:

Wenn die Studenten mehr arbeiteten, würden sie auch die Prüfung bestehen. **du**
Wenn du mehr arbeitetest, würdest du auch die Prüfung bestehen. **ihr**
Wenn ihr mehr arbeitetet, würdet ihr auch die Prüfung bestehen. **er**
Wenn er mehr arbeitete, würde er auch die Prüfung bestehen. **wir**
Wenn wir mehr arbeiteten, würden wir auch die Prüfung bestehen. **ich**
Wenn ich mehr arbeitete, würde ich auch die Prüfung bestehen.

Unlike English, an unreal condition with present, future or timeless meaning may be expressed with the general subjunctive of the main verb in both clauses.

17 Repeat:

Wenn ich flöge, käme ich viel früher an.
Wenn du flögest, kämest du viel früher an.
Wenn er flöge, käme er viel früher an.
Wenn wir flögen, kämen wir viel früher an.
Wenn ihr flöget, kämet ihr viel früher an.
Wenn sie flögen, kämen sie viel früher an.

18 Change to the new subject in the conclusion:

Wenn das faule Pferd besser zöge, schlüge der Besitzer es nicht. **ich**
Wenn das faule Pferd besser zöge, schlüge ich es nicht. **wir**
Wenn das faule Pferd besser zöge, schlügen wir es nicht. **die Leute**
Wenn das faule Pferd besser zöge, schlügen die Leute es nicht. **du**
Wenn das faule Pferd besser zöge, schlügest du es nicht. **ihr**
Wenn das faule Pferd besser zöge, schlüget ihr es nicht.

19 Change to the new subject in both clauses:

> Wenn die Studenten weniger rauchten, sängen sie auch schöner. **du**
> Wenn du weniger rauchtest, sängest du auch schöner. **ihr**
> Wenn ihr weniger rauchtet, sänget ihr auch schöner. **er**
> Wenn er weniger rauchte, sänge er auch schöner. **wir**
> Wenn wir weniger rauchten, sängen wir auch schöner. **ich**
> Wenn ich weniger rauchte, sänge ich auch schöner.

20 Restate, with the conclusion in the future subjunctive:

> Wenn er zu Hause wäre, läse er nur Räubergeschichten.
> Wenn er zu Hause wäre, würde er nur Räubergeschichten lesen.
>
> Wenn ich nur Zeit dafür fände, machte ich viele Fotos.
> Wenn ich nur Zeit dafür fände, würde ich viele Fotos machen.
>
> Wenn wir jetzt begännen, würden wir bald fertig.
> Wenn wir jetzt begännen, würden wir bald fertig werden.
>
> Wenn du früh genug kämest, böten sie dir ein Glas Wein an.
> Wenn du früh genug kämest, würden sie dir ein Glas Wein anbieten.
>
> Wenn ihr jetzt losginget, kämet ihr noch früh genug an.
> Wenn ihr jetzt losginget, würdet ihr noch früh genug ankommen.
>
> Wenn du nicht immer gleich böse würdest, gewännest du auch mehr Freunde.
> Wenn du nicht immer gleich böse würdest, würdest du auch mehr Freunde gewinnen.

In the general subjunctive the irregular weak verbs **haben**, **wissen**, **denken** and **bringen** have umlaut.

21 Change to the new subject in the conclusion:

> Wenn er nicht krank wäre, brächte ich ihn mit. **wir**
> Wenn er nicht krank wäre, brächten wir ihn mit. **die Tante**
> Wenn er nicht krank wäre, brächte die Tante ihn mit. **ihr**
> Wenn er nicht krank wäre, brächtet ihr ihn mit. **du**
> Wenn er nicht krank wäre, brächtest du ihn mit. **die Freunde**
> Wenn er nicht krank wäre, brächten die Freunde ihn mit.

22 Change to the new subject in both clauses:

> Wenn die Menschen mehr an Bildung dächten, hätten sie mehr Erfolg. **du**
> Wenn du mehr an Bildung dächtest, hättest du mehr Erfolg. **wir**
> Wenn wir mehr an Bildung dächten, hätten wir mehr Erfolg. **er**
> Wenn er mehr an Bildung dächte, hätte er mehr Erfolg. **ich**
> Wenn ich mehr an Bildung dächte, hätte ich mehr Erfolg. **ihr**
> Wenn ihr mehr an Bildung dächtet, hättet ihr mehr Erfolg.

Wenn die Kinder das wüßten, hätten sie keine Angst.   **wir**
Wenn wir das wüßten, hätten wir keine Angst.   **du**
Wenn du das wüßtest, hättest du keine Angst.   **ihr**
Wenn ihr das wüßtet, hättet ihr keine Angst.   **ich**
Wenn ich das wüßte, hätte ich keine Angst.   **er**
Wenn er das wüßte, hätte er keine Angst.

In the general subjective the stem vowel of the irregular weak verbs **brennen**, **kennen** and **nennen** is [ɛ], spelled as in the infinitive.

23   Change to the new subject in the conclusion:

Wenn sie nicht so vornehm wäre, nennte ich sie beim Vornamen.   **wir**
Wenn sie nicht so vornehm wäre, nennten wir sie beim Vornamen.   **du**
Wenn sie nicht so vornehm wäre, nenntest du sie beim Vornamen.   **Hans**
Wenn sie nicht so vornehm wäre, nennte Hans sie beim Vornamen.   **ihr**
Wenn sie nicht so vornehm wäre, nenntet ihr sie beim Vornamen.   **die Kinder**
Wenn sie nicht so vornehm wäre, nennten die Kinder sie beim Vornamen.

24   Change to the new subject in the **wenn**–clause:

Wenn wir die Zeitung verbrennten, würde Vater böse.   **ich**
Wenn ich die Zeitung verbrennte, würde Vater böse.   **Susi**
Wenn Susi die Zeitung verbrennte, würde Vater böse.   **ihr**
Wenn ihr die Zeitung verbrenntet, würde Vater böse.   **du**
Wenn du die Zeitung verbrenntest, würde Vater böse.   **die Jungen**
Wenn die Jungen die Zeitung verbrennten, würde Vater böse.

25   Change to the new subject in both clauses:

Wenn die Gäste den Wirt noch besser kennten, nennten sie ihn beim Vornamen.   **du**
Wenn du den Wirt noch besser kenntest, nenntest du ihn beim Vornamen.   **ihr**
Wenn ihr den Wirt noch besser kenntet, nenntet ihr ihn beim Vornamen.   **er**
Wenn er den Wirt noch besser kennte, nennte er ihn beim Vornamen.   **wir**
Wenn wir den Wirt noch besser kennten, nennten wir ihn beim Vornamen.   **ich**
Wenn ich den Wirt noch besser kennte, nennte ich ihn beim Vornamen.

26   In the general subjective the modals have the same stem vowel as the infinitive, that is, they all have umlaut except **sollen** and **wollen**. Change to the new subject in both clauses or to the new modal as indicated:

Wenn die Soldaten es tun könnten, täten sie es bestimmt.   **du**
Wenn du es tun könntest, tätest du es bestimmt.   **sollen**
Wenn du es tun solltest, tätest du es bestimmt.   **wir**
Wenn wir es tun sollten, täten wir es bestimmt.   **mögen**

Wenn wir es tun möchten, täten wir es bestimmt.   **ich**
Wenn ich es tun möchte, täte ich es bestimmt.   **wollen**
Wenn ich es tun wollte, täte ich es bestimmt.   **ihr**
Wenn ihr es tun wolltet, tätet ihr es bestimmt.   **dürfen**
Wenn ihr es tun dürftet, tätet ihr es bestimmt.   **er**
Wenn er es tun dürfte, täte er es bestimmt.   **müssen**
Wenn er es tun müßte, täte er es bestimmt.

The conclusion of an unreal condition with past meaning is sometimes expressed with a future perfect construction as in English *would have bought.*

27   Repeat:

Wenn ich den Preis bekommen hätte, würde ich mir ein Haus gekauft haben.
Wenn du das Pferd nicht geschlagen hättest, würdest du nicht gefallen sein.
Wenn Kurt mit dem Unsinn nicht aufgehört hätte, würde Hartmut böse geworden sein.
Wenn wir früher angekommen wären, würden wir den Festzug noch gesehen haben.
Wenn ihr nicht durch die Dornenhecke gedrungen wäret, würdet ihr die Kleider nicht zerrissen haben.
Wenn die Straßen nicht so rutschig gewesen wären, würden wir den Wagen genommen haben.

28   Change to the new subject in the conclusion:

Wenn die Sonne geschienen hätte, würde ich zum Baden gegangen sein.   **wir**
Wenn die Sonne geschienen hätte, würden wir zum Baden gegangen sein.   **Heike**
Wenn die Sonne geschienen hätte, würde Heike zum Baden gegangen sein.   **du**
Wenn die Sonne geschienen hätte, würdest du zum Baden gegangen sein.   **die Schüler**
Wenn die Sonne geschienen hätte, würden die Schüler zum Baden gegangen sein.   **ihr**
Wenn die Sonne geschienen hätte, würdet ihr zum Baden gegangen sein.

29   Change to the new subject in both clauses:

Wenn die beiden im Lotto gewonnen hätten, würden sie einen neuen Wagen gekauft haben.   **ich**
Wenn ich im Lotto gewonnen hätte, würde ich einen neuen Wagen gekauft haben.   **ihr**
Wenn ihr im Lotto gewonnen hättet, würdet ihr einen neuen Wagen gekauft haben.   **wir**
Wenn wir im Lotto gewonnen hätten, würden wir einen neuen Wagen gekauft haben.   **er**
Wenn er im Lotto gewonnen hätte, würde er einen neuen Wagen gekauft haben.   **du**
Wenn du im Lotto gewonnen hättest, würdest du einen neuen Wagen gekauft haben.

Unlike English, an unreal condition having past meaning may be expressed with the past perfect verb pattern in both clauses.

30   Repeat:

Wenn ich im Lotto gewonnen hätte, wäre ich um die Welt gereist.
Wenn du das Schloß gesehen hättest, hättest du es auch sofort wiedererkannt.

Wenn er nicht so schnell gefahren wäre, wäre der Unfall nicht geschehen.
Wenn wir ihn nicht gezwungen hätten, wäre er nicht mitgekommen.
Wenn ihr bei uns geblieben wäret, hättet ihr mehr Glück gehabt.
Wenn sie schneller gegangen wären, wären sie nicht so spät gewesen.

31 Change to the new subject in both clauses:

Wenn die Freunde im Lotto gewonnen hätten, wären sie um die Welt gereist. **du**
Wenn du im Lotto gewonnen hättest, wärest du um die Welt gereist. **ihr**
Wenn ihr im Lotto gewonnen hättet, wäret ihr um die Welt gereist. **er**
Wenn er im Lotto gewonnen hätte, wäre er um die Welt gereist. **wir**
Wenn wir im Lotto gewonnen hätten, wären wir um die Welt gereist. **ich**
Wenn ich im Lotto gewonnen hätte, wäre ich um die Welt gereist.

32 Restate, with the conclusion in the past perfect subjunctive.

Example: Wenn Susi besser aufgepaßt hätte, würde sie die Tasse nicht zerbrochen haben.
Wenn Susi besser aufgepaßt hätte, hätte sie die Tasse nicht zerbrochen.

Wenn ich die andere Geige gespielt hätte, würde ich den Preis gewonnen haben.
Wenn ich die andere Geige gespielt hätte, hätte ich den Preis gewonnen.

Wenn der Junge das Pferd nicht geschlagen hätte, würdest du nicht heruntergefallen sein.
Wenn der Junge das Pferd nicht geschlagen hätte, wärest du nicht heruntergefallen.

Wenn die Leute den Fremdenführer nicht unterbrochen hätten, würde er freundlicher gewesen sein.
Wenn die Leute den Fremdenführer nicht unterbrochen hätten, wäre er freundlicher gewesen.

Wenn das Wetter besser gewesen wäre, würdet ihr wohl im offenen Wagen gekommen sein?
Wenn das Wetter besser gewesen wäre, wäret ihr wohl im offenen Wagen gekommen?

Wenn wir noch Geld gehabt hätten, würden wir die Miete bezahlt haben.
Wenn wir noch Geld gehabt hätten, hätten wir die Miete bezahlt.

Wenn das Pferd schneller gelaufen wäre, würde der Mann es nicht geschlagen haben.
Wenn das Pferd schneller gelaufen wäre, hätte der Mann es nicht geschlagen.

33 The "double infinitive" construction with modals and a few other verbs is also used in the subjunctive. Change from present to past subjunctive.

Example: Wenn er käme, könnten wir zusammen ins Theater gehen.
Wenn er gekommen wäre, hätten wir zusammen ins Theater gehen können.

Wenn er hier wäre, möchte ich wohl seine Fotos sehen.
Wenn er hier gewesen wäre, hätte ich wohl seine Fotos sehen mögen.

Wenn sie das Geld hätten, wollten sie ein Haus kaufen.
Wenn sie das Geld gehabt hätten, hätten sie ein Haus kaufen wollen.

Wenn du uns besuchtest, sollten wir mal eine Rheinreise machen.
Wenn du uns besucht hättest, hätten wir mal eine Rheinreise machen sollen.

Wenn Susi nicht krank wäre, dürften wir zum Baden gehen.
Wenn Susi nicht krank gewesen wäre, hätten wir zum Baden gehen dürfen.

Wenn er nicht selbst in die Stadt führe, ließe er uns seinen Wagen nehmen.
Wenn er nicht selbst in die Stadt gefahren wäre, hätte er uns seinen Wagen nehmen lassen.

34 After any initial real or unreal **wenn**–clause, **so** or **dann** may begin the conclusion without change of word order. Repeat:

Wenn er jetzt bald kommt, dann bin ich noch zufrieden.
Wenn sie jetzt käme, so würde alles wieder gut sein.

Wenn du damals gekommen wärest, dann wäre alles nicht so düster gewesen.
Wenn er den Brief nicht geschrieben hätte, so würden wir nicht gewußt haben, daß er krank war.

Wenn du deine Arbeit gut machst, dann bekommst du fünfzig Pfennig.
Wenn das Kind nicht so blaß aussähe, so würde ich es mitfahren lassen.

35 The **wenn** of any initial **wenn**–clause, real or unreal, may be omitted, and if it is, the clause begins with the finite verb. Omit **wenn** and begin with the finite verb.

Examples: Wenn er jetzt bald kommt, dann können wir ihn mitnehmen.
Kommt er jetzt bald, dann können wir ihn mitnehmen.

Wenn er hier gewesen wäre, hätte er sich sicher gefreut.
Wäre er hier gewesen, hätte er sich sicher gefreut.

Wenn du nur vorsichtig genug bist, so zerreißt du auch deine Kleider nicht.
Bist du nur vorsichtig genug, so zerreißt du auch deine Kleider nicht.

Wenn wir ihn dazu zwängen, führe er mit uns.
Zwängen wir ihn dazu, führe er mit uns.

Wenn ich ihn gezwungen hätte, wäre er böse geworden.
Hätte ich ihn gezwungen, wäre er böse geworden.

Wenn ich mitgehen könnte, dann wäre ich glücklich.
Könnte ich mitgehen, dann wäre ich glücklich.

Wenn ihr besser gearbeitet hättet, hättet ihr auch mehr verdient.
Hättet ihr besser gearbeitet, hättet ihr auch mehr verdient.

Wenn die Freunde im Lotto gewonnen hätten, würden sie um die Welt gereist sein.
Hätten die Freunde im Lotto gewonnen, würden sie um die Welt gereist sein.

Wenn ich etwas mehr Geld hätte, könnte ich nach Hause fliegen.
Hätte ich etwas mehr Geld, könnte ich nach Hause fliegen.

Wenn du keine Angst gehabt hättest, hättest du gut fliegen können.
Hättest du keine Angst gehabt, hättest du gut fliegen können.

Wenn Susi den Ring nicht hätte finden können, wäre Mutter böse gewesen.
Hätte Susi den Ring nicht finden können, wäre Mutter böse gewesen.

Wenn er ins Theater hat gehen wollen, hat er vorher immer gejobbt.
Hat er ins Theater gehen wollen, hat er vorher immer gejobbt.

36 A real or unreal conditional sentence may begin with the conclusion. If it does, **so** or **dann** is not used and **wenn** is never omitted. Reverse the clauses.

Example: Wenn das Wetter schön bleibt, kommt er morgen bestimmt.
Er kommt morgen bestimmt, wenn das Wetter schön bleibt.

Wenn er nur die Zeit dazu fände, würde er die Reise richtig genießen.
Er würde die Reise richtig genießen, wenn er nur die Zeit dazu fände.

Wenn ihr nicht gleich losgeht, erwischt ihr den Bus sicher nicht mehr.
Ihr erwischt den Bus sicher nicht mehr, wenn ihr nicht gleich losgeht.

Wenn ich flöge, käme ich noch zur Konferenz.
Ich käme noch zur Konferenz, wenn ich flöge.

Wenn er immer ordentlich geschlafen hätte, wäre er jetzt auch auf den Beinen.
Er wäre jetzt auch auf den Beinen, wenn er immer ordentlich geschlafen hätte.

Wenn du durch den Fluß schwämmest, würden wir dich zurückbringen.
Wir würden dich zurückbringen, wenn du durch den Fluß schwämmest.

Wenn ich das gewußt hätte, hätte ich einen Kuchen gebacken.
Ich hätte einen Kuchen gebacken, wenn ich das gewußt hätte.

E. Other Uses of the General Subjunctive

37 In clauses of manner **als ob** or **als wenn** *as if* is followed by the general subjunctive either with present or with past meaning. Repeat:

Du machst ja plötzlich ein Gesicht, als ob schon sieben Tage Regenwetter wäre.
Sie sieht aus, als ob sie krank wäre.
Wir taten, als wenn wir Angst hätten.
Er machte ein Gesicht, als ob schon sieben Tage Regenwetter gewesen wäre.
Sie sehen aus, als ob sie die ganze Nacht nicht geschlafen hätten.
Ihr gabt euer Geld aus, als wenn ihr im Lotto gewonnen hättet.

38 The **ob** or **wenn** may be omitted from clauses of manner with the result that the finite verb follows **als**. Restate the following without **ob** or **wenn**.

> *Examples:* Er macht ein Gesicht, als ob schon sieben Tage Regenwetter wäre.
> Er macht ein Gesicht, als wäre schon sieben Tage Regenwetter.
>
> Sie sah aus, als wenn sie gar nicht geschlafen hätte.
> Sie sah aus, als hätte sie gar nicht geschlafen.

Er tut, als ob er Angst hätte.
Er tut, als hätte er Angst.

Du siehst aus, als wenn du krank wärest.
Du siehst aus, als wärest du krank.

Er machte ein Gesicht, als ob schon sieben Tage Regenwetter gewesen wäre.
Er machte ein Gesicht, als wäre schon sieben Tage Regenwetter gewesen.

Er gibt sein Geld aus, als wenn er im Lotto gewonnen hätte.
Er gibt sein Geld aus, als hätte er im Lotto gewonnen.

Ich habe getan, als ob ich sehr böse wäre.
Ich habe getan, als wäre ich sehr böse.

39 Restate the following with **ob** included after **als**:

Er heult, als schlüge sein Vater ihn.
Er heult, als ob sein Vater ihn schlüge.

Er tat, als wäre nichts geschehen.
Er tat, als ob nichts geschehen wäre.

Er hat gerufen, als wäre etwas Besonderes los.
Er hat gerufen, als ob etwas Besonderes los wäre.

Es sah so aus, als hätte er mitgehen wollen.
Es sah so aus, als ob er hätte mitgehen wollen.

Das Kind hat geweint, als wäre ein großes Unglück passiert.
Das Kind hat geweint, als ob ein großes Unglück passiert wäre.

40 The general subjunctive is commonly used in polite requests, in attitudinal statements and in statements with modals. In wishes that include a main and a subordinate clause, the subjunctive is used in both clauses. Repeat:

Polite requests

Dürfte ich noch ein Stück Kuchen haben?
Wir hätten gern eine Flasche Wein.
Würden Sie mir noch ein Stück Brot bringen?

Was also hättest du vorzuschlagen?
Könnte ich den Anzug mal anprobieren?
Ich hätte gern einen weißen Pullover.
Hätten Sie Zeit, mir dabei zu helfen?

Attitudinal statements

Da hätten wir die Geschichte!
Da wäre der Schrank nun endlich!
Da wäre schon wieder mal ein Unfall!

Subjunctive statements with modals

Du solltest an deine Bildung denken.
Ich möchte das alte Schloß wieder sehen.
Wir könnten ja einmal hingehen.

Wishes with main and dependent clauses

Ich wollte, du hörtest jetzt mit dem Unsinn auf!
Ich wünschte, ich hätte das Geld für die Miete!
Meine Eltern möchten, mein Bruder hätte studiert!

F. Questions and Answers

Part 1

Was täte Kurt zuerst, wenn er und Hartmut im Lotto gewännen?
Er ginge erst einmal sehr gut und vornehm essen.

Wie nennt Hartmut seinen Freund?
Er nennt ihn einen alten Epikureer.

Woran sollte Kurt statt dessen denken?
Er sollte lieber an seine Bildung denken.

Was hätte Hartmut vorzuschlagen?
Er meint, man müßte zuerst eine Bildungsreise machen.

Was möchte Hartmut z.B. gerne sehen?
Er möchte am liebsten die Venus von Milo und andere Kunstwerke sehen.

Was fände Kurt besser als alte Damen von Stein?
Er fände junge, lebende Damen eigentlich besser.

Wie antwortet Hartmut darauf?
Er sagt, das gute Leben könnte ja immer noch kommen.

Woran denkt Kurt dabei?
Er denkt an Häuser, Sportwagen, Pferde, Feste, Freundinnen usw.

Part 2

Wie sieht Hartmuts Gesicht plötzlich aus?
Er macht ein Gesicht, als ob schon sieben Tage Regenwetter wäre.

Warum macht er so ein Gesicht?
Der Postbote hat einen Einschreibbrief von ihrem Hauswirt gebracht.

Was will Herr Jäger denn?
Er möchte die Miete des Vormonats haben.

Wozu sähe Herr Jäger sich leider gezwungen, wenn er die Miete nicht bekäme.
Er sähe sich leider gezwungen, die beiden aus dem Hause zu werfen.

Warum braucht Hartmut den Rest des Briefes gar nicht erst zu hören?
Weil er sich den Rest schon denken kann.

Was ist an der Geschichte denn zum Heulen?
Es ist zum Heulen, daß sie kein Geld haben, um die Miete zu bezahlen.

Würden die beiden als Millionäre zufriedener gewesen sein?
Das kann wirklich kein Mensch wissen.

Was wäre in diesem Augenblick für Kurt und Hartmut so schön gewesen?
Es wäre schön gewesen, wenn sie Millionäre gewesen wären.

IV. Writing Practice

A. Dehydrated Sentences

Write the following in the general subjunctive in the tense pattern that seems most appropriate to you.

Als (ob) *clauses*

1 Er tut, als ob / er / krank / sein
2 Sie sieht aus, als / schlafen / sie / ganz / Nacht / nicht
3 Er machte ein Gesicht, als / haben / er / Angst
4 Es schien, als ob / das eine / Pferd / nicht / gut / genug / ziehen

Attitudinal statements

1 Da / haben / wir / Geschichte
2 Also, da / sein / er / jetzt / endlich
3 Nun, da / sein / großartig / Schrank
4 Also, da / haben / du / es / nun / endlich / erreichen

Polite requests

1 Dürfen / ich / Flasche / Rotwein / haben /?
2 Wir / haben / gern / noch / Tasse / Kaffee
3 Ich / gehen / gern / einmal / mit / Sie / Theater
4 Werden / Sie / ich / bitte / Salz / geben /?

Informal wishes with a **wenn**-clause (**wenn** expressed or omitted)

1 Wenn / wir / nur / einmal / in / Lotto / gewinnen / können /!
2 Wenn / Leute / Schrank / doch / bald / schicken / werden /!
3 Müssen / er / nur / nicht / so viel / fliegen /!
4 Ankommen / er / doch / bald /!

Subjunctive statements with modals

1 Du / sollen / an / dein / Bildung / denken
2 Wir / können / Schloß / mal / besuchen
3 Er / mögen / gern / Reise / machen
4 Ihr / sollen / nicht / so rücksichtslos / fahren

Wishes with verbs of wishing (subjunctive in both clauses!)

1 Ich / wollen / ihr / aufhören / mit / Unsinn
2 Tante Inge / wünschen / Onkel Richard / leben / nicht / so flott
3 Er / mögen / daß / du / nicht / so rücksichtslos / fahren
4 Der Besitzer / wollen / daß / wir / sein / Pferd / keinesfalls / schlagen

Write the following as conditions in the general subjunctive. Use a future pattern only where **werden** appears.

> *Examples:* *Referring to present time:* Wenn / Susi / nicht /aufpaßen // kaputtgehen / vielleicht / etwas
> Wenn Susi nicht aufpaßte, ginge vielleicht etwas kaputt.
>
> *Referring to past time:* Gerhard / werden / Schrank / selber / bauen // wenn / er / richtig / Werkzeug / haben
> Gerhard würde den Schrank selber gebaut haben, wenn er das richtige Werkzeug gehabt hätte.

Refer to present time

1 Wenn / Susi / nicht / so laut / schluchzen // sein / ihre Mutter / glücklicher
2 Wenn / Tante Inge / nicht / wehklagen // werden / ihr Neffe / sie / lieber / haben
3 Es / sein / großartig // wenn / Günther / endlich / aufhören / schmatzen
4 Ich / werden / mich / freuen // wenn / du / nicht / laufend / Bonbon / lutschen / wollen
5 Wenn / Hans / nicht / immer gleich / so wüst / trampeln // werden / er / nett / Junge / sein

Refer to past time

1 Wenn / er / nicht / so geldsüchtig / sein // können / ich / er / besser / leiden
2 Ich / schlagen / Kerl // wenn / er / du / wieder / auslachen
3 Die Klasse / werden / mehr / lernen // wenn / Lehrer / sich / nicht immer / so / aufregen
4 Der Student / haben / mehr / Erfolg // wenn / er / die Probleme / auseinanderhalten
5 Wenn / er / kein / Ansporn / haben // werden / er / nicht so viel / arbeiten

B. Controlled Composition

In about 150 words write what you would do if you were to win a large sum of money in a lottery. You might begin as indicated below and then develop your story with ideas suggested by some of the vocabulary listed.

Wenn ich eine große Menge Geld im Lotto gewänne, würde ich (mir) erst einmal . . .

Fotoapparat, Reise, reisen, Welt, Stadt, Hotel, besuchen, Sportwagen, Pferd, Fest, Anzug, Kleider, Schloß, Dom, Venus von Milo, Kunstwerk, Universität, studieren, Bildung

V. Word Study

A. Translation of Dialog

Was wäre, wenn . . .
What Would It Be Like If . . .
(Hartmut u. Kurt)
(Hartmut & Kurt)

wäre *general subjunctive*

Part 1

1 Du, Kurt, hast du schon mal daran gedacht, was wäre, wenn wir im Lotto gewännen?
Say, Kurt, have you ever thought of what it would be like if we won in the lottery?

das Lotto, –s lotto *short for* **die Lotterie, –n**
· **gewinnen: er gewinnt, er gewann, er hat gewonnen (gewännen** *gen. subj.*)

2 Du meinst, wenn wir beinahe alles kaufen könnten, was wir wollten?
You mean, if we could buy almost everything that we wanted?

könnten, wollten *gen. subj.*

3 Nicht beinahe alles, sondern alles! Und hätten noch immer Geld zuviel!
Not almost everything, but everything! And still had too much money!

hätten *gen. subj.*

488

4 Ich ginge erst einmal sehr gut und vornehm essen.
First I'd go and have a good dinner in a fine restaurant.

ginge *gen. subj.* · **vornehm** of superior rank; distinguished; fashionable; high class

5 Immer essen, du alter Epikureer. Du solltest statt dessen lieber an deine Bildung denken.
Always eating, you old epicure. Instead of that you ought to be thinking of your education.

der Epikureer, — · **solltest** *gen. subj.*

6 Gut, was hättest du also vorzuschlagen?
O.K. So what would you have to suggest?

vorschlagen: er schlägt vor, er schlug vor, er hat vorgeschlagen

7 Ich denke, man müßte zuerst eine Bildungsreise machen.
I think first we'd have to take an educational trip.

müßte *gen. subj.* · **die Bildungsreise die Bildung + die Reise eine Reise machen** take a trip

8 Die Venus von Milo und so? Ich fände junge, lebende Damen besser als alte von Stein!
Venus de Milo and all that? I'd find young, live women better than old ones made of stone.

der Stein, —e · **fände** *gen. subj.*

9 Sei doch vernünftig, das gute Leben könnte danach ja immer noch kommen!
Oh, be sensible. After all, the fun could still come later.

sei *imperative of* **sein** · **vernünftig** sensible, reasonable **die Vernunft** reason · **das Leben, —**

10 Du meinst: Häuser, Sportwagen, Pferde, Feste, Freundinnen usw.?
You mean houses, sports cars, horses, parties, girl friends, etc.?

der Sportwagen der Sport + der Wagen

Part 2

11 Du machst ja plötzlich ein Gesicht, als ob schon sieben Tage Regenwetter wäre.
All at once you have a glum look on your face.

das Regenwetter der Regen, — rain + **das Wetter**

12 Die Post ist eben gekommen, und ein Einschreibbrief von Herrn Jäger, unsrem „treuen" Hauswirt, ist auch dabei.
The mail just came and there's also a registered letter with it from Mr. Jäger, our "faithful" landlord.

der Einschreibbrief einschreiben register; enter (in a book) + **der Brief, —e** letter · **der Jäger, —** hunter **jagen** chase; hunt · **der Hauswirt das Haus + der Wirt** innkeeper; host

13 Na, und? Was könnte ein kleiner Hausbesitzer von stolzen Millionären schon Großartiges wollen?
So what? What great things could a lowly house owner want of proud millionaires, anyway?

der Hausbesitzer das Haus + der Besitzer, — owner, proprietor **besitzen** own, possess • **stolz** proud **der Stolz** pride • **der Millionär, —e** • **großartig** excellent; grandiose **groß** + **—artig** –like **Großartiges** *neuter adjectival noun*

14 Ich wollte, du hörtest jetzt mit dem Unsinn auf. Hier, lies du!
Now I wish you'd stop that nonsense. Here, you read it.

wollte *gen. subj.* • **aufhören** stop (**hörtest . . . auf** *gen. subj.*)

15 Oh, oh, da steht: Wenn wir nicht wenigstens die Miete des Vormonats bezahlen könnten, . . .
Oh, oh! It says if we couldn't at least pay last month's rent, . . .

die Miete, —n rent **mieten** rent **der Mieter, —** renter • **der Vormonat, —e** vor + der Monat

16 . . . sähe er sich leider gezwungen . . . usw. Den Rest kann ich mir denken.
. . . he would unfortunately find himself forced . . . etc. The rest I can imagine.

sich sehen *acc. refl.* (**sähe** *gen. subj.*) • **zwingen**: er zwingt, er zwang, er hat gezwungen compel; force; oblige • **der Rest, —e**

17 Da hätten wir die Geschichte! Es ist zum Heulen! Was ist nun mit deiner Bildungsreise?
Well, now we've had it! What a shame! Now what about your educational trip?

heulen howl; scream; weep **das Heulen** *infinitive used as a noun*

18 Ach, meinst du wirklich, wir würden als Millionäre zufriedener gewesen sein?
Oh well, do you really think we'd have been happier as millionaires?

würden gewesen sein *gen. subj.* • **zufrieden** happy; satisfied

19 Na, unsre Lage wäre im Augenblick dann immerhin nicht so düster.
Well, at least our situation wouldn't be so gloomy at the moment.

die Lage, —n situation, position; site • **der Augenblick** moment, instant **das Auge** + der Blick, —e look; view **blicken** look; glance **augenblicklich** instantaneous; at the moment • **düster** gloomy, somber, dark; sad

20 Da hast du recht! Aber nun sollten wir uns ernsthaft überlegen, wie wir unsren Hausherrn am besten betören.
You're right about that. But now we ought to give some serious thought as to how we can best outwit our landlord.

ernsthaft serious, earnest • **überlegen** consider, reflect **sich überlegen** think over • **betören** deceive; delude **der Tor, —en, —en** fool • **der Hausherr** das Haus + der Herr

Supplement

Wünsche mit wenn
Wishes with *if*

1 Wenn Susi doch nicht so schluchzen würde!
If Susi just wouldn't sob so!

2 Wenn Tante Inge doch nicht immer so
schnell wehklagte!
If only Aunt Inge weren't so quick to
complain!

wehklagen lament, wail (**wehklagte** *gen. subj.*) **weh** sore, painful + **klagen** complain **das Weh** pain; grief

3 Wenn Günther doch nur nicht so schmatzen
würde!
If only Günther wouldn't smack his lips so
much!

4 Wenn der Junge nur nicht so viele
Rahmbonbon lutschen wollte!
If the boy just didn't want to eat so much
candy!

der Rahmbonbon taffy **der Rahm** cream + **der Bonbon** [bɔŋ'bɔŋ] candy · **lutschen** suck · **wollte** *gen. subj.*

5 Wenn Hans nur nicht so wüst trampeln
würde!
If Hans only wouldn't stamp so violently!

wüst wild, riotous

6 Wenn der Mann nur nicht so geldsüchtig
wäre!
If the man only weren't so greedy for money!

geldsüchtig **das Geld** + **süchtig** having a mania for; addicted to

7 Wenn der Kerl doch nicht immer so viel
fluchte!
If only the rascal didn't always swear so
much!

fluchte *gen. subj.* **der Fluch, ⸚e** curse; swearing

8 Wenn der Lehrer sich über seine Schüler
nur nicht immer aufregen müßte!
If only the teacher didn't always have to get
so excited over his pupils!

aufregen excite **sich aufregen** get excited *acc. refl.* **aufregend** exciting

9 Wenn der Student die beiden Probleme
doch endlich auseinanderhalten könnte!
If only the student could finally keep the
two problems separate!

auseinanderhalten **auseinander** separate, apart + **halten**

10 Wenn der Junge nur nicht stets einen
Ansporn nötig hätte, um zu arbeiten!
If only the boy didn't always have to have
an incentive to w rk!

der Ansporn incentive; spur

B. Word Formation

Ge– prefix nouns

Nouns are formed from verbs with the prefix **ge–**, which transfers the verbal meaning into a nominal meaning, often in a collective sense. Sometimes the result of the action of the verb is indicated in the nouns. Some examples you know are: **denken** *think*, **der Gedanke, –n** *thought*; **sprechen** *speak*, **das Gespräch, –e** *conversation*; **wiegen** *weigh*, **das Gewicht, –e** *weight*. Below are some new ones that are derived from verbs you know:

backen	bake	das Gebäck	bakery products; pastry
bauen	build	das Gebäude, –	building
beißen	bite	das Gebiß, –	set of teeth; set of false teeth
brauchen	need; use	der Gebrauch, ⸚e	use (of arms; instruments; words)
decken	cover	das Gedeck, –e	cover; table setting
fahren	drive; ride	das Gefährt, –e	vehicle
fallen	fall	das Gefälle	slope; grade
flüstern	whisper	das Geflüster	whispering
hausen	house	das Gehäuse, –	case; casing
helfen	help	der Gehilfe, –n	assistant; clerk
heulen	howl; cry	das Geheul	howling; crying
hören	hear	das Gehör	(sense of) hearing
lachen	laugh	das Gelächter	laughter
malen	paint	das Gemälde, –	painting, picture
mischen	mix	das Gemisch, –e	mixture
packen	pack	das Gepäck	luggage
plappern	babble, chatter	das Geplapper	babbling
richten	judge; prepare (food)	das Gericht, –e	court; justice; dish (food)
riechen	smell	der Geruch, ⸚e	odor; sense of smell
singen	sing	der Gesang, ⸚e	song; singing
sitzen	sit	das Gesäß, –e	seat
schmecken	taste	der Geschmack, ⸚e	taste; flavor
sehen	see	das Gesicht, –er	face
spotten	mock	das Gespött	mockery
stellen	place, put	das Gestell, –e	stand; rack
suchen	look for	das Gesuch, –e	application (for job)
trampeln	stamp, trample	das Getrampel	stamping, trampling
trinken	drink	das Getränk, –e	drink

Nouns in –e

The suffix **–e** is used to form from adjectives feminine nouns denoting quality or condition. (These nouns are not to be confused with adjectival nouns whose genders vary and whose endings follow the adjective declensions.) Most of these nouns have no plural and all have umlaut if possible. Some examples you know are: **reif** *ripe*, **die Reife** *ripeness; maturity*; **heiß** *hot*, **die Hitze** *heat*. Below are some new nouns formed from familiar adjectives:

blau	blue	die Bläue	blue(ness)
breit	wide	die Breite	breadth, width; latitude
dick	thick	die Dicke	thickness; fatness; density
fern	distant	die Ferne, −n	distance
fremd	strange	die Fremde	foreign land
früh	early	die Frühe	early in the morning
groß	large	die Größe, −n	size
gut	good	die Güte	goodness; quality
hoch	high	die Höhe	height
kalt	cold	die Kälte	cold, chilliness
kurz	short	die Kürze	shortness; brevity
lang	long	die Länge, −n	length; tallness; longitude
leer	empty	die Leere	emptiness
nah	near	die Nähe	nearness; vicinity
rot	red	die Röte	redness; blush (of shyness)
schwach	weak	die Schwäche, −n	weakness
stark	strong	die Stärke, −n	strength
still	quiet	die Stille	stillness, silence
süß	sweet	die Süße	sweetness
tief	deep	die Tiefe	depth; height (of snow)
warm	warm	die Wärme	warmth

C. Singular and Plural of Nouns

Change the noun subject to the plural:

Die Reise nach Frankreich war sehr schön.
Die Reisen nach Frankreich waren sehr schön.

Der Stein wurde von einem Jungen geworfen.
Die Steine wurden von einem Jungen geworfen.

Das Pferd wollte nicht mehr ziehen.
Die Pferde wollten nicht mehr ziehen.

Das Gesicht wurde plötzlich ganz traurig.
Die Gesichter wurden plötzlich ganz traurig.

Der Brief war wirklich zum Heulen.
Die Briefe waren wirklich zum Heulen.

Der Mieter hatte keinen Pfennig.
Die Mieter hatten keinen Pfennig.

Der Jäger kommt mit der Beute nach Hause.
Die Jäger kommen mit der Beute nach Hause.

Der Besitzer des Hauses wollte endlich die Miete haben.
Die Besitzer des Hauses wollten endlich die Miete haben.

Der Millionär ist nie zufrieden.
Die Millionäre sind nie zufrieden.

Der Rest ist nicht so großartig.
Die Reste sind nicht so großartig.

Der Blick schien mir nicht besonders freundlich zu sein.
Die Blicke schienen mir nicht besonders freundlich zu sein.

Der Tor plappert nur Unsinn.
Die Toren plappern nur Unsinn.

Der Bonbon ist auf den Fußboden gefallen.
Die Bonbon sind auf den Fußboden gefallen.

Der Sack ist ins Haus getragen worden.
Die Säcke sind ins Haus getragen worden.

Der Wanderer singt ein altes Volkslied.
Die Wanderer singen ein altes Volkslied.

Die Schuld muß wieder gutgemacht werden.
Die Schulden müssen wieder gutgemacht werden.

Die Gehässigkeit zwischen Ländern kann zum Krieg führen.
Die Gehässigkeiten zwischen Ländern können zum Krieg führen.

Das Gebäude soll schon im nächsten Sommer fertig sein.
Die Gebäude sollen schon im nächsten Sommer fertig sein.

Das Gemälde kommt in Vaters Arbeitszimmer.
Die Gemälde kommen in Vaters Arbeitszimmer.

Das Gericht hier hat mir noch nie geschmeckt.
Die Gerichte hier haben mir noch nie geschmeckt.

Das Gesicht war von der Sonne ganz braun gebrannt .
Die Gesichter waren von der Sonne ganz braun gebrannt.

Das Getränk hier ist mir nicht kalt genug.
Die Getränke hier sind mir nicht kalt genug.

Die Länge betrug genau zwei Kilometer.
Die Längen betrugen genau zwei Kilometer.

VI. Grammar

A. The Subjunctive Mood

The term *mood* refers to different types of verb forms which indicate different attitudes of the speaker toward what he is saying. There are three moods in both English and German, and their use is similar in the two languages. In this book, statements about verbs always refer to the indicative unless the imperative or subjunctive is specifically mentioned.

The imperative mood is used for commands:

1 Kurt, sei doch vernünftig!
Kurt, please be reasonable!

2 Kinder, geht nun ins Bett!
Children, go to bed now.

3 Schauen Sie mal durch diese Auswahl hier!
Just look through this selection here.

The indicative mood is used to represent something as a fact, or as being closely related to fact:

1 Hier scheint die Sonne jeden Tag.
Here the sun shines every day.

2 Wenn die Sonne scheint, gehen wir zum Baden.
If the sun shines, we will go swimming.

► The first sentence states a fact; the second indicates something very closely related to fact, something which is very likely to happen.

The subjunctive mood is used to represent something *not* as being a fact but as being supposition, desire or unreality. It is used much less in modern English and German than it formerly was. This is not because modern speech has become careless but rather because this is an age in which people tend to think in terms of reality, not of presumption and supposition. Thus the need for the subjunctive is no longer so great.

In English, there are two forms of the verb which are used in a subjunctive sense. The uninflected form of the verb is used as the present subjunctive: *I insisted that he* GO. The past subjunctive, except for some forms of the verb *be*, is like the past indicative: *I wish that he* WERE *here. I wish I* KNEW *someone in Berlin.* The terms "present subjunctive" and "past subjunctive" are misleading because the time reference may be present or future, but not past. The past perfect subjunctive, which is a compound tense based on the past subjunctive, refers to past time: *I wish I* HAD KNOWN *that yesterday.* In addition to the verb forms which are used in a subjunctive sense, there are a number of auxiliary verbs which may have subjunctive meaning: *would, could, might, ought, should,* etc.

497

In German there are also two forms of the verb which are used in a subjunctive sense: the general subjunctive, based on the narrative past of the indicative, and the special subjunctive, based on the present infinitive. Each of these has one simple and three compound tenses. In this Unit only the general subjunctive is treated.

B. The General Subjunctive

Strong verbs and regular weak verbs

Strong verbs				Weak verbs	
Indicative:	*General subjunctive:*	*Indicative:*	*General subjunctive:*	*Indicative:*	*General subjunctive:*
Narrative past	Simple past	Narrative past	Simple past	Narrative past	Simple past
bleiben *remain*		**fahren** *drive*		**malen** *paint*	
ich blieb	blieb**e**	fuhr	führ**e**	malt**e**	malt**e**
du blieb**st**	blieb**est**	fuhr**st**	führ**est**	malt**est**	malt**est**
er blieb	blieb**e**	fuhr	führ**e**	malt**e**	malt**e**
wir blieb**en**	blieb**en**	fuhr**en**	führ**en**	malt**en**	malt**en**
ihr blieb**t**	blieb**et**	fuhr**t**	führ**et**	malt**et**	malt**et**
sie blieb**en**	blieb**en**	fuhr**en**	führ**en**	malt**en**	malt**en**

▶ The personal endings, **–e, –est, –e, –en, –et, –en** are the same for both strong and weak verbs.

▶ The personal endings are added to the past stem — strong verbs: **er blieb–e**; weak verbs: **er malt–e, er arbeitet–e**.

▶ The past general subjunctive of regular weak verbs is identical with the narrative past.

▶ The stem vowel of strong verbs umlauts whenever possible (ä, ö, ü): **er spränge, er flöge, er schlüge**. The only strong verbs which do not umlaut are **gehen** and the verbs of Class I and VII, all of which have **i** or **ie** in the stem of the narrative past: **er ginge, er schriebe, er bisse, er fiele, er finge**.

The **–e–** of the endings of the **du** and **ihr** forms of strong verbs is often omitted in informal speech and writing. However, this is considered acceptable only where the omission of the **–e–** does not make the subjunctive form identical with the narrative past: **du führ(e)st, ihr führ(e)t** but **du bliebest, ihr bliebet; du gingest, ihr ginget**. The retention of the **–e–** is never wrong and it is used with all verbs in this book.

Since the subjunctive of a few strong verbs sounds exactly like the present indicative (**ich helfe, ich hälfe**), an older stem with a different past tense vowel is often used for the sake of distinctiveness: **hülfe** for **hälfe**. The forms **stürbe** for **stärbe** (**sterben**) and **würfe** for **wärfe** (**werfen**) are in regular use.

The tense auxiliaries **haben**, **sein**, **werden**

	Narrative past	General subjunctive past
haben	er hatte	er hätte
sein	er war	er wäre
werden	er wurde	er würde

Irregular weak verbs

Bringen *bring*, **denken** *think*, **wissen** *know*:

	Narrative past	General subjunctive past
bringen	er brachte	er brächte
denken	er dachte	er dächte
wissen	er wußte	er wüßte

► The general subjunctive past is the same as the narrative past except that the stem vowel umlauts.

Brennen *burn*, **kennen** *know*, **nennen** *name*, **rennen** *run*, **senden** *send* and **wenden** *turn* have the vowel of the infinitive in the general subjunctive: **er brennte, er kennte, er nennte, er rennte, er sendete, er wendete**.

The modals have the vowel of the infinitive in the general subjunctive:

	Narrative past	General subjunctive past
dürfen	er durfte	er dürfte
können	er konnte	er könnte
mögen	er mochte	er möchte
müssen	er mußte	er müßte
sollen	er sollte	er sollte
wollen	er wollte	er wollte

C. Tenses of the General Subjunctive

The weak verb **folgen** *follow*

	Indicative	General subjunctive
Present	er folgt	
Present perfect	er ist gefolgt	
Past	er folgte	er folgte
Past perfect	er war gefolgt	er wäre gefolgt
Future	er wird folgen	er würde folgen
Future perfect	er wird gefolgt sein	er würde gefolgt sein

The strong verb **schlagen** hit, beat, strike

	Indicative	General subjunctive
Present	er schlägt	
Present perfect	er hat geschlagen	
Past	er schlug	er schlüge
Past perfect	er hatte geschlagen	er hätte geschlagen
Future	er wird schlagen	er würde schlagen
Future perfect	er wird geschlagen haben	er würde geschlagen haben

► There are only four tenses of the general subjunctive. The compound tenses are formed like their indicative equivalents except that the finite form of **sein, haben** or **werden** is in the past general subjunctive.

D. Use of the General Subjunctive

Conditional sentences

Tenses used in referring to future or present time

	Condition	Conclusion
English	*if* + past tense form	*would* + infinitive
German	**wenn** + past general subjunctive	**würde (würdest,** *etc.*) + infinitive *or* past general subjunctive

If he *had* enough money,	he *would go* to the theater.
Wenn er genug Geld **hätte,**	**würde** er ins Theater **gehen.** *or* **ginge** er ins Theater.
If he *were* not sick,	he *would* definitely *come.*
Wenn er nicht krank **wäre,**	**würde** er sicher **kommen.** *or* **käme** er sicher.

► Unreal (impossible, improbable, uncertain) conditions are expressed in the general subjunctive.

► The forms in both English and German are past but the time reference is future or present.

► **Würde** is the past general subjunctive of **werden**. The phrase **würde gehen** is the general subjunctive form of the future tense **wird gehen**.

► There is no construction in modern English which corresponds to the German use of the past general subjunctive, **ginge**, in the conclusion.

► The meaning of the conclusion is the same whether the future (**würde gehen**) or the past (**ginge**) of the general subjunctive is used.

Remember: Not all English *if*–clauses or German **wenn**–clauses require the subjunctive. In real conditions referring to present or future time where no impossibility, improbability or uncertainty is intended, the present indicative is used in the condition and the present or future indicative in the conclusion:

Wenn er genug Geld **hat**, **geht** er ins Theater (**wird** er ins Theater **gehen**).
If he *has* enough money he *goes* (*will go*) to the theater.

The most typical pattern

Wenn er nicht wegführe, würde ich ihn besuchen.
Ich würde ihn besuchen, wenn er nicht wegführe.

► The most typical pattern has the past general subjunctive in the **wenn**–clause and the **würde**–form in the conclusion. Far more often than not the **wenn**–clause comes first.

Haben, sein *and the modals*

1 Wenn er genug Geld hätte, hätte er den neuen Wagen schon.
2 Wenn er recht hätte, wäre Vater jetzt schon zu Hause.
3 Wenn er nicht so rücksichtslos wäre, hätte ich keine Angst.
4 Wenn ihr Sohn auch hier wäre, wäre sie glücklicher.
5 Wenn er Zeit hätte, könnte er ja mitfahren.
6 Wenn er nur kommen wollte, könnte er ein paar Wochen hier bleiben.
7 Wenn er nicht nach Kiel müßte, sollte er wirklich mit uns nach Köln fahren.

► The past of **haben** (1, 2, 3, 5), **sein** (2, 3, 4) and the modals (5, 6, 7) is preferred over the **würde**–form whether in the condition or the conclusion.

Variations

1 Wenn ich flöge, käme ich viel früher an.
2 Wenn ich flöge, würde ich viel früher ankommen.

3 Wenn ich fliegen würde, käme ich viel früher an.
4 Wenn ich fliegen würde, würde ich viel früher ankommen.
5 Wenn er das Bild malte, freuten wir uns.
6 Wenn er das Bild malte, würden wir uns freuen.
7 Wenn er das Bild malen würde, freuten wir uns.
8 Wenn er das Bild malen würde, würden wir uns freuen.

► When there is a strong verb in both clauses, the past general subjunctive may be used in both (1), but more often than not, the **würde**–form will appear in the conclusion (2).

► In everyday speech the **würde**–form is often used in the **wenn**–clause (3, 4, 7, 8).

► The use of the past subjunctive of regular weak verbs in the conclusion (5, 7) is rare because its lack of distinction as a subjunctive is especially felt in a clause without **wenn**. It is preferred to use the **würde**–form in the conclusion (6), and some speakers use it in the **wenn**–clause (7) or in both clauses (8).

Tenses used in referring to past time

	Condition	Conclusion
English	*if* + *had* + past participle	*would, could, might, should* + *have* + past participle
German	**wenn** + past participle + past general subjunctive	**würde (würdest,** *etc.*) + past participle + **haben** *or* **sein** *or* **hätte (hättest,** *etc.*) or **wäre (wärest,** *etc.*) + past participle

If he *had had* enough money,	he *would have gone* to the theater.
Wenn er genug Geld **gehabt** hätte,	**würde** er ins Theater **gegangen sein.** *or* **wäre** er ins Theater **gegangen.**

► There is no construction in modern English which corresponds to the German use of the past perfect subjunctive, **wäre gegangen**, in the conclusion of a conditional sentence.

► The meaning of the conclusion is the same whether the future perfect (**würde gegangen sein**) or the past perfect (**wäre gegangen**) of the general subjunctive is used.

Remember: In real conditions where no impossibility, improbability or uncertainty is intended, the indicative is used in both English and German:

   If he had enough money, he surely went to the theater yesterday.
   Wenn er Geld genug gehabt hat, ist er gestern sicher ins Theater gegangen.

The most typical pattern

1 Wenn er uns gesehen hätte, hätte er uns natürlich begrüßt.
2 Wenn sie geflogen wären, hätten sie nicht so viel Zeit verloren.
3 Wenn du die Arbeit gemacht hättest, wäre Vater nicht böse geworden.
4 Wenn ich krank gewesen wäre, wäre ich eben nicht gekommen.

► Since the finite forms of the auxiliaries **sein** and **haben** are distinctive, the past perfect construction commonly occurs in both clauses.

Future perfect construction

Wenn du früher gekommen wärest, würdest du ihn noch gesehen haben.
Wenn er mehr Zeit gehabt hätte, würde er nicht so schnell gefahren sein.

► The future perfect construction may be used in the conclusion.

Omission of **wenn**

Wenn ich genug Geld hätte, würde ich einen Wagen kaufen.
Hätte ich genug Geld, würde ich einen Wagen kaufen.

► If **wenn** is omitted from the initial **wenn**–clause, the sentence begins with the finite verb.

Linking **dann** or **so** in real and unreal conditions

1 Wenn er kommen könnte, hätte er schon angerufen.
2 Wenn er kommen könnte, so hätte er schon angerufen.
3 Könnte er kommen, dann hätte er schon angerufen.

4 Wenn sie vorsichtig ist, wird auch nichts kaputtgehen.
5 Wenn sie vorsichtig ist, so wird auch nichts kaputtgehen.
6 Ist sie vorsichtig, dann wird auch nichts kaputtgehen.

► The conclusion may begin with a linking **so** or **dann** without any other change (2, 3, 5, 6). This is most likely to happen if **wenn** is omitted from the condition (3, 6).

► The equivalent of **dann** in English is *then*, but **so** is only a marker to signal the beginning of the conclusion and should therefore be ignored in a translation equivalent.

Other uses of the general subjunctive

Wishes with **wenn**-clauses (**wenn** expressed or omitted)

1 Wenn er doch bald anriefe!

2 Wenn er nur vorsichtiger fahren würde!
3 Hätte er das doch nicht gesagt!

► In a wish with a **wenn**–clause the future construction is common (2). The wish usually includes the intensifier **nur** or **doch**, which are equivalents of *only* in English.

Wishes introduced with verbs of wishing

1 Ich wollte, du hörtest jetzt mit dem Unsinn auf!
2 Wir wollten, wir hätten dieses Haus nicht gekauft!
3 Ich wünschte, daß du mit den Tellern vorsichtiger sein würdest!

► The general subjunctive is used in both the main and the dependent clause (1, 2, 3). If **daß** is not used, the word order is normal (1, 2).

Polite requests

1 Würden Sie mir bitte die Butter bringen?
2 Ich hätte gern ein Glas Bier!
3 Dürfte ich das rote Kleid mal anprobieren?

► In a restaurant (1, 2) or store (3) it would be rude to use the indicative in requests. Statement or question form in the subjunctive may be used.

Attitudinal statements

1 Da hätten wir die Geschichte!
2 Da wäre der Schrank nun endlich!

3 Da wäre schon wieder mal ein Unfall!

► Statements such as these with **haben** or **sein** are made by way of observations regarding events that have been expected and then finally come about. They express the speaker's feelings about the outcome, whether positive or negative (relief, pleasure, disappointment).

Subjunctive statements with modals

1 Du solltest an deine Bildung denken.
2 Wir könnten den Dom ja mal besichtigen.

3 Der Junge hätte das nicht tun dürfen.

► The best equivalents for the modals are such forms as *should* or *ought to* (1) and *could* (2). A verb complex with the "double infinitive," **hätte . . . tun dürfen** (3) equates best with an English pattern as in *should have done.*

Clauses of manner with **als (ob)**, **als (wenn)**

1   Er tat, als ob er krank wäre.
2   Er tat, als wäre er krank.
3   Er sieht aus, als wenn er nicht geschlafen hätte.
4   Er sieht aus, als hätte er nicht geschlafen.

▶ If **ob** or **wenn** is omitted, the finite verb comes directly after **als**.

Unit 19

I. Programmed Reading

Der Ehemann aus der Zeitung

Wie lernen sich die jungen Leute in Deutschland kennen? Nun, meistens natürlich wie überall sonst auf der Welt, aber da gibt es doch auch etwas, was viele Amerikaner recht fremd und eigenartig finden:
5 Institute^g für Ehevermittlung oder Eheanbahnung nämlich.

Ehevermittlungsinstitute sind nicht typisch deutsch. In vielen Ländern gibt es davon viel mehr als in Deutschland, und manchmal haben sie eine so alte Tradition, daß man solche Vermittlung von Ehen deshalb tatsächlich eine Sitte des Landes nennen kann. Nicht so in
10 Deutschland. Aber es gibt dort doch immerhin 260 private Institute für Ehevermittlung, die viel besucht werden. Die westdeutschen Eheanbahner haben in den ersten zwanzig Jahren nach dem Kriege ungefähr 650 000 Ehen vermittelt, das sind 7% aller Ehen in diesem Zeitraum^g. Ist das nicht allerhand?

15 Die Statistik sagt, daß 60% aller Kunden Frauen sind und nur 40% Männer. Und die Kunden sind jung, das ist besonders eigenartig. Das Alter^g der Kunden soll bei den Frauen im Durchschnitt um 22, bei den Männern um 30 Jahre liegen.

Die Vermittler haben natürlich lange Listen^g für ihre Kunden, aber
20 häufig setzen sie auch Annoncen^g in Zeitungen, um so den richtigen Partner^g für einen Kunden ausfindig zu machen. Die meisten deutschen Zeitungen und Zeitschriften bringen solche Annoncen, denn nicht nur Ehevermittler von Beruf, auch viele Privatleute suchen so ihr Glück. Und manche scheinen es wirklich gefunden zu haben!

25 Die Männer suchen heute angeblich meistens mütterliche, häusliche Frauentypen, die gut aussehen und gute Kameraden sind. Pin-up-Girls sind, für die Ehe wenigstens, nicht gefragt. Dafür möchte der Mann gutes Essen und ein gemütliches Zuhause. Aber auch in der Öffentlichkeit will der Mann heute auf die gesuchte Frau stolz sein können.
30 Auch die deutschen Mädchen wollen, so heißt es, meistens einen väterlichen, häuslichen Mann, einen richtigen Familienvater. Dabei braucht er aber nicht gut auszusehen. Einen „schönen" Mann lehnen die meisten sogar ab. Und zu jung sollte er auch nicht sein. Die meisten deutschen Mädchen finden angeblich den lebenserfahrenen
35 Mann von vierzig Jahren gerade richtig, weil er sie besser versteht als ein junger. Aber er muß gepflegt sein, sonst wird die moderne deutsche Durchschnittsfrau den modernen deutschen Durchschnittsmann nicht mögen. So sagen jedenfalls die Leute, die ihre Mitmen-

der Ehemann   ein verheirateter Mann · **die Ehefrau**   eine verheiratete Frau

das Institut, —e [ɪnsti'tu:t] · **die Ehevermittlung, die Eheanbahnung** Männer und Frauen zusammenbringen, damit sie sich kennenlernen und vielleicht heiraten, d.h. vielleicht in den Stand der Ehe treten, eine Ehe schließen. · die Ehe, —n

deshalb   Ich habe heute morgen nichts gegessen, deshalb bin ich jetzt sehr hungrig. · deshalb = deswegen = darum

allerhand   eine ganze Menge · allerhand = allerlei

der Durchschnitt, —e   Während der letzten zehn Jahre hat er im Durchschnitt (= durchschnittlich) 1 000,— Mark monatlich verdient · schneiden → der Schnitt, —e
die Liste, —n
die Annonce, —n [a'nõ:sə]
der Partner, — · **ausfindig machen**   suchen, finden wollen

angeblich   A. Warum hat der Polizist den jungen Mann eigentlich mitgenommen?   B. Er hat im Kaufhaus angeblich etwas gestohlen.

die Öffentlichkeit   die Allgemeinheit, die Gesellschaft, alle (erwachsenen) Menschen eines Volkes · öffentlich = für alle

ablehnen   von einer Sache nichts wissen wollen, „nein" (zu etwas) sagen · die Ablehnung, —en

gepflegt sein   sauber und ordentlich sein, besonders in der Kleidung · gepflegt sein ↔ ungepflegt sein

1   Wodurch lernen manche Frauen ihren Ehemann kennen?

Manche Frauen lernen ihren Ehemann durch die Zeitung kennen.

2   In einigen Ländern hat die Vermittlung von Ehen eine alte Tradition. Wie kann man eine solche Institution⁹ dort deshalb nennen?

Man kann sie dort deshalb eine Sitte des Landes nennen.

3   Wie alt sind die Kunden solcher Institute im Durchschnitt?

Die Frauen sind im Durchschnitt 22, die Männer 30 Jahre alt.

4   Welchen Frauentyp suchen die Männer heute angeblich?

Sie suchen angeblich mütterliche, häusliche Frauen, die gut aussehen und gute Kameraden sind.

5   Wollen die deutschen Mädchen einen „schönen" Mann?

Nein, einen „schönen" Mann lehnen die meisten ab.

schen[g] nach ihren Meinungen fragen. Und die sollten es doch eigent-
40 lich wissen, die Herren Meinungsforscher!

Mögen die Meinungsforscher viel wissen, die Statistiker wissen fast
alles; natürlich auch über die Ehe! Sie sagen, daß die Ehen in
Deutschland heute sogar noch etwas besser halten als vor dem
Kriege. Jedenfalls gibt es heute viel weniger Scheidungen als bald
45 nach dem Krieg. Von 10 000 Ehen werden jetzt im Durchschnitt nur
noch 35 Ehen geschieden. Und das sind zum großen Teil junge oder
kinderlose Ehen. Ein ,,Ehemann aus der Zeitung'' jedenfalls scheint
durchaus nicht schlechter zu sein als jeder andere.

Deutschland — Reiseland

50 Das alte Vorkriegsdeutschland war ein bekanntes Reiseland. Nicht
nur die Deutschen reisten viel, besonders natürlich im Sommer, es
kamen auch immer viele Ausländer zu Besuch.

Die Bundesrepublik Deutschland ist heute nur noch ein kleines Land,
kaum halb so groß wie das Deutschland von 1937. Und nicht nur
55 Deutschlands Größe hat sich seit den Zwanziger— und Dreißigerjahren
verändert, fast alles ist anders geworden. Aber ein Reiseland ist
Deutschland ungeachtet all der Veränderungen immer noch. Die
neuen Statistiken über Deutschland als Reiseland können sich neben
den alten sehr wohl sehen lassen.

60 Heutzutage kommen neben Europäern[g] besonders viele Amerikaner
nach Deutschland. Aber auch die Deutschen reisen wieder viel in
ihrer Heimat. Häufig reisen sie natürlich auch ins europäische[g] Ausland, besonders gern nach Italien[g], aber die meisten bleiben doch in
ihrer Heimat. Die Auswahl an schönen Plätzen ist dort durchaus groß
65 genug.

Besonders wichtig für das Reisen ist das Verkehrsnetz. Und das ist
nun wirklich gut. Nur gibt es leider viel zu viele Menschen und Autos
auf kleinem Raum, aber das ist nicht nur ein Reiseproblem. Es ist
eben alles recht eng im heutigen Deutschland. Die Bevölkerungsdichte
70 ist viel zu groß. Die Bundesrepublik gehört ja zu den Ländern, in
denen auf der ganzen Welt durchschnittlich die meisten Menschen
auf einem Quadratkilometer (km²) leben.

Aber auch das Verkehrsnetz ist eng. Besonders eng und gut ist das
Netz der Eisenbahnen. Mit der Eisenbahn kann man in Deutschland
75 fast überallhin[g] relativ schnell und billig kommen.

der Meinungsforscher, — Menschen mit dem Beruf, andere Leute nach ihrer Meinung über eine bestimmte Sache zu fragen · der Forscher, — → forschen

die Scheidung, —en die Ehe = die Heirat ↔ die Scheidung · Sie waren nur zwei Jahre verheiratet, da haben sie sich schon wieder scheiden lassen.

durchaus nicht keinesfalls, bestimmt nicht

Vorkriegsdeutschland das Deutschland vor dem Kriege

kaum fast nicht

ungeachtet (*prep. with genitive*) trotz

der Europäer, — [ɔɪʀoˈpɛːəʀ]

die Heimat, *pl.* **die Heimatländer** Für einen Amerikaner ist Amerika seine Heimat, für einen Deutschen ist Deutschland seine Heimat. · die Heimat = das Heimatland ↔ die Fremde
Italien [iˈtɑːliən]

das Verkehrsnetz das Netz, welches Straßen, Bahnen, Buslinien [ˈliːniən], Fluglinien usw. bilden

die Bevölkerungsdichte Die Menschen, die in einer Stadt leben, bilden die Bevölkerung dieser Stadt. · Er sitzt dicht bei mir = Er sitzt direkt neben mir. · dicht → die Dichte = die Densität

die Eisenbahn A. Wie bist du gekommen, mit dem Auto, mit dem Bus oder mit dem Flugzeug? B. Nein, ganz einfach mit der guten, alten Eisenbahn. Eisen ist ein Metall. · das Eisen

6 Welche Leute sagen alle diese Dinge?

Die Meinungsforscher, und die sollten es doch eigentlich wissen.

7 Ist ein Ehemann aus der Zeitung schlechter als andere Ehemänner?

Nein, er scheint durchaus nicht schlechter zu sein als jeder andere.

8 Wie groß ist die deutsche Bundesrepublik heute?

Sie ist kaum halb so groß wie das Deutschland von 1937.

9 Was tun auch die Deutschen wieder viel?

Sie reisen wieder viel, auch in ihrer Heimat.

10 Was ist im engen Deutschland heute viel zu groß?

Die Bevölkerungsdichte ist im heutigen Deutschland viel zu groß.

Die deutschen Autobahnen sind meistens nicht ganz so gut wie ihr Ruf (der Verkehr ist eben zu groß geworden), aber zweifellos auch nicht schlecht. Man kann heute auf ihnen, wenn man will, ohne Stopp^g von Flensburg bis Basel fahren. Natürlich werden noch laufend
80 neue Autobahnen gebaut, aber im Augenblick wird der Verkehr schneller größer als das weitverzweigte Netz der Autobahnen.

Nun, so weit verzweigt ist das Autobahnnetz eigentlich noch gar nicht, aber das allgemeine Straßennetz ist tatsächlich sehr weit verzweigt. Und in der Regel sind die Straßen auch gut.

85 Es läßt sich immer noch bequem reisen in Deutschland, denn man fährt ja nicht nur, wenn man reist. Man schaut sich um oder man liegt in der Sonne, man besichtigt besondere Plätze oder besucht alte Bekannte, man macht neue Bekanntschaften^g oder geht einfach spazieren. Und für all diese Dinge (und noch mehr) ist Deutschland
90 gut. Man findet überall hübsche Hotels und Gasthäuser^g, teure und billigere. Jeder Ausländer, der in der Bundesrepublik reist, sollte aber auch einige der vielen kleinen, gemütlichen Gaststätten besuchen, die es überall im Lande gibt.

Das Klima^g ist mild in Deutschland. Es wird eigentlich nie richtig
95 heiß im Sommer und selten^g wirklich kalt im Winter. Dafür gibt es aber viel Regen, in den deutschen Alpen etwa 2 000 mm im Jahresdurchschnitt. Darüber freuen sich natürlich die Wintersportler^g, besonders die Schiläufer, wenn der viele Regen im Winter als Schnee herunterkommt. Aber der Regen hat auch im Sommer seinen Vorteil:
100 alles ist nämlich schön frisch und grün.

Der Reisende kann in Deutschland fast alles finden, was er sucht: große und kleine, moderne und alte Städte, gute Gaststätten und viel schöne, freie Natur, besonders Wald. Fast 30% der ganzen Bundesrepublik ist mit Wald bestanden, und wer nicht schon einmal stun-
105 denlang^g in deutschen Wäldern spazierenging, der kennt Deutschland noch nicht.

Am bekanntesten ist Deutschlands Süden. Hier liegen die Alpen, eine besonders reizvolle Gebirgslandschaft. Aber es gibt nach Norden zu auch sonst noch viel bergige Landschaft, wenn diese Mittelgebirge
110 auch lange nicht so hoch sind wie die Alpen. Schließlich aber wird das Land weiter nach Norden zu ganz flach. Doch die großen, grünen Flächen, meistens Gras und Wald, haben auch ihren eigenartigen Reiz^g.

zweifellos   bestimmt, gewiß, sicher · der Zweifel, — = die Ungewißheit · im Zweifel sein = nicht genau wissen = zweifeln an = bezweifeln
der Stopp, —s [ʃtɔp]
weitverzweigt   mit vielen Zweigen · verzweigt = in Zweige aufgeteilt

11   Sind die Autobahnen so gut wie ihr Ruf?

Nein, aber sie sind zweifellos auch nicht schlecht.

bequem   Der neue Sessel hier ist wirklich bequem. Ich reise am liebsten mit der Eisenbahn. Ich finde, so reist man am bequemsten. · bequem ↔ unbequem

spazierengehen   ohne ein bestimmtes Ziel, nur so zum Spaß gehen

12   Kann man in Deutschland immer noch bequem reisen?

Ja, es läßt sich in Deutschland immer noch bequem reisen.

die Gaststätte, —n   ein Platz, an dem man für Geld Essen und Trinken bekommt · die Stätte, —n = der Platz · die Gaststätte = das Restaurant, —s [ʀɛsto'ʀɑ̃]

etwa   zum Beispiel; ungefähr

13   Was sollte jeder Ausländer besuchen, wenn er in Deutschland reist?

Die vielen kleinen, gemütlichen Gaststätten, die es überall gibt.

der Vorteil   der Profit [pʀo'fiːt] = geldlicher Vorteil · Geld ist nicht immer ein Vorteil. · der Vorteil ↔ der Nachteil

14   Hat der Regen auch seinen Vorteil?

Ja, alles ist schön frisch und grün im Sommer.

bestehen   *here*: stehen auf

die Gebirgslandschaft   die Landschaft, —en   Natur, Gebiet, Gegend · Da oben auf dem Berg steht eine Kirche, von dort hat man einen weiten Überblick über die Landschaft. · **das Gebirge, —**   viele, hohe Berge → bergig · der Berg, —
flach   ohne wesentlichen Unterschied in Höhe und Tiefe · Das Wasser ist ganz flach, man kann es bequem durchwaten. ·· die Fläche, —n

15   Ist der Süden Deutschlands am bekanntesten?

Ja, dort liegen die Alpen, eine besonders reizvolle Gebirgslandschaft.

511

Wer gern im Freienᵍ badet, hat es überall in Deutschland gut, am
115 besten aber doch wohl im Norden. Hier liegt das Meer, die Nordseeᵍ,
mit vielen idealenᵍ Badeplätzen. Eigentlich ist auch die Ostseeᵍ ein
kleines Meer. Viele Leute fahren lieber dorthin, weil das Klima da
milderᵍ ist als an der Nordsee und der Sandstrandᵍ vielleicht noch
besser: ein Feriengebiet, wie man es sich, besonders für Kinder,
120 kaum schöner wünschen kann.

Der Rhein ist vielleicht noch bekannter als das Alpengebiet, hauptsächlich wegen seines guten Weines. Aber jeder Reisende wird bald
herausfindenᵍ, daß man nicht nur am Rhein, Deutschlands berühm-
testem Fluß, gute Weine trinkt!

125 Da wir nun beim Baden und Trinken sind, muß noch von den vielen
Stellen in Deutschland erzählt werden, die tatsächlich nur für Baden
und Trinken da sind, den vielen, vielen, meistens schon recht alten
Kurorten. Man kann einen Kurort leicht von anderen Orten unterscheiden, vor seinem Ortsnamen wird nämlich „Bad" stehen. In
130 solchen „Bädern" nun badet man nicht einfach in Wasser. Mit dem
Trinken ist auch nicht etwa Bier und Wein gemeint. Vielmehrᵍ badet
man in Heilquellen und trinkt auch daraus. Fast jede Heilquelle ist
anders und hilft gegen besondere Krankheitenᵍ. Eine solche Kur ist
anstrengend, und so gibt es in diesen Kurorten meistens gepflegte
135 Parks, in denen die Kranken sich erholen können, und die Ruhe
finden, die sie brauchen.

Denkt man nun noch an die Menschen, die sich überall im Lande
(nicht nur des guten Geschäftes wegen!) über Fremde freuen, so
kann man wohl zustimmen: Deutschland ist ein schönes Reiseland.

das Meer, —e   der Ozean, —e [ˈoːtseaːn]
ideal [ideˈaːl]

das Feriengebiet   die Ferien *pl.* [ˈfeːʀiən] = freie Tage · Im Sommer haben die Kinder in Deutschland fast sechs Wochen schulfrei. Das sind die „großen Ferien".

berühmt   bekannt, populär

der Kurort   eine kleinere Stadt mit besonderen therapeutischen Hilfen gegen bestimmte Krankheiten

die Heilquelle   die Quelle, —n = Platz, an dem Wasser entspringt · Die Quelle des Rheins liegt nicht in Deutschland = Der Rhein entspringt nicht in Deutschland. · Wissenschaft des Heilens = Medizin
sich erholen   nach einer Krankheit wieder stark werden · Onkel Richard hat sich von seinem Herzanfall schnell wieder erholt.

zustimmen   zu einer Sache „ja" sagen, die gleiche Meinung haben · zustimmen ↔ ablehnen · die Zustimmung, —en ↔ die Ablehnung

16   Grenzt Deutschland auch ans Meer?

Ja, im Norden. Man kann dort sehr gut baden.

17   Kennen Sie Deutschlands berühmtesten Fluß?

Deutschlands berühmtester Fluß ist natürlich der Rhein.

18   Wozu sind die Heilquellen gut?

Man trinkt dieses besondere Wasser, und man badet auch darin.

19   Können Sie zustimmen: Deutschland ist ein schönes Reiseland?

Nein, ich kann nicht zustimmen, denn ich war noch nicht dort.

II. Phonology

A. Review of [l]

Review the German sound l [l] in the Phonology of Unit 3 and then pronounce the following, concentrating especially on a perfect [l]:

lernen, Leute, Deutschland, natürlich, überall, Welt, viele, Vermittlung, nämlich, als, manchmal, alte, solche, tatsächlich, zählen, soll, liegen, lange, Listen, Glück, wirklich, angeblich, mütterlich, häuslich, gemütlich, Öffentlichkeit, wollen, väterlich, Familienvater, ablehnen, lebenserfahren, weil, gepflegt, jedenfalls, halten, bald, kinderlos, schlechter, klein, halb, Zahlen, wohl, lassen, Ausland, Italien, bleiben, Auswahl, Platz, leider, Problem, durchschnittlich, Bundesrepublik, Quadratkilometer, relativ, schnell, billig, zweifellos, will, Flensburg, Basel, laufend, Augenblick, als, allgemein, tatsächlich, Regel, läßt, liegt, Hotels, Klima, mild, selten, kalt, viel, Beispiel, Millimeter, Alpen, reizvoll, Sportler, Vorteil, Wald, einmal, stundenlang, Gebirgslandschaft, Mittelgebirge, schließlich, flach, ideal, Badeplatz, lieber, weil, milder, bald, Fluß, stellen, erzählt, leicht, Heilquelle, hilft, deshalb, gepflegt, sich erholen

B. Review of [ʀ]

Review the German sound r [ʀ] in the Phonology of Unit 3 and then pronounce the following, concentrating especially on perfect [ʀ]-sounds:

1   Amerikaner, recht, fremd, Freund, Tradition, privat, Krieg, Prozent, Frauen, ihre, richtigen, Jahren, Zeitschriften, bringen, Beruf, Kameraden, gefragt, braucht, gerade, fragen, Herren, groß, andere, Reise, Bundesrepublik, Größe, Raum, relativ, Ruf, fahren, Regel, Straßen, teure, billigere, Regen, darüber, frisch, grün, frei, reizvolle, Gras, Reiz, Sandstrand, Feriengebiet, Rhein, trinke, besondere, Krankheiten, anstrengend, Ruhe, brauchen, Freunde, freuen

2   kennenlernen, eigenartig, Ehevermittlung, wirklich, Partner, lebenserfahren, vierzig, versteht, modern, Durchschnitt, Meinungsforscher, wird, durchaus, gern, Flensburg, Verkehrsnetz, verzweigt, Sportler, wirklich, geworden, Gebirgslandschaft, bergig, Norden, dorthin, erzählt, Kurort, Parks

3   natürlich, mehr, für, nur, ihr, sogar, vor, der, er, sehr, Vorkriegsdeutschland, Verkehrsnetz, gehört, ihr, fährt, umher, Natur, wer, hier, wir, werden, Kurort, Meer

4   aber, Ländern, Eheanbahner, immerhin, aller, Männer, besonders, Alter, mütterlich, väterlich, besser, jünger, über, weniger, kinderlos, jeder, Sommer, Ausländer, anders, Europäer, Amerikaner, ihrer, leider, Quadratkilometer, schneller, oder, Winter, besonders, Wäldern, lieber, milder, schöner, bekannter, unterscheiden, Bädern, Wasser, sondern

III. Writing Practice

A. Real to Unreal Conditions

Change the following real conditions to unreal ones in the appropriate tenses of the general subjunctive.

Example: Wenn er in der Stadt gewesen ist, hat er auch das neue Gebäude bestimmt gesehen.
Wenn er in der Stadt gewesen wäre, hätte er auch das neue Gebäude bestimmt gesehen.

1   Wenn er genug Geld dafür gehabt hat, ist er sicher ins Theater gegangen.
2   Wenn das Wetter wärmer ist, pflanzen wir unsere Rosen.
3   Wenn er endlich den Doktor besucht, wird es ihm auch bald besser gehen.
4   Wenn das Kind müde war, mußte es immer gleich ins Bett gehen.
5   Wenn du vorsichtig fährst, kann auch nichts passieren.
6   Wenn der Junge in der Schule fleißig ist, ist der Lehrer auch mit ihm zufrieden.

B. Word Order

Rewrite each of the following sentences four times by beginning with a different element each time: (1) the dative object; (2) the agent; (3) the adverb; (4) the false subject **es**:

1   Diese Rosen wurden ihnen heute von einem alten Gärtner verkauft.
2   Das ganze Gemälde hier ist mir in nur einer Woche von diesem jungen Künstler gemalt worden.
3   Viel süßes Gebäck wird uns immer zu Weihnachten von unsrer Tante mitgebracht.

C. Semicontrolled Composition

Write a story of about 150 words relating what you would do if you had no money and the landlord wanted you to move out of your room unless you could pay last month's rent in a week.

IV. Word Study

A. Inference

With the help of the clues provided, guess the meanings of the words in boldface:

1   Wer Medizin studiert und alle seine Prüfungen bestanden hat, ist Mediziner oder **Arzt**.   **der Arzt, ̈e**
2   In der Stadt leben und arbeiten die **Städter** [ˈʃtɛːtəʁ], auf dem Lande leben und arbeiten die **Bauern**.
      der Städter, –   der Bauer, –n
3   Ein Wald besteht aus vielen **Bäumen**; ein **Baum** macht noch keinen Wald.   **der Baum, ̈e**
4   Was, ihr habt zu Weihnachten keinen **Tannenbaum** gehabt?   **die Tanne, –n**
5   Die meisten Bäume haben **Blätter**, aber der Tannenbaum hat Nadeln. Die Blätter fallen im Herbst ab, die Nadeln aber nicht.   **das Blatt, ̈er**
6   Unten im Zimmer ist der Fußboden, weiter hat das Zimmer vier **Wände** und oben eine **Decke**.   **die Wand, ̈e   die Decke, –n**
7   Der Boden unter freiem Himmel heißt nicht mehr Fußboden, sondern **Erdboden**.   **die Erde, –n**
8   Wenn die Erde gut ist, kann man im Garten schöne **Blumen** pflanzen.   **die Blume, –n**
9   Im Sommer **blühen** die Blumen in allen Farben.
10 Meine Augen werden immer schlechter, jetzt kann ich die Zeitung nicht mehr ohne **Brille** lesen.
      die Brille, –n
11 Gibt es hier denn keine **Brücke** über den Fluß? Ich muß auf die andere Seite.   **die Brücke, –n**
12 Wer im Haus ist, ist **drinnen**. Durch das Fenster kann man nach **draußen** sehen.
13 Kannst du sehen? Dort **drüben** auf der anderen Seite der Straße geht Hans mit seiner Tante Inge.
14 Wo Licht ist, ist es **hell**, wo kein Licht ist, ist es dunkel.

15   Wer viel weiß, ist klug (intelligent), wer nur wenig weiß, ist **dumm**.

16   Das erste Essen am Morgen heißt **Frühstück**.   **das Frühstück**

17   Nicht alle Leute, die fleißig zur Kirche gehen, sind wirklich **religiös** [ʀeligi'øːs], d.h. **fromm**.

18   Obwohl Susi heute böse war, ist sie **an sich** doch ein wirklich nettes Mädchen.

19   Ich habe ihn nie gemocht, aber nachdem er so viel Schlechtes über mich gesagt hat, werde ich ihm **erst recht** nicht helfen.

20   A. Er hat seine Krankheit von einem Spezialarzt **behandeln** lassen.   B. Hatte die **Behandlung** Erfolg? **die Behandlung, —en**

21   A. Kommst du heute abend mit ins Kino?   B. Ich weiß noch nicht. Eigentlich hatte ich die **Absicht** (= **beabsichtigte ich**), heute mal früh zu Bett zu gehen.   **die Absicht, —en** **absichtlich**

22   Schon wenn die **Verkehrsampel** gelbes Licht zeigt, muß man stoppen, nicht erst bei rotem Licht. **die Ampel, —n**

23   Bei diesem schlechten Wetter zu Fuß gehen zu müssen, ist gewiß nicht **angenehm**.

24   Sie **zündete** sich eine Zigarette nach der anderen an. Sie rauchte laufend.

25   Ich habe mir gleich die Medizin aus der **Apotheke** mitgebracht, die mein Arzt mir verschrieben hat. **die Apotheke, —n**

26   Manche glauben, daß man im nächsten Krieg keine **Atomwaffen** gebrauchen wird.   **die Waffe, —n**

27   Machst du bitte mal das Fenster auf? In diesem verrauchten Zimmer kann man ja kaum noch **atmen**. **der Atem**

28   Er ist so **auffallend** groß, daß man ihn einen Riesen nennen könnte.

29   Hast du deine **Schulaufgaben** für morgen schon gemacht, Susi?   **die Aufgabe, —n**

30   Ihr neuer Regenmantel ist **außen** blau und **innen** rot.

31   Sollen wir zu morgen den ganzen Dialog **auswendig** lernen?

32   Fahren Sie mich schnell zum **Bahnhof**, mein Zug geht in vierzehn Minuten.   **der Bahnhof, ⁼e**

33   A. Du, Inge, meine Sommerhose ist zu klein, sie **paßt** mir nicht mehr!   B. Ich hab' es ja immer gesagt, Richard: du hast über Winter einen richtigen kleinen **Bauch** bekommen.   **der Bauch, ⁼e**

34   Der Kellner **bedient** seine Gäste.

35   Der Leutnant **befahl** seinen Soldaten, schneller zu marschieren.   **befehlen: er befiehlt, er befahl, er hat befohlen** (*dat.*)

36   Gestern ist mir zufällig ein alter Klassenkamerad auf der Straße **begegnet**.   **begegnen** (*dat.*)

B. Singular and Plural of Nouns

Change the noun subject to the plural:

> Das Institut ist heute geschlossen.
> Die Institute sind heute geschlossen.

> Die Liste ist ziemlich lang geworden.
> Die Listen sind ziemlich lang geworden.

> Die Annonce interessiert mich nicht.
> Die Annoncen interessieren mich nicht.

> Der Partner muß auch gepflegt sein.
> Die Partner müssen auch gepflegt sein.

> Der Forscher hat Erfolg gehabt.
> Die Forscher haben Erfolg gehabt.

Die Scheidung ist eigentlich nicht nötig.
Die Scheidungen sind eigentlich nicht nötig.

Die Ehe sollte bis zum Tode dauern.
Die Ehen sollten bis zum Tode dauern.

Das Blatt war schon ganz vollgeschrieben.
Die Blätter waren schon ganz vollgeschrieben.

Die Quelle dieses Flusses liegt im Schwarzwald.
Die Quellen dieses Flusses liegen im Schwarzwald.

Das Gebirge ist im Winter ganz mit Schnee bedeckt.
Die Gebirge sind im Winter ganz mit Schnee bedeckt.

Die Krankheit sollte von einem Spezialisten behandelt werden.
Die Krankheiten sollten von einem Spezialisten behandelt werden.

Der Arzt hat auch nicht immer recht.
Die Ärzte haben auch nicht immer recht.

Der Städter wohnt oft in einem Mietshaus.
Die Städter wohnen oft in einem Mietshaus.

Der Bauer hat im Sommer viel zu tun.
Die Bauern haben in Sommer viel zu tun.

Der Baum verliert im Herbst alle Blätter.
Die Bäume verlieren im Herbst alle Blätter.

Die Gaststätte dort gefällt mir nicht.
Die Gaststätten dort gefallen mir nicht.

Das Restaurant wird immer schlechter.
Die Restaurants werden immer schlechter.

Der Berg dort ist ganz mit Wald bestanden.
Die Berge dort sind ganz mit Wald bestanden.

Das Meer sieht manchmal grün aus.
Die Meere sehen manchmal grün aus.

Die ganze Fläche hier wird mit Gras bepflanzt werden.
Die ganzen Flächen hier werden mit Gras bepflanzt werden.

Die Tanne bleibt auch im Winter grün.
Die Tannen bleiben auch im Winter grün.

Die Wand dort ist hell.
Die Wände dort sind hell.

Die Blume blüht den ganzen Sommer.
Die Blumen blühen den ganzen Sommer.

Die Brille ist ziemlich teuer.
Die Brillen sind ziemlich teuer.

Die Brücke führt über den Fluß in die Schweiz.
Die Brücken führen über den Fluß in die Schweiz.

Die Absicht dieser Leute gefällt mir nicht.
Die Absichten dieser Leute gefallen mir nicht.

Die Ampel bleibt nicht lange grün.
Die Ampeln bleiben nicht lange grün.

Die Apotheke wird um sechs geschlossen.
Die Apotheken werden um sechs geschlossen.

Die Waffe ist nicht mehr modern.
Die Waffen sind nicht mehr modern.

Die Aufgabe muß heute noch gemacht werden.
Die Aufgaben müssen heute noch gemacht werden.

Der Bahnhof liegt fast immer im Zentrum.
Die Bahnhöfe liegen fast immer im Zentrum.

I. Grammar

A. Indirect Discourse

In German, subjunctive verb forms are often used in quoting indirectly the words of another. The subjunctive may indicate that the reporter is skeptical about the truth of the statements of another, or that he does not want to take the responsibility for them or simply that his information is second-hand. When subjunctive forms are used in a series of indirect statements, it is not necessary to insert frequent reminders such as *he also said that* or *he continued*, because the subjunctive form clearly shows that the speaker is quoting someone else indirectly. Both forms of the subjunctive, the general subjunctive and the special subjunctive, are used in indirect discourse.

The special subjunctive in indirect discourse

The finite verb forms in boldface in the following report are all in the special subjunctive (also known as the quotative):

Bericht über einen Krankenbesuch

Onkel Richard lag im Krankenhaus. Sein Neffe Jürgen besuchte ihn. Er kam zur Tür herein und fragte ihn, wie es ihm denn **gehe**. Wie er sehen **könne**, nicht so schlecht, versuchte der Onkel seinen Neffen zu beruhigen. Wahrscheinlich **habe** er nur ein bißchen zu flott gelebt, Jürgen **kenne** ihn ja. In ein paar Tagen **sei** er sicher schon wieder auf den Beinen.

Jürgen blieb skeptisch. Jedenfalls erzählte er später seiner Frau, sein Onkel **habe** noch sehr blaß ausgesehen. Und aus der Tatsache, daß der Onkel sein Buch falsch herum gehalten **habe**, **habe** er geschlossen, daß er noch gar nicht wieder lesen **könne** und ihn nur **habe** beruhigen wollen. Jürgen **sei** darum bald wieder gegangen, damit der Besuch für seinen Onkel nicht zu anstrengend **werde.**

The use of the special subjunctive in indirect discourse is almost completely restricted to formal speech and writing. Many younger Germans do not use it at all. However, since it is still quite common in newspapers and literature and in the speech especially of the older generations, the beginner needs a good recognition knowledge of the forms and their significance.

Forms of the special subjunctive

	sein	haben	werden	leben	gehen	müssen	wissen
ich	**sei**	habe	werde	lebe	gehe	**müsse**	**wisse**
du	**seiest**	habest	werdest	lebest	gehest	müssest	wissest
er	**sei**	**habe**	**werde**	**lebe**	**gehe**	**müsse**	**wisse**
wir	**seien**	haben	werden	leben	gehen	müssen	wissen
ihr	seiet	habet	werdet	lebet	gehet	müsset	wisset
sie	**seien**	haben	werden	leben	gehen	müssen	wissen

▶ The personal endings are the same as those of the general subjunctive: **–e**, **–est**, **–e**, **–en**, **–et**, **–en**. They are added to the unchanged infinitive stem. The only irregularity occurs in the **ich** and **er** forms of **sein**, where the ending **–e** is not used.

▶ The forms in boldface are the only special subjunctive forms which are commonly used. The others are either too much like the indicative or are considered archaic. All of the modals and **wissen** are like **müssen** in that only the **ich** and **er** forms are commonly used.

Tenses of the special subjunctive

	Indicative	Special subjunctive
	leben	
Present	er lebt	er lebe
Past	er lebte	
Present perfect	er hat gelebt	er habe gelebt
Past perfect	er hatte gelebt	
Future	er wird leben	er werde leben
Future perfect	er wird gelebt haben	er werde gelebt haben
	gehen	
Present	er geht	er gehe
Past	er ging	
Present perfect	er ist gegangen	er sei gegangen
Past perfect	er war gegangen	
Future	er wird gehen	er werde gehen
Future perfect	er wird gegangen sein	er werde gegangen sein

▶ There are only four tenses of the special subjunctive. The compound tenses are formed like their indicative equivalents except that the finite form of **sein**, **haben** or **werden** is in the present special subjunctive.

The general subjunctive in indirect discourse

The general subjunctive is preferred by many people for indirect discourse because the special subjunctive is considered to be somewhat old-fashioned and stilted. In the following account of Jürgen's visit to his Uncle Richard, all of the finite verbs in indirect statements are in the general subjunctive:

Onkel Richard lag im Krankenhaus. Sein Neffe Jürgen besuchte ihn. Er kam zur Tür herein und fragte ihn, wie es ihm **ginge**. Wie er sehen **könnte**, nicht so schlecht, versuchte der Onkel seinen Neffen zu beruhigen. Wahrscheinlich **hätte** er nur ein bißchen zu flott **gelebt**, er **kennte** ihn ja. In ein paar Tagen **wäre** er sicher schon wieder auf den Beinen.

Jürgen blieb skeptisch. Jedenfalls erzählte er später seiner Frau, sein Onkel **hätte** noch sehr blaß **ausgesehen**. Und aus der Tatsache, daß der Onkel sein Buch falsch herum **gehalten hätte**, **hätte** er **geschlossen**, daß er noch gar nicht wieder **lesen könnte** und ihn nur **hätte beruhigen wollen**. Er **wäre** darum bald wieder **weggegangen**, damit der Besuch für seinen Onkel nicht zu anstrengend **würde**.

Preferred forms

Both the general and special subjunctive may appear in the same sentence or paragraph. In contemporary German there is no difference at all in the meaning, and the choice depends on the speech habits of the individual. However, when the special subjunctive cannot be clearly distinguished from the indicative, the general subjunctive should be used. In the following paragraph the general subjunctive occurs wherever the special subjunctive would not be clearly distinguishable from the indicative:

Frau Meier erzählte ihrer Nachbarin heute morgen von der Stadt, in der ihr Mann und sie früher wohnten. Sie sagte, daß man dort seit dem Kriege mächtig gebaut **habe**. Sie **verstehe** eigentlich nicht, woher all die Menschen **kämen**. Ihr Mann **habe** gesagt, daß sie immer noch vom Klapperstorch gebracht **würden**, aber er **sei** ja oft zynisch. Sie **seien** dann auch zum alten Schloß gefahren. Es **sei** alles wieder im alten Stile errichtet worden. Der große Empfangssaal **sei** im Kriege ebenfalls zerstört worden, aber auch ihn **habe** man wieder neu hergestellt. Sie **hätten** aber nicht das ganze Schloß besucht, denn sie selbst **könne** in ihren neuen Schuhen nicht so viel laufen. Sie und ihr Mann **hätten** deswegen ein Taxi vom Schloß zur Stadtbahn nehmen müssen.

Sequence of tenses in indirect discourse

Er sagt, Er sagte, Er hat gesagt, Er hatte gesagt,	„Ich gehe zum Baden."	*Special subjunctive* er gehe zum Baden.
		General subjunctive er ginge zum Baden.
	„Ich ging zum Baden." „Ich bin zum Baden gegangen." „Ich war zum Baden gegangen."	*Special subjunctive* er sei zum Baden gegangen.
		General subjunctive er wäre zum Baden gegangen.

➤ The tense of the verb used in the indirect quotation corresponds to the indicative form used in the direct quotation, no matter what tense is used in the introductory clause.

➤ There is only one tense in both the general and special subjunctive that corresponds to the three past tenses of the indicative.

➤ Remember that the past general subjunctive, although it is past in form, refers to present or future time.

➤ The future and future perfect can also occur in an indirect quotation: **Er sagte, er werde (würde) zum Baden gehen. Er sagte, er werde (würde) zum Baden gegangen sein.**

The indicative in indirect discourse

In everyday speech the indicative is commonly used for indirect discourse and has appeared numerous times in the audiolingual drills of this book. Even in a formal style the indicative is almost always used if the introductory verb is in the present tense:

> Herr Meier sagte, die Menschen werden vom Klapperstorch gebracht.
> Frau Meier fragt, wann der König eigentlich gestorben ist.

► The tense used in the indirect quotation is the same as the tense of the direct quotation.

It is not uncommon to find both the general and special subjunctives and also the indicative in one indirect quotation, especially in everyday speech. One clearly recognizable subjunctive in a sentence sometimes is enough to make it quite clear that the entire sentence is an indirect quotation:

> Später erzählte Jürgen seiner Frau, Onkel Richard **hätte** noch sehr blaß ausgesehen. Und aus der Tatsache, daß der Onkel sein Buch falsch herum gehalten **habe**, **hat** er geschlossen, daß er noch gar nicht wieder lesen **könnte**, und ihn nur **hat** beruhigen wollen.

Writing practice

1 Rewrite the following sentences in indirect discourse, putting the finite verb of the indirect statement into the special subjunctive. Logic often requires a change of subject and other elements which must agree with it.

Write the following without **daß**. There will be no change of word order.

> *Examples*: Er sagte: ,,Sie kommt um drei nach Hause.''
> Er sagte, sie komme um drei nach Hause.
>
> Er sagte: ,,Günther hat einen Unfall gesehen.''
> Er sagte, Günther habe einen Unfall gesehen.
>
> Er sagte: ,,Ich bin gestern mit meinem neuen Wagen nach Köln gefahren.''
> Er sagte, er sei gestern mit seinem neuen Wagen nach Köln gefahren.

1 Er sagte: ,,Helmut fährt mit uns nach Köln.''
2 Er sagte: ,,Sie kann die Vorlesung nicht verstehen.''
3 Er sagte: ,,Ich weiß die Antwort einfach nicht.''
4 Er sagte: ,,Die Kinder sind heute bei ihrer Tante.''
5 Er sagte: ,,Ich werde morgen nach München fahren.''
6 Er sagte: ,,Das Schloß ist im Kriege zerstört worden.''
7 Er sagte: ,,Der Professor hatte über Schiller gelesen.''
8 Er sagte: ,,Ich schlief damals sehr wenig.''

Introduce the indirect statement with **daß**. The word order will have to be changed to dependent word order.

Examples: Er sagte: ,,Ich verkaufe mein Haus wieder.''
             Er sagte, daß er sein Haus wieder verkaufe.

             Er antwortete: ,,Rolf ist heute in die Stadt gegangen.''
             Er antwortete, daß Rolf heute in die Stadt gegangen sei.

1   Er sagte zu mir: ,,Du bist leider zu spät gekommen.''
2   Er sagte zu ihm: ,,Du hast deinen Wagen falsch geparkt.''
3   Er meinte: ,,Onkel Richard hat zu flott gelebt.''
4   Sie sagte: ,,Frau Wegner will einen neuen Hut.''
5   Er sagte: ,,Er kommt um zehn Uhr mit dem Flugzeug an.''
6   Er berichtete: ,,Man hatte das Institut schon geschlossen.''
7   Sie schrieb: ,,Ich fand meinen Mann durch einen Ehevermittler.''
8   Er versicherte uns: ,,Ich verdiente dort im Durchschnitt 1000,– Mark monatlich.''

2   Rewrite the following sentences in indirect discourse, beginning each sentence as indicated. Use the general subjunctive wherever the special subjunctive would be like the indicative.

Examples: Er sagte, daß . . .   ,,Ich habe meine Zigaretten vergessen.''
             Er sagte, daß er seine Zigaretten vergessen habe.

             Sie fragten, ob . . .   ,,Schließen die Geschäfte schon vor sechs?''
             Sie fragten, ob die Geschäfte schon vor sechs schlössen.

1   Er berichtete, daß . . .   ,,Meine Frau hat gestern einen Unfall gehabt.''
2   Großmutter hat erzählt, daß . . .   ,,Die Kinder haben den ganzen Tag im Freien gespielt.''
3   Mein Onkel hat angerufen, daß . . .   ,,Mein Partner und ich fahren nächste Woche nach Italien.''
4   Mein Freund schrieb neulich, daß . . .   ,,Ich werde endlich heiraten.''
5   Meine beiden Neffen fragten, ob . . .   ,,Können wir nächsten Sommer wieder zu Besuch kommen?''
6   Die Leute sagten, daß . . .   ,,Wir sind schon viermal in Frankreich gewesen.''
7   Der Professor meint, . . .   ,,Diese Arbeiten sind ausgezeichnet.''
8   Die Schüler sagten, . . .   ,,Wir wissen die Antwort darauf nicht.''

3   Write the following passage as a report in indirect discourse. Use the special subjunctive when it is different from the indicative; otherwise use the general subjunctive. Begin as follows: Mein alter Freund Werner erzählte mir gestern, daß . . .

,,Ich bin jetzt glücklich verheiratet. Du weißt ja, daß ich vorher nie das richtige Mädchen finden konnte. Einige waren zu dumm, andere zu flott oder nicht flott genug. Da habe ich denn schließ- lich an ein Ehevermittlungsinstitut geschrieben. Ich bekam sofort einen netten Brief zurück und Bilder von drei hübschen Mädchen im Alter von 22, 24 und 27 Jahren. Sie gefielen mir alle drei, und ich nahm zunächst mit der Jüngsten Kontakt auf. Aber sie interessierte mich schon bald nicht mehr, denn sie wollte immer nur etwas kaufen. Darauf brachte der Vermittler mich mit der Vierundzwanzigjährigen zusammen. Diese junge Dame war eigentlich sehr nett, aber sie wollte abends zu oft tanzen gehen, und sie war auch nicht gerade besonders intelligent. Die dritte aber war genau die Richtige, und sie ist jetzt meine Frau. Heute abend wirst du sie kennenlernen."

4 In about 150 words relate in indirect discourse what Heinrich told his wife after meeting his old friend Werner at the bus stop. Begin as follows and use either the special or general subjunctive, but avoid special subjunctives that are like the indicative:

Heinrich erzählte seiner Frau von dem unverhofften Wiedersehen an der Bushaltestelle. Er sei wie gewöhnlich im letzten Moment dort angekommen, und plötzlich habe er einen alten Schulkameraden gesehen. Er hätte Werner gleich wiedererkannt, denn . . .

B. Other Uses of the Special Subjunctive

First person plural imperative

Steigen wir ein!
Let's get aboard.

Fahren wir doch mal in den Schwarzwald!
Why don't we drive to the Black Forest?

► The special subjunctive is used as an imperative in the first person plural. The pronoun follows the verb, and the best English equivalent usually begins with *let us*.

Fixed formulas

Gott sei Dank!
Thank goodness (God)!

Lang lebe die Königin!
Long live the queen!

Grüß' Gott! (*from*: Grüß' dich Gott!)
Hello (May God greet you!).

► The special subjunctive is used in fixed formulas. **Grüß' Gott!** is a common South German greeting.

C. The Indefinite Pronoun **man**

1 Wenn **man** eine Reise gemacht hat, hat **man** viel zu erzählen.
When *one* has taken a trip, *he* has a lot to tell.

2 Diese Leute bedienen **einen** auf eine angenehme Weise.
These people wait on you in a pleasant way.

3 Sie wollte **einem** einfach nicht glauben.
She simply didn't want to believe you.

▶ The indefinite pronoun **man** is not interchangeable with **er**. If the subject of a sentence is **man**, and the subject is repeated in succeeding clauses, **man** must be used (1). This is unlike the English shift from *one* to *he*.

▶ In the accusative the impersonal pronoun **man** becomes **einen** (2); in the dative **einem** (3). The genitive, **eines**, is rare.

Writing practice

Write the following sentences supplying the impersonal **man**, **einen** or **einem** as may be required:

1 Muß _____ den Dialog auswendig lernen?
2 Warum will er _____ nie glauben?
3 Bei einer roten Verkehrsampel muß _____ stoppen.
4 Die Kur kann _____ wieder heilen.
5 In diesem verrauchten Zimmer kann _____ kaum atmen.
6 Er gibt _____ immer die Schuld.
7 Wenn _____ nicht genug zu Fuß geht, bekommt _____ einen Bauch.
8 So etwas gefällt _____ ja nicht!
9 Wenn _____ heiraten möchte und den richtigen Partner nicht finden kann, kann _____ zu einem Eheanbahnungsinstitut gehen.
10 _____ kann nicht immer sagen, was _____ denkt.
11 Wenn _____ alt wird, kann _____ meistens nicht mehr so gut laufen.
12 Was _____ verspricht, muß _____ auch halten.
13 Was _____ nicht will, sollte _____ auch nicht tun.
14 Was _____ nicht im Kopfe hat, muß _____ in den Beinen haben.
15 Das viele Geplapper kann _____ nervös machen.

D. Ein-words as Pronouns

1 A. Möchten Sie **eine** Zeitung?   B. Nein danke, ich habe schon **eine**.
2 **Ein** Mann kam in das Haus und **einer** blieb draußen.
3 **Kein** Mensch kann das wissen, **keiner** kann es daher sagen.
4 **Mein** Kind sitzt schon im Wagen, aber **deines** ist noch im Haus.
5 Ich sehe **unser** Auto nicht. Siehst du **eures**?

▶ **Ein**–words frequently occur as pronouns (except in the genitive), and as such have the same strong endings that the inflected adjectival forms have (1).

▶ The pronoun substitute for an endingless **ein**–word with a noun has the strong ending that agrees with the noun for which it stands (2, 3, 4, 5).

Writing practice

Write the following sentences, letting the **ein**—word stand for the noun phrase in which it is used.

> *Example*: Mein Kind sitzt schon im Wagen.
> Meines sitzt schon im Wagen.

1 Ein Polizist ist schon da.
2 Eine Apotheke ist noch offen.
3 Bei diesem Regen wird kein Mensch kommen.
4 Ich habe sein Restaurant am liebsten.
5 Fährst du in seinem Wagen?
6 Wir haben jetzt auch einen Farbfernsehempfänger.
7 Hast du deine Mathematikaufgabe schon fertig?
8 Ich kann ihr Auto nicht finden.
9 Habt ihr ihre Bilder schon gesehen?
10 Unser Tannenbaum ist ziemlich groß.

E. Descriptive Adjectives After Certain Words

Beide

1 Beide alten Freunde sind hier gewesen.
Both old friends were here.

2 Kennst du beide neuen Verkäufer?
Do you know both new salesmen?

3 Wir haben beiden kleinen Kindern ein Buch geschickt.
We sent both little children a book.

4 Die Arbeit beider neuen Mechaniker gefällt mir.
I like the work of both new mechanics.

► **Beide** has a strong ending when it introduces a noun phrase and the attributive adjectives that follow have weak endings.

Alle

1 Alle jungen Leute werden morgen kommen.
All young people will come tomorrow.

2 Kennen Sie alle großen Städte Deutschlands?
Are you familiar with all large cities of Germany?

3 Er ist schon in allen alten Städten gewesen.
He has already been in all old cities.

4 Aller guten Dinge sind drei.
All good things come in threes. (Of all good things are three.)

5 Alles alte Papier wird am besten verbrannt.
The best thing is to burn up all old paper.

6 Fast aller alte Wein ist teuer.
Almost all old wine is expensive.

► The plural forms of **alle** may function in the same way as the forms of **beide** (1–4).

► Forms of **alle** may also be used in the singular (5, 6).

7 All das alte Papier wird am besten verbrannt.
The best thing is to burn up all the old paper.

8 All die jungen Leute werden morgen kommen.
All the young people will come tomorrow.

► The uninflected form **all** is used when a **der**–word follows. The student is advised to observe these variations as they occur.

Andere, einige, folgende, mehrere, viele, wenige

1 Andere alte Bücher liegen dort hinten.
Other old books are lying back there.

2 Hier liegt das Spielzeug einiger kleiner Kinder herum.
The toys of several small children are lying around here.

3 Er hat es mit folgenden wichtigen Tatsachen bewiesen.
He proved it with the following important facts.

4 Noch sind mehrere gute Plätze frei.
Several good seats are still free.

5 Wir haben viele alte Zeitschriften in jener Kiste.
We have a lot of old journals in that crate.

6 Wir fanden nur wenige gute Hotels.
We found only a few good hotels.

► The plural forms of **andere**, **einige**, **folgende**, **mehrere**, **viele** and **wenige** have strong endings when they introduce noun phrases and the adjectives which follow them also take strong endings.

Writing practice

Copy and supply the missing endings:

1 Ich glaube, er hat noch ander_____ schön_____ Farbfotos vom Dom.
2 Die Preise mehrer_____ groß_____ Wagen sind scharf reduziert worden.

3 Wir kommen in einig_____ wenig_____ Minuten wieder zurück.
4 Weshalb wollt ihr nicht all_____ alt_____ Eisen verkaufen?
5 Warum sind nicht beid_____ jung_____ Freunde mitgekommen?
6 Viel_____ jung_____, intelligent_____ Menschen sind gegen Atombomben.
7 Habt ihr beid_____ klein_____ Kindern ein_____ Werkzeugkasten geschickt?
8 All_____ jung_____ Leute sollten dies_____ interessant_____ Buch lesen.
9 Er hat sein_____ neuest_____ Theorie mit folgend_____ wichtig_____ Stastistiken bewiesen.
10 Wegen d_____ schlecht_____ Wetters sind nur wenig_____ fleißig_____ Studenten zur Vorlesung gekommen.

F. Word Order

Position of adverbs and adverbial phrases

> Er ist gestern mit dem Zug nach München gefahren.

► If there is more than one adverb or adverbial phrase in a sentence, the order is generally (1) time, (2) manner, (3) place.

Position of objects in relation to adverbs

(The rules for the position of accusative and dative noun and pronoun objects were given in Unit 7.)

1 Mein Bruder hat es gestern erzählt.
2 Mein Bruder hat es mir gestern erzählt.
3 Mein Bruder hat es dem Professor gestern erzählt.
4 Mein Bruder hat es gestern dem Professor erzählt.
5 Mein Bruder hat den Professor gestern gesehen.
6 Mein Bruder hat gestern den Professor gesehen.

► Dative or accusative pronoun objects precede adverbs (1, 2, 3, 4).

► Dative or accusative noun objects sometimes precede adverbs (3, 5) and sometimes follow them (4, 6), depending on what the speaker wants to stress. Later items normally have more emphasis.

Position of negatives

The negative **nicht**

Nicht last:

1 Er arbeitet nicht.
2 Er liebte seine Heimat nicht.
3 Er liebte sie nicht.
4 Er gab mir das Geld nicht.
5 Er gab es mir nicht.
6 Er kommt heute nicht.

► In a short simple sentence with a simple verb other than **sein** in the present or narrative past tense, **nicht** is the final element. The chief types of sentences in which **nicht** can thus come last are those which consist of subject and verb (1), subject, verb and direct object (noun or pronoun) (2, 3), subject, verb and direct plus indirect object (4, 5), subject, verb and adverb of time (6).

Nicht just before certain elements that must come last:

7	Er kommt nicht mit.
8	Er lehnt das Geld nicht ab.
9	Er wird das Geld nicht ablehnen.
10	Er hat das Geld nicht abgelehnt.
11	Ich sage, daß er das Geld nicht abgelehnt hat.

► In the same types of sentences, **nicht** directly precedes any element that must come last: a separated verbal prefix (7, 8), an infinitive (9), a participle (10), a verbal complex in a subordinate clause (11).

Nicht before certain non-verbal elements:

12	Er ist heute wahrscheinlich nicht hier.
13	Er hat heute morgen nicht im Geschäft gearbeitet.
14	Er ist sicher nicht rücksichtslos.
15	Er ist sicher nicht rücksichtslos gewesen.
16	Er ist nicht mein Onkel.
17	Er hat nicht drinnen, sondern draußen gespielt.
18	Nicht Susi, sondern Hans hat Eis gekauft.

► **Nicht** precedes an adverb of place (12, 13), a predicate adjective (14, 15), a predicate noun (16), any single element (except the finite verb) that it specifically negates (17, 18).

The negatives **nie**, **niemals**, **noch nie**, **gar nicht**

1	Er arbeitet fast nie.
2	Er lachte eigentlich niemals.
3	Er konnte leider nie gut schlafen.
4	Er wird sich dort gar nicht erholen.
5	Er hat eine Aufgabe noch nie gut gemacht.
6	Er ist sonntags nie zu Hause.
7	Er ist vermutlich noch nie in einem Restaurant gewesen.
8	Man kann leider niemals vorsichtig genug sein.
9	Er hat niemals das Schloß, sondern immer nur den Dom gesehen.

► The positions of **nie** *never*, **niemals** *never*, **noch nie** *never yet* and **gar nicht** *not at all* follow the patterns of **nicht**.

The negatives **nichts**, **gar nichts**, **kein** *as direct objects*

1 Ich habe dem Mann nichts gesagt.
2 Ich habe ihm gar nichts gesagt.
3 Er hatte viele Äpfel, aber er hat mir keinen davon gegeben.

► The negative pronoun object **nichts** *nothing* or **gar nichts** *nothing at all* follows the position patterns of noun objects (1, 2).

► The pronoun object forms of **kein** *none, not one, not any* follow the position patterns of noun objects (3).

II. Word Study

A. Word Formation

The suffix –heit

The suffix **–heit** forms abstract feminine nouns, chiefly from adjectives, but sometimes from other nouns or from verbal elements. Some known examples are: **schön** *beautiful*, **die Schönheit** *beauty*; **krank** *ill*, **die Krankheit** *illness*; **vergangen** *past*, **die Vergangenheit** *past* (*tense*); **faul** *lazy*, **die Faulheit** *laziness*. Below are some new ones formed from words you know:

böse bad; angry	die Bosheit malice
blind blind	die Blindheit blindness
dunkel dark	die Dunkelheit darkness
falsch false	die Falschheit falseness; treachery
fein fine	die Feinheit fineness; delicateness
frei free	die Freiheit freedom
fremd foreign, strange	die Fremdheit foreignness, strangeness
gleich equal	die Gleichheit equality
gewiß certain	die Gewißheit certainty
das Kind child	die Kindheit childhood
klar clear	die Klarheit clarity
klug intelligent, clever	die Klugheit prudence, shrewdness
kühn bold	die Kühnheit boldness
der Mensch human being	die Menschheit humanity
mehr more	die Mehrheit majority
rein pure; clean	die Reinheit purity; cleanliness
schlau cunning	die Schlauheit cunning
sicher certain; secure	die Sicherheit certainty; security
wahr true	die Wahrheit truth
wild wild	die Wildheit wildness; fury

The suffix –keit

The suffix **–keit** forms abstract feminine nouns, chiefly from adjectives in **–ig** and **–lich**. The expanded suffix **–igkeit** is added to adjectives that do not have a suffix. Some known examples are: **abhängig** *dependent*, **die Abhängigkeit** *dependence*; **gehässig** *hating*, **die Gehässigkeit** *hatefulness*; **öffentlich** *public*, **die Öffentlichkeit** *public*. Below are some new ones formed from adjectives you know:

ängstlich	anxious	die Ängstlichkeit	anxiety
ähnlich	similar, like	die Ähnlichkeit	similarity, likeness
fleißig	industrious	die Fleißigkeit	industrious
feierlich	festive	die Feierlichkeit	festivity
festlich	festive	die Festlichkeit	festivity
genau	exact	die Genauigkeit	exactness, precision
häufig	frequent	die Häufigkeit	frequent
neu	new	die Neuigkeit	something new; piece of news
süß	sweet	die Süßigkeit	sweetness
tüchtig	able; efficient	die Tüchtigkeit	ability; excellence
traurig	sad	die Traurigkeit	sadness
unwichtig	unimportant	die Unwichtigkeit	unimportance
unendlich	infinite	die Unendlichkeit	infinity

The suffix –schaft

The suffix **–schaft** forms feminine nouns from adjectives, verbal elements and singular or plural nouns to denote an activity, a relationship or a collective idea. Some known examples are: **der Wirt** *innkeeper*, **die Wirtschaft** *inn; household; economy*; **das Land** *land*, **die Landschaft** *landscape*; **wissen** *know*, **die Wissenschaft** *scientific study*; **der Freund** *friend*, **die Freundschaft** *friendship*. Below are some new ones related to words you know:

der Arbeiter	worker	die Arbeiterschaft	working class
der Arzt	physician	die Ärzteschaft	medical society
bekannt	acquainted	die Bekanntschaft	acquaintanceship
bereit	ready	die Bereitschaft	readiness
der Bote	messenger	die Botschaft	message; embassy
der Bruder	brother	die Brüderschaft	brotherhood; fellowship
der Bürger	citizen	die Bürgerschaft	citizenry
der Feind	enemy	die Feindschaft	hostility
gemein	common	die Gemeinschaft	community
der Geselle	companion	die Gesellschaft	social gathering; society; company (business)
der Herr	master	die Herrschaft	mastery; government; *pl.* master and mistress
der Kamerad	comrade	die Kameradschaft	comradeship, fellowship
der Kunde	customer	die Kundschaft	clientele
der Mann	man	die Mannschaft	team; crew
der Ort	place	die Ortschaft	town, village
der Student	student	die Studentenschaft	fraternity; student body

Other feminine suffixes

You have learned previously that nouns ending in **–in**, **–ung** and many nouns ending in **–e** (those derived from adjectives and denoting a state or condition, such as **die Fläche** from **flach**) are feminines in Class IV [**–(e)n** ending for plural]. Also, the above nouns in **–heit**, **–keit** and **–schaft** belong in this class of feminines. In addition, nouns ending in **–ei** (**die Polizei**), **–ie** (**die Geographie**), **–ion** (**die Tradition**), **–kunft** (**die Zukunft**) and **–tät** (**die Universität**) are all feminines in Class IV.

B. Inference

With the help of the clues provided guess the meanings of the words in boldface:

1 Mutti, es hat **jemand** für dich angerufen, aber ich weiß nicht, wer es war.
2 Obwohl er schon früher einmal erwischt worden ist, hat er jetzt **abermals** gestohlen.
3 A. Kennen Sie ein anderes Wort für: sehr stark?   B. Wie ist es mit **heftig**?
4 Er fuhr viel zu schnell. Das war der **Grund** für den schweren Unfall.   **der Grund, ∸e → gründlich**
5 Meine Eltern haben neulich silberne **Hochzeit** gefeiert.   **die Hochzeit, –en**
6 Tante Inge ist gestern unverhofft zu Besuch gekommen. Wir waren alle **überrascht**.   **überraschen**
7 Ehe ich nach Deutschland fliege, muß ich noch einige **Dollars** in Mark umwechseln.   **der Dollar, –s**
8 A. Wann hast du das schöne Buch gekauft?   B. Es gehört mir nicht, ich habe es nur **geliehen**.
    leihen: er leiht, er lieh, er hat geliehen
9 Ein Quadrat hat vier Ecken, aber ein **Kreis** hat keine Ecken, er ist rund.   **der Kreis, –e** · Das
    Flugzeug kreiste dreimal über der Stadt.   **kreisen**
10 Die Mutter kocht das Essen in der **Küche**, aber wir essen natürlich im Eßzimmer.   **die Küche, –n**
11 Er kann gut singen. Er hat eine warme, tiefe **Stimme**.   **die Stimme, –n**
12 Wenn es einen netten Film gibt, gehe ich gern mal ins **Kino**.   **das Kino, –s**
13 Sie ist eine arme, unglückliche Frau. Man muß sie **bedauern**. Das war ein **bedauernswertes** Unglück.
14 Jede Uhr hat wenigstens zwei **Zeiger**. Sie zeigen zusammen die genaue Zeit an.   **der Zeiger, –**
15 A. Heike, bist du nun bald fertig?   B. Ja, ich bin sofort **bereit**.
16 A. Essen Sie gerne Kuchen?   B. Ja, aber ich kann frischen Kuchen nicht gut **vertragen**. Das letzte
    Mal war ich davon fast krank.
17 A. Kennst du ein anderes Verb für: aufhören?   B. Ja: **einhalten**.
18 Man sagt „**Verzeihung**", wenn man sich entschuldigen will.
19 Er aß ein ausgezeichnetes Mittagessen und trank noch eine Flasche Wein **obendrein**.
20 Der Unfall sah zuerst scheußlich aus, nachher **jedoch** war es gar nicht so schlimm.
21 Es bildete sich sogleich eine **Gruppe** von Menschen um den Unfallplatz herum.   **die Gruppe, –n**
22 Susi ist hingefallen, weil Hans sie **gestoßen** hat.   **stoßen: er stößt, er stieß, er hat gestoßen**
23 Er hat alles gehört, was wir uns erzählt haben, denn er hat hinter der Tür gestanden und **gehorcht**.
    horchen
24 **Fühlst** du nicht, wie kalt es plötzlich geworden ist? · Sie ist heute nicht gekommen, sie **fühlt sich**
    nicht wohl.   **fühlen**
25 Auf diesen rutschigen Straßen muß man vorsichtig und **langsam** fahren.
26 Kleine Kinder, die noch nicht gehen können, **kriechen** von einer Stelle zur anderen.   **kriechen: er**
    kriecht, er kroch, er ist gekrochen
27 A. Was hast du in der Stadt gemacht?   B. Ich bin nur herumgegangen und hab' **umher**geschaut.
28 Eben hat die Sonne noch geschienen, jetzt sieht es **auf einmal** nach Regen aus.

29 Er sagt nie die Wahrheit, er **lügt** immer.   **lügen: er lügt, er log, er hat gelogen**

30 **Nachdem** wir gut gegessen hatten, gingen wir tanzen.

31 Susi, die Kiste ist zu schwer für dich. Du kannst sie bestimmt nicht **heben**.   **heben: er hebt, er hob,**
     er hat gehoben

32 Ohne **Dach** würde der Regen direkt ins Haus fallen.   **das Dach, ⸚er**

33 Wer nicht gerade schläft, ist **wach**.

34 Er ist der Sohn meines Onkels, also ist er mein **Vetter**.   **der Vetter, —n**

35 A. Kannst du deine alte Wunde noch fühlen? B. Nein, ich **merke** sie kaum noch.   **merken**

36 Die Decke dieses Zimmers ist so **niedrig**, man kann sie mit der Hand erreichen.

C. Singular and Plural of Nouns

Change the noun subject to the plural:

Der Grund seiner Krankheit ist noch unklar.
Die Gründe seiner Krankheit sind noch unklar.

Die Hochzeit der jungen Leute war feierlich.
Die Hochzeiten der jungen Leute waren feierlich.

Die Küche in diesem Wohnhaus ist modern.
Die Küchen in diesem Wohnhaus sind modern.

Die Stimme ist mir zu laut.
Die Stimmen sind mir zu laut.

Das Kino in diesem Städtchen ist klein.
Die Kinos in diesem Städtchen sind klein.

Der Zeiger meiner Uhr ist leider abgebrochen.
Die Zeiger meiner Uhr sind leider abgebrochen.

Die Gruppe hat heftig diskutiert.
Die Gruppen haben heftig diskutiert.

Das Dach muß sogleich repariert werden.
Die Dächer müssen sogleich repariert werden.

Der Vetter spielt draußen im Garten.
Die Vettern spielen draußen im Garten.

Unit 21

I. Programmed Reading

Ähnlichkeiten

Alfred Schuster war ein braver Mann. Im vorigen Jahr hat er mit seiner Emma silberne Hochzeit gefeiert. Wo nur die Zeit bleibt!

Bei schönem Wetter geht Alfred immer vom Geschäft zu Fuß nach
5 Hause. Alfred ist ein kleiner Angestellter in einer großen Bank am andern Ende der Stadt. Sein Heimweg führt ihn durch den Stadtpark.

Manchmal^g, wenn es noch warm genug ist, setzt er sich einen Augen-blick auf eine der vielen Bänke, die es im Stadtpark gibt. Dann holt er den Rest des Brotes aus der Tasche, das Emma ihm morgens
10 mitgegeben hat (er hat abends immer noch etwas übrig, aber das darf Emma nicht wissen) und zerkleinert es zu Vogelfutter. Die Vögel picken^g sich ihr Futter sogar aus seiner Hand, so wenig scheu^g sind sie. Das sind seine glücklichsten Minuten.

Neulich saß schon jemand auf seiner Bank, als er wieder durch den
15 Stadtpark kam; ein älterer Herr. Alfred war verblüfft. Diese Ähn-lichkeit!

,,Entschuldigen Sie, mein Herr, daß ich Sie so anstarre^g, aber es ist unglaublich, wie ähnlich Sie jemandem sehen, den ich gut kenne, sehr gut sogar.''

20 ,,Oh, daß Sie mich anstarren, ist mir egal. Ich bin nicht empfindlich. Sehe ich einem Ihrer Freunde ähnlich?''

,,Nicht direkt einem Freunde. Vielmehr sind Sie meiner Frau wie aus dem Gesicht geschnitten: Die Augen, die Nase^g, das Kinn^g . . .''

,,Ihrer Frau!'' Der Fremde schrie fast.

25 ,,Ja, meiner Frau'', antwortete Alfred. ,,Allerdings, da ist doch ein Unterschied.''

,,Gott sei Dank, worin besteht er denn!''

,,Oh, er ist nur klein und nicht besonders wichtig. Eigentlich ist es nur der Schnurrbart.''

30 ,,Der Schnurrbart! Das wird ja immer schöner! Sie brauchen wohl eine neue Brille? Ich habe doch gar keinen Schnurrbart!''

534

der Schuster, –   der Schuhmacher

der Angestellte   *adj. noun*   jemand, der für einen anderen arbeitet

1   Was ist Alfred von Beruf?

Alfred ist ein kleiner Angestellter in einer großen Bank.

die Bank, ⸚e   etwas, worauf man zu mehreren sitzen kann · Bänke stehen vor allem in Parks.

das Vogelfutter   Ein Storch ist ein großer Vogel. · der Vogel, ⸚ · das Futter = Essen für Tiere

2   Woraus macht Alfred Vogelfutter?

Aus dem Rest seines Brotes macht er Vogelfutter.

verblüfft   so überrascht sein, daß man im ersten Augenblick gar nicht reagieren kann

egal [e'gɑ:l]   A. Hans, was wollen wir morgen zu Mittag essen, Fisch oder Fleisch?   B. Oh, das ist mir egal. Ich habe beides gleich gern.

3   Was ist dem Fremden ganz egal?

Daß Alfred ihn anstarrt, ist ihm ganz egal.

die Nase, –n
das Kinn, –e
schreien   laut rufen · Jedes Baby ['be:bi:] schreit, wenn es hungrig ist. · schreien: er schreit, er schrie, er hat geschrie(e)n

der Schnurrbart, ⸚e   gepflegtes Haar unter der Nase

4   Worin lag der Unterschied zwischen dem Fremden und Alfreds Frau?

Er lag eigentlich nur in dem Schnurrbart.

,,Das ist richtig", sagte Alfred nachdenklich, ,,Sie nicht, aber meine Frau!"

Vom Geist unserer Zeit: Rekorde*g* Rekorde!

35 Unsere Zeit ist die Zeit der Rekorde: die schnellsten Autos, die höchsten Häuser, die schönsten Beine, die größten Bomben*g* . . . Der Rekord gehört so sehr zu unserem Leben, daß man eigentlich nicht mehr genau weiß, ob nicht vielleicht unser Leben zum Rekord gehört. Ein konstruiertes*g* Wortspiel?

40 Seit einiger Zeit schon weiß man es genau: Rauchen ist stark gesundheitsschädlich. Man sollte nun meinen, daß die Menschen jetzt also weniger rauchen als früher, etwas weniger jedenfalls, denn im allgemeinen liebt man heute ja sein bißchen Leben sehr. Aber im Gegenteil, die Raucher pfeifen auf das neue Wissen und rauchen sogar 45 noch mehr als früher! Ein neuer Rekord!

In Deutschland hat man den alten Rekord sogar um gut 5% verbessern können. Die Experten*g* sind darüber zuerst aus allen Wolken gefallen, sie wollten es nicht glauben. Aber die Statistiker wissen noch mehr. In den ersten drei Monaten des neuen Jahres haben die 50 deutschen Raucher dabei mehr als zwei Milliarden Mark ,,verraucht", zu ,,blauer Luft" gemacht. Das schöne Geld, was hätte sich damit alles tun lassen!

Die Zigarette ist des deutschen Rauchers liebstes Kind (86%). Nur 10% rauchten Zigarren. Die anderen steckten ihren Tabak in die 55 Pfeife oder kauten ihn.

Nun kann und soll natürlich jeder machen, was er will. Wenigstens beim Rauchen. Es schmeckt eben einfach so gut, daß man jeden Preis bezahlen will. Warum nicht? Hier soll es auch nicht etwa Vorwürfe geben. Wir sprachen nur gerade von neuen Rekorden und 60 davon, daß der Rekord vielleicht uns hat, und nicht wir ihn. Man könnte zu diesem Thema ebensogut auch andere Geschichten erzählen, vielleicht noch eindringlichere. Aber dieses Beispiel ist auch klassisch*g*. Fast jeder weiß (oder glaubt doch zu wissen), was ,,richtig" ist. Aber er tut es nicht. Er ,,wird getan", und so gibt es plötzlich einen neuen 65 Rekord des ,,Falschen". Man braucht schon recht viel Galgenhumor, um das unwichtig zu finden, denn ganz sicher gibt es heute eine ganze Menge ,,Rekorde der Unvernunft", viel zu viele.

Fortschritt oder der Weg nach oben

Die Meinungsforscher haben etwas Neues herausgefunden. Sie frag-70 ten die Leute einmal wieder, wieviel Geld eine Familie von vier

nachdenklich   in Gedanken versunken

der Geist, —er   der Verstand · Auch jede Zeit hat ihren Geist. · Er zeigt sich z.B. in den Trends dieser Zeit.
der Rekord, —e [ʀeˈkɔʀt]
die Bombe, —n [ˈbɔmbə]

5   Was gehört zum Geist unserer Zeit?

Der Rekord gehört zum Geist unserer Zeit.

gesundheitsschädlich   die Gesundheit ↔ die Krankheit · gesund ↔ krank · der Schaden = der Nachteil · schädlich = nachteilig · Gesundheitsschädlich ist alles, was der Gesundheit nicht gut tut.

pfeifen   mit gerundeten Lippen eine Melodie hervorbringen · pfeifen auf = kein Interesse haben bzw. so tun, als ob man kein Interesse an einer bestimmten Sache hätte · pfeifen: er pfeift, er pfiff, er hat gepfiffen
der Experte, —n [ɛksˈpɛʀtə] · **die Wolke, —n**   A. Siehst du dort hinten die dunklen Wolken am Himmel?   B. Ja, es wird bald zu regnen anfangen. · aus allen Wolken fallen = etwas kaum glauben können, überrascht sein
die Luft   Hier ist alles voller Rauch, ich kann kaum noch Luft bekommen. Und draußen ist so schöne, frische Luft! · die Luft → lüften

6   Bedeutet das neue Wissen viel für die Raucher?

Im Gegenteil, sie pfeifen darauf.

kauen   Man soll langsam essen und dabei gut kauen, sagen die Ärzte.

7   Wieviel haben die deutschen Raucher in drei Monaten zu „blauer Luft" gemacht?

Sie haben in dieser Zeit mehr als zwei Milliarden Mark zu „blauer Luft" gemacht.

der Vorwurf, —̈e   Wer jemandem sagt, daß er eine bestimmte Sache nicht hätte tun dürfen, macht dem anderen einen Vorwurf.

8   Soll es hier etwa Vorwürfe geben?

Nein, gewiß nicht, wenigstens beim Rauchen kann und soll jeder machen, was er will.

eindringlich   eindringen → eindringlich

der Galgenhumor   der Galgen = das Gestell, an dem ein Verbrecher aufgehängt wird, bis er tot ist · Galgenhumor = Humor auch in der schlimmsten Situation

9   Wozu braucht man viel Galgenhumor?

Man braucht viel Galgenhumor, um Rekorde der Unvernunft unwichtig zu finden.

der Fortschritt, —e   positive Veränderung, Entwicklung

Personen heute in der Bundesrepublik unbedingt zum Leben braucht. Hier ist das Ergebnis: 650,– Mark im Monat.

Nun, die Zahl allein sagt noch nicht viel. Sehen wir uns also einmal an, woher der Durchschnitt von 650,– Mark eigentlich kommt, und
75 was die Leute in früheren Jahren dazu gesagt haben.

Zunächst gibt es erhebliche Unterschiede der Meinungen in den einzelnen Bundesländern. Die Bayern z.B. fanden im Durchschnitt 600,– Mark pro Monat genug, in Nordrhein-Westfalen aber meinte man, auch 700,– Mark monatlich sei für eine Familie von vier Per-
80 sonen noch nicht ausreichend. Zwischen den Meinungen der Städter und den Meinungen der Bauern gab es einen noch größeren Unter-schied, nämlich 160,– Mark. Der größte Unterschied scheint aber zwischen den Meinungen der jüngeren und der älteren Leute zu bestehen. Die Jüngeren waren davon überzeugt, eine Familie von vier
85 Personen brauche 200,– Mark im Monat mehr, als der Durchschnitt der Älteren gemeint habe. Interessant, nicht wahr?

Aber es kommt noch besser. Vor einigen Jahren hatte man nämlich eine deutlich andere Meinung zu derselben Frage. 1951 hatte man noch gemeint, 325,– Mark im Monat seien eigentlich genug für vier
90 Personen. 1958 waren es schon 465,– Mark geworden, und 1963 hatten die Leute immerhin noch 550,– Mark als Mindestbetrag genannt.

Das Leben ist in den letzten Jahren in Deutschland also erheblich teurer geworden. Die Frage ist nur, ob die Preise so sehr viel höher
95 geworden sind, oder ob die Leute heute so viel höhere Ansprüche stellen. Oder gehören beide Tatsachen vielleicht zusammen? Jeden-falls geht auch in Deutschland heute alles tüchtig nach oben! Ist das der Fortschritt?

Die Interpretationen[g] der Tatsachen sind natürlich ganz und gar
100 verschieden. Konservative[g] Kreise um die Rechtsparteien CDU (Christ-lich Demokratische Union) und FDP (Freie Demokratische Partei) schimpfen auf die Arbeiter und Angestellten, die immer noch mehr Geld haben wollen. Die viel zu hohen Ansprüche seien, so sagen sie, der wahre Grund dafür, daß alles immer teurer würde in Deutsch-
105 land. Die mögliche, ja wahrscheinliche Folge sei eine gefährliche Wirtschaftskrise[g]. Die Kreise um die Linkspartei SPD (Sozialdemo-kratische Partei Deutschlands), hauptsächlich Arbeiter und Ange-stellte, sagen dagegen, sie bekämen immer erst nachher etwas mehr Geld, wenn die Preise schon höher seien; und auch dann noch lange
110 nicht genug, um die (inzwischen) schon höheren Preise einfangen zu können.

das Ergebnis, —se   die Folge, das Resultat [ʀezʊlˈtaːt]

10   Nennen Sie das Ergebnis unserer Umfrage!

Das Ergebnis ist: 650,— Mark im Monat.

erheblich   groß, bedeutend

11   Was meinte man in Nord-rhein-Westfalen?

Man meinte, auch 700,— Mark im Monat sei für eine Familie von vier Personen noch nicht ausreichend.

ausreichend   genug, genügend

überzeugt sein   bestimmt glauben, sicher sein

12   Hatte man zu derselben Frage schon immer dieselbe Meinung?

Nein, noch vor wenigen Jahren hatte man eine deut-lich andere Meinung darüber.

deutlich   gut zu erkennen, klar

der Mindestbetrag   der Betrag = die Geldsumme · mindestens = wenigstens

Ansprüche stellen   fordern, besonders vom Leben · anspruchsvoll ↔ anspruchslos · der Anspruch, ⁻e

13   Sind die Preise in den letz-ten Jahren höher geworden?

Ja, bedeutend höher. Aber die Leute stellen auch viel höhere Ansprüche.

die Interpretation, —en [ɪntɛʀpʀetatsiˈoːn]
konservativ [kɔnzɛʀvaˈtiːf]

schimpfen   Susi hat einen guten Teller kaputtgemacht, Mutter wird sicher schimpfen.

gefährlich   Bei diesem Schnee sind die Straßen rutschig. Da ist das Autofahren gefährlich. · die Gefahr, —en → gefährlich ↔ ungefährlich · **die Krise**, —n

14   Was ist die mögliche, ja wahrscheinliche Folge?

Die Folge kann eine gefähr-liche Wirtschaftskrise sein.

einfangen   früher hat man die wilden Pferde mit dem Lasso eingefangen

Keine dieser beiden extremen^g Formulierungen^g ist für sich allein korrekt^g. So einfach sind die Dinge nun einmal nicht. Die Wahrheit wird irgendwo ziemlich in der Mitte zwischen den beiden Formulie-
115 rungen liegen. Aber das macht die Gesamtsituation natürlich nicht weniger gefährlich. Inzwischen dauert die ebenso flotte wie gefähr- liche Entwicklung an: das Leben in Deutschland wird laufend teurer.

Wer allerdings amerikanische Dollars hat, der kann in Deutschland immer noch verhältnismäßig billig leben. Eine amerikanische Haus-
120 frau kann nämlich für einen Dollar durchschnittlich ungefähr so viel kaufen wie eine deutsche Hausfrau für 2,50 Mark kaufen kann. Für die Durchschnittsfamilie ist 1 Dollar also praktisch etwa 2,50 Mark wert. Wenn man aber einen amerikanischen Dollar offiziell in deutsche Mark umwechselt, bei einer Bank z.B., so bekommt man fast 4,—
125 Mark für jeden Dollar. Leichter kann man sein Geld kaum verdienen.
— Nun, wohin werden Sie im nächsten Sommer verreisen?

extrem [ɛks'tʀeːm]
die Formulierung, –en [fɔʀmu'liːʀʊŋ]
korrekt [kɔ'ʀɛkt]
gesamt   allgemein, das Ganze betreffend

verhältnismäßig   relativ [ʀela'tiːf], ziemlich · das Verhältnis, –se

wert sein   Herr Jäger hat nur 1000,– Mark für sein altes Auto bekommen, aber es war bestimmt 1200,– Mark wert. · wert → der Wert · wertvoll ↔ wertlos

verreisen   reisen (nach)

15   Was macht die Gesamtsituation nicht weniger gefährlich?

Es macht die Gesamtsituation nicht weniger gefährlich, daß die Wahrheit irgendwo in der Mitte liegt.

16   Was ist 1 Dollar für die Durchschnittsfamilie praktisch etwa wert?

1 Dollar ist praktisch etwa 2,50 Mark wert.

II. Phonology

A. The Sounds for r and l

Read the following aloud at normal reading speed, concentrating on perfect sounds for r and l:

Alfred, Jahr, silberne, kleiner, Angestellter, durch, warm, Augenblick, Stadtpark, Rest, Brot, morgens, übrig, zerkleinert, Vogelfutter, glücklich, ein älterer Herr, verblüfft, Ähnlichkeit, entschuldigen Sie, anstarre, unglaublich, egal, vielmehr, Frau, Fremde, schrie, allerdings, eigentlich, Schnurrbart, brauchen, Brille, richtig, nachdenklich, Rekorde, schnellsten, konstruiertes, sollte, Raucher, früher, Gegenteil, aus allen Wolken fallen, zuerst, glauben, verraucht, blauer, Luft, drei Milliarden Mark, viel, Geld, alles, lassen, liebsten, natürlich, will, Vorwürfe, warum, vielleicht, erzählen, eindringlichere, Beispiel, richtig, Galgenhumor, viel zu viele, Forscher, Familie, also, eigentlich, Unterschied, erheblich, monatlich, ausreichend, größeren, älteren, interessant, besser, Jahren, nämlich, eigentlich, geworden, Frage, Preise, nur, jedenfalls, Fortschritt, Interpretation, Rechtspartei, mehr Geld, wollen, Sozialdemokratische Partei Deutschlands, extrem, Formulierung, Wahrheit, ziemlich, weniger, gefährlich, flotte Entwicklung, Leben, laufend, teurer, allerdings, verhältnismäßig, billig, offiziell, leichter, verreisen

B. Consonants and Consonant Clusters

Read the following aloud at normal reading speed, concentrating especially on the consonants and consonant clusters in boldface:

Hochzeit, Stadtpark, manchmal, glücklichsten, durch, entschuldigen, empfindlich, höchsten, konstruiertes, Wortspiel, gesundheitsschädlich, Zeit, bißchen, pfeifen, Deutschland, zuerst, zwei, Zigarette, steckten, liebstes, schmeckt, wenigstens, vielleicht, nicht, plötzlich, falsch, Unvernunft, Fortschritt, umbedingt, Durchschnitt, zunächst, zwischen, überzeugt, Mindestbetrag, Ansprüche, Rechtspartei, Wirtschaftskrise, Linkspartei, inzwischen, verhältnismäßig, Hausfrau, durchschnittlich, Durchschnittsfamilie, umwechselt, praktisch, nächsten

C. Vowel Quality and Quantity

Read the following aloud at normal reading speed, concentrating on perfect quality and quantity of the stressed and unstressed vowels in boldface:

Alfred, Schuster, Mann, Emma, Hochzeit, vom, Geschäft, Fuß, Stadt, holt, Brotes, Tasche, morgens, hat, es, zu, Vogelfutter, Minuten, Hand, jemand, Bank, Ähnlichkeit, entschuldigen, anstarre, vielmehr, geschnitten, Nase, Kinn, fast, doch, Dank, denn, Schnurrbart, Brille, ist, der, die, Auto, größten, Leben, man, eigentlich, konstruiertes, schon, gesundheitsschädlich, daß, weniger, früher, etwas, Wissen, hat, alten, zuerst, wollten, aber, Monat, als, Mark, gemacht, schöne, lassen, Zigarette, Kind, natürlich, wenigstens, etwa, Vorwürfe, davon, das, uns, und, ebensogut, tut, getan, gibt, plötzlich, Galgenhumor, falsch, ganz, sicher, Unvernunft, Fortschritt, weg, oben, Forscher, etwas, wieviel, Personen, Bundesrepublik, unbedingt, zu, zum, Ergebnis, nun, noch, sehen, also, an, woher, Durchschnitt, erheblich, in, genug, zwischen, Städter, gab, nämlich, interessant, wahr, aber, Frage, waren, Betrag, genannt,

Ansprüche, zusammen, alles, noch, Tatsache, natürlich, ganz, gar, Angestellten, noch, mehr, Grund, Folge, Wirtschaftskrise, erst, dann, einfangen, können, irgendwo, ziemlich, Mitte, liegen, ebenso, an, hat, kann, amerikanisch, ungefähr, praktisch, für, wert, offiziell, wohin, nächsten, Sommer

Copy the following, indicating with the symbol – the long, close vowels in boldface and with the symbol ᴗ the short open ones. Examples: schōn, ŭnsere, mēhr, ĭm.

braver, vorigen, silberne, nur, Wetter, Ende, durch, manchmal, gibt, Rest, er, abends, immer, übrig, wissen, Vögel, saß, kam, Herr, sehr, gut, kenne, egal, schrie, Gott, sagte, schönsten, gehören, ob, zum, sollte, nun, aber, bißchen, Leben, jedenfalls, denn, im, man, ja, nicht, haben, hat, als, tun, lassen, was, Zigarre, eben, jeden, bezahlen, sprachen, gerade, andere, fast, doch, richtig, viel, getan, finden, ganz, sicher, oder, nach, oben, Geld, unbedingt, Monat, Zahl, sagt, früheren, noch, von, Person, Familie, vor, derselbe, geworden, immerhin, Mindest-betrag, ist, erheblich, stellen, verschieden, konservativ, christlich, demokratisch, Union, Geld, wollen, möglich, bekämen, nachher, etwas, schon, lange, genug, um, nun, macht, leben, in, wer, allerdings, verhältnismäßig, durchschnittlich, kann, umwechselt, Bank

III. Writing Practice

A. Dehydrated Sentences

Write complete sentences with the following. The tenses for the verbs are suggested. The nominative singular **der** is used to indicate that a form of the definite article is desired. The English expressions in boldface deserve special attention because most of them require unexpected idiomatic equivalents in German. You will have to rearrange the word order in some of the sentences:

1   glauben (*pres.*) / Sie / in / alle / neu / Theorie / der / Professor / ?
2   der / Vogel (*pl.*) / **in the** / Park / **are not afraid of** / der / Mensch (*pl.*)
3   unser / Tante / ankommen (*fut.*) / **not until** / **at** / Mitternacht
4   der / Schule (*pl.*) / beginnen (*pres.*) / wieder / **on the** / erst / Montag / in / Januar
5   unser / **oldest** / Bruder / sein (*narr. past*) / lange / **abroad** / **but** / wir / denken (*conv. past*) / oft / **of him**
6   **since** / **when** / haben (*pres.*) / dein / Vater / ein / Schnurrbart / ?
7   der / Rekord (*pl.*) / gehören (*pres.*) / **to the** / Geist / unser / Zeit
8   **although** / Rauchen / gesundheitsschädlich / sein (*pres.*) / pfeifen (*pres.*) / viel / Mensch (*pl.*) / auf / dieser / Tatsache
9   der / Experte (*pl.*) / fallen (*conv. past*) / darüber / aus / alle Wolke (*pl.*)
10 nur / vier / Prozent / stecken (*narr. past*) / ihr / Tabak / in / der / Pfeife / **or** / kauen (*narr. past*) / er
11 Alfred / sein (*narr. past*) / sehr / überrascht / **because** / er / wir / erst / **on** / Mittwoch / erwarten (*past perf.*)
12 stehen (*pres.*) / der / Kirche / **on this side of** / oder / **on that side of** / dieser / Fluß / ?
13 der / beide / klein / Dorf (*pl.*) / liegen (*pres.*) / **above** / dieser / Wald (*pl.*)

14 wir / arbeiten (*conv. past*) / der / ganz / Tag / **without** / etwas / essen
15 er / arbeiten (*narr. past*) / gern / er / spielen (*narr. past*) / **rather** / aber / er / essen (*narr. past*) / **best of all**
16 wissen (*conv. past*) / ihr / daß / Susi / schon / **as** / groß / **as** / Hans / sein (*pres.*) / ?
17 sein / Galgenhumor / gefallen (*conv. past*) / sein / Frau / nie
18 Susi / entgegenlaufen (*conv. past*) / ihr / Vater / **at noon** / immer
19 der / Sessel / stehen (*fut.*) / **between** / der / Lampe / und / der / Stuhl
20 es / gelingen (*narr. past*) / er / der / Schrank / allein / zusammenbauen
21 mein / Eltern / fliegen (*conv. past*) / trotz / der / schlecht / Wetter / **to Switzerland**
22 **when** / ich / studieren (*narr. past*) / wohnen (*narr. past*) / ich / **at the house of** / mein / Onkel
23 der / Mantel / **which** / hier / liegen (*narr. past*) / gehören (*narr. past*) / der / jung / Student
24 Onkel Richard / fahren (*fut.*) / morgen / **with** / mein / Tante / zu / **them**
25 bei / dieser / tief / Schnee / sein (*pres.*) / der / Autofahren / gefährlich
26 **on** / Freitag / sein (*narr. past*) / er / gewöhnlich / schon / um vier / **at home**
27 der / alt / Herr / **would like** / einige / gut / Flasche / rot / Wein
28 mein / klein / alt / Volkswagen / laufen (*pres.*) / immer noch / ausgezeichnet
29 ich / sein (*pres.*) / überzeugt / er / bleiben / nicht lange / **in Switzerland**
30 statt / der / Buch / mitbringen (*conv. past*) / er / ein / Zeitschrift
31 **when** / er / nach / Kiel / ziehen (*narr. past*) / wohnen / wir / schon / ein ganz / Jahr / hier
32 Herr Wirt / dürfen (*pres.*) / ich / ein / Tasse / schwarz / Kaffee / haben / ?
33 **if** / wir / in / Lotto / gewinnen (*contrary to fact*) / können (*contrary to fact*) / wir / ein / Bildungsreise / **take**
34 der / **most beautiful** / Garten (*pl.*) / sein (*pres.*) **outside of** / der / Stadt
35 **below** / dieser / Wald / stehen (*pres.*) / ein / schön / klein / Kirche
36 er / wollen (*narr. past*) / mit / einige / klein / Kinder (*pl.*) / spazierengehen / aber / ich / glauben (*pres.*) / alle / klein (*pl.*) / Kinder / der / Dorf / gehen (*conv. past*) / mit / er

B. Free Composition

In about 200 words relate a story or an anecdote that can be told in German with the vocabulary you know.

IV. Word Study

A. Inference

With the help of the clues provided, guess the meanings of the words in boldface:

1 Junge Mädchen sind oft **schüchtern**, manchmal sogar scheu.
2 Fast alle kleinen Kinder sind **niedlich**. Am **niedlichsten** sind sie, wenn sie schön sauber sind.
3 Im Volkswagen ist der Motor hinten, nicht **vorn**.
4 Dieses Pferd ist wirklich **gutmütig**, es läßt sich von jedem reiten.
5 Sogar Katzen und **Hunde** schließen manchmal miteinander Freundschaft. **der Hund, —e**

6 Hunde haben manchmal **Flöhe**. Sie sitzen gern in langem Haar und beißen, wenn sie hungrig sind.
    der Floh, ⸚e
7 Fritz ist **beinah** so groß wie Hans.
8 Das Geld für das gebrauchte Auto hat **sich** nicht **rentiert**. Das Auto ist schon ganz kaputt.
    sich rentieren
9 In einem einzigen Wassertropfen ist eine **Unmasse** von sehr kleinen Tierchen.   **die Masse, —n**
10 Menschen essen mit dem Mund, Tiere **fressen** mit dem **Maul**.   **das Maul, ⸚er · fressen: er frißt,
    er fraß, er hat gefressen**
11 Nach zwei Tagen **flaute** der starke Wind **ab**. Endlich rollte das Schiff nicht mehr.   **abflauen**
12 Er lacht fast immer, er hat ein sonniges **Gemüt**. Ich habe ihn noch nie **schwermütig** gesehen.
    das Gemüt → gemütlich
13 Der Filmprojektor machte nur ein leises **surrendes** Geräusch.   **surren**
14 Zuerst gingen wir ins Kino und **hinterher** noch in ein nettes Café.
15 Nach den schönen Ferien im Schwarzwald hatte sie wieder frische, rote **Backen**.   **die Backe, —n**
16 Hans hatte sich seinen Kopf am Schrank gestoßen. Bald darauf **schwoll** die Stelle **an**.   **schwellen: er
    schwillt, er schwoll, er ist geschwollen**
17 Die Kinder verbrennen trockenes Gras im Garten. Das **Feuer** kann gefährlich werden.   **das Feuer, —**
18 Wie kam es denn zu dem Unfall? Erzählen Sie mal den ganzen **Vorgang**.   **der Vorgang, ⸚e**
19 Der **Vorfall** ereignete sich am Mittwoch um 10.30 Uhr.   **der Vorfall, ⸚e**
20 Der schwarze **Panther** ['pantɔʁ] sprang sein Opfer **heimtückisch** von hinten an.   **der Panther, —**
21 Die Reise nach Zentralafrika war ein echtes **Abenteuer**.   **das Abenteuer, —**
22 Es ist so heiß und die Luft ist so schlecht hier, man kann kaum atmen, man **erstickt** fast.   **ersticken**
23 Sie weinte so stark, daß die **Tränen** nur so über ihr Gesicht rollten.   **die Träne, —n**
24 Er sagte kein einziges Wort, er blieb **stumm** wie ein Fisch.
25 Trotz des Unglücks war die Frau ruhig und **gefaßt**.
26 Der Panther **lauerte** hinter einem Busch auf seine Beute.   **lauern**
27 Berlin ist von Hamburg ungefähr 300 km **entfernt**.
28 Die Sonne **strahlte** hell vom Himmel.   **strahlen**
29 In eine **Mausefalle** können Mäuse hineingehen, aber nicht wieder heraus!   **die Maus, ⸚e   die Falle, —n**
30 Meine Schuhe sind mir zu eng. Besonders der rechte **drückt** meinen kleinen Zeh.   **drücken**
31 Der schuldige Autofahrer bekam eine hohe **Geldstrafe**.   **die Strafe, —n → strafen**
32 Sie **wischte** sich die Tränen mit einem Taschentuch **ab**.   **abwischen**
33 A. Die Lampe funktioniert nicht mehr, Werner!   B. Oh, wahrscheinlich ist nur die **Birne** kaputt.   **die
    Birne, —n**
34 Essen Sie lieber Äpfel oder **Birnen**?   **die Birne, —n**
35 A. Weißt du, wieviel **Briefmarken** ein Luftpostbrief in die Schweiz braucht?   B. Wie schwer ist er
    denn?   **die Briefmarke, —n**
36 A, B, C sind die ersten drei **Buchstaben** des Alphabets [alfɑ'be:ts].   **der Buchstabe, —n**

B. Singular and Plural of Nouns

Change the noun subject to the plural:

    Der Schuster repariert Schuhe.
    Die Schuster reparieren Schuhe.

Der Angestellte verdient nicht viel.
Die Angestellten verdienen nicht viel.

Die Bank braucht auch mal neue Farbe.
Die Bänke brauchen auch mal neue Farbe.

Der Vogel fliegt im Herbst zum Süden.
Die Vögel fliegen im Herbst zum Süden.

Der Rekord ist ein Zeichen unserer Zeit.
Die Rekorde sind ein Zeichen unserer Zeit.

Die Bombe fiel mitten in die Stadt.
Die Bomben fielen mitten in die Stadt.

Der Experte kam von weither.
Die Experten kamen von weither.

Die Wolke verdeckt die Sonne fast ganz.
Die Wolken verdecken die Sonne fast ganz.

Der Vorwurf mußte offiziel zurückgenommen werden.
Die Vorwürfe mußten offiziell zurückgenommen werden.

Das Ergebnis war nicht besonders eindrucksvoll.
Die Ergebnisse waren nicht besonders eindrucksvoll.

Die Krise hatte politische Gründe.
Die Krisen hatten politische Gründe.

Der Hund spielte richtig mit den Kindern.
Die Hunde spielten richtig mit den Kindern.

Der Floh kann gut springen.
Die Flöhe können gut springen.

Die Backe wurde immer dicker.
Die Backen wurden immer dicker.

Der Panther kann gefährlich werden.
Die Panther können gefährlich werden.

Das Abenteuer der Reise hat ihn zu einem anderen Menschen gemacht.
Die Abenteuer der Reise haben ihn zu einem anderen Menschen gemacht.

Die Mausefalle hat nicht viel gekostet.
Die Mausefallen haben nicht viel gekostet.

Die Strafe fiel verhältnismäßig milde aus.
Die Strafen fielen verhältnismäßig milde aus.

Die Birne in der Tischlampe ist kaputtgegangen.
Die Birnen in der Tischlampe sind kaputtgegangen.

Die Briefmarke ist nicht besonders wertvoll.
Die Briefmarken sind nicht besonders wertvoll.

Der Buchstabe ist fast unleserlich.
Die Buchstaben sind fast unleserlich.

Unit 22

I. Programmed Reading

Die Zimmervermieterin

Fritz Frauenfeind ist Junggeselle. Und Untermieter natürlich. Wie das so ist: wenigstens einmal im Jahr sucht ein Untermieter ein neues Zimmer bzw. eine neue Zimmervermieterin. Besonders wenn man
5 Fritz Frauenfeind heißt.

In der Zeitung sieht das Zimmer ganz anständig aus. Also setzt Frauenfeind sich in die Straßenbahn*g* und fährt zum Schillerplatz. Die Gegend gefällt ihm. Die Villen rund um den Platz sind alt, aber gut erhalten. Das ganze Stadtviertel hat im Krieg Glück gehabt.

10 Fräulein Säuerlich, die Zimmervermieterin, ist Ende vierzig. Sie sieht nicht schlecht aus, aber das Beste ist zweifellos gewesen. Mit dem Zimmer ist es nicht viel anders, aber Frauenfeind hat die Gegend gern. Er will sofort mieten.

,,Ganz so schnell schießen die Preußen nicht, junger Mann. Da gibt
15 es noch einiges zu besprechen. Zuerst: keine Damenbesuche, kein Radio*g*. Zigarrenrauch stört meine Katze Mitzi noch mehr als mich, und außerdem ist es nicht gut für meine neuen Gardinen. Um halb zehn muß das Licht spätestens ausgemacht werden. Den Morgenkaffee müssen Sie sich schon selbst kochen, und natürlich müssen
20 die Schuhe vor dem Betreten der Wohnung ausgezogen werden, nicht nur bei Regenwetter. Wie das mit dem Hausschlüssel wird, muß ich noch einmal sehen. Wenn Sie ein ordentlicher Mensch sind, können Sie ihn über das Wochenende bekommen. Natürlich nur, wenn Sie nicht später als zehn Uhr nach Hause kommen. Selbstverständlich
25 haben Sie das Zimmer regelmäßig zu putzen, Fußboden, Fenster . . .''

,,Entschuldigen Sie, meine Dame'', unterbrach Frauenfeind Fräulein Säuerlich vorsichtig, ,,ich glaube, wir haben uns falsch verstanden. Ich komme nämlich auf eine Annonce für Zimmervermietung in der Tageszeitung von gestern, nicht auf ein Heiratsinserat.''

30 Eigener Herd ist Goldes wert

Seit drei Jahren hatte Paul im Wirtshaus ,,Zur Post'' gegessen, tagaus, tagein. Immer dasselbe, Woche für Woche: Wiener Schnitzel*g*, Gulasch*g*, Schweinebraten*g* mit Sauerkraut, Pfannkuchen, gebratener Fisch, Frankfurter Würstchen*g* mit Kartoffelsalat, Roastbeef*g*. Natür-
35 lich hätte Paul schon längst das Gasthaus gewechselt, aber die anderen waren auch nicht besser. Er hatte sie schon alle probiert,

der Junggeselle, –n   ein unverheirateter Mann

ganz anständig   ziemlich gut, recht ordentlich

säuerlich → sauer = nicht süß

Preußen   bis 1945 größtes deutsches Bundesland · der Preuße,
–n = Einwohner dieses früheren deutschen Landes

die Gardine, –n   Stoff-Vorhang vor Fenstern

der Schlüssel, –   Eine abgeschlossene Tür muß man mit einem
Schlüssel öffnen.

putzen   sauber machen, reinigen

das Inserat, –e   die Annonce

der Herd, –e   Mutter kocht das Mittagessen auf einem Herd.

das Schwein, –e
das Würstchen, – → **die Wurst**, ⁻e · **die Kartoffel**, –n   Möchten Sie
lieber gekochte oder gebratene Kartoffeln zum Fleisch? · gebratene
Kartoffeln = Bratkartoffeln · **das Roastbeef** [ˈʀoːstbiːf]

1   Was ist Fritz Frauenfeind?
    Er ist Junggeselle.

2   Wie heißt die Zimmervermie-
    terin?
    Sie heißt Fräulein Säuerlich.

3   Was soll für die Gardinen
    nicht gut sein?
    Zigarrenrauch soll für die
    Gardinen nicht gut sein.

4   Was hat mit dem Zimmer
    selbstverständlich regelmä-
    ßig zu geschehen?
    Es muß selbstverständlich
    regelmäßig geputzt werden.

5   Was ist „Goldes wert"?
    Eigener Herd ist Goldes wert,
    – sagt das Sprichwort.

eines nach dem andern. Jetzt war es genug. Es war nicht nur jede Woche genau dasselbe, es schmeckte auch alles gleich. Und das Gemüse war auch nicht besonders.

40 Paul war Junggeselle. Und er war es gern. Aber was zu weit geht, geht zu weit. Eines Mittags warf er die Gabel auf den Tisch und rief: ,,Eigener Herd ist Goldes wert. Das Opfer ist nicht zu umgehen. Ich brauche eine Frau!''

Gesagt, getan. Gleich nach dem Essen suchte Paul das nächste
45 Ehevermittlungsinstitut auf. Er war kein gewöhnlicher Kunde. Er fragte nicht nach Schönheit. Er wollte weder Geld noch Gut*g*. Er wollte eine Frau, die kochen kann. Nichts sonst.

,,Natürlich kann ich Ihnen helfen, lieber Herr. Ich habe sogar genau die richtige Frau für Sie. Sehen Sie hier, eine Köchin von Beruf.''

50 ,,Die oder keine'', seufzte Paul, denn er dachte an seine Freiheit. Aber es mußte sein. Seine Zunge war schon ganz unempfindlich geworden. Wo er stand und ging, roch er Gasthausessen. Es war wie ein böser Traum. Sein Magen revoltierte*g*. Es mußte einfach etwas geschehen.

55 Luise war ein nettes Mädchen. Nun, genau genommen war sie kein Mädchen mehr. Ende dreißig schon und ein bißchen zu dick. Aber Paul sah über alles hinweg. Ihm lief trotzdem das Wasser im Mund zusammen, wenn er an die Zukunft dachte: Endlich gute Suppen, richtig gebratenes Fleisch, schmackhafte Saucen*g*, selbstgebackene
60 Kuchen zum Kaffee . . . Der Traum war fast zu schön, um wahr zu sein.

Das Ziel war erreicht. Es gab eine nette, kleine Hochzeit. Das erste Mittagessen kam auf den Tisch. Paul war ganz glückliche Erwartung.

,,Sag mal, Luise, wo warst du eigentlich Köchin vor unsrer Hochzeit?''

65 ,,Das wußtest du nicht, Paul? Seit mehr als drei Jahren war ich Köchin im Gasthof ,Zur Post'.''

Herr und Frau Neureich

Herr Neureich ist Kaufmann*g*, ein sehr geschickter Kaufmann sogar. Natürlich geht er nicht von Tür zu Tür. Die Zeiten sind längst ge-
70 wesen. So etwas hat Herr Neureich jetzt nicht mehr nötig. Er ist

das Gemüse, —   Ein deutsches Mittagessen besteht gewöhnlich aus Suppe, Fleisch, Kartoffeln und Gemüse (z.B. Karotten, grüne Bohnen usw.).

das Opfer, —   In früheren Zeiten wurden den Göttern manchmal sogar Menschen geopfert. • opfern → das Opfer

weder . . . noch   das eine nicht und das andere auch nicht

seufzen   laut ein— und ausatmen, z.B. wenn man unglücklich ist

der Magen, ⸚   Er darf nicht alles essen, denn er hat einen empfindlichen Magen.
revoltieren [ʀevɔlˈtiːʀɔn]

der Mund, ⸚er   Bevor das Essen in den Magen kommt, muß man es im Mund kauen.
die Sauce, —n [ˈzoːsə]

der Gasthof, ⸚e   das Wirtshaus, das Gasthaus, die Gaststätte

geschickt   tüchtig

6   War wenigstens das Gemüse gut?

Nein, das Gemüse war auch nicht besonders.

7   Warum fragte Paul weder nach Geld noch nach Gut?

Weil er eine Frau haben wollte, die kochen kann, fragte er weder nach Geld noch nach Gut.

8   Warum mußte einfach etwas geschehen?

Alfreds Magen revoltierte.

9   Was gab es, nachdem Paul seine Luise gefunden hatte?

Es gab eine nette, kleine Hochzeit.

10   War Herr Neureich ein geschickter Kaufmann?

Ja, er war sogar ein sehr geschickter Kaufmann.

nämlich schon Millionär. ,,Schrott–Großhandel H. Neureich'' heißt seine Firma[g]. Es wird wohl nicht mehr lange dauern, und Herr Neureich hat seine zweite Million zusammengebracht. Herr Neureich ist nämlich ein guter Kaufmann.

75 Manchmal[g] (neuerdings immer häufiger) ist es sogar notwendig, daß Herr Neureich geschäftlich ins Ausland reist. In der vorigen Woche z.B. mußte er nach Rom: Internationale Konferenz der Schrott–Großhändler. Natürlich versuchte Herr Neureich, noch ein paar Geschäftchen nebenbei zu machen. Eines davon klappte besonders
80 gut, es erfüllte Neureichs kühne Erwartungen. Und seine Erwartungen sind kühn!

Herr Neureich ist auch ein guter Ehemann. Von jeder Reise ins Ausland bringt er Lieschen, seiner Frau, ein kleines Geschenk mit. Lieschen ist eine geborene[g] Müller und hat bis vor wenigen Jahren im
85 Haushalt[g] des Bürgermeisters[g] geholfen. Inzwischen ist das natürlich anders geworden. Frau Neureich könnte nicht nur den ganzen Haushalt der Frau Bürgermeister, sondern sogleich die halbe Stadt aufkaufen, wenn sie wollte.

Aber Frau Neureich hat schon alles, was man haben kann, und
90 deshalb interessiert sie sich neuerdings für Kunst und Kultur. Musik, Literatur, ganz besonders aber alte Meister[g] der Malerei liebt sie über alles, — erzählt sie ihren Bekannten. So kauft Herr Neureich ihr eben einen Michelangelo. Herr Neureich ist ein wirklich guter Ehemann.

Frau Neureich platzte fast vor Stolz, als ihr Michelangelo im Wohn-
95 zimmer hing. Frau Neureichs Bekannte platzten auch — vor Neid. Das war eine Situation! Sogar einen Experten hatte man gebeten. Experten machen sich immer gut, sie verbessern das Ansehen[g] einer jeden Gesellschaft. Beim Herrn Bürgermeister waren auch immer Respektspersonen zu Besuch.

100 Professor Schöngeist staunte, auf den ersten Blick jedenfalls. Dann inspizierte[g] er das Gemälde näher. Schließlich sagte er ruhig: ,,Dieser Michelangelo ist höchstens zehn Jahre alt!''

,,Ach, das macht nichts'', antwortete Frau Neureich, geborene Müller, dem Professor lächelnd, ,,Hauptsache, es **ist** ein Michelangelo.''

105 Fanny*

Wir hatten ein Hausmädchen. Ein einfaches Kind vom Lande. Die Stadtluft tat ihr gut. Sie wurde von Tag zu Tag munterer. Am ersten Samstag kam sie zu meiner Frau.

* By permission of Jo Hanns Rösler, Feilnbach am Wendelstein, Germany.

der Schrott-Großhandel   Der Schrott ist altes Metall, besonders altes Eisen. · Nach dem schweren Unfall waren beide Autos nur noch Schrott. · der Handel = die geschäftliche Transaktion · handeln → der Händler, —

notwendig   nötig

11 Was war manchmal für Herrn Neureich notwendig?

Es war manchmal für ihn notwendig, geschäftlich ins Ausland zu reisen.

das Geschenk, —e   etwas, was man einer anderen Person gibt, besonders bei Festen (z.B. Weihnachten) · schenken → das Geschenk

sogleich   sofort

12 Was hätte Frau Neureich sogleich aufkaufen können?

Sie hätte nicht nur den Haushalt der Frau Bürgermeister, sondern sogleich die halbe Stadt aufkaufen können.

die Malerei   das Malen von Bildern, Hauptart der bildenden Kunst · malen → malerisch
Michelangelo [mɪkəl'anʒəlo]

der Neid   Wer weniger hat, schaut auf den, der mehr hat, oft mit Neid; er ist neidisch.

13 Waren Neureichs Bekannte auch stolz auf den Michelangelo?

Nein, sie platzten vor Neid.

staunen   überrascht sein · Ihm blieb vor Staunen der Mund offen stehen. · staunen → bestaunen → erstaunlich
inspizieren [ɪnspi'tsiːʀən] → die Inspektion [ɪnspɛktsi'oːn]

lächeln   Wenn man jemanden grüßt, lächelt man meistens dabei. lachen → lächeln
Fanny ['fani]

munter   Wer sein Leben liebt, ist meistens munter. Junge Katzen sind z.B. munter, — wenn sie nicht gerade schlafen. · munter → die Munterkeit

14 Tat die Stadtluft dem einfachen Kind vom Lande gut?

Ja, sie wurde von Tag zu Tag munterer.

„Ich möchte heute gern tanzen gehen."

110 „Gehen Sie, Fanny."

„Ich habe nichts anzuziehen."

„Sie haben doch Ihr Sonntagskleid."

„Das ist mir zu zugeknöpft", sagte Fanny, „wenn Sie mir Ihr Abendkleid leihen möchten — "

115 Fanny bekam das Abendkleid. Geschenkt obendrein. Besser ohne
Abendkleid, als ohne Hausmädchen. Jedoch, das war erst der Anfang.
Am nächsten Samstag kam Fanny wieder.

„Ich brauche einen Mantel über das Kleid."

„Sie haben doch einen, Fanny."

120 „Für den Wochentag. Zum Einkaufengehen", sagte Fanny, „aber am
Abend und zu dem schönen Kleid paßt er nicht. Könnten sie mir
Ihren Mantel — ?"

Fanny bekam den Mantel. Fanny bekam noch viel mehr. Jeden Samstag hatte sie einen neuen Wunsch. Sie bekam die Handtasche meiner
125 Frau, den Schal^g meiner Frau, den Hut meiner Frau, die kurzen und
die langen Handschuhe meiner Frau, eine Bluse für Sonntag, ein
Twinset für wochentags, die Schuhe trug sie mit meiner Frau gemeinsam.

Ich machte meiner Frau heftige Vorwürfe. Sie zeigte mir nur die
130 sieben Seiten Inserate in der Sonntagszeitung.

Sieben Seiten „Hausmädchen gesucht!" Da pflichtete ich ihr bei.

Am nächsten Samstag kam Fanny abermals.

Meine Frau hatte nichts mehr im Schrank.

Dafür hatte sie Galgenhumor.

135 „Nun, Fanny, was soll's denn heute sein?" fragte sie freundlich.

„Nichts, Madame."

zugeknöpft   der Knopf → knöpfen → zuknöpfen ↔ aufknöpfen

passen   Das Kleid ist mir zu eng geworden, es paßt mir nicht mehr.
▪ Ein Sportanzug paßt nicht zu einer Hochzeit.

der Schal, –s

gemeinsam   zusammen ▪ gemeinsam → die Gemeinsamkeit

beipflichten   zustimmen, ,,ja'' zu etwas sagen

die Madame [ma'dam]

15   Wofür paßte ihr Mantel nur noch?

Er paßte nur noch für den Wochentag, zum Einkaufengehen.

16   Was tat Fanny am nächsten Sonntag?

Am nächsten Sonntag kam Fanny abermals.

,,Was? Kein Kleid? Kein Hut? Kein Mantel?''

,,Nichts'', sagte Fanny, ,,ich möchte etwas ganz anderes.''

,,Was denn?''

140 ,,Ich möchte kündigen.''

Meine Frau fiel aus allen Wolken.

,,Kündigen? Warum?''

Fanny, ganz große Dame, sagte:

,,Wissen Sie, Madame, wenn man so gut angezogen ist wie ich jetzt
145 . . . dann macht man sich nicht gern die Hände schmutzig mit
Hausarbeit.''

Jo Hanns Rösler

kündigen sagen, daß man eine Stelle oder eine Wohnung nicht mehr will · die Kündigung

schmutzig nicht sauber · schmutzig ↔ sauber · der Schmutz

17 Warum wollte Fanny kündigen?

Nun, da sie so gut angezogen ist, wollte sie sich nicht gern die Hände mit Hausarbeit schmutzig machen.

II. Phonology

A. Oral Sentences

Form a short oral sentence with each of the following expressions and watch the pronunciation carefully:

Junggeselle, Untermieter, Zimmer, Zeitung, Straßenbahn, Villen, Stadtviertel, Zimmervermieterin, besprechen, Radio, stören, Gardinen, Licht ausmachen, Morgenkaffee, Schuhe ausziehen, Hausschlüssel, putzen, falsch verstanden, Heiratsinserat, Herd, Frankfurter Würstchen und Salat, Gasthaus, Köchin, ein böser Traum, Luise, Zukunft, Hochzeit, Millionär, Ausland, Rom, kühne Erwartungen, Lieschen Müller, Michelangelo, platzen, Gesellschaft, Professor Schöngeist, Gemälde, Hauptsache, Hausmädchen, Stadtluft, kommen, tanzen, Sonntagskleid, zugeknöpft, brauchen, Wochentag, passen, Wunsch, Handtasche, Hut, gemeinsam, Vorwürfe, zeigen, abermals, Galgenhumor, heute, fragen, kündigen, schmutzig.

B. Syllabication

German syllabication differs from that of English. The most important rules are the following:

1   A single consonant always belongs to the following syllable:

Die-be, Fra-ge, Gei-ge, da-mals, le-gen, schnei-den

In this connection **ch**, **sch** and **ß** are regarded as single consonants:

Bü-cher, wa-schen, rei-ßen

2   In the case of clusters of several consonants the last one belongs to the following syllable:

Ham-mer, Gar-ten, Kell-ner, Städ-ter, stop-fen

In this connection note that:

a.   **ck** is considered a double consonant and is broken up into **k-k**:

schmek-ken, Unglük-ke

b.   **st** is not divided:

We-sten, Pfo-sten, Fen-ster, ern-ste

3   Even suffixes which begin with a vowel have the preceding consonant included in syllabication:

Schneide-rin, Kun-din, Bäcke-rei, Rich-tung, Versiche-rung

4   A single letter cannot be a syllable in German. Therefore, the following are not divided:

oder (*not* o-der), Abend (*not* A-bend)

5 Doubled vowels, diphthongs and vowels plus signs of length (**h**, **e**) cannot be divided:

> Waa·ge, wei·nen, oh·ne, die·se

6 Compounds are divided at the seam:

> Groß·vater, Herz·anfall, Oster·fest, Pfann·kuchen, entgegen·reiten

Within the component parts, however, the above rules apply:

> Groß·va·ter, Herz·an·fall, Pfann·ku·chen, ent·ge·gen·rei·ten

7 Divide the following words into syllables:

> Junggeselle, natürlich, wenigstens, Zimmer, Stadtviertel, zweifellos, mieten, junger, Zigarrenrauch, Gardinen, kochen, Wohnung, Wochenende, Hause, Fenster, Dame, nämlich, gestern, tagaus, dasselbe, Woche, Kartoffeln, Gabel, Kunde, Schönheit, ihnen, helfen, lieber, sogar, Köchin, seufzte, Freiheit, mußte, Zunge, revoltierte, nettes, Mädchen, dreißig, bißchen, über, Hochzeit, erste, Gasthof, geschickter, Zeiten, Firma, lange, nämlich, manchmal, geschäftlich, Ausland, machen, Ehemann, Reise, Lieschen, Bürgermeister, geholfen, inzwischen, aufkaufen, Malerei, platzte, Experten, Gesellschaft, Professor, Gemälde, schließlich, Hauptsache, möchten, obendrein, ohne, jedoch, Anfang, wieder, über, Mantel, Handtasche, sieben, pflichtete, nächsten, abermals, hatte, Galgenhumor, freundlich, kündigen, allen, Wolken, große, sagte, wissen, Hände, Hausarbeit

III. Writing Practice

A. Dehydrated Sentences

Write complete sentences with the following. The tenses for the verbs are suggested. The nominative singular **der** is used to indicate that a form of the definite article is desired. The English expressions in boldface deserve special attention because most of them require unexpected idiomatic equivalents in German. You will have to rearrange the word order in some of these sentences:

1 one / Tag / kommen (*narr. past*) / mein / Onkel / aus / Amerika / ganz / unverhofft / **for a visit**
2 er / wohnen (*pres.*) / schon / **since** / ein / Jahr / in / dieser / Dorf
3 sie / erzählen (*conv. past*) / **about** / ihr / Reise / **through** / verschieden / fremd / Land (*pl.*)
4 wissen / du / **from** / wer / Alfred / dieser / Geschenk / bekommen (*conv. past*) / ?
5 wer / helfen (*fut.*) / ich / Wagen / waschen / ?
6 sie / kommen (*past perf.*) / natürlich / **for** / Kind / **sake**
7 ich / danken (*conv. past*) / die Leute / **for** / ihr / Hilfe
8 Günther / bringen (*conv. past*) / gestern / einige / alt / Freund / mit / **home**
9 wer / sehen (*conv. past*) / du / denn / **at** / Konzert / ?
10 mein / Tante / ankommen (*conv. past*) / ein / Stunde / **ago**
11 **when** / ich / er / gestern / sehen (*narr. past*) / aussehen (*conv. past*) / noch / ziemlich / blaß
12 jeder / Mal / **when** / ich / er / besuchen (*pres.*) / erzählen (*pres.*) / er / derselbe / Geschichte (*pl.*)

559

13 haben (*pres.*) / ihr / ein / Ahnung / when / der / Zug / einlaufen / sollen (*pres.*) / ?

14 wir / warten (*past perf.*) / ein / ganz / Stunde / for / er

15 ich / bitten (*narr. past*) / er / for / ein / Zigarette / for (*conj.*) / ich / vergessen (*past perf.*) / mein / einstecken

16 der / fremd / Leute / fragen (*conv. past*) / about / dein / Eltern

17 during / der / Mittagessen / sein (*conv. past*) / er / on account of / der / Unfall / hier

18 Rolf / können (*conv. past*) / der Lehrer / leider / nicht / antworten

19 der / Frau / tun (*pres.*) / nichts / against / oder / without / ihr / Mann

20 ich / begegnen (*conv. past*) / der / Kind (*pl.*) / inside of / der / Kaufhaus

21 whose / Pullover / liegen (*pres.*) / hier / on / der / Sessel / ?

22 except for / der / drei / Kassierer / sein (*narr. past*) / niemand / in / die Bank

23 der / Angestellter / füttern (*narr. past*) / gern / Vogel (*pl.*) / in the / Park

24 Günther / sein (*pres.*) / taller than / Rolf / but / Fritz / sein (*pres.*) / tallest

25 der / Bild / of the / Dom / werden (*narr. past passive aux.*) / on the occasion of / der / groß / Feier / aufnehmen

26 why / wollen (*pres.*) / du / der / Junge / nicht / glauben / ?

27 hier / passieren (*conv. past*) / one night / ein / schrecklich / Unfall

28 der / Frau / whose / Kind / so / krank / sein (*pres.*) / heißen (*pres.*) / Frau Jäger

29 dort / stehen (*pres.*) / der / Mann / who / wollen (*pres.*) / verkaufen / ich / der / Wagen

30 wo / sein (*pres.*) / der / Schraubenzieher / with which / ich / eben / arbeiten (*narr. past*) / ?

31 sehen (*conv. past*) / du / der / Dame / who / sein (*conv. past*) / eben / hier / in the / Geschäft / ?

32 ich / wünschen (*fut.*) / myself / ein / neu / Hut / zu / Weihnachten

33 du / müssen (*pres.*) / anziehen / yourself / noch / für / der Konzert

34 du / ought to / aufsetzen / yourself / bei / dieser / Wetter / ein / Hut

35 wollen / du / nicht / sit down / ?

36 sit down (*familiar*) / und / geben / ich / ein / Zigarette / bitte

B. Free Composition

In about 200 words report on an incident or a situation that you experienced recently, writing it as if it were for your diary.

IV. Word Study

A. Inference

With the help of the clues provided guess the meanings of the words in boldface:

1 Wenn man schon **gähnen** muß, hält man wenigstens die Hand vor den Mund, Susi. Aber es ist ja auch schon spät, du solltest jetzt lieber zu Bett gehen.

2 Das Wasser des Flusses **wälzte sich** langsam dem Meere zu. Die Schweine wälzten sich im Schmutz. **sich wälzen**

3   Als der kleine Hans sein Auto bekam, war er **selig** vor Glück.
4   Die **Kundgebung** war eine Demonstration für die Politik seiner Partei.
5   Goethe und Schiller sind die bekanntesten deutschen **Dichter**.   **der Dichter, —** → **dichten**
6   Bücher und Zeitungen werden **gedruckt**, Hände aber werden gedrückt, wenn man jemanden begrüßt.
      drucken → **der Drucker, —**
7   Stell dir vor, Wegners haben zwölf Kinder, ein volles **Dutzend**.   **das Dutzend**
8   Wir haben ein Dutzend frische **Eier** im Hause. Möchtest du zwei zum Frühstück, vielleicht gekocht
      oder gebraten?   **das Ei, —er**
9   Vier Wochen allein in einem Waldhäuschen? Das wäre mir denn doch zu **einsam**!
10 A. Wenn unser Opa mein Großvater ist, was bin ich dann zu ihm, Mutti?   B. Du bist Großvaters
      Enkel, mein Junge.   **der Enkel, —**
11 Warum kann er sich nicht **entschließen**, ob er das Haus kaufen will oder nicht?   sich entscheiden =
      sich entschließen
12 Zuerst hatte er nur ein Fahrrad, dann kaufte er sich ein **Motorrad**, aber jetzt fährt er einen dicken
      Wagen. Ein Fahrrad hat zwei **Räder**, ein Auto vier.   **das Rad, ⸚er**
13 Du hast in deiner Hausarbeit viele **Fehler** gemacht, Werner, beinah alles ist falsch.   **der Fehler, —**
14 Es hat heute nacht **gefroren**, hier ist Eis am Fenster.   **frieren: es friert, es fror, es hat gefroren**
15 Die Polizisten haben den Dieb gefangen und ins **Gefängnis** gebracht.   **das Gefängnis, —se**
16 Wenn es erst regnet und dann friert, sind die Straßen gefährlich **glatt**.
17 Das Schiff lief heute morgen in den New Yorker **Hafen** ein.   **der Hafen, ⸚**
18 Schüler müssen ihre Hausarbeiten in **Hefte** schreiben.   **das Heft, —e**
19 Es ist warm, die Sonne scheint, das Wetter ist **herrlich**.
20 Blau, grün und rot? Nein, die Bluse ist mir zu **bunt**.
21 Sein Waldhäuschen ist ganz aus **Tannenholz**.   **das Holz**
22 England ist eine große **Insel**.   **die Insel, —n**
23 In dieser Fabrik ist so viel **Lärm**, man kann kaum sein eigenes Wort verstehen.   **der Lärm**
24 Nach Mitternacht wurde die Gesellschaft so **lustig**, daß sich die Nachbarn über den Lärm beklagten.
25 Zwischen Ost— und Westberlin verläuft eine lange **Mauer**.   **die Mauer, —n**
26 Sie stand fast zehn Minuten vor dem **Spiegel**, um sich die Lippen anzumalen.   **der Spiegel, —**
27 Im Herbst werden die Abende **kühl**, man muß etwas überziehen, wenn man nach draußen geht.
28 Sie haben sich für das neue Haus ganz moderne **Möbel** gekauft. Schön finde ich sie allerdings nicht,
      besonders die Stühle und Sessel nicht.   **die Möbel** (*pl.*)
29 Schweizer **Käse** schmeckt gut, aber er hat zu viele Löcher.   **der Käse**
30. A. Welche Obstarten kennen Sie?   B. Äpfel, Birnen und Pflaumen.   **das Obst**
31 Der Zug lief auf die Minute **pünktlich** in den Bahnhof ein.
32 Hans ist ein **kluges** Kind. Er kann schon lesen, obwohl er erst vier Jahre alt ist.
33 Das Fleisch ist mir zu **roh**. Du hättest es etwas länger braten sollen.
34 Weil sie fast alle ihre Kleider mitnahm, brauchte sie drei große **Koffer** für die kurze Reise.
      der Koffer, —
35 Der Lehrer schrieb die Verbformen an die **Wandtafel**.   **die Tafel, —n**
36 Jeder Student in diesem Zimmer sollte nun den **Inhalt** der ersten zweiundzwanzig Aufgaben dieses
      Buches kennen.   **der Inhalt**
37 Man **vollstreckte** die Strafe nicht, sondern ließ den Dieb wieder frei.
38 Er ist **zwar** alt, aber er kann immer noch zehn Stunden am Tag arbeiten.

B. Singular and Plural of Nouns

Change the noun subject to the plural:

Der Junggeselle aß immer im Gasthaus.
Die Junggesellen aßen immer im Gasthaus.

Der Preuße war stolz.
Die Preußen waren stolz.

Die Gardine in diesem Zimmer ist weiß.
Die Gardinen in diesem Zimmer sind weiß.

Der Schlüssel liegt auf dem Tisch.
Die Schlüssel liegen auf dem Tisch.

Das Inserat kommt morgen in die Zeitung.
Die Inserate kommen morgen in die Zeitung.

Der Herd hier ist schon alt.
Die Herde hier sind schon alt.

Das Schwein wälzt sich gern im Schmutz.
Die Schweine wälzen sich gern im Schmutz.

Die Wurst schmeckt mir nicht.
Die Würste schmecken mir nicht.

Die Kartoffel kommt aus Südamerika.
Die Kartoffeln kommen aus Südamerika.

Das Opfer des Verkehrsunfalls wurde sofort ins Krankenhaus gebracht.
Die Opfer des Verkehrsunfalls wurden sofort ins Krankenhaus gebracht.

Die Sauce schmeckt hier besonders gut.
Die Saucen schmecken hier besonders gut.

Der Gasthof ist an einem Tag in der Woche geschlossen.
Die Gasthöfe sind an einem Tag in der Woche geschlossen.

Der Händler verdient nicht schlecht.
Die Händler verdienen nicht schlecht.

Das Geschenk braucht ja nicht teuer zu sein.
Die Geschenke brauchen ja nicht teuer zu sein.

Der Schal ist mir zu bunt.
Die Schals sind mir zu bunt.

Der Dichter schreibt Poesie und Prosa.
Die Dichter schreiben Poesie und Prosa.

Das Ei ist nicht mehr frisch genug.
Die Eier sind nicht mehr frisch genug.

Der Drucker hat eine interessante Arbeit.
Die Drucker haben eine interessante Arbeit.

Der Enkel meines Onkels ist noch klein.
Die Enkel meines Onkels sind noch klein.

Das Fahrrad wird in Europa noch immer viel benutzt.
Die Fahrräder werden in Europa noch immer viel benutzt.

Der Fehler lag im Material.
Die Fehler lagen im Material.

Das Gefängnis ist für Verbrecher da.
Die Gefängnisse sind für Verbrecher da.

Der Hafen ist immer interessant.
Die Häfen sind immer interessant.

Das Heft kostet nur 20 Pfennig.
Die Hefte kosten nur 20 Pfennig.

Die Insel wurde oft von Touristen besucht.
Die Inseln wurden oft von Touristen besucht.

Die Mauer dieser Stadt ist schon 600 Jahre alt.
Die Mauern dieser Stadt sind schon 600 Jahre alt.

Der Spiegel hier ist mir zu teuer.
Die Spiegel hier sind mir zu teuer.

Der Koffer war groß und schwer.
Die Koffer waren groß und schwer.

Die Wandtafel in diesem Zimmer ist schwarz.
Die Wandtafeln in diesem Zimmer sind schwarz.

Unit 23

I. Programmed Reading

Wolfgang Borchert (1921-1947)

Zwei Erzählungen von Wolfgang Borchert beschließen dieses Buch. Das ist kein Zufall. Es war vielmehr beabsichtigt, die Studenten bis an deutsche Literatur heranzuführen, und Erzählungen von Wolfgang
5 Borchert gehören zweifellos zum Besten, was die jüngere deutsche Literatur zu bieten hat.

Wolfgang Borchert wurde am 20. Mai 1921 in Hamburg geboren. Man nennt ihn Dichter der „verlorenen" Generation, denn wie keiner sonst hat er das Verbrecherische des Krieges erkannt und die Prob-
10 lematik⁹ seiner Generation in dichterische Form gekleidet.

Früh Soldat, saß Wolfgang Borchert schon mit zwanzig Jahren im Militär-Gefängnis: zum Tode verurteilt, weil er geschrieben hatte, was er über diesen Krieg dachte. Zwar wurde das Todesurteil dann nicht vollstreckt⁹. Nach sechs Wochen, in denen er jeden Tag auf
15 den Tod gewartet hatte, wurde er schließlich begnadigt. Aber gegen Ende des Krieges wurde er abermals für Monate ins Gefängnis geworfen. Diesmal wegen einiger politischer Witze, die er verbreitet hatte.

Krieg und Gefängnis hatten seine Gesundheit zerstört. Den Rest
20 besorgte die Hungersnot der Nachkriegsjahre. Wolfgang Borchert, wohl die größte dichterische Begabung deutscher Zunge in seiner Zeit, starb am 20. November 1947, ganze sechsundzwanzig Jahre alt. Geblieben ist uns sein Werk, klein nur, aber stark und zeitlos, obwohl er fast alle Themen für seine Werke aus dem Geschehen seiner
25 Tage nahm.

Das Brot *

Plötzlich wachte sie auf. Es war halb drei. Sie überlegte, warum sie aufgewacht war. Ach so! In der Küche hatte jemand gegen einen Stuhl gestoßen. Sie horchte nach der Küche. Es war still. Es war zu
30 still, und als sie mit der Hand über das Bett neben sich fuhr, fand sie es leer. Das war es, was es so besonders still gemacht hatte: sein Atem fehlte. Sie stand auf und tappte durch die dunkle Wohnung zur Küche. In der Küche trafen sie sich. Die Uhr war halb drei. Sie sah etwas Weißes am Küchenschrank stehen. Sie machte Licht. Sie
35 standen sich im Hemd gegenüber. Nachts. Um halb drei. In der Küche.

* By permission of Rowohlt Verlag, GMBH.

564

verurteilen   Strafe für ein Verbrechen festsetzen, bestrafen ·
verurteilen → urteilen → das Urteil, —e

begnadigen   ein Urteil liquidieren · begnadigen → die Gnade

besorgen   nach sich ziehen, machen, bringen

aufwachen   Ich wache jeden Morgen gegen sechs Uhr auf.

tappen   unsicher gehen, weil man nicht genau sehen kann, wo man
geht

gegenüber   genau auf der anderen Seite

Auf dem Küchentisch stand der Brotteller. Sie sah, daß er sich Brot abgeschnitten hatte. Das Messer lag noch neben dem Teller. Und auf der Decke lagen Brotkrümel. Wenn sie abends zu Bett gingen, machte
40 sie immer das Tischtuch sauber. Jeden Abend. Aber nun lagen Krümel auf dem Tuch. Und das Messer lag da. Sie fühlte, wie die Kälte der Fliesen langsam an ihr hoch kroch. Und sie sah von dem Teller weg.

,,Ich dachte, hier wäre was", sagte er und sah in der Küche umher.

45 ,,Ich habe auch was gehört", antwortete sie, und dabei fand sie, daß er nachts im Hemd doch schon recht alt aussah. So alt wie er war. Dreiundsechzig. Tagsüber sah er manchmal jünger aus. Sie sieht doch schon alt aus, dachte er, im Hemd sieht sie doch ziemlich alt aus. Aber das liegt vielleicht an den Haaren. Bei den Frauen liegt das
50 nachts immer an den Haaren. Die machen dann auf einmal so alt.

,,Du hättest Schuhe anziehen sollen. So barfuß⁹ auf den kalten Fliesen. Du erkältest dich noch."

Sie sah ihn nicht an, weil sie nicht ertragen konnte, daß er log. Daß er log, nachdem sie neununddreißig Jahre verheiratet waren.

55 ,,Ich dachte, hier wäre was", sagte er noch einmal und sah wieder so sinnlos von einer Ecke in die andere, ,,ich hörte hier was. Da dachte ich, hier wäre was."

,,Ich hab auch was gehört. Aber es war wohl nichts." Sie stellte den Teller vom Tisch und schnippte die Krümel von der Decke.

60 ,,Nein, es war wohl nichts", echote⁹ er unsicher.

Sie kam ihm zu Hilfe: ,,Komm man.* Das war wohl draußen. Komm man zu Bett. Du erkältest dich noch. Auf den kalten Fliesen."

Er sah zum Fenster hin. ,,Ja, das muß wohl draußen gewesen sein. Ich dachte, es wäre hier."

65 Sie hob die Hand zum Lichtschalter. Ich muß das Licht jetzt ausmachen, sonst muß ich nach dem Teller sehen, dachte sie. Ich darf doch nicht nach dem Teller sehen. ,,Komm man", sagte sie und machte das Licht aus, ,,das war wohl draußen. Die Dachrinne schlägt

* Familiar imperatives such as this with **man** are frequent in north German informal speech. These imperatives are more like pleas rather than commands: Iß man = just eat.

der Krümel, –   A. Mutti, ich habe mir eine Scheibe Brot abgeschnitten.   B. Das kann ich sehen, Susi. Hier liegen ja noch überall Krümel herum.

die Fliese, –n   bestimmte Art von Steinfußboden, meistens in Küche und Bad

ertragen   psychisch tragen

schnippen   Kleine Partikeln, z.B. Krümel, schnippt man manchmal mit den Fingern auf den Fußboden.

der Lichtschalter, –   Mit einem Lichtschalter macht man das Licht an oder aus.

das Dach, –̈er   die Bedeckung eines Hauses · **die Dachrinne**, –n · Wenn es regnet, läuft das Wasser vom Dach zuerst in die Dachrinne, bevor es abfließt.

immer bei Wind gegen die Wand. Es war sicher die Dachrinne. Bei
70 Wind klappert sie immer."

Sie tappten sich beide über den dunklen Korridor⁹ zum Schlafzimmer.
Ihre nackten⁹ Füße platschten auf den Fußoden.

„Wind ist ja", meinte er. „Wind war schon die ganze Nacht."

Als sie im Bett lagen, sagt sie: „Ja, Wind war schon die ganze Nacht.
75 Es war wohl die Dachrinne."

„Ja, ich dachte, es wäre in der Küche. Es war wohl die Dachrinne."
Er sagte das, als ob er schon halb im Schlaf wäre.

Aber sie merkte, wie unecht seine Stimme klang, wenn er log. „Es
ist kalt", sagte sie und gähnte leise, „ich krieche unter die Decke.
80 Gute Nacht."

„Nacht", antwortete er und noch: „ja, kalt ist es schon ganz schön."

Dann war es still. Nach vielen Minuten hörte sie, daß er leise und
vorsichtig kaute. Sie atmete absichtlich tief und gleichmäßig, damit
er nicht merken sollte, daß sie noch wach war. Aber sein Kauen war
85 so regelmäßig, daß sie davon langsam einschlief.

Als er am nächsten Abend nach Hause kam, schob sie ihm vier
Scheiben Brot hin. Sonst hatte er immer nur drei essen können.

„Du kannst ruhig vier essen", sagte sie und ging von der Lampe
weg. „Ich kann dieses Brot nicht so recht vertragen. Iß du man eine
90 mehr. Ich vertrag es nicht so gut."

Sie sah, wie er sich tief über den Teller beugte. Er sah nicht auf.
In diesem Augenblick tat er ihr leid.

„Du kannst doch nicht nur zwei Scheiben essen", sagte er auf seinen
Teller.

95 „Doch. Abends vertrag ich das Brot nicht gut. Iß man. Iß man."

Erst nach einer Weile setzte sie sich unter die Lampe an den Tisch.

platschen eine Art von Klatschen · Man klatscht mit den Händen.
Wenn man aber barfuß über den Fußboden geht, platscht es.

gleichmäßig Der Motor läuft jetzt wieder ruhig und gleichmäßig.

(sich) beugen Die Mutter beugte sich über das schlafende Kind.

Der Stiftzahn
oder
Warum mein Vetter keine Rahmbonbon mehr ißt *

100 Es war ein niedliches kleines Kino. Und niedrig. Es roch nach
Kindern, Aufregung, Bonbon. Es roch im ganzen Klub⁹ nach Rahmbonbon. Das kam davon, weil man vorne neben der Kasse welche
kaufen konnte. Für zehn Pfennig fünf Stück. Deswegen roch es nach
Rahmbonbon an allen Enden. Aber sonst war es ein niedliches Kino.
105 Und niedrig. Es gingen kaum zweihundert Menschen hinein. Es war
ein richtiges kleines Vorstadtkino. Eines von denen, die man gutmütig Flohkiste nennt. Ohne Gehässigkeit. Unser Kino hieß Viktoria-
Lichtspiele⁹. Sonntagsnachmittags gab es Kindervorstellungen. Für
halbe Preise. Aber die Rahmbonbon waren beinahe noch wichtiger.
110 Sie gehörten dazu, zum Sonntag, zum Kino. Fünf Stück einen
Groschen. So rentierte sich das auch für den Besitzer.

Leider besaß mein Vetter dreißig Pfennig. Das waren eine Unmasse
Rahmbonbon. Wir waren mit die Glücklichsten unter den zweihundert
Kindern. Ich nämlich auch. Denn ich saß neben ihm und dafür war
115 er mein Vetter. Wir waren sehr glücklich. Das **leider** kam erst später.

Dann wurde es langsam und genießerisch dunkel. Das schmatzende
Lutschgeräusch von zweihundert Mäulern flaute augenblicklich ab.
Statt dessen wälzte sich ein Indianergeheul⁹, Fußgetrampel und
anhaltendes Pfeifkonzert durch das kleine Kino. Selige Freuden-
120 kundgebung allsonntäglich zum Beginn der Vorstellung.

Dann war es dunkel. Die Leinwand wurde hell und hinten surrte
etwas. Dann gab es auch noch Musik. Das Indianergeheul brach ab.
Man hörte wieder das Lutschen an allen Enden. Und beinahe zweihundert Herzen schlagen. Der Film begann.

125 Hinterher kann man das nie mehr so genau auseinanderhalten. Auf
jeden Fall wurde sehr viel geschossen, geritten, geraubt und geküßt.
Alles war in Bewegung. Und vor der Leinwand zweihundert lutschende
Zungen. Wenn man nachher im Hause erzählen sollte, wußte man nur
noch, daß geschossen, geritten und geraubt wurde. Das Küssen
130 unterschlug man. Das war ja sowieso Quatsch.

Je mehr auf der Leinwand geritten und geschossen wurde, um so
mehr wurden die Rahmbonbon von einer Backe in die andere geschoben. Und das konnte man alles hören. Eine wüste Flucht zu Pferde
auf der Leinwand — und das Lutschgeräusch schwoll an wie ein
135 Wasserfall.

* By permission of Rowohlt Verlag, GMBH.

der Stiftzahn **der Zahn**, ⸚e · Man kaut mit den Zähnen. · Babys haben noch keine Zähne. · Ein Stiftzahn ist eine bestimmte Art „falscher" Zahn.

die Kasse, —n die Stelle, an der man Geld bezahlt, z.B. für seine Einkäufe

die Vorstadt Jede Großstadt hat ein Stadtzentrum und einige kleine Vorstädte. · die Vorstadt = der Vorort

der Groschen, — das Zehnpfennigstück (—,10 DM)

genießerisch epikureisch [epiku'reɪʃ] · genießerisch → genießen → der Genuß

die Leinwand die weiße Wand, auf die man Filme projiziert [pʀoji'tsiːʀt]

die Bewegung Bei rotem Licht müssen alle Autos stoppen, bei grünem Licht setzen sie sich wieder in Bewegung. · sich bewegen → die Bewegung
sowieso auf jeden Fall

die Flucht Einigen Menschen gelingt immer noch die Flucht von Ost-Deutschland nach West-Deutschland. · der Flüchtling, —e → fliehen: er flieht, er floh, er ist geflohen

Es roch nach Kindern, Aufregung, Bonbon. An allen Enden nach Rahmbonbon.

Plötzlich, gerade wurde der blonde heldenmütige Held auf seinem treuen Schimmel von sieben schwarzbärtigen Räubern über die
140 Leinwandprärie gejagt — gerade sandte er einen dringenden Heldenblick zum düster bewölkten Tragödienhimmel — gerade zogen die verbrecherischen Verfolger ihre haarscharfen Trommelrevolver und verbargen sich hinter einer riesigen Hecke von glühenden Kakteen⁹ — da schrie es!

145 Das war an sich nichts Besonderes, denn alle aufregenden Vorgänge auf der Leinwand wurden mitfühlend durch die Aufschreie von zweihundert Kindermäulern untermalt und kommentiert. Aber dieser Schrei war aus der Art gefallen. Er war zu groß und zu erschrocken. Es lief mir heiß den Rücken herauf. Und mir ganz besonders, denn
150 der geschrien hatte, war mein Vetter. Und dann schrie er noch einmal. Laut und wehklagend wie ein getretenes Hündchen. Und dann zum dritten Mal: Entsetzt und nicht zu überhören. So schrie mein Vetter.

Er hatte Erfolg. Das, was über die Leinwand gelaufen war, blieb mitten im Laufen stehen und surrte nicht mehr. Die Musik machte
155 auch nicht mehr mit und das Licht ging an.

Es war nicht leicht, aus dem Heulenden, Schimpfenden, Schluchzenden, das vorher mein Vetter gewesen war, herauszubekommen, was den Ansporn zu seinem dreiteiligen Schrei gegeben hatte. Aber dann verstand man ihn doch und der Kinobesitzer, der zugleich
160 Kassierer und Rahmbonbonverkäufer war, widmete seinen Rahmbonbon einen männlichen Fluch. Und ins besondere den Rahmbonbon, die er an meinen Vetter verkauft hatte.

Aber Schuld hatte er natürlich selbst, mein Vetter. Wie oft und eindringlich war ihm zu Hause und vom Zahnarzt eingeschärft worden,
165 um Himmels willen nie und niemals Rahmbonbon zu essen. Er hatte es trotzdem getan. Dabei war es passiert. Der Stiftzahn — mein Vetter trug damals schon, und er wurde von uns allen bestaunt und daran geachtet, einen richtigen Stiftzahn — dieser Stiftzahn hatte sich von der Rahmbonbonmasse betören lassen und hatte seinen Stift heim-
170 lich verlassen. Und da mein Vetter bei den atemraubenden Vorfällen auf der Leinwand den Mund vor Atemnot weit aufsperrte, war der Stiftzahn heimtückisch und häßlich aus der Gemeinschaft seiner Brüder entflohen und abenteuersüchtig unter den Bänken des Kinos von dannen gerollt.

der Schimmel   ein weißes Pferd
die Prärie [pʀɛˈʀiː]

glühen   Als der Wind kam, glühte das-Feuer noch einmal auf.
der Kaktus [ˈkaktʊs], **die Kakteen** [kakˈteːɔn]

(sich) erschrecken   (vor einem plötzlichen Ereignis) Angst
bekommen · der Schrecken → schrecklich · erschrecken: er
erschrickt, er erschrak, er ist erschrocken

entsetzt   Sie konnte kein Wort sagen, sie war vor Schrecken ganz
entsetzt. · entsetzen → das Entsetzen → entsetzlich = schrecklich

widmen   Er widmete sein Gedicht seiner Freundin. Er schrieb ihr
eine nette Widmung in das Buch. · widmen → die Widmung

einschärfen   eindringlich sagen

aufsperren   weit aufmachen

von dannen   von dort (weg)

175 Nach zehn Minuten mußte das Suchen aufgegeben werden. Der Stiftzahn hatte zu viele Vorteile für sich. Wer hätte sich erkühnen wollen,
unter den dunklen Bänken, auf denen zweihundert Kinder hin und
her rutschten, einen Stiftzahn wiederzufinden? Pfeifen und Rufen half
erst recht nichts. Vielleicht hatte er längst als herzklopfenmachende
180 Beute in einer fremden Hosentasche Unterkunft gefunden. Jedenfalls
war er weg.

Es wurde wieder dunkel, die Leinwand wurde wieder hell und bewegte
sich da weiter, wo sie stehengeblieben war. Und die Musik machte
auch wieder mit. Und neben mir schwiegen schwermütig die tränen-
185 erstickten Reste meines vorhin noch so stolz lutschenden Vetters.

Einmal geht alles zu Ende. Am ehesten eine Kindervorstellung im
Vorstadt-Kino. Die Leinwand konnte nicht mehr, die Musik auch
nicht. Sie waren auch überanstrengt, deswegen machten sie Schluß.
Aber dafür gingen zwei immer wieder überraschende Seitentüren
190 vorne auf und ließen weiß und blendend den hellen sonntäglichen
Sonntagmittag in das Kino herein. In wenigen Minuten plapperten
und klapperten die Zweihundert aus den Türen und ihrem sonntäglichen Abenteuer an die sonntägliche Luft.

Als allerletzte, mit verfinsterten Gemütern und dunklen Vorahnungen,
195 mein zahnloser Vetter und ich. Wir sahen uns an. Stumm und gefaßt.
Und beinahe männlich. Trotz unserer zwölf Jahre beinahe schon
männlich. Mir kam es allerdings so vor, als ob in den Augen meines
Vetters eine ungeheure Warnung für mich lauerte. Diese Warnung
sagte: Wenn du jetzt anfängst zu lachen, hau ich dich tot!

200 Ich lachte nicht. Ich lachte erst fünf Minuten später. Dann aber um
so ausführlicher.

Wir waren nur noch zwei — drei Schritte vom Ausgang entfernt und
die Sonntagssonne kam uns, gänzlich unangebracht, freudestrahlend
entgegen geblinzelt, da schrie es abermals. Diesmal war ich es, der
205 schrie.

Ich stand und blieb stehen, als ob meine Zehen in einer Mausefalle
säßen. Dann schrie auch ich zum zweiten Mal. Siegesbewußt:

Mensch, ich hab ihn!

Mein Vetter konnte nur dumm flüsternd fragen: Wen?

sich erkühnen   in einer hoffnungslosen Situation besondere
Courage [kuˈʀɑːʒə] zeigen.

die Unterknuft, ⸚e   Haus, Wohnung, Heim

schweigen   nichts sagen · das Schweigen → schweigsam ·
schweigen: er schweigt, er schwieg, er hat geschwiegen

der Schluß   das Ende

finster   dunkel, düster · **sich verfinstern**   dunkel werden

hauen   schlagen

unangebracht   nicht zur Situation passend

siegesbewußt   der Sieg, —e → siegen = gewinnen (z.B. einen Krieg)
· instinktiv [ɪnstɪŋkˈtiːf] = unbewußt ↔ bewußt

210 Da schrie ich zum dritten Mal: Mensch, den Stiftzahn! Ich stehe
drauf!

Und damit nahm ich meinen Fuß von dem dicken, roten, dreckigen
Teppich hoch. Da lag der Stiftzahn und tat, als ob nichts geschehen
wäre! Das harte Steinchen, das gegen meine Sohle° gedrückt hatte,
215 war der treulose Zahn. Vierhundert Füße hatten ihn wohl durch das
ganze Kino vor sich hergestoßen. Allein hätte er sich kaum so weit
gewagt.

Mein Vetter schrie nun auch noch einmal zum Abschluß.

Dann riß er den Stiftzahn an sich, strahlte ihn mit beiden Augen
220 strafend aber doch selig an und beförderte ihn — ohne ihn wenigstens
an der Jacke abzuwischen — wieder an seinen Platz.

Und dann konnten wir endlich lachen. Bis uns die Tränen in den
sauberen Sonntagskragen liefen. Denn auch mein Vetter hätte furchtbar gern gelacht, als der Zahn plötzlich nicht mehr da und weg war.
225 Wenn es nur nicht gerade sein eigener Zahn gewesen wäre. Aber jetzt
war er wieder an Ort und Stelle und wir sahen nicht ein, warum wir
uns jetzt nicht halbtot lachen sollten.

Rahmbonbon hat mein Vetter nie wieder angesehen. Nicht mal angesehen. Ich kann das verstehen.

dreckig   schmutzig · der Dreck = der Schmutz

vor sich herstoßen   Im englischen Fußball stoßen die Spieler den Ball vor sich her.

befördern   von einer Stelle zu einer anderen Stelle bringen

furchtbar gern   sehr gern · furchtbar = schrecklich

einsehen   erkennen, verstehen · einsehen → die Einsicht

Glossary

The Glossary is meant to be complete except for most or all words in the following categories: literal compound nouns whose parts are familiar; **der–** and **ein–**words; pronouns; negatives; prepositions; conjunctions; participles; enumerative adjectives; words with the prefix **un–** or the suffixes **–los** and **–in**; adjectival nouns; diminutives; infinitive nouns; proper names; names of the months and the days of the week; points of the compass; numbers; and words appearing only in word studies.

Plural formation of nouns is indicated unless the plural is non-existent or rarely used. If the genitive singular of a masculine or neuter noun is not **–s** or **–es**, it is shown. The few adjectival nouns included are designated: (*adj. noun*).

Reflexive verbs are signaled with **s.** for **sich**, and with **(s.)** if they are used non-reflexively as well.

The principal parts of strong and irregular verbs are not included. They are available in the verb table of Unit 12.

Adjectives in **–en** that could be confused with verbs are designated: (*adj.*).

A

der **Abend, –e** evening
  gestern abend last night
  Guten Abend! Good evening!
  heute abend tonight, this evening
das **Abendessen** evening meal; dinner
die **Abendgesellschaft, –en** evening party
  abends in the evening, evenings
das **Abenteuer, –** adventure
  aber but; however
  abermals again, once more
  abfahren depart, leave
  abflauen die down; give way
  abfließen run off, flow off
  abgemacht settled, agreed
  abhängen von depend on
  abhängig dependent
die **Abhängigkeit, –en** dependence
das **Abitur** final secondary-school examination
     (after 13 years of school)
die **Abkürzung, –en** abbreviation
  ablehnen refuse
die **Ablehnung, –en** refusal
der **Abschluß, ⸚sse** conclusion

  abschneiden cut off
die **Absicht, –en** intention
das **Abteil, –e** section; compartment
die **Abteilung, –en** department
  abtrocknen wipe dry, dry
  abwarten wait for; wait and see
  abwischen wipe off
  ach oh
  achten respect
die **Achtung** respect
die **Adresse, –n** address
  ahnen suspect
  ähnlich similar, like
die **Ähnlichkeit, –en** similarity
die **Ahnung, –en** presentiment; idea
der **Akademiker, –** academician
  akademisch academic
  all all; every
  alle all; all gone
  allein alone
  allerdings certainly, to be sure; nevertheless
  allerhand all sorts of, a lot
  allerlei all sorts of, a lot
  allerletzt very last; last of all
  alles all, everything

allgemein general; common
allzu too; far too
die **Alpen** (*pl.*) Alps
als than; when; as
als ob as if
also well; then; thus; so; therefore
alt old
amerikanisch American
die **Ampel**, **–n** traffic light; hanging lamp
an sich basically
anbieten offer
ander other, different; else
andererseits on the other hand
(s.) **ändern** change
anders different; else
der **Anfall**, **¨e** attack
der **Anfang**, **¨e** beginning
anfangen begin
der **Anfänger**, **–** beginner
angeblich alleged; supposed
angenehm pleasant, agreeable
der **Angestellte** (*adj. noun*) employee
die **Angst**, **¨e** fear, fright; anxiety
Angst haben worry; be afraid
ängstlich frightened; anxious
der **Angstschweiß** cold sweat
ankommen arrive
anläßlich on the occasion of
die **Annonce**, **–n** advertisement
anregen stimulate
die **Anregung**, **–en** stimulus; impulse
anrufen call up
anschießen shoot at
ansehen look at
das **Ansehen** reputation
die **Ansicht**, **–en** view; opinion
die **Ansichtskarte**, **–n** picture postcard
der **Ansporn** incentive
der **Anspruch**, **¨e** claim; demand
Ansprüche stellen make demands
anspruchslos unassuming, unpretentious
anspruchsvoll pretentious; exacting
anständig proper; respectable
anstarren stare at
anstrengend strenuous
antreffen find; come across
die **Antwort**, **–en** answer
antworten answer
auf die Frage antworten answer the question

(s.) **anziehen** dress
die **Anziehungskraft**, **¨e** attraction
der **Anzug**, **¨e** suit
der **Apfel**, **¨** apple
die **Apotheke**, **–n** pharmacy
der **Apparat**, **–e** apparatus; camera
der **Appetit** appetite
die **Arbeit**, **–en** work; (research) paper
arbeiten work
arbeitslos out of work, unemployed
arm poor
der **Arm**, **–e** arm
die **Art**, **–en** kind, sort
die **Artikulation** articulation
der **Arzt**, **¨e** doctor, physician
der **Assistent**, **–en**, **–en** (research) assistant
der **Atem** breath
atmen breathe
die **Atomwaffe**, **–n** atomic weapon
auch too, also; even
auffallend conspicuous; extraordinary
die **Aufgabe**, **–n** lesson, exercise
aufgehen open; give way; rise (sun, moon)
aufhören stop
aufkaufen buy up
aufknöpfen unbutton
aufmachen open
die **Aufnahme**, **–n** snapshot
aufnehmen take a picture; make a recording
aufpassen be careful; pay attention
aufregen get excited
aufregend exciting
aufsperren unlock; open wide
aufstehen get up
aufwachen wake up
das **Auge**, **–n** eye
der **Augenblick**, **–e** moment; instant
augenblicklich immediate; at the moment
ausarbeiten work out; prepare
die **Ausbildung** education, training
auseinander apart, separate
auseinanderhalten distinguish between, keep apart
ausfindig machen search out; find out
ausführlich detailed
die **Ausführung**, **–en** explanation; performance
ausgehen go out
ausgesprochen pronounced; distinct
ausgezeichnet excellent

ausländisch foreign
die **Ausnahme, –n** exception
ausnahmslos without exception
ausnahmsweise by way of exception, exceptionally
ausreichend adequate, sufficient
aussehen appear, look
außen outside; without
aussprechen pronounce
aussteigen get out, off
die **Auswahl** assortment; selection
auswendig by heart
   auswendig lernen learn by heart
(s.) **auszeichnen** distinguish (oneself)
(s.) **ausziehen** undress
das **Auto, –s** car
die **Autobahn, –en** super-highway
das **Axiom, –e** axiom

B

die **Backe, –n** cheek
backen bake
der **Bäcker, –** baker
das **Bad, ⁻er** bath
baden bathe; swim
das **Baden** swimming
   zum Baden gehen go swimming
der **Badeplatz, ⁻e** bathing spot, swimming area
die **Bahn, –en** railroad; course; track
der **Bahnhof, ⁻e** railroad station
bald soon
der **Ball, ⁻e** ball
die **Banane, –n** banana
die **Bank, ⁻e** bench
die **Bank, –en** bank
barfuß barefoot
der **Bart, ⁻e** beard
die **Basis** base, basis
der **Bau, –ten** building, construction
der **Bauch, ⁻e** belly
bauen build
der **Bauer, –n, –n** farmer; peasant
der **Baum, ⁻e** tree
beabsichtigen intend
der **Beamte** (*adj. noun*) civil servant; official
bedauern regret; feel sorry for
bedauernswert regrettable; unfortunate
die **Bedeckung, –en** covering, cover

das **Bedenken, –** consideration; doubt
bedenklich doubtful; critical
bedeuten mean
bedeutend important
die **Bedeutung, –en** meaning
bedienen serve, wait on
die **Bedingung, –en** condition; restriction
beenden finish
befehlen order
befördern promote; transport
begabt gifted
die **Begabung, –en** gift; talent
begegnen meet
beginnen begin
begnadigen pardon
begrüßen greet
behalten keep; remember
der **Behälter, –** container
behandeln handle; treat
die **Behandlung, –en** treatment
bei uns at our house
beide both; two
das **Bein, –e** leg
beinah(e) almost
beipflichten agree
das **Beispiel, –e** example
   zum Beispiel (z.B.) for example (e.g.)
beißen bite
bekannt acquainted; well-known
der **Bekannte** (*adj. noun*) acquaintance
bekommen receive, get
belehren teach, inform
das **Benzin** gasoline
bequem comfortable
bereit ready
bereits already
der **Berg, –e** mountain
bergig mountainous
der **Bericht, –e** report
berichten report
berücksichtigen consider, bear in mind
der **Beruf, –e** profession; calling
berufen appoint; call
die **Berufung, –en** appointment; call
beruhigen calm; reassure
berühmt famous
beschäftigen employ, engage
s. **beschäftigen** busy oneself
besichtigen inspect; visit
die **Besichtigung, –en** inspection; visitation

besitzen   own, possess
der **Besitzer,** –   owner, proprietor
besonders   especially
besorgen   provide; take care of
besser   better
s. **bessern**   improve; reform
der **Bestand,** ⸚e   inventory; existence
bestaunen   look at with astonishment
bestehen   pass (a test); exist
bestimmt   definite, certain
bestrafen   punish
der **Besuch,** –e   visit
besuchen   visit
betören   deceive; delude
der **Betrag,** ⸚e   amount, sum
das **Betreten**   entering; stepping on
das **Bett,** –en   bed
s. **beugen**   bow; bend
die **Beute**   loot; prey
die **Bevölkerungsdichte**   density of the population
(s.) **bewegen**   move
die **Bewegung,** –en   movement
bewußt   conscious
bezahlen   pay
die **Bezahlung,** –en   payment
beziehungsweise (bzw.)   respectively
bezweifeln   doubt
das **Bier,** –e   beer
bieten   offer
das **Bild,** –er   picture
bilden   form, shape
die **Bildung**   education
billig   cheap, reasonable, inexpensive
die **Biologie**   biology
die **Birne,** –n   pear; (light) bulb
bis   to, until, up to
bißchen: ein bißchen   a little (bit)
bitte   please; I beg your pardon; yes
die **Bitte,** –n   request
bitten   ask
bitter   bitter
blaß   pale
das **Blatt,** ⸚er   leaf; sheet (of paper)
blau   blue
das **Blei**   lead
bleiben   remain, stay
der **Bleistift,** –e   pencil
blenden   blind
der **Blick,** –e   look, glance; view
blicken   look, glance

blind   blind
blinzeln   blink
bloß   bare; only; mere
die **Blume,** –n   flower
die **Bluse,** –n   blouse
das **Blut**   blood
bluten   bleed
der **Boden,** ⸚   floor; ground
der **Bodensee**   Lake Constance
die **Bohne,** –n   bean
die **Bombe,** –n   bomb
der **Bonbon,** – or –s   candy
böse   angry; bad
der **Bote,** –n, –n   messenger
der **Brand,** ⸚e   fire; burning
braten   fry; roast; bake
brauchen   need
brav   good; honest; brave
brechen   break
breit   broad, wide
die **Breite,** –n   breadth, width
das **Brett,** –er   board; plank
der **Brief,** –e   letter
die **Briefmarke,** –n   stamp
die **Brille,** –n   glasses
bringen   bring
das **Brot,** –e   bread
die **Brücke,** –n   bridge
der **Bruder,** ⸚   brother
das **Buch,** ⸚er   book
der **Buchstabe,** –n, –n   letter (of the alphabet)
bügeln   iron, press
der **Bund,** ⸚e   federation; union
das **Bundesland,** ⸚er   state (of the Federal Republic of Germany)
die **Bundesrepublik,** –en   federal republic
bunt   many-colored; colorful
der **Bürgermeister,** –   mayor
das **Büro,** –s   office
der **Bus,** –ses, –se   bus
der **Busch,** ⸚e   bush; shrub
die **Bushaltestelle,** –n   bus stop
die **Butter**   butter
bzw. (beziehungsweise)   respectively

C

CDU (Christlich-Demokratische Union)
Christian Democratic Union
die **Chemie**   chemistry

D

da   there; here; then; since
das Dach, ⸚er   roof
die Dachrinne, –n   (roof) gutter
damals   at that time, then
die Dame, –n   lady
damit   so that; with it
danach   afterwards; after it
der Dank   thanks, gratitude
    Gott sei Dank!   Thank heavens!
danke   thanks
danken   thank
dann   then
dannen: von dannen   away from there
darum   therefore; for that reason
dasselbe   the same
dauern   last
der Daumen, –   thumb
die Decke, –n   tablecloth; blanket; ceiling
decken   cover
    den Tisch decken   set the table
(s.) denken   think; imagine
    denken an   think of (about)
der Denker, –   thinker
die Densität   density
derselbe   the same
deshalb   therefore; for that reason
deswegen   therefore; for that reason
deutlich   clear, distinct, evident
deutsch   German
das Deutsch   German
    auf deutsch   in German
d.h. (das heißt)   i.e. (that is)
der Dialog, –e   dialog
dicht   close; dense
die Dichte   density
dichten   compose; write poetry
der Dichter, –   poet; writer (of fiction)
dick   thick; fat
die Dicke   thickness; fatness
der Dieb, –e   thief
dieselbe   the same
das Ding, –e   thing; object
direkt   direct
diskutieren   discuss
die Distanz, –en   distance
die Distel, –n   thistle
der Doktor, –en   doctor (university); physician

den Doktor machen   take the degree of doctor
die Doktorarbeit, –en   thesis for the doctorate
der Dollar, –s   dollar
der Dom, –e   cathedral
der Donner   thunder
donnern   thunder
das Donnerwetter, –   thunderstorm
    Donnerwetter!   Good heavens!
das Dorf, ⸚er   village
der Dorn, –en   thorn
dort   there, over there (location)
dorthin   there (direction), that way
das Drama, Dramen   drama
draußen   outside, outdoors
dreckig   dirty; filthy
dringen   urge; penetrate
dringend   urgent
drinnen   inside, indoors
drüben   over there
drucken   print
drücken   press; push; clasp
der Drucker, –   printer
dumm   stupid, dull
dunkel   dark
dünn   thin
durchaus   absolutely, positively
    durchaus nicht   by no means, not at all
durchlaufen   run through, pass through, hurry through
der Durchschnitt, –e   average
durchschnittlich   on the average
durchwaten   wade through
durchweg   ordinarily; always
dürfen   may; be allowed to
der Durst   thirst
    Durst haben   be thirsty
durstig   thirsty
düster   gloomy; dark; sad
das Dutzend, –e   dozen
duzen   say **du** to someone
die Duz-Freundschaft, –en   close friendship; friendship in which **du** is used

E

eben   just; even; exactly
ebensogut   just as well

echoen echo
echt genuine, real
die Ecke, –n corner; edge
der Effekt, –e effect
egal alike
  das ist mir egal I don't care, it's all the
  same to me
die Ehe –n marriage
der Eheanbahner, – professional matchmaker
die Eheanbahnung, –en professional matchmaking
die Ehefrau, –en married woman
der Ehemann, –̈er married man
die Ehevermittlung, –en professional matchmaking
das Ehevermittlungsinstitut, –e matrimonial agency
das Ei, –er egg
  eigen own, individual; particular
  eigenartig peculiar; special
  eigentlich actually, really
  eilig quick; urgent
  einander each other
  eindringen penetrate; invade
  eindringlich urgent; forceful
  einerseits on the one hand
  einfach simple
  einfangen catch, capture
der Einfluß, –̈sse influence, effect
  einführen introduce
die Einführung, –en introduction
  einhalten stop; keep (a promise)
  einige a few
der Einkauf, –̈e purchase; buying
  einkaufen shop
  einlaufen arrive; come in
  einmal once
    auf einmal all of a sudden
    nicht einmal not even
  einsam lonely; alone
  einschärfen impress (a thing upon a person)
  einschlafen fall asleep
der Einschreibbrief, –e registered letter
  einschreiben register (a letter); enter (in a
  book), record
  einsehen realize
die Einsicht, –en insight
  einstecken stick into, put into
    sich etwas einstecken put something into
    one's pocket
  einsteigen get in; board
der Einwohner, – inhabitant

einzeln separate, individual
das Einzelteil, –e separate part
das Eis ice; ice cream
das Eisen, – iron
die Eisenbahn, –en train; railroad
der Eismann ice cream man
der Eiswagen, – ice cream cart
elektrisch electric
die Eltern (pl.) parents
der Empfang, –̈e reception
empfangen receive
empfinden feel
empfindlich sensitive
die Empfindung, –en feeling
das Ende, –n end
  zu Ende over, at an end
das Endexamen, – final examination
endlich finally, at last
eng narrow; small
das Englisch English
der Enkel, – grandson
entfernt away; distant
entgegen toward(s)
entgegengehen go to meet; go toward
(s.) entscheiden make up one's mind, decide
s. entschließen make up one's mind, decide
(s.) entschuldigen excuse (oneself)
entsetzen frighten, terrify
das Entsetzen fright, terror
entsetzlich frightful, terrible, dreadful
s. entsinnen remember, recall
entspringen escape
(s.) entwickeln develop
die Entwicklung, –en development
der Epikureer, – epicurean
epikureisch epicurean
erbauen build up, construct
der Erdboden earth, ground
die Erde, –n earth, ground
s. ereignen happen
das Ereignis, –ses, –se event, incident
erfahren find out, learn; experience
die Erfahrung, –en experience
der Erfolg, –e success
erfolgen succeed
erfolgreich successful
das Ergebnis, –ses, –se result, outcome
erhalten preserve; maintain; receive
erheblich considerable

s. **erholen**   recover
erkennen   recognize
erklären   explain
s. **erkühnen**   venture, dare; make bold
ermorden   murder
ernst   serious
der **Ernst**   earnestness, seriousness
   Ist das Ihr Ernst?   Are you serious?
ernsthaft   serious
erreichen   reach, attain
errichten   erect; establish
s. **erschrecken**   be startled, take fright
erst   first; only
   erst recht nicht   less than ever
erstaunlich   surprising, amazing
ersticken   suffocate, smother
ertragen   stand, bear
erwachsen (*adj.*)   grown-up
der **Erwachsene** (*adj. noun*)   grownup, adult
erwarten   expect
erwischen   catch; get hold of
erzählen   tell
die **Erzählung, –en**   story
erziehen   bring up, educate
die **Erziehung**   education, upbringing
essen   eat
etwa   by chance; about
etwas   something; anything; somewhat; some
   so etwas   such a thing
der **Europäer, –**   European
europäisch   European
ewig   eternal
die **Ewigkeit**   eternity
das **Examen, –**   examination
examinieren   examine
der **Experte, –n, –n**   expert
extrem   extreme

F

die **Fabrik, –en**   factory
das **Fach, ⸚er**   subject
fahren   drive; go, travel, ride
der **Fahrer, –**   driver
die **Fahrt, –en**   trip, excursion
die **Fakultät, –en**   (university) faculty
der **Fall, ⸚e**   case, event
   auf jeden Fall   in any case

die **Falle, –n**   trap
fallen   fall
falsch   wrong, false
falten   fold
die **Familie, –n**   family
der **Familienvater, ⸚**   family man
die **Farbe, –n**   color
fast   almost
faul   lazy
die **Faulheit**   laziness
FDP (Freie Demokratische Partei)   Free Democratic Party
die **Feder, –n**   pen; feather
fehlen   be missing; make a mistake
der **Fehler, –**   mistake
die **Feier, –n**   celebration
feiern   celebrate
der **Feiertag, –e**   holiday
fein   fine; delicate
das **Fenster, –**   window
die **Ferien** (*pl.*)   vacation
fern   distant
das **Fernsehen**   television
fertig   ready; finished
das **Fest, –e**   holiday; feast; festival
festsetzen   fix, establish
der **Festtag, –e**   holiday
der **Festzug, ⸚e**   festive procession
das **Feuer, –**   fire
der **Film, –e**   film, movie
der **Filmhimmel, –**   filmland
finanziell   financial
finden   find; think
der **Finger, –**   finger
finster   dark; gloomy
die **Firma, Firmen**   firm
der **Fisch, –e**   fish
der **Fischer, –**   fisherman
flach   flat, level; shallow
die **Fläche, –n**   surface; area
die **Flasche, –n**   bottle
das **Fleisch**   meat
der **Fleiß**   diligence
fleißig   industrious; diligent
flicken   mend
fliegen   fly
fliehen   flee
die **Fliese, –n**   tile
fließen   flow, run

der **Floh**, -̈e   flea

    flott   gay

    fluchen   swear

der **Fluch**, -̈e   curse, oath

die **Flucht**, -en   flight, escape

    flüchten   flee, escape

der **Flüchtling**, -e   refugee

der **Flug**, -̈e   flight

das **Flugzeug**, -e   airplane

der **Fluß**, -̈sse   river

    flüstern   whisper

die **Flut**, -en   flood

die **Folge**, -n   result, consequence; sequence

    folgen   follow

die **Folgerung**, -en   conclusion

die **Form**, -en   form, shape

    formen   form; mold

die **Formulierung**, -en   precise wording

    forschen   do research; investigate

der **Forscher**, -   researcher; inquirer

    fortfahren   continue; drive away

der **Fortschritt**, -e   progress

das **Foto**, -s   photograph

der **Fotoapparat**, -e   camera

die **Frage**, -n   question

    fragen   ask

das **Französisch**   French

die **Frau**, -en   Mrs.; woman; wife

das **Fräulein**, -   Miss; young lady

    frei   vacant, unoccupied; free

    fremd   strange; foreign

    fremdartig   strange; unfamiliar

der **Fremde** (*adj. noun*)   stranger; foreigner

die **Fremde**   foreign country

der **Fremdenführer**, -   tourist guide

der **Fremdling**, -e   stranger; foreigner

    fressen   eat (animals)

die **Freude**, -n   joy, pleasure

  s. **freuen**   be glad, be happy

    sich freuen auf   look forward to

der **Freund**, -e   friend

    freundlich   friendly

die **Freundschaft**, -en   friendship

    frieren   freeze

    frisch   fresh

    fromm   religious, pious

    früh   early

    heute früh   this morning

    früher   formerly; earlier

der **Frühling**   spring

das **Frühstück**   breakfast

(s.) **fühlen**   feel

der **Führer**, -   guide; leader

    füllen   fill; stuff

der **Funke(n)**, -ns, -n   spark

    funktionieren   function

    furchtbar   awful, terrible

    furchtbar gern   very much

das **Futter**   feed

G

die **Gabel**, -n   fork

    gähnen   yawn

der **Galgen**, -   gallows

der **Galgenhumor**   grim humor

    ganz   whole, entire; all; quite

    gar nicht   not at all

    gar nichts   nothing at all

die **Garage**, -n   garage

die **Gardine**, -n   curtain

der **Garten**, -̈   garden

das **Gas**   gas

das **Gasthaus**, -̈er   restaurant; inn

der **Gasthof**, -̈e   inn; small hotel

die **Gaststätte**, -n   restaurant

das **Gebäude**, -   building

    geben   give

    es gibt   there is, there are

das **Gebiet**, -e   area, region

das **Gebirge**, -   mountains, mountain range

    geboren   born

    gebraten   fried

der **Gedanke**, -ns, -n   thought, idea

das **Gedicht**, -e   poem

die **Gefahr**, -en   danger

    gefährlich   dangerous

    gefallen   like, please

der **Gefallen**, -   favor

das **Gefängnis**, -ses, -se   prison

    gefaßt   composed; calm

    gegen   against; toward; about (time)

    gegen fünf   about five

die **Gegend**, -en   area, region

das **Gegenteil**, -e   opposite

    im Gegenteil   on the contrary

    gegenüber   opposite, across from

die **Gegenwart** presence; present; present tense

die **Gehässigkeit, –en** hatefulness; animosity, malice

gehen go

  wie geht's? how are you?

das **Geheul** howling

gehören belong to

die **Geige, –n** violin

der **Geist, –er** spirit; mind

das **Geld, –er** money

die **Geldstrafe, –n** fine

geldsüchtig greedy for money

gelingen succeed; manage

gemeinsam together, joint

die **Gemeinsamkeit, –en** common possession; mutuality

gemischt mixed, combined

das **Gemüse, –** vegetable

das **Gemüt, –er** feeling; temper; disposition

gemütlich comfortable; cozy

genau exact, precise; just

die **Generation, –en** generation

genießen enjoy

genießerisch epicurean; enjoyable

genug enough

genügen be enough; satisfy

die **Geographie** geography

gepflegt cultured; well-groomed; well-kept

gerade straight; even; just, exactly

das **Geräusch, –e** noise

gern gladly

  gern haben like

gesamt whole; common; joint

die **Gesamtsituation, –en** overall situation

das **Geschäft, –e** business; shop, store

geschehen happen

das **Geschenk, –e** present

die **Geschichte, –n** story; history; event, affair

geschickt able, capable

der **Geselle, –n, –n** journeyman; companion

die **Gesellschaft, –en** company; society

das **Gesicht, –er** face

gestern yesterday

gesund healthy

die **Gesundheit** health

das **Gewicht, –e** weight

gewinnen win

gewiß sure, certain

gewöhnlich usual, common

das **Gift, –e** poison

das **Glas, ̈er** glass

glatt smooth; even; slippery

glauben believe; think

  glauben an believe in

gleich immediately; same; like; alike

gleichartig of the same kind, similar

gleichmäßig uniform; constant

gleichzeitig at the same time; simultaneous

das **Glück** happiness; luck

glücklich happy; lucky

glühen glow

die **Gnade, –n** pardon; grace; mercy

gnädig gracious

  gnädige Frau Madame

das **Gold** gold

der **Gott, ̈er** God

  Gott sei Dank! Thank heavens!

der **Grad, –e** degree; level

das **Gramm (g)** gram

das **Gras, ̈er** grass

die **Grenze, –n** border

grenzen border

das **Griechisch** Greek

der **Groschen, –** ten-pfennig coin

groß big; tall; grand

großartig excellent; grandiose

das **Großartige** (*adj. noun*) magnificent

die **Größe, –n** size

die **Großeltern** (*pl.*) grandparents

der **Großhandel** wholesale trade

der **Großhändler, –** wholesale dealer

die **Großmutter, ̈** grandmother

der **Großvater, ̈** grandfather

grün green

der **Grund, ̈e** reason; basis

gründlich fundamental; thorough

der **Grundsatz, ̈e** principle

grundsätzlich fundamental; on principle

die **Gruppe, –n** group

der **Gruß, ̈e** greeting

grüßen greet

das **Gulasch** goulash

gut good, well, fine

das **Gut, ̈er** property, possession

gutmütig good-natured

der **Gymnasiast, –en, –en** student at a Gymnasium

das **Gymnasium, Gymnasien** secondary school

H

das Haar, –e   hair
haben   have
die Habilitation, –en   post-doctoral examination
  (in order to qualify as professor)
(s.) habilitieren   qualify for a career as university
  professor
die Hacke, –n   heel (of a stocking)
der Hafen, –   harbor, port
halb   half
hallo   hello
der Hals, –e   neck
das Halstuch, –er   neck scarf
halten   hold; keep; stop
  halten für   consider to be
  halten von   think of
die Haltestelle, –n   stopping place
der Hammer, –   hammer
die Hand, –e   hand
der Handel   trade; business
handeln   deal, trade; act
der Händler, –   dealer, merchant
das Handtuch, –er   towel
der Handwagen, –   handcart
das Handwerk   trade; calling
der Handwerker, –   artisan; workman
hängen   hang
hart   hard
hassen   hate
hauen   beat; chop
häufig   frequent
das Hauptfach, –er   main subject, major
die Hauptsache, –n   main point
hauptsächlich   principally
das Haus, –er   house; building
  nach Hause gehen   go home
  zu Hause sein   be at home
der Haushalt, –e   household
der Hausherr, –n, –en   landlord
das Haustier, –e   domestic animal
der Hauswirt, –e   landlord
heben   raise, lift
die Hecke, –n   hedge
das Heft, –e   notebook; booklet
heftig   intense; vigorous; violent
das Heil   salvation; welfare
heilen   heal, cure
die Heilquelle, –n   mineral spring, spa

das Heim, –e   home
die Heimat   native country, homeland
das Heimatland, –er   native country
heimlich   secret
heimtückisch   crafty; mischievous
der Heimweg, –e   way home
die Heirat, –en   marriage; wedding
heiß   hot
  mir ist heiß   I am hot
heißen   be called
  das heißt (d.h.)   that is (i.e.)
heizen   heat
der Held, –en, –en   hero
heldenmütig   heroic
helfen   help
hell   light; bright
das Hemd, –en   shirt
her   ago; hither
herausfinden   find out
der Herbst   fall, autumn
der Herd, –e   stove; hearth
der Herr, –n, –en   Mr.; gentleman; sir
herrlich   magnificent, splendid
die Herstellung   production
herstoßen   kick forward; kick hither
  vor sich herstoßen   kick ahead of oneself
herum   around, round, about
das Herz, –ens, –en   heart
heulen   scream; weep; howl
heute   today
heutzutage   nowadays
hier   here
die Hilfe, –n   help
die Hilfskraft, –e   helper, assistant
der Himmel, –   sky; heaven
  um Himmels willen   for heaven's sake
die Himmelsrichtung, –en   points of the compass
hin   over there, in that direction
hinten   behind; in the distance
hinterher   afterward(s)
hinübergehen   go over, across
s. hinwegsetzen (über)   disregard
die Hitze   heat
hoch   high; tall
die Hochschule, –n   college; university
der Hochschullehrer, –   professor
die Hochzeit, –en   wedding; marriage
hoffen   hope
hoffentlich   it is to be hoped, I hope, let's hope

holen get
das Holz, ̈er wood
horchen listen
hören hear
die Hose, –n pants, trousers
das Hotel, –s hotel
hübsch nice; pretty
der Humor humor
der Hund, –e dog
der Hunger hunger
   Hunger haben be hungry
hungrig hungry
der Hut, ̈e hat

I

ideal ideal
die Idee, –n idea
illustrieren illustrate
die Illustrierte (*adj. noun*) illustrated magazine
immer always
immerhin nevertheless
der Impuls, –e impulse
der Indianer, – Indian
die Industrie, –n industry
die Information, –en information
der Ingenieur, –e engineer
der Inhalt, –e contents, content
innen within; inside
die Insel, –n island
das Inserat, –e advertisement
die Inspektion, –en inspection
inspizieren inspect
das Institut, –e institution; department (academic)
das Instrument, –e instrument
intelligent intelligent
interessant interesting
das Interesse, –n interest
s. interessieren (für) be interested (in)
international international
die Interpretation, –en interpretation
inzwischen in the meantime
irgendwo somewhere; anywhere

J

ja yes; to be sure; after all
die Jacke, –n jacket

jagen chase; hunt
der Jäger, – hunter
das Jahr, –e year
jahraus year out
jahrein year in
jahrelang for years
die Jahreszeit, –en season
jedenfalls anyway, in any case, at any rate
je . . . desto the . . . the
jedoch but; however
jemand somebody, someone
jetzt now
der Job, –s job
jobben have a job, work at a job
jung young
der Junge, –n, –n boy
der Junggeselle, –n, –n bachelor
die Jurisprudenz law

K

der Kaffee coffee
der Kaktus cactus
der Kalender, – calendar
die Kalorie, –n calorie
kalt cold
   mir ist kalt I am cold
der Kamerad, –en, –en comrade
der Kandidat, –en, –en candidate
der Kapitän, –e captain
kaputt broken; out of order
kaputtgehen get broken
die Karotte, –n carrot
die Karte, –n card; ticket; map
die Kartoffel, –n potato
der Käse cheése
die Kasse, –n cashier's booth
der Kassierer, – cashier
der Kasten, ̈ box
der Katalog, –e catalog
die Katze, –n cat
kauen chew
der Kauf, ̈e purchase
kaufen buy
der Käufer, – buyer; customer
das Kaufhaus, ̈er department store
der Kaufmann, Kaufleute merchant
kaum hardly
keinesfalls by no means, in no case

der Kellner, – waiter
kennen know
kennenlernen get acquainted with, get to know
der Kerl, –e fellow; rascal
das Kilogramm (kg) kilogram
der Kilometer, – (km) kilometer
das Kind, –er child
das Kinn, –e chin
das Kino, –s movie; movie theater
kippen tip, tilt, topple
die Kirche, –n church
die Kiste, –n box
klagen complain
klappen clap
es klappt it works, it clicks
die Klapper, –n rattle
klappern rattle; clatter
der Klapperstorch, ⸚e stork
klar clear, plain
die Klasse, –n class; classroom
klassisch classic(al)
der Klatsch smack
klatschen clap; clatter; chat
das Kleid, –er dress; (pl.) clothes
kleiden clothe, dress; disguise
klein small, little
der Kleinhandel retail trade
das Klima climate
klingen sound; ring
klopfen knock
der Klub, –s club
klug intelligent; clever
knapp scarce
der Knopf, ⸚e button
kochen cook
die Köchin, –nen (female) cook
der Koffer, – suitcase
die Kohle, –n coal
der Kollege, –n, –n colleague
komisch funny; peculiar
kommen come
der Kommentar, –e commentary
die Komödie, –n comedy
das Kompliment, –e compliment
die Konferenz, –en conference
die Konfirmation, –en confirmation
der Konflikt, –e conflict
der König, –e king
konkav concave
können be able to; can

die Konsequenz, –en consequence, result
konservativ conservative
konstruieren construct
der Kontakt, –e contact
das Konzert, –e concert
der Kopf, ⸚e head
die Kopie, –n copy; reproduction
korrekt correct
der Korridor, –e hall; corridor
kosten cost
die Kosten (pl.) cost(s); expense
der Kragen, – collar
krank sick
der Kranke (adj. noun) patient, sick person
der Krankenbesuch, –e visit with a patient
die Krankheit, –en illness
der Kreis, –e circle
kreisen circle, revolve
die Kreuzung, –en crossing; intersection
kriechen creep, crawl
der Krieg, –e war
die Krise, –n crisis
kritisch critical
der Krümel, – crumb
die Küche, –n kitchen
der Kuchen, – cake
kühl cool
kühn bold, brave
die Kultur, –en culture
der Kunde, –n, –n customer
die Kundgebung, –en demonstration, rally
kündigen give notice
die Kündigung, –en notice
die Kunst, ⸚e art
der Künstler, – artist
das Kupfer copper
die Kur, –en cure
der Kurort, –e health resort, spa
der Kurs, –e course (of study); currency; exchange quotation
kurz short
küssen kiss

L

lächeln smile
lachen laugh
lachend laughing
lächerlich laughable; comical

die **Lage**, **–n**   situation, position; site
die **Lampe**, **–n**   lamp
das **Land**, **¨er**   land; country
die **Landkarte**, **–n**   map
die **Landschaft**, **–en**   landscape
 lang   long
 lange   for a long time
 langsam   slow
 langweilig   boring, tedious
der **Lärm**   noise
 lassen   leave, let
das **Latein**   Latin
die **Laterne**, **–n**   lantern, lamp; street light
 lauern   lurk
 laufen   run; walk
 laufend   continuous
 leben   live
das **Leben**, **–**   life
 lebenserfahren (*adj.*)   of practical experience
das **Leder**, **–**   leather
 leer   empty
 legen   lay, put, place
 lehnen   lean
die **Lehre**, **–n**   apprenticeship; instruction; theory
 lehren   teach
der **Lehrer**, **–**   teacher
der **Lehrling**, **–e**   apprentice
 leicht   easy; light
 leid   painful; disagreeable
 leid tun   be sorry, regret
  Es tut mir leid   I'm sorry
das **Leid**   sorrow; harm
 leiden   suffer; endure; tolerate
  leiden mögen   like
 leihen   lend; borrow
die **Leinwand**   screen (movie)
 lernen   learn; study
 lesen   read; lecture
 lesend   reading
 letzt   last
  zu guter Letzt   finally, last of all
die **Leute** (*pl.*)   people
das **Licht**, **–er**   light
der **Lichtschalter**, **–**   light switch
 lieb   dear; nice
  mein Lieber (*adj. noun*)   my dear; my dear fellow
die **Liebe**   love
 liegen   lie; be; be situated
der **Likör**, **–e**   liqueur

die **Limonade**, **–n**   lemonade
die **Linie**, **–n**   line
 links   left, to the left
 liquidieren   liquidate
die **Liste**, **–n**   list
der **Liter** (**l**)   liter   (also: **das Liter**)
das **Loch**, **¨er**   hole; opening
der **Löffel**, **–**   spoon
 los   loose
  Was ist los?   What's the matter?
 losgehen   start, begin
die **Lotterie**, **–n**   lottery
das **Lotto**, **–s**   lottery
die **Luft**   air
 lüften   air, ventilate
 lügen   lie
 lustig   merry; jolly; funny
 lutschen   suck

M

 machen   make; do
  das macht nichts   that doesn't matter; that's all right
  Spaß machen   be fun; make fun
die **Macht**, **¨e**   power, control
 mächtig   huge; powerful; intense
die **Madame**   madam
das **Mädchen**, **–**   girl
der **Magen**, **¨**   stomach
der **Magnet**, **–e**   magnet
das **Mal**, **–e**   time
  das erste Mal   the first time
 mal   just; once; sometime; times
 malen   paint
die **Malerei**, **–en**   painting
 malerisch   picturesque; artistic
 man   one
 manchmal   sometimes
der **Mann**, **¨er**   man; husband
der **Mantel**, **¨**   coat
die **Mark**   mark (German monetary unit)
der **Markt**, **¨e**   market
die **Marmelade**, **–n**   jam
die **Maschine**, **–n**   machine
die **Masse**, **–n**   mass
das **Material**, **Materialien**   material
die **Mathematik**   mathematics
 mathematisch   mathematical

die Mauer, —n wall
das Maul, ⁼er mouth (animal)
die Maus, ⁼e mouse
der Mechaniker, — mechanic
die Medizin, —en medicine
das Meer, —e sea
   mehr more
   meinen think; mean
   meinetwegen as far as I'm concerned, for all
      I care
die Meinung, —en opinion
der Meinungsforscher, — pollster
   meistens most of the time
der Meister, — master
   melancholisch melancholy
die Menge, —n quantity, amount; crowd
der Mensch, —en, —en person
   merken notice
das Messer, — knife
das Metall, —e metal
die Metallindustrie, —n metal industry
der Meter (m) meter (also: das Meter)
die Miete, —n rent
   mieten rent
der Mieter, — renter
die Milch milk
der Milchmann, Milchleute milkman
der Milchwagen, — milk truck
   mild mild
das Militär military
die Milliarde, —n billion
die Million, —en million
der Millionär, —e millionaire
der Mindestbetrag, ⁼e minimum sum, lowest sum
   mindestens at least
die Minute, —n minute
   mischen mix
die Mischung, —en mixture; combination
   mißtrauen distrust
das Mißtrauen distrust
der Mitmensch, —en, —en fellow being, fellow man
der Mittag, —e midday, noon
   gestern mittag yesterday noon
   heute mittag this noon
das Mittagessen, — lunch; midday meal
   mittags at noon, noons
der Mittagstisch, —e dinner table
die Mitte, —n middle
das Mittelgebirge, — highlands, uplands
die Mitternacht midnight

die Möbel (pl.) furniture
   modern modern
   mögen like; want
der Moment, —e moment
der Monat, —e month
   monatlich monthly
   morgen tomorrow
der Morgen, — morning
   gestern morgen yesterday morning
   heute morgen this morning
   morgens in the morning, mornings
der Motor, —en motor
das Motorrad, ⁼er motorcycle
die Mühe, —n effort; trouble
der Müller, — miller
der Mund, ⁼er mouth
   munter lively; gay; bright
die Munterkeit liveliness; cheerfulness
die Musik music
   müssen must; have to
das Muster, — pattern; model
die Mutter, ⁼ mother
   Mutti Mommy, Mom
die Mütze, —n cap

N

   na well
der Nachbar, —n neighbor
   nachdem after; afterwards
   nachdenklich pensive; reflective
   nachher afterward
der Nachmittag, —e afternoon
   gestern nachmittag yesterday afternoon
   heute nachmittag this afternoon
   nachmittags in the afternoon, afternoons
der Nachname, —ns, —n last name
   nächst next; nearest
die Nacht, ⁼e night
   gestern nacht last night
   heute nacht tonight (late)
der Nachteil, —e disadvantage
   nachteilig disadvantageous, detrimental
   nachts at night, nights (late)
   nachweisen point out, indicate; prove
   nackt bare, naked
die Nadel, —n needle
   nah close, near
   nähen sew

das **Nähere** (*adj. noun, comp. degree*) details; further information
der **Name**, **–ns**, **–n** name
nämlich namely; you see
die **Nase**, **–n** nose
die **Nation**, **–en** nation
die **Natur** nature
natürlich of course; naturally
die **Naturwissenschaft**, **–en** natural science
naturwissenschaftlich of natural science
nebenbei incidentally; besides; adjoining
das **Nebenfach**, **–̈er** minor (subject)
die **Nebensache**, **–n** secondary matter
nebensächlich unimportant; incidental
der **Neffe**, **–n**, **–n** nephew
nehmen take
der **Neid** envy; jealousy
neidisch envious; jealous
nennen name
s. **nennen** call oneself; be called
nett nice; kind
das **Netz**, **–e** net; network
neu new
neuerdings recently, lately
neulich recently
die **Nichte**, **–n** niece
die **Niederlande** (*pl.*) Netherlands
niedlich pretty; nice
niedrig low
noch still; yet; in addition
normal normal
die **Not**, **–̈e** need; necessity
notieren write down, note
nötig necessary
notwendig necessary
null zero
die **Nummer**, **–n** number
nun now
nur only
die **Nuß**, **–̈sse** nut
das **Nuß-Eis** walnut ice cream

O

ob whether
als ob as if
oben up; above; upstairs
obendrein in addition, besides
ober over, above

oberhalb above
die **Oberschule**, **–n** secondary school
die **Oberstufe**, **–n** last three years in a German secondary school
obgleich although
obschon although
das **Obst** fruit
obwohl although
öffentlich public; civil
die **Öffentlichkeit** public; publicity
offiziell official
oft often
oh oh
die **Ökonomie** economics; economy
ökonomisch economic, economical
das **Öl**, **–e** oil
der **Onkel**, **–** uncle
der **Opa**, **–s** grandpa
die **Oper**, **–n** opera
das **Opfer**, **–** sacrifice, offering; victim
opfern sacrifice
ordentlich orderly; regular; proper
das **Organ**, **–e** organ
die **Organisation**, **–en** organization
der **Organismus** organism
orientieren orient; locate
der **Ort**, **–e** place; town
das **Ostern** Easter
der **Ozean**, **–e** ocean

P

paar couple, few
ein paar a few, some
packen pack
der **Pädagoge**, **–n**, **–n** pedagogue
das **Paket**, **–e** package
der **Panther**, **–** panther
das **Papier**, **–e** paper
Paps Daddy, Dad, Pop
der **Park**, **–s** park
die **Partei**, **–en** party (political)
der **Partner**, **–** partner
der **Paß**, **–̈sse** pass; passport
passen fit; be appropriate
passieren happen
die **Pause**, **–n** pause, intermission
die **Person**, **–en** person
der **Peterwagen**, **–** police car

der **Pfad**, –e   path
der **Pfahl**, ⸚e   post
die **Pfanne**, –n   pan
der **Pfeffer**   pepper
die **Pfeife**, –n   pipe; whistle
   pfeifen   whistle
      pfeifen auf   not care about
der **Pfennig**, –e   pfennig
das **Pferd**, –e   horse
die **Pflanze**, –n   plant
   pflanzen   plant
die **Pflaume**, –n   plum
   pflegen   care for; cultivate
      gepflegtes Haar   well-groomed hair
die **Pflicht**, –en   duty
der **Pfosten**, –   post
das **Pfund**   pound
die **Philosophie**, –n   philosophy
die **Physik**   physics
   picken   pick
der **Planet**, –en, –en   planet
   plappern   babble; chatter
   platschen   splash
der **Platz**, ⸚e   place; seat; room; square
   platzen   burst
die **Platzwunde**, –n   open wound
   plötzlich   sudden; quick
das **Podium**, **Podien**   platform; rostrum
die **Politik**   politics; policy
   politisch   political
die **Polizei**   police
der **Polizist**, –en, –en   policeman
die **Portion**, –en   portion
die **Position**, –en   position
die **Post**   post office; mail
der **Postbote**, –n, –n   postman
das **Praktikum**   laboratory course; practical
      experience
   praktisch   practical
die **Prärie**, –n   prairie
der **Präsident**, –en, –en   president
der **Preis**, –e   price; prize
der **Preuße**, –n, –n   Prussian
   prima   first-class; great
das **Prinzip**, –ien   principle
   prinzipiell   fundamental; in principle
   privat   private
   pro   per
die **Probe**, –n   test, trial; rehearsal
   probieren   try

das **Problem**, –e   problem
die **Problematik**   uncertainty
der **Professor**, –en   professor
der **Profit**, –e   profit
das **Programm**, –e   program
   projizieren   project
das **Prozent**, –e   percent; percentage
der **Prozeß**, –sse   trial (court); process
   prüfen   test, examine
die **Prüfung**, –en   test, exam
   publizieren   publish; make public
der **Pullover**, –   sweater
   pünktlich   punctual, on time
   putzen   clean; polish

Q

das **Quadrat**, –e   square
der **Quadratkilometer (km²)**   square kilometer
die **Qualifikation**, –en   qualification
   qualifizieren   qualify
die **Qualität**, –en   quality
der **Quatsch**   nonsense
die **Quelle**, –n   spring; source

R

das **Rad**, ⸚er   wheel; bicycle
das **Radio**, –s   radio
der **Rahm**   cream
der **Rang**, ⸚e   rank; class; row; tier
der **Rangunterschied**, –e   class distinction
   raten   guess; counsel
der **Räuber**, –   robber
der **Rauch**   smoke
   rauchen   smoke
der **Raucher**, –   smoker
der **Raum**, ⸚e   room; hall; space
   recht   right, correct; rather; quite
   rechts   right, to the right
die **Regel**, –n   rule; law
   in der Regel   as a rule
   regelmäßig   regular; normal
der **Regen**   rain
das **Regenwetter**   rainy weather
   regnen   rain
der **Reichtum**, ⸚er   wealth, riches
   reif   ripe; mature

die **Reife**   maturity; ripeness
    die **Mittlere Reife**   examination after ten
      years of school
  reifen   ripen
die **Reihe, –n**   row; succession
die **Reihenfolge, –n**   order, sequence
  reinigen   clean
die **Reise, –n**   trip
    eine **Reise machen**   take a trip
das **Reiseland, –̈er**   vacation land
  reisen   travel
  reißen   tear; pull
der **Reiz, –e**   charm; fascination
  reizen   charm; irritate
  reizend   charming; fascinating
der **Rekord, –e**   record
  relativ   relative
  religiös   religious
das **Rendezvous, –**   rendezvous
  s. **rentieren**   be profitable, pay
die **Republik, –en**   republic
der **Respekt**   respect
  respektieren   respect
der **Rest, –e**   rest, remainder
das **Restaurant, –s**   restaurant
  revoltieren   revolt
  richtig   right, correct
die **Richtung, –en**   direction
  riechen   smell
der **Riese, –n, –n**   giant
  riesig   huge, immense
der **Ring, –e**   ring
das **Roastbeef**   roast beef
der **Rock, –̈e**   skirt; coat (for men)
  roh   raw
die **Rose, –n**   rose
  rot   red
der **Rücken, –**   back
der **Rucksack, –̈e**   knapsack
die **Rücksicht**   regard, consideration
    Rücksicht nehmen auf   take into
      consideration; have regard for
  rücksichtslos   reckless
  rücksichtsvoll   cautious
der **Ruf, –e**   call; reputation
  rufen   call
die **Ruhe**   rest; quiet, calm, peace
    Ruhe halten   keep quiet
  ruhig   quiet; calm
  rund   round

der **Rundfunk**   radio
  rutschen   slide
  rutschig   slippery

S

der **Saal, Säle**   hall; large room
die **Sache, –n**   thing; matter; affair
der **Saft, –̈e**   juice
  sagen   say, tell
der **Salat, –e**   salad
das **Salz, –e**   salt
der **Sand**   sand
  sauber   clean
die **Sauce, –n**   sauce; gravy
  sauer   sour
das **Sauerkraut**   sauerkraut
  säuerlich   sourish; tart
der **Saum, –̈e**   hem; seam
der **Schaden, –̈**   damage; injury, harm
  schädlich   harmful, injurious
der **Schal, –s**   shawl; scarf
  scharf   sharp; stern
  schauen   look
der **Scheck, –s**   check
die **Scheibe, –n**   slice; pane (glass)
  scheiden   divorce; separate
die **Scheidung, –en**   divorce; separation
  scheinen   shine; seem
  schenken   give (a present)
  scheu   shy
  scheußlich   hideous, horrible, abominable
der **Schi, –er**   ski
  schicken   send
  schieben   push, shove
  schießen   shoot
das **Schiff, –e**   ship, boat
der **Schiläufer, –**   skier
das **Schild, –er**   sign
der **Schimmel, –**   white horse
  schimpfen   scold
  schlafen   sleep
  schlagen   beat, strike
  schlau   cunning; clever
der **Schlaukopf**   smarty; wise guy
  schlecht   bad
  schließen   close; lock
  schließlich   finally; after all
  schlimm   bad

das Schloß, ⸚sser   castle; lock
schluchzen   sob
der Schluß, ⸚sse   end; closing
der Schlüssel, –   key
schmackhaft   tasty
schmatzen   smack the lips
schmecken   taste
der Schmutz   dirt, filth
schmutzig   dirty, filthy
der Schnee   snow
schneiden   cut
der Schneider, –   tailor
schnell   quick, fast
schnippen   flick
der Schnitt, –e   cut
das Schnitzel, –   cutlet
    das Wiener Schnitzel   veal cutlet (Vienna style)
der Schnurrbart, ⸚e   mustache
die Schokolade, –n   chocolate
schon   already; even; very well; all right
schön   nice; beautiful, pretty
der Schrank, ⸚e   cabinet; wardrobe
die Schraube, –n   screw
der Schraubenzieher, –   screwdriver
der Schrecken, –   fright, scare, terror
schrecklich   terrible, awful
schreiben   write
schreien   shout, scream
schreiten   stride, step
die Schrift, –en   writing
schriftlich   written, in writing
der Schritt, –e   step, stride
der Schrott   scrap-metal
schüchtern   shy, timid
der Schuh, –e   shoe
der Schuhmacher, –   shoemaker
die Schuld   fault, blame
die Schuld, –en   debt
die Schule, –n   school
der Schüler, –   pupil, student
die Schulpflicht   compulsory education
das Schulwesen   educational system
die Schüssel, –n   bowl; tureen
der Schuster, –   shoemaker
schwach   weak
schwappen   splash
schwarz   black
schweigen   be quiet
das Schwein, –e   pig

der Schweinebraten, –   roast pork
der Schweiß   sweat, perspiration
schwellen   swell
schwer   heavy; hard, difficult
das Schwergewicht, –e   emphasis; heavy weight
schwermütig   sad, melancholy
die Schwester, –n   sister
schwierig   difficult, hard
die Schwierigkeit, –en   difficulty
schwimmen   swim
der See, –n   lake
die See, –n   sea; ocean
sehen   see, look
sehr   very; very much
seiden (adj.)   silk
die Seife, –n   soap
sein   be
die Seite, –n   page; side; aspect
selber   self
selbst   self; even
selbstgebacken   home-baked
selbstverständlich   self-evident, obvious
selig   happy; blissful; blessed
das Semester, –   semester
das Seminar, –e   seminar
die Sequenz, –en   sequence
die Serie, –n   series
der Sessel, –   easy chair
setzen   set, place, put
s. setzen   sit down
seufzen   sigh
sicher   sure, certain; safe
siegesbewußt   conscious of victory; triumphant
siezen   say Sie to someone
das Silber   silver
singen   sing
der Sinn, –e   sense; sense (of feeling, etc.)
die Sitte, –n   custom; habit
die Situation, –en   situation
sitzen   sit
so   so; thus; in this or that way
die Socke, –n   sock
sofort   immediately, right away, at once
sogar   even
sogleich   immediately, right away, at once
die Sohle, –n   sole
der Sohn, ⸚e   son
solange   as long as; meanwhile
der Soldat, –en, –en   soldier
sollen   should, be supposed to; be said to

der Sommer, – summer
die Sonne, –n sun
sonst otherwise; else; besides
sowieso anyhow
sozial social
das Sparbuch, ̈er savings account book
sparen save
die Sparsamkeit thriftiness, frugality
der Spaß, ̈e fun; joke
spät late
spazieren walk, stroll
spazierengehen take a walk, go for a stroll
SPD (Sozialdemokratische Partei Deutschlands)
Social Democratic Party of Germany
spezial special
spezialisieren specialize
der Spezialist, –en, –en specialist
speziell special; particular
der Spiegel, – mirror
das Spiel, –e game; play
spielen play
der Sport sport
der Sportler, – sports enthusiast
der Spott mockery, ridicule, scorn
spotten mock, ridicule, scorn
die Sprache, –n language; speech
sprechen speak
das Sprichwort, ̈er proverb
springen jump
der Staat, –en state
die Stadt, ̈e city, town
die Stadtbahn, –en city commuter train
der Städter, – city dweller
der Stadtpark, –s city park
das Stadtviertel, – district (municipal)
der Stamm, ̈e stem
der Stand, ̈e rank; profession; stand
stark strong; intense
die Statistik, –en statistics
der Statistiker, – statistician
statt instead of
die Stätte, –n place
staunen be astonished, be surprised
stecken stick, put, place
stehen stand; be (location)
stehlen steal
steigen climb
der Stein, –e stone
die Stelle, –n place; position, job

stellen put, place
die Stellung, –en position; job
sterben die
der Stern, –e star
stets always
der Stichtag, –e fixed day (deadline)
der Stift, –e pencil; crayon; spike; peg
der Stiftzahn, ̈e false tooth
der Stil, –e style
still still, quiet
die Stimme, –n voice
stimmen be right, correct
das Stipendium, Stipendien scholarship
die Stirn forehead
der Stock, ̈e stick
der Stoff, –e material, cloth
stolz proud
der Stolz pride; vanity
stopfen darn, mend
der Stopp, –s stop
der Storch, ̈e stork
stören disturb; interrupt
stoßen push, shove; kick
die Strafe, –n punishment; fine
strafen punish; fine
strahlen radiate, shine
der Strand, ̈e shore; seashore
die Straße, –n street, road
das Straßennetz, –e network of roads
stricken knit
der Strumpf, ̈e stocking
das Stück, –e piece; play (theater)
der Student, –en, –en university student
der Studienassessor, –en provisional teacher in
secondary school (after second state
examination)
der Studienrat, ̈e teacher in secondary school
der Studienreferendar, –e provisional teacher in
secondary school (after first state
examination
studieren (university) study
das Studium, Studien university study
der Stuhl, ̈e chair
stumm speechless, silent
die Stunde, –n hour; class period
stundenlang for hours
suchen look for
süchtig addicted to
die Summe, –n sum, total, amount

die Suppe, –n   soup
surren   hum; buzz
süß   sweet; dear
das System, –e   system

T

der Tabak, –e   tobacco
die Tablette, –n   tablet
die Tafel, –n   blackboard; bar (chocolate)
der Tag, –e   day
tagaus   day out
tagein   day in
täglich   daily
tagsüber   during the day
das Tal, ⸚er   dale, valley
die Tanne, –n   fir
die Tante, –n   aunt
tanzen   dance
tappen   grope
die Tasche, –n   pocket
das Taschentuch, ⸚er   handkerchief
die Tasse, –n   cup
die Tatsache, –n   fact
tatsächlich   actual; matter of fact
tauchen   dive
täuschen   deceive
s. täuschen   be mistaken
das Taxi, –s   taxi
die Technik   technology
die Technik, –en   technique
der Tee   tea
der Teil, –e   part; section
zum Teil   partly, in part; to some extent
das Telefon, –e   telephone
der Teller, –   plate
der Teppich, –e   carpet
der Test, –s   test
teuer   expensive
der Teufel, –   devil
das Theater, –   theater
das Thema, Themen   theme, topic
die Theologie   theology
theoretisch   theoretical
die Theorie, –n   theory
der Therapeut, –en, –en   therapist
die Therapie   therapy
das Thermometer, –   thermometer

der Thermostat, –e   thermostat
die These, –n   thesis
tief   deep
das Tier, –e   animal
der Tisch, –e   table
der Titel, –   title
die Tochter, ⸚   daughter
der Tod, –e   death
toll   great; furious; funny
der Tor, –en, –en   fool
tot   dead
die Tradition, –en   tradition
tragen   carry; wear
tragisch   tragic
die Tragödie, –n   tragedy
das Training   training
der Traktor, –en   tractor
trampeln   stamp
die Träne, –n   tear
tränenerstickt   choking from tears
der Traum, ⸚e   dream
träumen   dream
traurig   sad
treffen   meet; hit, strike
s. treffen   meet, get together
treiben   drive (e.g., cattle)
treten   step
treu   faithful; loyal
trinken   drink
trocken (adj.)   dry
trocknen   dry
die Trommel, –n   drum
der Tropfen, –   drop
trotz   in spite of
trotzdem   nevertheless
das Tuch, –e   fabric
das Tuch, ⸚er   shawl; cloth
tüchtig   clever; skillful
tun   do
die Tür, –en   door
der Typ, –en   type

U

üben   practice
überall   everywhere
überallhin   in every direction
überanstrengt   overworked; strained

der **Überblick, –e**   overall view; survey
überblicken   glance over, survey
überhaupt   altogether; generally; at all; actually
(s.) überlegen   consider, reflect
übermorgen   day after tomorrow
überraschen   surprise
überrascht   surprised
die **Überraschung, –en**   surprise
übertreiben   exaggerate; overdo something
überwechseln   change over
überzeugen   convince
übrig   left (over)
übrigbleiben   be left, remain
die **Uhr, –en**   clock, watch
      Wieviel Uhr ist es?   What time is it?
um: um zu   in order to
umgehen   go round; detour; avoid
umher   about; around
umkippen   tip over
umwechseln   exchange; change (money)
umziehen   move
s. umziehen   change clothes
die **Unabhängigkeit**   independence
unangebracht   unsuitable, inappropriate
unbedenklich   unhesitating; unobjectionable
unbedingt   absolute; unconditional
der **Unfall, ⁻e**   accident
ungeachtet (*adj.*)   not esteemed;
    (*prep.*)   notwithstanding; in spite of
ungefähr   approximately, about
ungeheuer   huge, monstrous
das **Ungeheuer, –**   monster
unglaublich   unbelievable
das **Unglück**   misfortune, bad luck; accident
die **Universität, –en**   university
die **Unmasse, –n**   vast quantity
der **Unsinn**   nonsense
die **Unsitte, –n**   bad habit
unten   below, down; downstairs
unterbrechen   interrupt
die **Unterkunft, ⁻e**   shelter, lodging
der **Untermieter, –**   subtenant
der **Unterricht**   instruction
unterrichten   instruct, teach
unterscheiden   distinguish, differentiate
der **Unterschied, –e**   difference, distinction
unterschiedlich   different, distinct
unterschlagen   embezzle; suppress
unterwegs   on the way, under way
unverhofft   unexpected, unhoped for

das **Urteil, –e**   judgment; verdict
urteilen   judge
usw. (und so weiter)   etc. (and so forth)

V

das **Vanille-Eis**   vanilla ice cream
der **Vater, ⁻**   father
verachten   despise; scorn
die **Verachtung**   contempt, scorn
(s.) verändern   change
die **Veränderung, –en**   change
verbergen   hide
verbieten   forbid
verblüfft   amazed, dumfounded
das **Verbot, –e**   prohibition
das **Verbrechen, –**   crime
der **Verbrecher, –**   criminal
verdienen   earn
der **Verdienst, –e**   earnings; gain, profit
das **Verdienst, –e**   merit
(s.) verfinstern   grow dark
die **Vergangenheit**   past; past tense
vergeben   forgive
vergeblich   vain, futile
vergessen   forget
vergeßlich   forgetful
das **Verhältnis, –ses, –se**   relation; situation;
    condition
verhältnismäßig   relatively, rather
verheiratet   married
der **Verheiratete** (*adj. noun*)   married person
der **Verkauf, ⁻e**   sale
verkaufen   sell
der **Verkäufer, –**   salesman; seller
der **Verkehr**   traffic
verlassen   leave; leave behind, desert
verlaufen   pass (time); proceed
s. verlaufen   lose one's way
verletzen   hurt, wound; damage
verlieren   lose
s. verloben   become engaged
verlobt   engaged
vermitteln   mediate; arrange
der **Vermittler, –**   mediator; agent
die **Vermittlung, –en**   mediation; arrangement
vermutlich   presumable; probable
vernünftig   reasonable
verreisen   go on a trip

der Versand   shipment
das Versandgeschäft, ⸚e   mail order house
verschieden (*adj.*)   different
verschiedenartig   various
versetzen   transfer; advance; let a person down
versichern   insure
die Versicherung, –en   insurance
der Verstand   intellect; understanding
verständlich   understandable
verstehen   understand
vertragen   stand, tolerate
vertrauen   trust; confide (in)
vertraut   intimate
der Vertraute (*adj. noun*)   intimate friend
verurteilen   sentence, pronounce a verdict
Verzeihung!   Excuse me! Pardon me!
(s.) verzweigen   branch out
der Vetter, –n   cousin
viel   much, a lot
vielleicht   perhaps, maybe
vielmehr   rather, much more
das Viertel, –   quarter; district
die Villa, Villen   villa, mansion
der Vogel, ⸚   bird
das Volk, ⸚er   people; nation
die Volksschule, –n   elementary school
voll   full
um Viertel nach voll   at quarter past the hour
vollkommen (*adj.*)   perfect; complete, entire
vollstrecken   put into effect, carry out, execute
vollziehen   execute, carry out
vor: vor einem Jahr   a year ago
die Vorahnung, –en   premonition, foreboding
die Voraussetzung, –en   prerequisite; assumption
der Vorfall, ⸚e   event, incident
der Vorgang, ⸚e   procedure; precedent; event
vorgestern   day before yesterday
vorher   before
vorhin   before; a while ago
vorig   previous, last
die Vorlesung, –en   lecture
der Vormittag, –e   forenoon
heute vormittag   this forenoon, morning
vormittags   in the morning, mornings
der Vormonat, –e   last month
vorn   in front
der Vorname, –ns, –n   first name
vornehm   fashionable; distinguished
der Vorort, –e   suburb
vorschlagen   suggest, propose

vorsichtig   cautious, careful
die Vorstadt, ⸚e   suburb
s. vorstellen   imagine; introduce oneself
die Vorstellung, –en   imagination; presentation (a play); introduction (of people)
der Vorteil, –e   advantage
der Vorwurf, ⸚e   reproach
vorziehen   prefer

W

wach   awake
wachsen   grow
die Waffe, –n   weapon
wagen   dare, risk
der Wagen, –   car; truck; wagon
wahr   true
nicht wahr?   isn't it? is it?
während (*prep.*)   during (*conj.*); while
die Wahrheit, –en   truth
wahrscheinlich   probable, likely
der Wald, ⸚er   forest, woods
s. wälzen   roll
die Wand, ⸚e   wall
wann   when
warm   warm
die Warnung, –en   warning; caution
warten   wait
warten auf   wait for
warum   why
was   what; why
die Wäsche   wash, laundry
waschen   wash
das Wasser   water
waten   wade
wechseln   change; exchange
weder . . . noch   neither . . . nor
der Weg, –e   way; path; road
weg   away, gone
weh   sore, painful
das Weh   pain; grief
wehen   blow
wehklagen   lament, wail
das Weihnachten   Christmas
zu Weihnachten   at Christmas
die Weile   while
der Wein, –e   wine
weinen   cry
weiß   white

weit   far, distant
    und so weiter (usw.)   and so forth (etc.)
weitverzweigt   with many branches
die **Welt, –en**   world
wenig   little, a little bit
wenigstens   at least
wenngleich   though, although
werden   become
das **Werk, –e**   work; factory
das **Werkzeug**   tool(s), implement(s)
der **Werkzeugkasten, ⁔**   toolbox
wert   worth; valuable
der **Wert, –e**   worth; value
wertvoll   valuable
wesentlich   considerable
das **Wetter**   weather
wichtig   important
die **Wichtigkeit, –en**   importance
widmen   dedicate; devote
die **Widmung, –en**   dedication
wie   how; as; like
wieder   again
wiedererkennen   recognize
wiedersehen   see again
    Auf Wiedersehen!   Good-by!
wiegen   weigh
wieso?   why? how so?
wieviel   how much, how many
wild   wild
willen: um Himmels willen   for heaven's sake
der **Wind, –e**   wind
der **Winter, –**   winter
der **Wintersportler, –**   winter sports enthusiast
wirklich   real; true
der **Wirt, –e**   innkeeper; host
die **Wirtschaft, –en**   domestic economy; economic
    system; inn
wirtschaftlich   economic; economical
wissen   know
die **Wissenschaft, –en**   science
wissenschaftlich   scientific; scholarly
der **Witz, –e**   joke; wit
wo   where
die **Woche, –n**   week
woher   where (from)
wohin   where (to)
wohnen   live, reside
das **Wohnhaus, ⁔er**   house, living quarters
die **Wohnung, –en**   apartment
der **Wolf, ⁔e**   wolf

die **Wolke, –n**   cloud
    aus allen Wolken fallen   be thunderstruck,
    be taken aback
die **Wolle**   wool
wollen (*adj.*)   wool(en)
wollen   want
womöglich   probable; if possible
das **Wort, –e**   word (in context)
das **Wort, ⁔er**   word (unrelated)
die **Wunde, –n**   wound
der **Wunsch, ⁔e**   wish
wünschen   wish
die **Wurst, ⁔e**   sausage
wüst   wild; riotous

Z

die **Zahl, –en**   figure, number
zählen   count
zahm   tame
der **Zahn, ⁔e**   tooth
    z.B. (zum Beispiel)   e.g. (for example)
der **Zeh, –en**   toe
das **Zeichen, –**   sign
der **Zeiger, –**   hand (e.g., clock)
die **Zeit, –en**   time
die **Zeitschrift, –en**   magazine
die **Zeitung, –en**   newspaper
die **Zelle, –n**   cell
der **Zentimeter, –** (cm)   centimeter
das **Zentrum, Zentren**   center
die **Zeremonie, –n**   ceremony
zerkleinern   break up, disintegrate; shred
zerreißen   tear up, tear to pieces
zerstören   destroy
das **Zeug**   stuff; clothes
ziehen   pull; move
das **Ziel, –e**   goal, end; aim
zielen   aim
ziemlich   rather
die **Zigarette, –n**   cigarette
die **Zigarre, –n**   cigar
das **Zimmer, –**   room
die **Zimmervermieterin, –nen**   landlady
die **Zimmervermietung**   room renting
der **Zirkus, –, –se**   circus
die **Zivilisation, –en**   civilization
der **Zoll, ⁔e**   toll
die **Zone, –n**   zone

der **Zucker** sugar
zuerst first, at first
der **Zufall**, ⁀e coincidence; chance event
zufrieden (*adj.*) satisfied
der **Zug**, ⁀e train; procession
das **Zuhause** home
zuknöpfen button up
die **Zukunft** future; future tense
zukünftig future
zumeist mostly, for the most part
zunächst first; chiefly
zünden ignite, light
die **Zunge**, –n tongue

zurück back, backward(s)
zusammen (*adj.*) together, altogether
zusprechen award, grant
zustimmen agree (to, with)
die **Zustimmung**, –en agreement
zuviel too much
zwar indeed, to be sure, certainly
der **Zweifel**, – doubt
zweifeln doubt
der **Zweig**, –e branch, twig; department
der **Zwilling**, –e twin
zwingen force, compel
zynisch cynical

Index

All numbers are page numbers; those in *italics* refer to drills. German words as such are in **boldface** type.

NORDSEE

NIEDERLANDE

BELGIEN

LUX.

FRANKREICH

SCHWEIZ

ÖSTERREICH

Lübeck

Hamburg

Bremen

Hannover

Weser

Ems

Elbe

Harz

Saale

BRD

Essen

Ruhr

Köln

Rhein

Eifel

Taunus

Mosel

Trier

Frankfurt

Odenwald

Main

Erzgebirge

Bayreuth

Nürnberg

Stuttgart

Schwarzwald

Schwäbische Alb

Ulm

Donau

Bayrische Wald

München

Alpen